DICTIONNAIRE FONDAMENTAL DE LA LANGUE FRANÇAISE

GEORGES GOUGENHEIM
Professeur à la Sorbonne
Directeur du Centre d'Étude et de recherche
pour la diffusion du français

DICTIONNAIRE FONDAMENTAL DE LA LANGUE FRANÇAISE

Nouvelle édition revue et augmentée

CHILTON COMPANY — BOOK DIVISION
Publishers
Philadelphia — *New York*

AVANT-PROPOS
DE LA NOUVELLE ÉDITION

Voici l'histoire de ce livre.

Après la publication du « français élémentaire » la maison Didier nous a demandé d'écrire ce Dictionnaire fondamental. La première édition a paru en 1958. Elle comprenait environ 3 000 mots, c'est-à-dire les 1 374 mots du « français élémentaire » et environ 1 700 mots nouveaux. Les 1 700 mots nouveaux avaient été choisis dans le même esprit que le vocabulaire du « français élémentaire ». Les mêmes matériaux (enquête statistique sur le français parlé, enquête sur les centres d'intérêt) avaient été utilisés. Cependant, estimant qu'il convenait de tenir compte de la langue écrite, nous avions utilisé aussi le dépouillement de textes écrits (livres, pièces de théâtre, journaux) effectué par George E. Vander Beke [1].

En 1959 le « français élémentaire », accru d'une centaine de mots, est devenu le *premier degré du français fondamental* et un *second degré du français fondamental* a été établi. Chacun de ces degrés compte environ 1 500 mots, ce qui donne environ 3 000 mots pour le « français fondamental » dans sa totalité.

Les 1 500 mots du second degré du français fondamental ont été choisis selon des principes analogues à ceux que nous avions pris pour guides dans le choix des 1 700 mots que nous avions ajoutés au « français élémentaire « Cependant les deux vocabulaires présentent des différences assez sensibles.

Désirant harmoniser le vocabulaire de notre *Dictionnaire fondamental* avec celui du « français fondamental » (1er et 2e degrés réunis) sans cependant priver les utilisateurs d'aucun mot figurant dans notre première édition, nous avons adopté les principes suivants :

1° Aucun mot de la première édition du *Dictionnaire fondamental* n'a été supprimé dans cette nouvelle édition, même s'il ne figure dans aucun des deux degrés du français fondamental.

2° Les mots du français fondamental qui ne figuraient pas dans notre première édition ont été ajoutés, ce qui nous a amené à rédiger 460 articles entièrement nouveaux. Une centaine d'autres articles ont reçu des additions plus ou moins importantes.

*
* *

D'une façon générale, les définitions ont été rédigées exclusivement avec les mots du premier degré du français fondamental (l'ancien « fran-

1. *French Word Book* tabulated and edited by George E. Vander Beke, New York, Macmillan (Publications of the American and Canadian Committees on Modern Languages, volume 15).

çais élémentaire). Cependant nous avons cru pouvoir faire intervenir des mots de même famille figurant dans des articles voisins, ainsi *attaquer* est employé dans la définition d'*attaque*, mais le mot chef de file (*attaquer* en l'occurrence) est toujours défini selon le principe énoncé ci-dessus.

Plus rarement nous avons fait figurer dans la définition des mots du même domaine sémantique sans lien étymologique avec le mot défini : *abeille* se trouve par exemple dans la définition de *miel.*

Quant aux exemples, sauf rares exceptions, ils ne contiennent que des mots du premier degré du français fondamental.

En tout cas, aucun mot étranger aux 3 500 mots du dictionnaire ne figure dans les exemples ni dans les définitions.

*
* *

A chaque mot (soit à la fin de l'article, soit à la suite du sens intéressé) nous avons signalé, quand il y avait lieu, des EXPRESSIONS et des PROVERBES. Ces expressions et ces proverbes ne contiennent que des mots faisant partie de nos 3 500 mots. Lorsqu'ils contiennent un ou plusieurs mots étrangers au premier degré du français fondamental, ils figurent de préférence à l'un de ces mots.

*
* *

Nous avons distingué les différents sens de chaque mot par des chiffres en caractères gras. Nous avons réduit autant que possible le nombre des sens. Dans leur classement nous avons renoncé à l'ordre historique, faisant figurer en tête, autant que possible, le sens le plus usuel. C'est ainsi que, quoiqu'il soit historiquement très secondaire, le sens de « petit plat rond que chaque personne a devant soi à table » est donné comme le premier sens du mot *assiette*, les sens anciens n'étant représentés que par l'expression familière *ne pas être dans son assiette.* Au mot *billet* le sens ancien de « lettre courte » a été placé après les autres sens.

Nous n'avons consacré d'articles spéciaux aux adverbes en *ment* que lorsqu'ils figurent sur la liste du premier degré ou lorsqu'ils ont pris un sens différent de l'adjectif (*doucement* par exemple). Les autres pourront être aisément compris d'après les adjectifs correspondants.

Les adjectifs et les adverbes employés comme noms sont classés à la suite des adjectifs ou des adverbes (ainsi *creux*, *devant*). Les participes passés et les adjectifs verbaux employés comme adjectifs ou comme noms (*gêné*, *gênant*, *aperçu*, *passant*) sont classés à la suite des verbes dont ils proviennent. Il est cependant fait exception quand le participe est devenu pleinement indépendant du verbe (ainsi *distrait*, *employé*).

Nous avons signalé le caractère transitif ou intransitif des verbes.

Toutefois, dans le cas des verbes transitifs indirects (tels qu'*obéir*) nous avons fait figurer seulement l'indication v. (verbe), suivie de la préposition avec laquelle ces verbes se construisent.

*
* *

Nous tenons à remercier tous ceux qui, par leurs comptes rendus de la première édition ou par leurs lettres personnelles, nous ont permis d'améliorer cet ouvrage [1].

LES DÉFINISSANTS

Le vocabulaire du premier degré n'a pas été conçu pour servir à la rédaction de définitions. Il lui manque, en particulier, des noms génériques, soit abstraits (*action*, *ensemble*, *qualité*), soit concrets (*coiffure*, *instrument*, *siège*, *véhicule*).

Nous avons donc été amené à admettre dans nos définitions un certain nombre de ces mots que nous avons appelés des *définissants*. Ces mots ne sont pas, en général, fréquents, ni même usuels. *Véhicule*, par exemple, ne se trouve guère en dehors des textes administratifs, juridiques et scientifiques et des définitions des dictionnaires. Ils sont cependant utiles et même nécessaires, parce qu'ils permettent de ranger le mot dans une certaine catégorie à l'intérieur de laquelle il suffit de préciser sa particularité.

Nous donnons ci-après une liste de définissants, eux-mêmes définis soit à l'aide du premier degré, soit au moyen d'exemples illustrés, si possible, de dessins. Quelques termes figurant dans les exemples sont étrangers au premier degré, mais tous sont accompagnés de dessins qui permettent de les comprendre sans hésitation.

1. La méthode et la documentation du français élémentaire ont été exposées dans G. Gougenheim, R. Michéa, P. Rivenc et A. Sauvageot, *L'Élaboration du français élémentaire*, Paris, Didier, 1956. Une nouvelle édition est en préparation; elle tiendra compte de l'élaboration du 2e degré du français fondamental.

LISTE DES DÉFINISSANTS

I. — NOMS

ACTION :

La course *est* L'ACTION *de courir.*
Le jeu *est* L'ACTION *de jouer.*

ACTIVITÉ :

Le travail, le jeu *sont des* ACTIVITÉS.

ALIMENT : ce qu'on mange :

Le pain, les légumes, la viande *sont des* ALIMENTS.

ASTRE :

Les étoiles, la lune, la terre *sont des* ASTRES

BATIMENT : ce qui est construit :

Une maison, une école *sont des* BÂTIMENTS.

BIJOU

Une bague, un bracelet, un collier,
sont des BIJOUX.

BOISSON : ce qu'on boit :

L'eau, le vin, la bière, le café, le thé *sont* DES BOISSONS.

COIFFURE : ce qui couvre la tête :

Un chapeau, un béret, un bonnet,

Un casque, une casquette, un képi,

sont des COIFFURES.

COMMERÇANT : celui qui vend quelque chose :
Le boulanger, le boucher, l'épicier *sont des* COMMERÇANTS.

COMMERCE :
La boulangerie, la boucherie, l'épicerie *sont des* COMMERCES.

ÉDIFICE : ce qui est construit :

Un château, une église,

sont des ÉDIFICES.

ENSEMBLE : groupe de personnes ou de choses qui forment un tout :
Une armée *est* UN ENSEMBLE *de soldats.*

ESPACE : le terrain, l'air, où il n'y a rien :
L'avion vole DANS L'ESPACE.

ÉTAT : ce qu'on est :
Le bonheur *est* L'ÉTAT *d'une personne heureuse.*

ÊTRE (nom) : ce qui vit :
L'homme et **l'animal** *sont des* ÊTRES.

ÉVÉNEMENT : chose importante qui arrive :
Une guerre, une fête *sont des* ÉVÉNEMENTS.

FEMELLE :
La poule *est* LA FEMELLE *du coq.*

INDUSTRIE : travail des usines et des ateliers :
L'INDUSTRIE *du fer est très importante.*

INSTRUMENT :

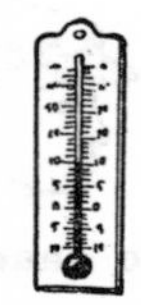

des lunettes, **un thermomètre,** **un balai,**
sont des INSTRUMENTS.

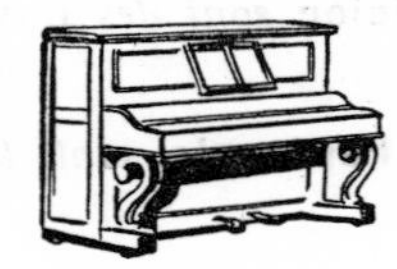

un piano, **un violon,**
sont des INSTRUMENTS DE MUSIQUE.

LIQUIDE (nom) : ce qui coule :

L'eau, le lait, le vin *sont* DES LIQUIDES.

MÂLE :
Le coq *est* LE MÂLE *de la poule.*

MARCHANDISE : chose qu'on vend :
Ce bateau est chargé DE MARCHANDISES.

MATIÈRE : chose qu'on peut voir et toucher, et qu'on peut travailler :
Le bois, le métal *sont des* MATIÈRES.

MEMBRE :

Les bras et **les jambes**
sont LES MEMBRES
de l'homme

Les pattes
sont LES MEMBRES
du chien

OBJET : chose.

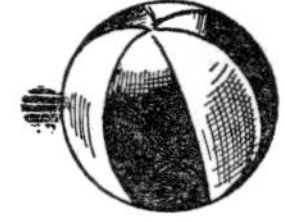

Un ballon, **une montre** *sont* DES OBJETS.

ORGANE :

L'œil *est* L'ORGANE *de la vue.*

PRÊTRE : celui qui sert une religion.

PROJECTILE : chose qu'on lance avec la main ou avec une arme.
Une balle, une pierre *peuvent servir de* PROJECTILES.

QUALITÉ
Le courage *est* UNE QUALITÉ.
La couleur *est* UNE QUALITÉ *des choses.*

QUANTITÉ :
Beaucoup, peu *sont des mots de* QUANTITÉ.

RÉCIPIENT :

Un verre, une bouteille, un sac,
sont DES RÉCIPIENTS.

SCIENCE :
La chimie, la physique *sont* DES SCIENCES.

SENTIMENT :
L'amour, la peur *sont* DES SENTIMENTS.

SIÈGE :

Une chaise, **un banc** *sont* DES SIÈGES.

SIGNE :

a, b, c, d, etc. 1, 2, 3, etc.
Les lettres, **les chiffres** *sont* DES SIGNES.

SITUATION : le lieu ou l'état où l'on est :

Cette ville a une bonne SITUATION.
Il est dans une mauvaise SITUATION.

SOCIÉTÉ : groupe d'hommes :

CETTE SOCIÉTÉ *est très importante.*

SON :

Les mots qu'on dit sont DES SONS.
La musique est faite DE SONS.

SURFACE :

Un carré *est* UNE SURFACE.

UNITÉ :

Le mètre, le kilo *sont des* UNITÉS.
Une compagnie de soldats est une UNITÉ.

VÉHICULE :

Une auto, **une bicyclette** **une voiture**
sont DES VÉHICULES.

VÊTEMENT :

Un bas, **une chemise,** **un pardessus**
sont DES VÊTEMENTS.

II. — ADJECTIFS

CARDINAL (POINT), une des quatre grandes directions du ciel :

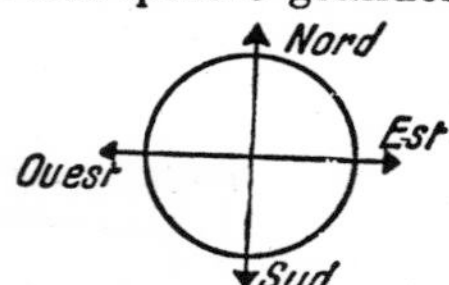

Le nord, l'est, le sud, l'ouest *sont* DES POINTS CARDINAUX.

DOMESTIQUE (ANIMAL), animal qui est élevé par les hommes et qui vit près d'eux :

Le chien, **le cheval,** **le bœuf**
sont DES ANIMAUX DOMESTIQUES.

LIQUIDE : qui coule :
L'eau *est* LIQUIDE.

MATÉRIEL : qu'on peut voir et toucher:
Le corps de l'homme *est* MATÉRIEL.

MILITAIRE : de l'armée, des soldats.

MORAL : qu'on ne peut ni voir ni toucher :
Le courage *est une qualité* MORALE.

PARTICULIER : qui n'est que pour une personne ou pour une chose (contraire : *général*) :
Un fait PARTICULIER. EN PARTICULIER (contraire de *en général*).

SAUVAGE (ANIMAL) : animal qui vit loin des hommes et des maisons :

Le lièvre, **le lion,** **le loup**
sont DES ANIMAUX SAUVAGES.

SOLIDE :

L'eau *est* LIQUIDE, **la glace** *est* SOLIDE.

III. — VERBES

EXISTER : être sur la terre, vivre :
L'homme EXISTE *depuis longtemps sur la terre.*

MARQUER : servir de signe pour faire connaître quelque chose :
Les mots « dans », « sur », « sous », etc., MARQUENT *la place des personnes et des choses.*

RAPPORTER (SE) : rappeler quelque chose (ou ressembler à quelque chose) par certains traits.

TRANSPORTER : porter d'un endroit à un autre :

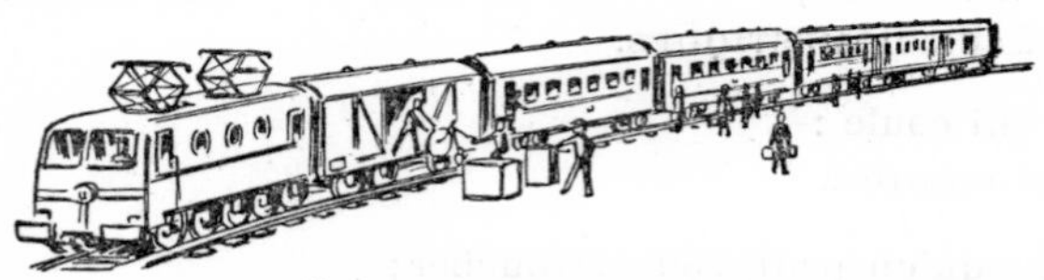

Le train TRANSPORTE **des voyageurs** *et* **des marchandises.**

Une catégorie particulière de définissants est constituée par les termes grammaticaux. Nous nous contentons ici d'en dresser la liste. On en trouvera la définition ou des exemples permettant de les comprendre à la place alphabétique de chaque terme.

Liste des mots grammaticaux

adjectif
adverbe
article
auxiliaire
cardinal (nombre)
complément
conditionnel
conjonction
conjugaison
conjuguer
consonne
contraire
direct
expression
exprimer
familier
féminin
figuré (sens)
futur
grammaire
imparfait
impératif
indicatif
indirect
infinitif
interjection
interrogatif
interrogation
intransitif
masculin
nom
ordinal (nombre)
participe
passé
personne
phrase
pluriel
populaire
possessif
préposition
présent
pronom
proposition
relatif
singulier
subjonctif
sujet
transitif
verbe
voyelle

Liste des abréviations de termes grammaticaux

adj.	*adjectif*
adv.	*adverbe*
conj.	*conjonction*
f.	*féminin*
fam.	*familier*
fig.	*figuré (sens)*
intr.	*intransitif*
m.	*masculin*
n.	*nom*
pers.	*personne*
pl. *ou* plur.	*pluriel*
pop.	*populaire*
prép.	*préposition*
pron.	*pronom*
sg. *ou* sing.	*singulier*
trans.	*transitif*
v.	*verbe*

NOTATIONS PHONÉTIQUES[1]

Nous avons adopté le système de notation de l'Association phonétique internationale avec quelques légères modifications :

n mouillé est noté ñ, l'*r* français r, l'*o* nasal õ. Le signe de la longueur [:] n'a été indiqué qu'exceptionnellement.

Nous avons cru devoir ajouter le signe *h* pour noter l'*h* dit aspiré.

L'*e* dit muet n'a été noté que lorsqu'il est effectivement prononcé dans la conversation usuelle : *apercevoir* [apɛrsəvwar], même faiblement : *arbre* [arbrə]. Il ne l'a pas été dans *appeler* [aple], *balle* [bal].

Nous avons noté l'*e* muet dans les mots où il peut être prononcé ou non selon le mot qui précède, ainsi pour *cerise* [səriz]. On dit en effet [la sriz] (*la cerise*), mais [yn səriz] (*une cerise*).

Dans les mots qui comportent un *i* en hiatus, notamment dans les mots en *tion*, nous n'avons noté que la prononciation usuelle en yod [j] : *lion* [ljõ], *action* [aksjõ]. La prononciation par *i* ne subsiste que dans la diction des vers classiques. Bien entendu nous notons avec *i* suivi de yod *crier*]krije], *ouvrier* [uvrije].

*
* *

Nous tenons à remercier M. A. MALBLANC, qui a bien voulu lire notre manuscrit et nous apporter de très intéressantes suggestions.

1. Sur la prononciation actuelle du français, on consultera avec profit Pierre FOUCHÉ, *Traité de Prononciation française*, Paris, Klincksieck, 1956.

A

à [a], prép. (on dit *au* au lieu de *à le*, *aux* au lieu de *à les*). **1.** devant le complément d'un verbe : *il obéit à ses parents ; il pense à toi ; il commence à rire; ce livre est à moi; il a donné un jouet à son fils;* (devant des compléments de lieu) : *il habite à Paris, il va à Lyon;* (devant des compléments de temps) : *je partirai à cinq heures; au printemps; à ce moment,* alors. **2.** après un nom : *un verre à boire,* un verre qui sert à boire. **3.** après un adjectif : *cet homme n'est bon à rien; ce pays est agréable à voir.*

abaisser [abɛse], v. trans., mettre plus bas, faire descendre : *abaissez votre bras.*

abandonner [abɑ̃dɔne], v. trans., laisser, quitter une personne ou une chose, ne plus s'en occuper : *ce méchant homme a abandonné sa femme et ses enfants; j'ai abandonné mon idée de voyage; il a abandonné aux pauvres tout ce qu'il avait,* il le leur a laissé. — **s'abandonner,** perdre courage : *ne vous abandonnez pas.*

abattoir (abatwar), n. m., endroit où on tue les bœufs et les moutons avant de vendre leur viande dans les boucheries : *on a conduit les bœufs à l'abattoir.*

abattre [abatrə] (se conjugue comme *battre*), v. trans., **1.** jeter à terre, faire tomber : *on a abattu les arbres du petit bois.* **2.** tuer (surtout des animaux) : *le cheval blessé a été abattu.* **3.** rendre faible : *la fièvre m'a abattu; le malade était très abattu.* — PROVERBE : *Petite pluie abat grand vent,* une pluie, même petite, rend le vent moins fort. — **s'abattre,** tomber : *un orage s'est abattu sur la ville.*

abbé [abe], n. m., prêtre catholique. — *Monsieur l'abbé* se dit à un prêtre catholique : *bonjour, monsieur l'abbé.*

abeille [abɛj], n. f., insecte ressemblant à une mouche, mais plus gros, qui, avec une matière qu'il récolte dans les fleurs, produit du miel et de la cire (on l'appelle quelquefois *mouche à miel*) : *mon frère a été piqué par une abeille.*

abîmer [abime], v. trans., mettre en mauvais état (en faisant des trous, en déchirant, etc.) : *cet enfant a abîmé ses vêtements, ses livres; une lumière trop forte abîme la vue.* — **abîmé,** adj., en mauvais état : *sa santé est très abîmée.*

aboiement [abwamɑ̃], n. m., façon de crier du chien : *les aboiements des chiens m'ont empêché de dormir.*

abondance [abɔ̃dɑ̃s], n. f., grande quantité : *en abondance,* en quantité; *il est dans l'abondance,* il ne manque de rien; *il parle d'abondance,* il parle facilement, sans avoir préparé ce qu'il dit.

abondant, ante [abɔ̃dɑ̃, ɑ̃t], adj., qui est en abondance; *des moissons abondantes.*

abord (d') [d abɔr], adv., en premier lieu (contraires : *puis, ensuite*) : *vous irez d'abord chez le boulanger, ensuite à l'épicerie.*

aboutir [abutir], v. intr. **1.** arriver quelque part : *cette route aboutit à la mer.* **2.** fig., arriver à un résultat : *il n'a pas abouti dans son travail.*

aboyer [abwaje] (avec *i* au lieu de *y* devant *e* muet : *il aboie*), v. intr., crier (en parlant du chien) : *mon chien n'est pas méchant, il aboie, mais il ne mord pas.*

abri [abri], n. m., endroit où l'on est défendu contre le mauvais temps ou les dangers : *nous nous sommes mis à l'abri pendant l'orage; il est sans abri,* il n'a pas de maison. — **un sans-abri,** n. m., une personne qui n'a pas de maison.

abriter [abrite], v. trans., couvrir, défendre contre le mauvais temps ou les dangers : *nous avons abrité un blessé; ce port est bien abrité.* — **s'abri-**

ter, se couvrir, se défendre : *nous nous sommes abrités pendant la pluie.*

absence [apsɑ̃s], n. f., **1.** le fait de ne pas être là : *l'absence est le plus grand des maux* (La Fontaine); *il est venu pendant mon absence.* **2.** *avoir une absence,* ne pas se rappeler quelque chose.

absent, te [apsɑ̃, ɑ̃t], adj. et n., qui n'est pas là : *j'étais absent de chez moi quand vous êtes venu.* — PROVERBE : *Les absents ont toujours tort,* ceux qui ne sont pas là ne peuvent pas se défendre.

absolu, ue [apsɔly], adj., *roi absolu,* roi qui est le seul maître, qui fait seul les lois; *pouvoir absolu,* pouvoir qui n'est arrêté par rien.

absolument [apsɔlymɑ̃], adv., tout à fait : *c'est absolument vrai.*

absorber [apsɔrbe], v. trans., **1.** boire, quelquefois manger : *le malade a absorbé une tasse de lait.* **2.** occuper l'attention : *son métier l'absorbe; il est absorbé,* il ne fait pas attention à ce qui se passe autour de lui.

abuser [abyze], v. (avec *de*), se servir trop de quelque chose : *n'abusez pas de ce médicament.* — *abuser quelqu'un,* le tromper : *je me suis laissé abuser.*

accent [aksɑ̃], n. m., **1.** façon de dire une partie d'un mot plus fort ou plus haut que les autres : *l'accent se trouve en français sur la fin des mots.* **2.** signe que l'on met sur certaines lettres : *l'accent de é est aigu, celui de à est grave.* **3.** façon de parler : *il parle français avec l'accent anglais.* **4.** musique ou chant : *les soldats passent aux accents de la Marseillaise,* pendant que la musique joue la Marseillaise.

accepter [aksɛpte], v. trans., prendre quelque chose qui est offert : *il n'a pas accepté l'argent qu'on voulait lui donner.*

accident [aksidɑ̃], n. m., **1.** événement malheureux : *il a été blessé dans un accident d'auto.* **2.** *accident de terrain,* tout ce qui sur le sol est plus bas ou plus haut (par exemple montagne ou vallée).

accompagner [akɔ̃paɲe], v. trans., **1.** aller avec une personne ou une chose : *accompagnez-moi jusqu'à la poste.* **2.** (musique) *accompagner quelqu'un,* jouer d'un instrument de musique pendant qu'une personne chante : *je vous accompagnerai au piano.*

accomplir [akɔ̃plir], v. trans., faire d'un bout à l'autre : *il a accompli ce qu'il avait à faire.* — **s'accomplir,** se faire en entier : *ce travail peut s'accomplir en trois heures.* — **accompli, ie,** adj. (en parlant des personnes), qui a toutes les qualités : *c'est un homme accompli.*

accord [akɔr], n. m., le fait de penser, de sentir de la même façon : *il y a un grand accord dans cette famille.* — **d'accord, 1.** *être d'accord,* penser de la même façon : *nous sommes d'accord pour aller au théâtre; mettre d'accord,* faire en sorte que des personnes pensent de la même façon, mettre la paix entre elles : *le père a mis d'accord les deux frères; nous nous sommes mis d'accord.* **2.** *d'accord* (seul), je pense comme vous (s'emploie quelquefois pour *oui*).

accorder [akɔrde], v. trans., donner à quelqu'un ce qu'il demande : *il m'a accordé la main de sa fille.* — **s'accorder, 1.** se mettre d'accord ; *ces enfants s'accordent bien.* **2.** (grammaire) *l'adjectif s'accorde avec le nom,* il se met au singulier si le nom est singulier; au pluriel si le nom est pluriel, etc.

accourir [akurir] (se conjugue comme *courir*), v. intr. (forme ses temps composés avec *avoir* ou *être*), venir en courant : *il est accouru quand je l'ai appelé.*

accrocher [akrɔʃe], v. trans., suspendre (pendre) avec un crochet : *il a accroché un tableau au mur de sa chambre.*

accueil [akœj], n. m., action d'accueillir, de recevoir quelqu'un : *il a reçu un très mauvais accueil,* on l'a très mal reçu.

accueillir [akœjir] (se conjugue comme *cueillir*), v. trans., recevoir : *j'ai été très bien accueilli chez vos amis.*

accuser [akyze], v. trans., **1.** dire que quelqu'un a fait quelque chose de mal : *il accuse son voisin d'avoir volé ses poules.* **2.** faire voir avec force : *sa façon de marcher accuse son âge.* **3.** *accuser réception*, annoncer à la personne qui a envoyé une lettre ou un objet qu'on a bien reçu la lettre ou l'objet. — **accusé, ée,** n. m. et f., **1.** personne qui est accusée devant la justice : *l'accusé se lève devant le tribunal.* **2.** *accusé de réception*, lettre qui accuse réception. — **accusé, ée,** adj., très fort : *cet homme a des traits très accusés.*

achat [aʃa], n. m., **1.** action d'acheter (contraire : *vente*) : *vous avez fait un bon achat; il a fait achat d'un terrain*, il l'a acheté. **2.** chose achetée : *montrez-moi vos achats.*

acheter [aʃté] *(j'achète, nous achetons, j'achèterai)*, v. trans., prendre en payant (contraire : *vendre*) : *j'ai acheté un kilo de sucre.*

acheteur, euse [aʃtœr, øz], n. m. et f., celui (celle) qui achète (contraire : *vendeur, euse*) : *notre épicier est aimable avec tous les acheteurs.*

achever [aʃve] *(j'achève, nous achevons; j'achèverai)*, v. trans., **1.** finir : *il achève ses vacances.* **2.** *on a achevé le blessé*, on l'a tué.

acide [asid], adj., qui pique la langue quand on le met en bouche : *ces fruits sont acides.* — n. m., corps qui a cette action : *les acides attaquent les métaux.*

acier [asjé], n. m., fer qui est devenu plus dur après certaines opérations : *la lame de ce couteau est en acier.*

acquérir [akerir] *(j'acquiers, tu acquiers, il acquiert, nous acquérons, vous acquérez, ils acquièrent; j'acquérais; j'acquis; j'acquerrai; que j'acquière; acquis)*, v. trans., faire en sorte qu'on ait (par exemple en achetant) : *il a acquis un grand jardin; cet homme vous est acquis*, il fait tout ce qu'il peut pour vous servir, pour vous être utile. — PROVERBE : *Bien mal acquis ne profite jamais*, on ne garde pas longtemps ce qu'on a volé.

acte [akt], n. m., **1.** action : *un acte de courage; il passe aux actes*, il se met à faire quelque chose (et non plus seulement à en parler); *il fait acte de présence*, il montre qu'il est présent, qu'il est là. **2.** *acte de mariage (de naissance)*, papier que la mairie donne pour faire connaître quand quelqu'un s'est marié (ou est né). — **3.** partie d'une pièce : *une pièce en cinq actes.*

acteur, actrice [aktœr, aktris], n. m. et f., personne qui joue dans un théâtre : *Sarah Bernhardt a été une grande actrice.*

actif, ive [aktif, iv], adj., qui fait quelque chose; *cette dame est toujours active dans sa maison; ce médicament est actif*, il produit un résultat sur le malade; *armée active* : les soldats qui portent les armes en temps de paix.

action [aksjõ], n. f., le fait de faire quelque chose : *il est entré en action*, il a commencé à faire quelque chose; *il a fait une bonne action*, il a fait quelque chose de bien (par exemple il a aidé une vieille personne à traverser la rue); *il a fait une mauvaise action*, il a fait quelque chose de mal.

activité [aktivite], n. f., **1.** qualité d'une personne active : *il a montré beaucoup d'activité.* **2.** le fait de travailler dans un métier ou dans un art : *il n'est plus en activité*, il ne travaille plus; *cet homme a des activités très différentes.*

actualité [aktyalite], n. f., **1.** qualité de ce qui est actuel (de notre temps) : *ces histoires ne sont plus d'actualité.* **2.** (au pluriel) film qui représente les événements actuels : *les actualités de cette semaine étaient intéressantes; cinéma d'actualités*, cinéma où on représente surtout des actualités.

actuel, elle [aktyɛl], adj., qui est de notre temps : *les habitudes actuelles ne sont plus celles de nos parents.*

actuellement [aktyɛlmã], adv., maintenant, de notre temps : *on voyage beaucoup actuellement.*

adapter [adapte], v. trans., changer un peu une chose pour qu'elle serve autrement : *il faut adapter ses vêtements au pays où l'on est; il veut adapter une pièce de théâtre étrangère pour le public français.* — **s'adapter,** devenir un peu différent pour vivre dans un pays (un milieu, un métier, etc.) nouveau : *il s'est vite adapté à son nouveau métier.*

addition [adisjõ], n. f., **1.** le fait d'ajouter une chose à une autre; ce qu'on ajoute; *faire une addition,* ajouter un nombre à un autre nombre : 3 + 7 = 10 *est une addition; cette addition est juste, celle-là est fausse.* **2.** ce qu'on doit payer dans un café ou un restaurant : *l'addition est très élevée; apportez-moi l'addition,* dites-moi combien je dois payer.

adieu, plur. **adieux** [adjø], n. m., au revoir (quand on quitte quelqu'un pour longtemps et peut-être pour toujours) : *il dit adieu à sa famille avant de faire le tour du monde; sans adieu,* au revoir, à bientôt; *il fait ses adieux,* il dit adieu; *les adieux de Fontainebleau,* les adieux de Napoléon Ier à ses soldats, à Fontainebleau, en 1814.

adjectif [adʒɛktif], n. m., mot qui donne une qualité à un nom : *une* BELLE *maison, cette maison est* NEUVE.

adjoint, e [adʒwɛ̃, ɛ̃t], adj. et n. m. et f., **1.** celui (celle) qui aide quelqu'un dans son métier : *c'est mon meilleur adjoint.* **2.** en particulier, celui qui aide le maire et peut le remplacer : *le maire de cette ville a deux adjoints.*

admettre [admɛtrə] (se conjugue comme *mettre*), v. trans., recevoir dans son esprit, dans un groupe de personnes, dans une école : *j'admets votre idée; ce jeune homme a été admis dans une grande école.*

administration [administrasjõ], n. f., **1.** action d'administrer : *il s'occupe de l'administration du pays.* **2.** service public : *l'administration des postes.* **3.** *conseil d'administration,* groupe de personnes qui est à la tête d'une société.

administrer [administre], v. trans., s'occuper des affaires d'une personne, d'une société, d'un pays, etc. : *il administre les biens de cet enfant.*

admirable [admirablə], adj., qui doit être admiré : *il a montré un courage admirable.*

admiration [admirasjõ], n. f., sentiment qui fait admirer : *j'ai une grande admiration pour ce poète.*

admirer [admire], v. trans., **1.** juger très beau : *j'admire le courage de cet ouvrier.* **2.** bien regarder quelque chose que l'on juge beau : *nous avons admiré ces tableaux.*

adopter [adɔpte], v. trans., prendre pour fils ou pour fille : *ce monsieur et cette dame n'avaient pas d'enfants, ils ont adopté une petite fille;* fig., choisir : *il a adopté un nouveau genre de vie.*

adresse [adrɛs], n. f., **1.** art de se servir de ses mains : *cet artisan travaille avec adresse;* fig., art de se conduire d'une façon intelligente : *il s'est conduit avec adresse.* **2.** endroit où quelqu'un habite et où les lettres lui arrivent : *je lui ai écrit à sa nouvelle adresse; il est parti sans laisser d'adresse.*

adresser [adrɛse], v. trans., faire aller vers un endroit : *il a adressé une lettre à votre directeur; je ne vous ai pas adressé la parole,* je ne vous ai pas parlé. — **s'adresser,** aller trouver une personne pour lui demander quelque chose : *vous devez vous adresser au directeur, non à un employé.*

adroit, oite [adrwa, wat], adj., qui sait se servir de ses mains : *cette jeune fille est adroite à l'aiguille;* fig., qui sait se conduire avec intelligence : *il a toujours été très adroit.*

adulte [adylt], adj. et n. m. et f., qui n'est plus un enfant, qui est devenu grand (se dit des hommes et des animaux) : *un homme adulte* ou *un adulte; seuls les adultes peuvent comprendre des choses importantes.*

adverbe [advɛrb], n. m. (grammaire) : mot qui ajoute quelque chose au sens d'un verbe, d'un adjectif ou d'un autre adverbe : *je le vois* SOUVENT;

il est ASSEZ *intelligent ; il travaille* TRÈS *bien.*

adversaire [advɛrsɛr], n. m. et f., celui (celle) qui est contre quelqu'un : *il est plus fort que son adversaire.*

aérien, enne [aerjɛ̃, ɛn], adj., qui est dans l'air, au-dessus du sol : *des lignes aériennes, des lignes d'avions.*

affaire [afɛr], n. f., **1.** ce qu'on a à faire : *occupez-vous de vos affaires; j'en fais mon affaire,* je m'en occuperai; *cela fait mon affaire,* cela me plaît; *c'est mon affaire,* c'est ce qu'il me faut, ou bien je m'en occuperai; *il se tire bien d'affaire,* il réussit. **2.** chose à faire : *nous avons parlé d'une affaire sérieuse; ce n'est pas une petite affaire,* c'est une chose importante; *ce n'est pas une affaire,* c'est très facile; *j'ai affaire à lui,* il faut que je lui parle. **3.** question portée devant les juges : *le tribunal a jugé trois affaires.* **4.** commerce : *il a acheté une affaire d'épicerie; il a fait affaire,* il a acheté ou vendu quelque chose; *les affaires,* le commerce : *les affaires vont bien; ses affaires lui donnent beaucoup de mal; un homme d'affaires,* quelqu'un qui s'occupe de commerce et d'argent; *il est dans les affaires,* il s'occupe de commerce et d'argent.

affection [afɛksjɔ̃], n. f., **1.** sentiment qu'on a pour quelqu'un qu'on aime : *il a une grande affection pour son frère.* **2.** maladie : *il a une affection du nez.*

affectueux, euse [afɛktyø, øz], adj., qui montre qu'il a de l'affection, qu'il aime : *il est très affectueux pour ses parents; cet enfant est très affectueux.*

affiche [afiʃ], n. f., papier, avec ou sans image, qu'on met sur un mur pour faire connaître une nouvelle ou un produit : *je vais lire les affiches des théâtres.*

affirmation [afirmasjɔ̃], n. f., action d'affirmer, de dire avec force; ce qu'on dit avec force : *je ne crois pas un mot de ses affirmations.*

affirmer [afirme], v. trans., donner avec force comme vrai : *j'affirme que je vous ai vu hier.*

affreux, euse [afrø, øz], adj., **1.** très laid : *il a un nez affreux.* **2.** qui cause un sentiment de peur : *j'ai vu un affreux accident.*

afin [afɛ̃], **1.** *afin de,* préposition (devant un infinitif), pour : *je suis venu afin de vous voir.* **2.** *afin que,* conjonction (avec le subjonctif), pour que : *je vous le dis afin que vous le sachiez.*

âge [ɑʒ], n. m., **1.** nombre d'années qu'on a vécu : *quel âge as-tu? j'ai vingt ans; cet enfant est petit pour son âge,* il est plus petit que les enfants du même âge; *tu es en âge de comprendre,* tu n'es plus un petit enfant, tu peux comprendre; *il a pris de l'âge,* il est devenu vieux; *un homme d'âge,* un vieil homme. **2.** temps de l'histoire : *l'âge de pierre,* le temps où les hommes avaient des outils et des armes en pierre; *l'âge d'or,* le temps où les hommes étaient très heureux et très bons.

âgé, ée [ɑʒe], adj., **1.** qui a un âge : *il est âgé de vingt ans.* **2.** sans chiffre d'âge, vieux (mais de façon plus polie): *un homme âgé, une femme âgée.*

agence [aʒɑ̃s], n. f., bureau où l'on s'occupe d'affaires : *cette grande banque a des agences dans toutes les villes; agence de voyages,* bureau où on peut faire préparer un voyage.

agent [aʒɑ̃], n. m., celui qui agit (qui fait quelque chose) : *agent des postes,* employé des postes; *agent de police,* ou seulement *agent,* homme qui fait partie de la police : *j'ai demandé mon chemin à un agent; le voleur a été arrêté par les agents.*

agir [aʒir], v. intr., **1.** faire une action : *avant d'agir il faut penser à ce qui arrivera; il a mal agi avec son frère,* il s'est mal conduit avec son frère. **2.** avoir un résultat : *le médicament agit sur le malade.* **3.** *il s'agit de,* il est question de : *de quoi s'agit-il? il s'agit d'une affaire sérieuse.*

agiter [aʒite], v. trans., **1.** donner du mouvement : *il agite ses bras; agiter avant de s'en servir* (sur des bouteilles de médicaments). **2.** discuter : *nous avons agité cette question.* — **s'agiter,** être en mouvement :

pourquoi vous agitez-vous? — **agité, ée,** adj., **1.** qui s'agite, qui est en mouvement : *le malade est agité; quand le temps est mauvais la mer est agitée.* **2.** où il y a du mouvement : *une journée (une nuit) agitée; il a eu une vie agitée.*

agneau, plur. **eaux** [año], n. m., jeune mouton : *les agneaux restent à côté de leurs mères.*

Agneau.

agréable [agreablə], adj., qui plaît : *vous habitez une maison agréable.*

agréer [agree], v. trans., recevoir; s'emploie surtout à la fin des lettres : *Veuillez agréer, Monsieur, l'expression de mes sentiments distingués.*

agricole [agrikɔl], adj., qui se rapporte à la culture des champs : *le travail agricole; ouvrier agricole,* ouvrier qui travaille dans les champs.

agriculteur [agrikyltœr], n. m., celui qui cultive les champs : *les agriculteurs ont bien vendu leur blé.*

agriculture [agrikyltyr], n. f., art de cultiver les champs : *ce pays est riche par son agriculture.*

1. aide [ɛd], n. f. action d'aider : *j'ai eu besoin de l'aide de plusieurs personnes; il a appelé à l'aide,* il a demandé qu'on l'aide; *il lui viendra en aide,* il l'aidera; *à l'aide de,* au moyen de, en se servant de : *il s'est éclairé à l'aide d'une lampe électrique.*

2. aide [ɛd], n. m. et f., celui (celle) qui aide : *j'avais trop de travail pour moi seul, j'ai dû prendre un aide.*

aider [ɛde], v. trans., **1.** faire quelque chose avec quelqu'un pour qu'il ait moins de travail : *sa mère l'aide à faire son travail.* **2.** donner de l'argent à quelqu'un pour qu'il soit moins malheureux : *il faut aider les pauvres gens.* — PROVERBE : *Aide-toi, le ciel t'aidera,* commence par travailler toi-même et Dieu t'aidera.

aigle [ɛglə], n. m., oiseau très gros et très fort : *l'aigle vit dans les montagnes; un aigle a enlevé plusieurs moutons; on appelle quelquefois l'aigle le roi des oiseaux;* fig., *ce n'est pas un aigle,* ce n'est pas un homme très intelligent.

aigre [ɛgrə], adj., **1.** qui est senti dans la bouche comme des fruits qui ne sont pas encore mûrs : *cette bière est aigre.* **2.** peu agréable : *il est aigre avec tout le monde.* — **aigre-doux,** qui est aigre tout en ayant l'air doux : *ils se sont dit des mots aigres-doux.*

aigu, uë [ɛgy], adj., **1.** très pointu : *il a été blessé par une lame aiguë.* **2.** (en parlant d'un bruit) qui semble percer les oreilles : *j'ai été réveillé par un bruit aigu.* **3.** *un mal aigu,* un mal qui ressemble à celui que ferait une arme pointue.

aiguille [ɛgɥij], n. f., **1.** petit outil de métal, mince, pointu à un bout, avec un trou à l'autre bout, qui sert à coudre : *elle a cassé son aiguille en cousant.* EXPRESSIONS : *de fil en aiguille,* en parlant d'une chose et ensuite d'une autre; *on le ferait passer par le trou d'une aiguille,* on pourrait faire de lui ce qu'on voudrait. **2.** *les aiguilles d'une montre : la petite aiguille,* qui marque les heures; *la grande aiguille,* qui marque les minutes. **3.** chose qui ressemble à une aiguille : branche pointue, partie de rail, montagne pointue, etc.

La petite aiguille.

aile [ɛ:l], n. f., **1.** membre des oiseaux et des insectes qui leur sert à voler : *les ailes des oiseaux battent très vite;* fig., *il vole de ses propres ailes,* il sait faire tout seul ce qu'il doit faire, il n'a plus besoin d'être aidé; *cette affaire bat de l'aile* (comme un oiseau blessé), ou *ne bat que d'une aile,* elle marche mal, elle ne réussit pas. **2.** partie plate des avions : *l'avion a tourné sur l'aile.*

ailleurs [ajœr], adv., en un autre lieu, en un autre endroit : *il a quitté cette ville et habite ailleurs.* — **d'ailleurs,** de plus : *je connais bien cet homme, il est d'ailleurs mon parent.*

aimable [ɛmablə], adj., qui sait plaire, qui est gentil : *ce marchand est aimable avec tous ses clients.*

aimer [ɛme], v. trans., **1.** avoir le sentiment qu'un homme a pour sa femme ou une femme pour son mari : *ce jeune homme va se marier avec la jeune fille qu'il aime.* **2.** avoir de bons sentiments pour quelqu'un : *cet enfant aime beaucoup ses parents et ses frères.* **3.** se dit aussi des choses qui plaisent : *il aime la musique; nous aimons les fruits; ils aiment s'amuser* (ou *à s'amuser*).

aîné, ée [ɛne], adj. et n., celui (celle) qui est né avant les autres : *le frère aîné, la sœur aînée; le père est venu avec l'aîné de ses enfants.*

ainsi [ɛ̃si], adv., de cette façon : *ce n'est pas ainsi qu'il faut travailler.* — **ainsi que,** et de plus : *dites mon souvenir à votre frère ainsi qu'à toute votre famille.*

air [ɛ:r], n. m., **1.** gaz qui est nécessaire à la vie : *l'air de cette région est très sec; nous manquons d'air,* nous ne pouvons pas respirer. EXPRESSIONS : *je vais prendre l'air,* je vais sortir pour respirer; *il faut que cet enfant change d'air,* il faut qu'il aille dans une autre région; *le grand air,* l'air de la campagne : *il est bon pour la santé de vivre au grand air; il a tiré en l'air,* il a tiré en tournant l'arme vers le haut de façon à ne tuer ou blesser personne; *une idée en l'air,* une idée qui n'est pas sérieuse; *tout est en l'air,* la maison est mal rangée; *il a dormi en plein air,* dans les champs; *je vais prendre l'air du bureau,* je vais voir ce que les gens pensent; *par air,* par avion. — plur. *les airs,* dans quelques façons de parler : *l'oiseau vole dans les airs; par la voie des airs,* par avion. **2.** musique qui va avec un chant ou une chanson : *l'air de la Marseillaise est très beau;* musique qui va avec des mouvements : *il a joué un air de danse.* **3.** *avoir l'air,* sembler : *cette dame a l'air bonne* (l'adjectif *bonne* se met au féminin parce que *cette dame* est féminin); *cette maison a grand air,* elle paraît grande et belle; *il prend (il se donne) des airs,* il veut paraître plus qu'il n'est.

ajouter [aʒute], v. trans., **1.** mettre en plus : *le marchand a ajouté deux fruits à ceux qu'il me vendait.* **2.** dire en plus : *j'ajouterai un mot à ce que je viens de dire.*

alcool [alkɔl], n. m., liquide qu'on tire par certaines opérations des vins, des fruits, etc. : *ne buvez pas d'alcool; alcool à brûler,* alcool employé pour brûler dans des lampes.

aliment [alimɑ̃], n. m., ce que l'on mange : *il faut savoir choisir ses aliments.*

alimentaire [alimɑ̃tɛr], adj., **1.** qui fait partie des aliments, que l'on mange : *des pâtes alimentaires, des produits alimentaires.* **2.** qui se rapproche aux aliments : *un régime alimentaire,* ce que le médecin permet de manger.

alimentation [alimɑ̃tasjɔ̃], n. f. **1.** action de manger, l'ensemble de ce que l'on mange : *il faut soigner son alimentation.* **2.** action de donner ce qui est nécessaire : *l'alimentation de la ville en eau; l'alimentation d'une machine.*

alimenter [alimɑ̃te], v. trans., **1.** donner à manger : *il faut alimenter les bébés avec soin.* **2.** donner ce qui est nécessaire : *cette source alimente le village en eau.* — **s'alimenter,** manger : *le malade peut à peine s'alimenter.*

allée [ale], n. f., chemin dans un jardin : *les jardins publics ont de belles allées plantées d'arbres.*

aller [ale] (*je vais, tu vas, il va, nous allons, vous allez, ils vont; j'allais; j'allai; j'irai; va, allons, allez; que j'aille, que nous allions; allant; allé*), v. intr. (avec l'auxiliaire *être*), **1.** prendre une direction : *je vais à Lyon; je ne fais qu'aller et venir,* je reviendrai tout de suite; fig., *il se laisse* *aller,* il n'a plus de courage. **2.** fig., marcher : *les affaires vont bien.* **3.** se porter (en parlant de la santé) : *comment allez-vous? je ne vais pas mal.* **4.** être bien pour une personne : *cette robe va bien à cette dame.* **5.** auxiliaire du futur prochain : *je vais partir,* je partirai tout à l'heure. **6.** *allons,* interjection pour donner du courage : *Allons! il faut travailler.* — **s'en aller** (passé composé : *je m'en suis allé*). **1.** partir : *je m'en irai tout à l'heure.* **2.** être en train de mourir : *il s'en va de la poitrine,* il est très malade de la poitrine. **3.** familier, marque le futur prochain, surtout à la 1re personne : *je m'en vais vous dire,* je vais vous dire.

alliage [aljaʒ], n. m., métaux fondus ensemble : *un alliage d'or et de cuivre.*

alliance [aljɑ̃s], n. f., **1.** accord entre deux pays contre un ennemi : *l'alliance de ces deux pays est très forte.* **2.** action de se marier, mariage : *une alliance heureuse.* **3.** anneau (bague) que le mari et la femme se passent au doigt l'un de l'autre quand ils se marient : *une alliance d'or.*

allier [alje] v. trans., mettre ensemble : *on ne peut allier le bien et le mal.* — **s'allier, 1.** se mettre d'accord contre un ennemi : *ces deux pays se sont alliés.* **2.** entrer dans une famille en se mariant : *il s'est allié à une très bonne famille.* — **allié, e,** adj. et n., **1.** se dit des pays qui se sont mis d'accord contre un ennemi : *les alliés ont défendu la ville.* **2.** qui fait partie de la famille de la femme ou du mari de quelqu'un : *les parents* (père, mère, frère, etc.) *et les alliés* (beau-père, belle-mère, beau-frère, etc.).

allumer [alyme], v. trans., mettre le feu à quelque chose : *nous avons allumé du bois;* fig., *il a allumé la guerre,* il a commencé la guerre. — **s'allumer,** prendre feu : *ce charbon s'allume mal.*

allumette [alymɛt], n. f., petit morceau de bois qu'on allume en le frottant : *une boîte d'allumettes, un paquet d'allumettes; les enfants ne doivent pas jouer avec les allumettes.*

allure [alyr], façon de marcher : *à toute allure,* très vite, à grande vitesse : *le train roule à toute allure dans la plaine;* fig., *il se donne des allures,* il veut paraître plus qu'il n'est.

alors [alɔr], adv., en ce temps, à ce moment. — **alors que,** conj., pendant que, du temps où : *j'étais un homme alors que vous étiez un enfant.*

alphabet [alfabɛ], n. m., les lettres dans leur ordre : a, b, c, d, e, f, etc. : *cet enfant ne sait pas encore l'alphabet.*

altitude [altityd], n. f., mesure vers le haut en partant du sol : *quelle est l'altitude de cette montagne?*

aluminium [alyminjɔm], n. m., métal de couleur blanche, très léger : *l'aluminium est très employé dans le monde moderne.*

amateur [amatœr], n. m., **1.** celui qui aime quelque chose : *il est amateur de fleurs.* **2.** celui qui fait quelque chose par plaisir, non par métier ou pour gagner de l'argent (contraire : *professionnel*) : *il fait du sport en amateur.*

ambassade [ɑ̃basad], n. f., **1.** fonction de l'ambassadeur : *il a été envoyé en ambassade dans un pays étranger.* **2.** maison où l'ambassadeur habite, où il a ses bureaux : *notre ami est allé porter son passeport à l'ambassade de son pays.*

ambassadeur [ɑ̃basadœr], n. m., celui qui est envoyé par son gouvernement pour le représenter auprès du gouvernement d'un autre pays : *le gouvernement a nommé un nouvel ambassadeur en Italie.* On appelle quelquefois *ambassadrice* la femme de l'ambassadeur. On appelle aussi, au fig., *ambassadeur* et *ambassadrice* les personnes qu'on envoie à sa place auprès d'autres personnes : *Madame X m'a chargée d'être son ambassadrice auprès de vous.*

ambulance [ɑ̃bylɑ̃s], n. f., auto ou voiture qui transporte les malades et les blessés : *nous avons appelé une ambulance pour conduire le malade à l'hôpital.*

âme [am], n. f., **1.** partie non matérielle de l'homme : *à la mort l'âme quitte le corps; il a rendu l'âme,* il est mort; *il est comme une âme en peine,* il ne sait que faire, où aller. **2.** ensemble des sentiments : *il a une âme sensible; il joue d'un instrument, il chante avec âme,* avec beaucoup de sentiment. EXPRESSIONS : *une grande (belle) âme,* une personne qui a de beaux sentiments; (pour se moquer) *une bonne âme,* une personne qui veut paraître bonne, mais qui ne l'est pas. **3.** personne qui fait agir un groupe comme l'âme fait agir le corps : *le directeur est l'âme de cette maison.*

amélioration [ameljɔrasjɔ̃], n. f., le fait de devenir meilleur : *le médecin a trouvé une amélioration dans l'état du malade.*

améliorer [ameljɔre], v. trans., rendre meilleur : *les lunettes améliorent la vue.* — **s'améliorer,** devenir meilleur : *sa santé s'est améliorée.*

amener [amne] *(j'amène, nous amenons; j'amènerai),* v. trans., **1.** conduire une personne avec soi : *j'ai amené un ami avec moi.* **2.** causer : *cet accident a amené sa mort.* **3.** arriver à un résultat chez quelqu'un : *je l'ai amené à être plus gentil.* **4.** *amener les couleurs :* faire descendre le drapeau.

amer, ère [amɛr], adj., **1.** qui est peu agréable dans la bouche : *ce fruit est bien amer.* **2.** fig., dur, peu agréable, *il a dit des mots amers.*

ami, e [ami], n. m. et f., personne qu'on aime sans qu'elle soit de la famille : *je vous présente mon meilleur ami.*

amical, ale; plur. aux, ales [amikal, o], adj., qui est d'un ami : *il m'a écrit une lettre amicale.*

amitié [amitje], n. f., sentiment qui existe entre des amis : *il y a une grande amitié entre ces jeunes gens.*

amour [amur] n. m. (fém. au pluriel), sentiment plus fort que celui qui existe entre des amis : *l'amour des parents pour leurs enfants.* Se dit surtout du sentiment qu'un homme a pour une femme qu'il aime, ou une femme pour un homme qu'elle aime.

amoureux, euse [amurø, øz], adj. et n., qui se rapporte à l'amour, qui aime d'amour : *ce jeune homme est très amoureux de cette jeune fille.*

ample [ɑ̃plə], adj., très large : *ce manteau est trop ample.*

ampoule [ɑ̃pul], n. f., **1.** partie du pied ou de la main qui est devenue grosse et blanche quand on a beaucoup marché ou fait de gros efforts avec la main : *il a une ampoule au pied droit.* **2.** petit récipient en verre, qui sert surtout pour les médicaments : *l'ampoule est vide.* **3.** partie en verre d'une lampe électrique : *l'ampoule s'est cassée en tombant.*

Ampoule de médicament.

Ampoule électrique.

amusant, ante [amyzɑ̃, ɑ̃t], adj., qui fait rire, qui cause du plaisir, qui est drôle : *un livre amusant.*

amuser [amyze], v. trans., faire rire, causer du plaisir : *ce jouet amuse les enfants.* — **s'amuser,** avoir du plaisir : *je me suis amusé à ce film; cet enfant s'amuse avec sa petite auto.*

an [ɑ̃], n. m., temps que met la terre à faire le tour du soleil (= 365 jours = 52 semaines = 12 mois) (*an* sert surtout pour compter, autrement on dit *année*) : *il a dix-neuf ans; je suis resté deux ans à Paris; le nouvel an* ou *le jour de l'an;* le premier jour de l'année, le 1er janvier; familier, *je m'en moque comme de l'an quarante,* cela ne m'intéresse pas du tout.

ancien, enne [ɑ̃sjɛ̃, ɛn], adj., **1.** qu existe depuis longtemps : *une église ancienne; l'ancien monde,* la partie de la terre connue autrefois (Europe, Afrique, Asie). **2.** qui a existé autrefois : *l'ancien français,* le français comme il était parlé autrefois. **3.** qui a eu autrefois un métier : *un ancien professeur, un ancien boulanger.* — **un ancien,** n. m., un Grec ou un Romain : *les anciens ne connaissaient pas nos machines.*

ancre [ãkrə], n. f., pièce de fer qu'on fait descendre dans la mer ou la rivière pour arrêter un navire : *le navire a jeté l'ancre,* il s'est arrêté.

âne, ânesse [ɑ:n. ɑ:nɛs], n. m. et f., **1.** animal domestique qui ressemble au cheval, mais qui est plus petit, moins fort et moins beau : *l'âne a de longues oreilles; à la campagne on voyait autrefois des voitures à âne; le coup de pied de l'âne* (d'après La Fontaine), le mal qu'on fait à un homme qui est déjà tombé. **2.** fig., homme peu intelligent, élève qui ne sait rien : *les enfants qui ne travaillent pas restent des ânes toute leur vie.*

ange [ãʒ], n. m., **1.** être qui habite dans le ciel (d'après les religions) : *on représente les anges avec de petites ailes.* EXPRESSIONS : *il est aux anges,* il est très content; *il rit aux anges,* il rit de bonheur comme font les tout petits enfants; *un ange passe,* un moment de silence se produit entre des personnes qui causent. **2.** très joli petit enfant, personne très belle ou très bonne : *cette petite fille est un ange.*

angle [ãglə], n. m., **1.** figure formée par deux lignes droites qui se rencontrent : *il y a plusieurs sortes d'angles.* **2.** coin : *cette table a des angles dangereux; maison d'angle,* maison qui se trouve à l'angle formé par deux rues. **3.** fig., point de vue, façon de voir : *je n'avais pas étudié sa question sous cet angle.*

angoisse [ãgwas], n. f., sentiment d'un danger prochain : *il pense à l'avenir avec angoisse.*

animal, plur. **aux** [animal, animo], n. m., être qui vit et qui sent : *le bœuf et le cheval sont des animaux utiles.*

animer [anime], v. trans., donner de la vie, du mouvement : *cet enfant anime la maison.* — **animé, ée,** adj., qui a du mouvement : *cette rue est très animée.*

anneau, plur. **eaux** [ano], n. m., objet de forme ronde, avec un trou rond au milieu : *un anneau de corde;* quelquefois = *bague.*

année [ane], n. f., temps que la terre met à faire le tour du soleil (voir *an*) *: nous avons bien travaillé cette année; bonne année,* se dit à ses amis au début de l'année.

anniversaire [anivɛrsɛr] n. m., fête qui rappelle quelque chose qui s'est passée le même jour une ou plusieurs années avant : *c'est aujourd'hui mon vingtième anniversaire* (j'ai vingt ans aujourd'hui).

annonce [anõs], n. f., **1.** action d'annoncer : *l'annonce de cette mort l'a étonné.* **2.** petit avis qu'on met dans un journal : *il a mis une annonce pour demander du travail.*

annoncer [anõse], v. trans. (prend un ç devant *a* et *o : j'annonçais*), **1.** faire savoir, faire connaître : *je vais vous annoncer une nouvelle; il m'a annoncé qu'il partirait demain.* **2.** dire le nom d'une personne qui vient dans une maison : *avez-vous été annoncé?*

annuel, fém. **elle** [anyɛl ou ɥɛl] adj., **1.** qui arrive une fois par an (une fois chaque année) : *une fête annuelle.* **2.** qui se rapporte au temps d'une année : *une pension annuelle.*

anti, se met devant un nom pour dire que quelque chose est contre ce que ce nom veut dire : *un appareil anti-vol,* ou *un anti-vol,* un appareil qu'on met aux bicyclettes pour qu'on ne puisse pas les voler.

antique [ãtik], adj., très ancien (se dit surtout du temps des Grecs et des Romains) : *les sculptures antiques sont souvent très belles.*

antiquité [ãtikite], **1.** temps des Grecs et des Romains : *il connaît les noms des grands hommes de l'antiquité.* **2.** objet ancien (surtout au pluriel) : *un magasin d'antiquités,* un magasin où l'on vend des objets anciens.

août [u, mieux que au], huitième mois de l'année : *août (le mois d'août) est très chaud cette année.*

apercevoir [apɛrsəvwar] *(j'aperçois, nous apercevons, ils aperçoivent; j'apercevais; j'aperçus; j'apercevrai; que j'aperçoive; aperçu)*, v. trans., voir au loin ou tout à coup : *j'aperçois une maison dans la forêt.* — **s'apercevoir,** se rendre compte : *il s'aperçoit de sa faute; je m'aperçois que je me suis trompé.* — **aperçu,** n. m., vue rapide sur une question : *un aperçu de l'histoire du monde.*

apparaître [aparɛtrə] (se conjugue comme *paraître*), v. intr., paraître tout à coup, se montrer aux yeux : *le village apparaît derrière la montagne.*

appareil [aparɛj], n. m., petite machine que l'on tient à la main ou qui sert dans une maison : *un appareil photographique; des appareils ménagers; un appareil téléphonique; qui est à l'appareil?* qui me parle (au téléphone)? — On dit aussi *appareil* en parlant d'un avion.

apparence [aparɑ̃s], n. f., ce qu'on voit du dehors (le dedans pouvant être différent) : *l'apparence trompe souvent; en apparence,* comme il paraît du dehors : *il n'est agréable qu'en apparence.*

appartement [apartəmɑ̃], n. m., partie d'une maison, qui comprend plusieurs pièces et où habite une famille : *j'ai loué un appartement dans une grande maison; il y a deux appartements à chaque étage.*

appartenir [apartənir] (se conjugue comme *tenir*), v. (avec *à*), **1.** être à quelqu'un : *ce terrain appartient à mon voisin.* **2.** faire partie de : *cet homme appartient à la police.* **3.** impersonnel : *il appartient à quelqu'un,* c'est son devoir : *il vous appartient de soigner vos enfants.*

appel [apɛl], n. m., **1.** action d'appeler : *le chien n'a pas répondu à l'appel de son maître.* **2.** action de dire les noms des soldats, des élèves, etc. pour voir s'ils sont là : *il est rentré juste avant l'appel; le maître fait l'appel des élèves.* **3.** action de porter une affaire devant un autre tribunal : *le tribunal lui a donné tort, mais il a fait appel; cour d'appel,* tribunal qui juge les appels.

appeler [aple] (s'écrit avec deux *l* devant un *e* muet : *j'appelle, j'appellerai,* etc.], v. trans., **1.** faire venir : *la mère appelle ses enfants pour le déjeuner; nous avons appelé le médecin.* **2.** donner un nom : *j'ai appelé mon fils Pierre; si j'ai une fille, je l'appellerai Louise.* PROVERBE : *J'appelle un chat un chat* (Boileau), je donne leurs vrais noms aux personnes et aux choses. — V. intr., demander qu'une affaire soit de nouveau jugée par un autre tribunal : *j'en appelle à d'autres juges* — **s'appeler,** avoir pour nom : *cet enfant s'appelle Jacques; prendre ce qui n'est pas à vous s'appelle voler.*

application [aplikasjɔ̃], n. f., **1.** action d'appliquer : *l'application doit suivre le savoir.* **2.** attention au travail : *cet enfant est le premier pour l'application.*

appliquer [aplike], v. trans., **1.** mettre une chose contre une autre : *cette lampe est appliquée au mur.* **2.** employer : *il a appliqué à son métier le savoir que ses maîtres lui ont appris.* — **s'appliquer, 1.** être employé : *ce nom s'applique bien à cet homme.* **2.** donner toute son attention à son travail : *cet élève s'applique à ses devoirs.* — **appliqué, ée** adj., **1.** qui est employé : *science appliquée* (contraire de *science pure*). **2.** qui donne toute son attention à son travail : *un élève appliqué.*

apporter [apɔrte], v. trans., porter à quelqu'un ou dans un endroit : *le boulanger nous apporte le pain tous les matins.*

apprécier [apresje], v. trans., juger (au sens de « penser ») que quelqu'un ou quelque chose a de la valeur, est bon, est utile : *le directeur apprécie beaucoup cet employé; j'apprécie vos services.* — **apprécié, ée,** adj., qu'on juge bon, utile : *un médicament apprécié.*

apprendre [aprãdrə] (se conjugue comme *prendre*), v. trans., **1.** *apprendre quelque chose,* recevoir dans l'esprit des idées, une science, un art, une nouvelle : *il apprend la musique; nous apprenons à nager; j'ai appris que vous étiez marié.* **2.** *apprendre quelque chose à quelqu'un,* le lui faire connaître : *un bon maître lui apprend l'histoire; on a appris à lire à cet enfant; on m'a appris que vous deviez partir.*

apprenti, ie [aprãti], n. m. et f., jeune homme ou jeune fille qui apprend un métier : *ce garçon est apprenti cordonnier; je ne suis plus un apprenti,* je connais bien mon métier.

apprentissage [aprãtisaʒ], n. m., le fait d'apprendre un métier : *il a fait un long apprentissage.*

approcher [aprɔʃe], v. trans., **1.** mettre plus près : *approchez la table de la fenêtre.* **2.** *approcher quelqu'un,* être souvent près de lui : *il aime approcher les gens importants.* — *approcher de,* ne plus être loin : *nous approchons de la gare.* — v. intr., *le jour de la fête approche.* — **s'approcher (de),** aller près de : *je n'ai pas voulu m'approcher du bord de la rivière.*

approuver [apruve], v. trans., dire que quelque chose est bon, juste, utile : *je n'approuve pas vos idées.*

appuyer [apɥije] *(j'appuie, nous appuyons; j'appuierai),* v. trans., **1.** mettre une chose contre une autre de façon qu'elle ne tombe pas : *il a appuyé sa bicyclette contre le mur.* **2.** mettre sur : *il a appuyé la main sur son genou.* **3.** *appuyer quelqu'un,* l'aider : *si vous cherchez du travail, je vous appuierai.* — v. intr., peser sur : *appuyez sur ce bouton; il a appuyé sur ce mot,* il l'a dit avec plus de force. — **s'appuyer,** mettre la main ou le pied sur quelque chose pour faire un effort : *ce vieil homme s'appuie sur un bâton pour marcher.*

après [aprɛ], prép. (contraire : *avant). Il arrive après midi; les vacances commencent après le 14 juillet; vous passerez après moi; il a fumé une cigarette après avoir déjeuné.* PROVERBE : *Après la pluie vient le beau temps,* on peut être heureux après avoir été malheureux. — **après que,** conj., quand : *vous partirez après qu'il vous aura parlé.* — **après,** adv., ensuite, plus tard : *il est venu le premier, je suis arrivé seulement après.* — **d'après,** prép., **1.** à mon (ton, son, etc.) avis : *d'après lui il fera encore beau en septembre;* **2.** *il peint d'après nature,* il peint des objets qu'il voit vraiment.

Il arrive après midi.

Il arrivera après lui.

après-midi [aprɛ midi], n. m. ou f., partie du jour qui va du déjeuner au dîner (de midi à 7 heures du soir) : *un bel après-midi* ou *une belle après-midi.*

apte [apt], adj., bon à faire quelque chose, qui a les qualités nécessaires pour quelque chose : *cet ouvrier est très apte à son travail.*

aptitude [aptityd], n. f., qualité de celui qui est apte : *cet enfant a beaucoup d'aptitude pour le dessin.*

arbre [arbrə], n. m., plante très haute, avec des branches : *nous avons planté des arbres dans notre jardin.*

Arbre.

ardoise [ardwaz], n. f., **1.** sorte de pierre grise ou noire qui, coupée en morceaux très minces, sert à couvrir les toits : *des toits couverts d'ardoises.* **2.** carré noir qu'on donne aux jeunes enfants pour qu'ils écrivent avec des crayons blancs : *il a emporté son ardoise à l'école.*

argent [arʒã], n. m., **1.** beau métal de couleur blanche : *l'argent est moins cher que l'or.* **2.** tout ce qui peut servir à payer ce qu'on achète : *il a beaucoup d'argent,* il est très riche. PROVERBE : *L'argent ne fait pas le* *bonheur,* on peut être heureux sans être riche.

arme [arm], n. f., **1.** instrument qui sert à blesser et à tuer : *il a été frappé avec une arme; une arme de guerre,* une arme qui sert à la guerre; *une arme de chasse,* une arme qui sert à la chasse; *une arme blanche,* une arme en fer ou en acier; *une arme à feu,* un fusil, un pistolet; *présenter l'arme, mettre l'arme sur l'épaule,* mouvements que les soldats font avec leurs armes. EXPRESSIONS : *je vous rends les armes,* je reconnais que vous êtes plus fort que moi; *il fait ses premières armes,* il commence dans un métier; populaire, *il a passé l'arme à gauche,* il est mort (parce que les soldats portent d'habitude l'arme du côté droit). **2.** partie de l'armée : *l'infanterie et la cavalerie sont des armes différentes.* **3.** au plur., dessin particulier à un pays, à une ville, à une famille : *les armes de la ville de Paris représentent un bateau.*

armée [arme], n. f., **1.** ensemble des soldats d'un pays : *il sert dans l'armée,* il est soldat; *il est entré dans l'armée,* il est devenu soldat; *l'armée de terre,* les soldats; *l'armée de l'air,* les avions militaires. **2.** grande unité militaire : *Alors la République avait quatorze armées* (Victor Hugo); *la Grande Armée,* l'armée de Napoléon Ier.

armer [arme], v. trans., **1.** donner des armes à quelqu'un : *pendant les guerres on arme des millions d'hommes.* **2.** *armer un bateau,* le mettre en état d'aller sur la mer.

armoire [armwar], n. f., meuble qui peut se fermer avec une ou deux portes et où on met du linge ou de petits objets : *j'ai rangé mon linge dans l'armoire; armoire à glace,* armoire avec une glace sur la porte.

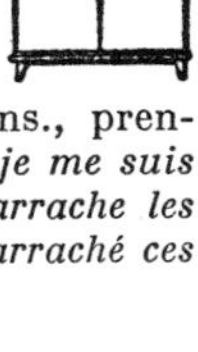

arracher [araʃe], v. trans., prendre en tirant, avec effort : *je me suis fait arracher une dent; on arrache les pommes de terre;* fig., *on a arraché ces enfants à leur mère.*

arranger [arɑ̃ʒe] (s'écrit avec *ge* devant *a* et *o* : *j'arrangeais*), v. trans., **1.** mettre en ordre : *vous avez bien arrangé votre chambre.* **2.** réparer : *j'ai fait arranger mon armoire;* **3.** se mettre d'accord pour quelque chose : *nous avons arrangé un voyage avec nos amis.* **4.** *on a arrangé cette affaire :* on s'est mis d'accord pour qu'elle n'aille pas devant le tribunal; **5.** familier, *cela m'arrange :* cela me va, cela me plaît. — **s'arranger, 1.** se débrouiller : *je m'arrange bien tout seul.* **2.** se mettre d'accord : *nous nous sommes arrangés en amis.*

arrêt [arɛ], n. m., **1.** action d'arrêter, de s'arrêter : *ne descendez pas avant l'arrêt du train.* **2.** endroit où un véhicule public s'arrête : *l'arrêt de l'autobus est au coin de la rue.* **3.** ce qu'un tribunal décide : *le tribunal rendra son arrêt demain.* **4.** *maison d'arrêt,* prison : *il a été conduit à la maison d'arrêt.* — plur. *arrêts,* façon de punir dans l'armée : *il a été mis aux arrêts pour trois jours (il a gardé les arrêts pendant trois jours),* il a dû rester trois jours dans sa chambre.

arrêter [arɛte], v. trans., **1.** empêcher d'aller plus loin, *le chauffeur a arrêté son auto.* **2.** empêcher de continuer : *il a arrêté sa montre; arrêtez la radio.* **3.** mettre quelqu'un en prison : *la police a arrêté les voleurs.* **4.** choisir de façon sûre, décider : *nous avons arrêté le jour de notre départ.* — v. intr., ne pas aller plus loin : *arrêtez devant cette maison.* — **s'arrêter, 1.** ne pas aller plus loin : *la voiture s'arrêtera devant votre porte.* **2.** ne pas continuer son mouvement : *ma montre s'est arrêtée à midi.*

arrière [arjɛr], adv., *arrière!* reculez; *le bateau a vent arrière,* il est poussé par le vent — n. m., partie de derrière d'une chose (contraire : *l'avant*) : *l'arrière d'un bateau; les blessés ont été conduits à l'arrière,* derrière le front de l'armée. — **en arrière,** adv., **1.** en reculant : *il a fait trois pas en arrière;* **2.** moins loin que les autres : *nous sommes restés en arrière.*

arrière - grand - père, arrière - grand - mère, arrière - grands - parents, n., le père, la mère, les parents du grand-père ou de la grand-mère : *il est très rare d'avoir tous ses arrière-grands-parents.*

arrière - petit - fils, arrière - petite - fille, arrière - petits - enfants, n., le fils, la fille, les enfants du petit-fils ou de la petite-fille : *cette dame est heureuse d'embrasser son arrière-petite-fille.*

arrivée [arive], n. f., action d'arriver : *vos amis vous salueront à votre arrivée.*

arriver [arive], v. intr. (avec l'auxiliaire *être : je suis arrivé*), **1.** venir dans un endroit : *nous sommes arrivés par le premier train.* **2.** réussir : *je suis arrivé à avoir ce que je voulais; un homme arrivé :* un homme qui a réussi dans la vie, qui n'a plus à monter. **3.** avoir lieu : *un accident est vite arrivé.* — impers., *il arrive que* (avec le subjonctif), cela se produit quelquefois : *il arrive qu'il ne pleuve pas pendant un orage.*

arroser [aroze], v. trans., **1.** donner de l'eau aux plantes pour qu'elles poussent mieux : *j'ai arrosé les fleurs du jardin.* **2.** (en parlant des rivières) passer dans une ville ou à côté d'une ville : *la Seine arrose Paris.*

arrosoir [arozwar], n. m., instrument qui sert à donner de l'eau aux plantes d'un jardin : *j'ai rempli l'arrosoir d'eau.*

art [ar], n. m., ce qui produit des choses qui plaisent aux yeux ou aux oreilles : *la peinture, la sculpture, la musique sont des arts* (on dit aussi *les beaux-arts*); fig., *il a l'art de plaire,* il sait plaire.

artère [artɛr], n. f., **1.** ce qui conduit le sang dans le corps, en partant du cœur : *les artères conduisent le sang du cœur dans les membres.* **2.** une des grandes rues d'une ville : *on voit beaucoup de monde dans les principales artères de la ville.*

article [artiklə], n. m., **1.** partie d'une loi : *cette loi n'a que trois articles.* **2.** les différents objets que vend un commerçant : *on trouve beaucoup d'articles dans ce magasin; articles de ménage,* tout ce qui sert dans une maison (casseroles, balais, etc.); *articles de Paris,* petits objets (jouets, souvenirs, etc.) faits à Paris; *le marchand fait l'article,* il dit que ce qu'il vend est bon et beau pour que les clients l'achètent. **4.** partie d'un journal : *avez-vous lu cet article?* **5.** (grammaire) petit mot que l'on met devant le nom : *« le » et « un » sont des articles.* **6.** *il est à l'article de la mort,* il va bientôt mourir.

artillerie [artijri], n. f., **1.** les canons d'une armée : *l'artillerie tire sur l'ennemi.* **2.** soldats qui font la guerre avec des canons : *il sert dans l'artillerie.*

artilleur [artijœr], n. m., soldat d'artillerie.

artisan [artizɑ̃], n. m., homme qui fait un métier (mécanicien, tailleur, etc.) seul ou avec quelqu'un de sa famille : *les artisans paient moins d'impôts que les commerçants.*

artiste [artist], n. m. et f., celui (celle) qui cultive un art ou qui joue dans un théâtre : *cet artiste a peint beaucoup de tableaux.*

ascenseur [asɑ̃sœr], n. m., machine qui sert à monter les personnes aux étages d'une maison : *ne montez pas par l'escalier, prenez plutôt l'ascenseur.*

aspect [aspɛ], n. m., ce qu'une personne ou une chose présente aux yeux : *l'aspect de cette ville est triste; j'étudie cette affaire sous ses différents aspects.*

assassin [asasɛ̃] n. m., celui qui tue un homme : *la police a arrêté l'assassin.*

assassiner [asasine], v. trans., tuer un homme : *il est mort assassiné.*

assemblée [asɑ̃ble], n. f., ensemble de personnes : *l'assemblée était nombreuse,* il y avait là beaucoup de personnes; *Assemblée nationale*, assemblée qui fait les lois du pays.

assembler [asɑ̃ble], v. trans., mettre ensemble : *le menuisier assemble des planches pour faire une armoire.* — **s'assembler,** se mettre ensemble : *les gens se sont assemblés à l'endroit de l'accident.*

asseoir [aswar] *(j'assois* ou *j'assieds, tu assois* ou *tu assieds, il assoit* ou *il assied, nous assoyons* ou *nous asseyons, vous assoyez* ou *vous asseyez, ils assoient* ou *ils asseyent; j'assoyais* ou *j'asseyais; j'assis; j'assoirai* ou *j'assiérai; assois* ou *assieds, assoyons* ou *asseyons, assoyez* ou *asseyez, que j'assoie* ou *que j'asseye, que nous assoyions* ou *que nous asseyions; assoyant* ou *asseyant, assis),* v. trans., mettre sur une chaise, un banc, etc. : *on a assis le bébé sur un petit banc;* (au théâtre ou dans une voiture) *une place assise,* une place où l'on peut être assis, où l'on n'est pas obligé de rester debout. — **s'asseoir,** se mettre sur une chaise, un banc, etc., *j'étais très fatigué, j'ai été content de m'asseoir.*

assez [ase], adv., **1.** marque qu'une qualité ou une quantité n'est ni grande ni petite, mais entre les deux : *cette maison est assez belle,* elle n'est ni très belle ni laide; *il y avait assez de monde dans la salle.* **2.** ce qui est nécessaire : *j'ai assez de temps pour vous écouter; c'est assez,* arrêtez.

assiéger [asjeʒe] *(j'assiège, nous assiégeons, j'assiégerai),* v. trans., entourer de soldats une ville qu'on veut prendre : *l'ennemi a longtemps assiégé cette ville, mais elle s'est bien défendue et n'a pas été prise; — assiégés,* n. m., personnes qui sont dans une ville assiégée : *les assiégés n'ont pas voulu se rendre.*

assiette [asjɛt], n. f., **1.** petit plat rond que chaque personne a devant soi à table; *une assiette pleine (vide); une assiette de légumes.* **2.** façon d'être assis (vieux sens qui n'existe plus que dans quelques façons de parler) : *je ne suis pas dans mon assiette,* je ne me sens pas bien (pas en bonne santé).

assister [asiste], v. trans., aider : *nous avons assisté un blessé sur notre route.* — avec *à,* être là et regarder : *nous avons assisté à une belle fête des fleurs.* — **assistant, e,** n. m. et f., personne qui aide un maître, un médecin, etc.; *assistante sociale,* personne qui s'occupe des questions sociales, qui aide, qui donne des conseils. — **les assistants,** les personnes qui regardent une fête, un événement, etc. : *tous les assistants se sont levés.*

association [asɔsjasjɔ̃], n. f., **1.** l'action d'associer : *l'association de couleurs différentes n'est pas toujours heureuse.* **2.** société où il y a plusieurs associés : *une association d'ouvriers.*

associer [asɔsje], v. trans., **1.** mettre ensemble : *on a associé le bois et le fer dans ce bateau.* **2.** prendre avec soi pour faire quelque chose : *j'ai associé mon fils à mon commerce.* — **s'associer :** *ces deux amis se sont associés; il s'est associé avec son frère.* — **associé, ée,** n. m. ou f., personne qui s'est associée avec une autre dans une affaire : *il a parlé de cette question à ses associés.*

assurance [asyrɑ̃s], n. f., **1.** action de rendre certain : *il m'a donné l'assurance de son arrivée.* **2.** façon de se présenter qui montre que l'on n'a pas peur : *il marche avec assurance.* **3.** papier qui promet une somme d'argent si un accident arrive : *j'ai pris une assurance pour mon auto; compagnie d'assurances,* société qui assure contre les accidents.

assurément [asyremɑ̃], adv., de façon certaine : *il viendra assurément.* — S'emploie quelquefois au lieu de *oui : Etes-vous en bonne santé? assurément.*

assurer [asyre], v. trans., **1.** rendre certain : *il m'a assuré de ses bons sentiments.* **2.** dire avec force : *il m'a assuré que personne n'était venu.* **3.** promettre, contre une somme payée chaque année, une somme d'argent si un accident arrive : *on m'a assuré contre les accidents d'auto.* — **s'assurer, 1.** se rendre certain : *je me suis assuré de la vérité de ce qu'il disait.* **2.** payer de l'argent chaque année pour recevoir une somme si un accident arrive : *je me suis assuré contre les accidents du travail.* — **assurée, ée,** adj., **1.** qui semble sûr de lui : *il a l'air très assuré.* **2.** qui est sûr (certain) du résultat : *vous êtes assuré de réussir.* **3.** qui sera payé si un accident arrive : *cette maison est assurée contre le vol.* — **assuré, ée,** n. m. et f., personne qui s'est assurée (au sens 2 de *s'assurer*).

astre [astrə], n. m., corps que l'on voit dans le ciel : *le soleil, la lune, les étoiles sont des astres; beau (belle) comme un astre,* très beau (très belle).

atelier [atəlje], n. m., **1.** lieu où travaillent les artisans et les ouvriers : *un atelier de tailleur.* **2.** pièce très claire où travaillent les artistes : *il a loué, pour peindre, un atelier avec de grandes fenêtres.*

atome [atom], n. m., très petite partie de la matière qui forme les corps : *l'étude des atomes a fait de grands progrès.*

atomique [atɔmik], adj., qui se rapporte aux atomes : *l'industrie atomique.*

attacher [ataʃe], v. trans., mettre ensemble avec une corde ou une ficelle, etc. : *attacher ces morceaux de bois.* — **s'attacher, 1.** *s'attacher quelqu'un,* faire que quelqu'un devienne ami : *cet ingénieur s'est attaché ses ouvriers.* **2.** *s'attacher à quelqu'un,* devenir l'ami de quelqu'un : *il s'est attaché à ses maîtres.* **3.** *s'attacher à quelque chose,* s'appliquer : *il s'est attaché à ce travail; il s'attache aux pas de son nouvel ami,* il le suit partout où il va — **attaché, ée,** adj., **1.** employé au service de quelqu'un : *il a plusieurs personnes attachées à son service.* **2.** qui aime : *il est très attaché à ses parents.* **3.** qui s'applique : *cet ouvrier est attaché à son ouvrage.*

attaque [atak], n. f., **1.** action d'attaquer : *les soldats ont attendu l'attaque des ennemis.* **2.** mal qui vient tout à coup et qui arrête les mouvements : *ce vieillard a déjà eu deux attaques.*

attaquer [atake], v. trans., frapper le premier : *l'ennemi a attaqué*; fig., *j'ai attaqué ce travail,* je l'ai commencé : *il attaque un morceau de musique,* il commence à le jouer. — **s'attaquer à,** oser attaquer : *il s'est attaqué à un homme plus fort que lui; nous nous attaquons à un travail difficile.*

atteindre [atɛ̃drə] (*j'atteins, tu atteins, il atteint, nous atteignons, vous atteignez, ils atteignent; j'atteignais; j'atteignis; j'atteindrai; que j'atteigne; atteint*), v. trans., réussir à toucher : *il atteint le plafond en levant le bras; il a été atteint par une balle.*

attendre [atɑ̃drə] (se conjugue comme *tendre*), v. trans., rester dans un endroit en pensant que quelqu'un viendra ou que quelque chose arrivera : *je vous ai attendu.* PROVERBE : *Tout vient à point à qui sait attendre,* un résultat finit toujours par arriver. — **en attendant,** pour le moment. — **s'attendre à,** penser que quelque chose arrivera bientôt : *en 1939 on s'attendait à la guerre.*

attente [atɑ̃t], n. f., action d'attendre : *l'attente a été longue; il est venu de bonne heure, contre mon attente,* je ne l'attendais pas de bonne heure.

attention [atɑ̃sjɔ̃], n. f., **1.** action de porter toute sa pensée sur quelque chose : *je suis les événements avec la plus grande attention; faire attention,* porter sa pensée : *faites attention à ce qui se passe sous vos yeux.* **2.** soins gentils : *ce jeune homme a beaucoup d'attentions pour ses parents.* **3.** *attention!* interjection qui s'emploie pour prévenir quelqu'un d'un danger.

attirer [atire], v. trans., faire venir à soi : *il l'a attiré chez lui en lui promettant une bonne situation; il s'est attiré la colère de ses ennemis.*

attitude [atityd], n. f., façon de se tenir : *ce soldat a eu une belle attitude devant l'ennemi.*

attraper [atrape], v. trans., **1.** prendre rapidement : *il a attrapé la balle qu'on lui jetait.* **2.** fam., tromper : *ce marchand a attrapé un de ses clients.* **3.** fam., dire à quelqu'un qu'il n'a pas fait ce qu'il devait : *ses parents l'ont attrapé.*

au [o] = *à le* (article) : *le maître donne une récompense* AU *meilleur élève.*

aucun, une [okœ̃, yn], adj., pas un : *je ne connais aucun élève qui porte ce nom.* — pron., pas un : *aucun des voyageurs n'a été blessé dans cet accident.* — **D'aucuns,** quelques-uns : *d'aucuns racontent qu'ils ont tout vu.*

audace [odas], n. f., le fait d'oser : *vous avez beaucoup d'audace quand vous me réclamez une somme d'argent que je vous ai déjà payée.*

audacieux, fém. **euse** [odasjø, øz], adj., qui ose : *cet homme est trop audacieux devant le danger.*

auditeur, fém. **auditrice** [oditœr, oditris], n. m. et f., celui (celle) qui entend : *les auditeurs ont écouté ce qu'il a dit avec beaucoup d'intérêt.*

augmentation [ɔgmɑ̃tasjɔ̃ ou ogmɑ̃tasjɔ̃], n. f., **1.** le fait de devenir plus grand : *l'augmentation du tourisme; l'augmentation des prix.* **2.** le fait d'être mieux payé : *ces ouvriers ont reçu de l'augmentation.*

augmenter [ɔgmɑ̃te ou ogmɑ̃te], v. trans., **1.** rendre plus grand : *le boulanger a augmenté le nombre de ses clients.* **2.** *augmenter quelqu'un,* le payer plus cher : *ce patron a augmenté ses employés* — v. intr., **1.** devenir plus grand : *le danger augmente.* **2.** devenir plus cher : *les légumes ont beaucoup augmenté.*

aujourd'hui [oʒurdɥi], adv., **1.** le jour où l'on est : *il fait beau aujourd'hui.* **2.** de notre temps : *aujourd'hui on voyage souvent en avion; les anciens sont les anciens et nous sommes les gens d'aujourd'hui* (Molière); en ce sens on dit quelquefois dans la langue populaire *au jour d'aujourd'hui.*

auprès de [oprɛ də], prép., très près de : *il est resté auprès de sa mère malade; nous habitons auprès de la porte.*

auquel [okɛl] = *a* + *lequel* (pron. relatif), voir **lequel.**

aussi [osi], adv., **1.** de plus, de même, de façon semblable, *j'aime ses parents, j'aime aussi ses enfants.* **2.** (devant un adjectif ou un adverbe) autant : *il est aussi grand que son père; il travaille aussi bien que son frère.* **3.** c'est pourquoi : *il ne travaille pas, aussi ne réussit-il pas.*

aussitôt [osito], adv., tout de suite, tout de suite après : *je l'ai appelé, il est venu aussitôt.* EXPRESSION : *aussitôt dit, aussitôt fait :* la chose a été faite tout de suite après qu'on l'a dite. — **aussitôt que,** conj., tout de suite après que : *aussitôt qu'on l'a vu, on l'a salué.*

autant [otɑ̃], adv., en même quantité : *il travaille autant que vous; j'ai autant de livres que lui.* — **d'autant plus (moins, mieux)** : *je l'aime d'autant plus que je le connais bien,* c'est parce que je le connais bien que je l'aime; *je l'aime d'autant moins que je le connais bien,* c'est parce que je le connais bien que je ne l'aime pas.

auteur [otœr], n. m., **1.** celui qui cause quelque chose : *l'auteur de l'accident a reconnu sa faute.* **2.** celui qui écrit des livres : *Victor Hugo est l'auteur de belles poésies; nous avons lu les livres des grands auteurs.*

auto [ɔto], n. f., ou **automobile** [ɔtɔmɔbil], n. f., véhicule à quatre roues qui marche au moyen d'un moteur : *nous nous sommes promenés en auto; il travaille dans une usine d'automobiles.*

autobus [ɔtɔbys], n. m., grande auto qui transporte les personnes

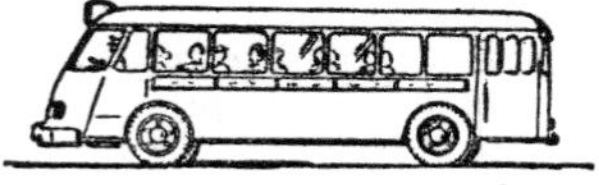

dans une ville ou dans une région : *j'ai attendu longtemps l'autobus.*

autocar [ɔtɔkar], n. m., ou **car** kar], n. m., grande auto qui trans-

porte les voyageurs d'une ville à l'autre : *nous avons fait un grand voyage en autocar.*

automatique [ɔtɔmatik], adj., qui marche tout seul : *un appareil automatique.*

automne [otɔn], n. m., saison qui suit l'été : *un bel automne; en automne les feuilles deviennent jaunes et tombent des arbres.*

automobile, voir **auto.**

autorail [ɔtɔraj], n. m., véhicule à moteur qui roule sur les rails des

chemins de fer : *beaucoup de trains ont été remplacés par des autorails.*

autoriser [ɔtɔrize], v. trans., permettre : *on ne m'a pas autorisé à traverser les rails,* on ne m'a pas permis de les traverser.

autorité [ɔtɔrite], n. f., **1.** le droit de commander : *il faut obéir à l'autorité des lois.* **2.** qualité de celui qui sait commander aux autres : *il parle avec beaucoup d'autorité.* **3.** au plur., *les autorités,* ceux qui sont chargés de donner des ordres : *il faut demander un passeport aux autorités.*

autour [otur], adv., de tous les côtés de quelque chose : *la table n'était pas grande, il y avait six personnes autour.* — **autour de,** prép., de tous les côtés de : *nous nous sommes promenés autour de la maison.*

autre [otrə], adj., différent, qui n'est pas le même : *ce n'est pas mon frère, c'est une autre personne; il est devenu un autre homme,* il a beaucoup changé. — **l'autre, un autre,** pron. : *ce livre ne m'intéresse pas, donnez-m'en un autre; l'un et l'autre,* tous les deux : *ils sont venus l'un et l'autre; l'un l'autre, les uns les autres,* en faisant chacun la même action sur l'autre : *ils se sont trompés l'un l'autre; aimez-vous les uns les autres.* — **tout autre,** n'importe quelle autre personne : *tout autre le croirait, mais pas moi.* — EXPRESSIONS : *vous me prenez pour un autre,* je ne suis pas ce que vous croyez; *à d'autres!* vous pouvez raconter cela à d'autres, mais pas à moi. — **autre part,** en un autre endroit : *nous allons autre part cette année.* — **d'autre part,** d'un autre point de vue.

autrefois [otrəfwa], adv., il y a longtemps : *je vous ai connu autrefois.*

autrement [otrəmɑ̃], adv., **1.** de façon différente : *conduisez-vous autrement.* **2.** si cela n'est pas : *venez avec moi, autrement je ne sortirai pas.*

aux [o; oz devant une voyelle] = *à* + *les* (article) : *il pense* AUX *amis de son frère.*

auxiliaire [ɔksiljɛr], adj., **1.** qui aide : *un moteur auxiliaire.* **2.** (grammaire) *verbe auxiliaire.* verbe qui sert à faire les temps d'autres verbes : *« avoir » et « être » sont des verbes auxiliaires dans « j'ai couru » et dans « je suis arrivé ».* — n. m. **1.** personne qui aide : *je suis aidé par un bon auxiliaire.* **2.** verbe auxiliaire : *« aller » est un auxiliaire dans « je vais venir ».*

auxquels, auxquelles [okɛl] = *à* + *lesquels, à* + *lesquelles* (voir **lequel**).

avaler [avale], v. trans., faire descendre (dans l'estomac) ce qu'on a mangé : *n'avalez pas de trop grands morceaux;* fig. et fam. croire : *i avale tout ce qu'on lui raconte.*

avance [avɑ̃s], n. f., **1.** le fait d'être avant quelqu'un ou quelque chose : *nous avons de l'avance; il a perdu son avance; nous sommes arrivés en avance.* **2.** *d'avance,* avant le moment, pour plus tard : *je vous paierai d'avance.* **3.** argent que l'on donne avant le moment où il doit être payé : *son directeur lui a fait une avance.* **4.** *faire des avances,* chercher à devenir l'ami de quelqu'un : *je n'ai pas répondu à ses avances.*

avancer [avɑ̃se], v. trans., **1.** porter en avant : *avancer la main droite.* **2.** faire plus tôt : *demain nous avancerons l'heure du dîner.* **3.** faire plus vite : *il faut avancer notre travail.* **4.** oser dire ou écrire : *il a avancé des idées nouvelles.* — v. intr., **1.** aller en avant : *ne restez pas à cet endroit, avancez.* **2.** *ma montre avance,* elle va trop vite. **3.** être en avant : *cette fenêtre avance dans la cour.* **4.** avoir une place plus importante et gagner plus d'argent : *cet ingénieur a vite avancé.* — **s'avancer, 1.** faire des pas en avant : *il s'est avancé jusqu'à la porte.* **2.** venir (en parlant du temps) : *le soir s'avance.* **3.** faire son travail plus vite : *je me suis bien avancé ce soir.* **4.** chercher à avoir une place plus importante : *il fait tous ses efforts pour s'avancer.* **5.** dire comme vraies des choses qui ne le sont peut-être pas : *je me suis trop avancé.*

avant [avɑ̃], prép. (contraire : *après*), *je suis arrivé avant lui; il arrivera avant midi; mon père a vécu avant moi; vous êtes avant l'heure.* — **avant de** (devant un infinitif) : *il faut écouter avant de répondre.* — **avant,** adv. : *ne partez pas tout de suite, déjeunez avant.* — **avant que,** conj. avec le subjonctif, *ne sortez pas avant que la pluie se soit arrêtée; faites ce travail avant qu'il soit trop tard.* — **en avant,** adv., en tête, le premier : *partez en avant, je vous suivrai; en avant, marche* (ordre militaire), marchez ; *se mettre en avant,* fig., se faire remarquer. — **en avant de,** prép., en tête de : *le chef marchait en avant des soldats.* — **avant,** n. m., **1.** la partie d'un *chef* bateau, d'une auto, etc., qui vient la première : *je vois bien l'avant du bateau;* **2.** *aller de l'avant,* continuer sans se laisser arrêter.

Je suis arrivé avant lui.

Il arrivera avant midi.

avantage [avɑ̃taʒ], n. m., **1.** ce qu'une personne ou une chose a de plus que l'autre : *son savoir lui donne un grand avantage; il a l'avantage* (au jeu, à la guerre), il est le premier, le plus fort, il gagne; *il paraît à son avantage,* de la façon qui le fait le mieux juger. **2.** ce qu'une chose, une action peut avoir de bon, d'utile (contraire : *inconvénient*) : *cette maison présente de grands avantages.*

avare [avar], adj., **1.** qui aime l'argent, qui dépense le moins qu'il peut pour garder son argent : *ce vieil homme est très avare.* **2.** qui ne se sert pas beaucoup de quelque chose : *il est avare de sa peine,* il ne fait pas d'efforts; *elle est avare de sa plume,* elle n'aime pas écrire. — n. m. et f., personne qui dépense le moins qu'elle peut : *Molière a appelé « l'Avare » une de ses pièces.*

avec [avɛk], prép., **1.** marque qu'une personne ou une chose est près d'une autre ou qu'une chose est portée par une personne (contraire : *sans*) : *vous viendrez avec votre ami; il est sorti avec son chapeau.* **2.** marque le moyen : *elle a coupé le tissu avec des ciseaux.* **3.** marque la manière : *j'ai appris cette nouvelle avec plaisir.*

avenir [avnir], n. m., ce qui arrivera : *il est difficile de savoir l'avenir; ce jeune homme a de l'avenir (un bel avenir),* il doit arriver à de beaux résultats dans la vie; *à l'avenir,* à partir de maintenant.

aventure [avɑ̃tyr], n. f., chose peu ordinaire qui arrive à quelqu'un : *il a eu des aventures pendant son voyage; aller à l'aventure,* marcher sans savoir où l'on va.

avenue [avny], n. f., rue large et plantée d'arbres des deux côtés : *vous verrez de belles avenues dans notre ville.*

averse [avɛrs], n. f., pluie assez forte, mais courte : *je me suis mis sous une porte pendant l'averse.*

avertir [avɛrtir], v. trans., prévenir quelqu'un, faire connaître à quelqu'un : *il m'a averti du danger.* PROVERBE : *Un homme averti en vaut deux :* un homme qui a été prévenu, qui sait, est plus fort devant un danger.

aveugle [avœglə], adj., **1.** qui ne voit pas : *sa blessure l'a rendu aveugle.* **2.** qui ne voit pas de différence entre ce qui est bien et ce qui est mal : *la colère est souvent aveugle.* **3.** *mur aveugle,* mur sans fenêtre; *fenêtre aveugle,* fenêtre bouchée. — n. m. et f., celui (celle) qui ne voit pas : *une école pour aveugles; j'en parle comme un aveugle des couleurs,* je ne connais pas cette question (un aveugle ne reconnaît pas les couleurs).

aviateur, trice [avjatœr, tris], n. m. et f., celui (celle) qui conduit un avion : *cet aviateur a fait le tour du monde.*

aviation [avjasjõ], n. f., ce qui se rapporte aux avions : *il est élève dans une école d'aviation; les grandes lignes d'aviation; l'aviation militaire.*

avion [avjõ], n. m., appareil qui sert à voler dans l'air : *j'ai fait un voyage en avion; un avion militaire; avion de ligne,* avion qui transporte des voyageurs et des marchandises d'une ville à une autre.

avis [avi], n. m., ce qu'on pense sur quelque chose : *vous me direz votre avis; c'est mon avis,* je pense ainsi; *à mon avis,* à ce que je pense; *donner un avis à quelqu'un,* le prévenir; *recevoir un avis,* être prévenu. — PROVERBE : *Autant de têtes, autant d'avis,* chacun pense de façon différente.

avocat [avɔka], n. m., celui qui défend les personnes devant la justice : *vous avez choisi un bon avocat, il vous défendra bien.* — *avocate,* fém., ne se dit que dans la langue familière; il vaut mieux dire *un avocat* même pour une femme : *cette dame est un bon avocat.*

avoir [avwar] *(j'ai, tu as, il a, nous avons, vous avez, ils ont; j'avais, j'eus; j'aurai; j'aurais; que j'aie, que tu aies, qu'il ait, que nous ayons, que vous ayez, qu'ils aient; que j'eusse; aie, ayons, ayez; ayant; eu),* v. trans., **1.** *Cadet Rousselle a trois maisons* (chanson). **2.** *il a encore ses deux grands-pères; il a beaucoup d'amis.* **3.** *avoir à,* avec un infinitif, devoir : *j'ai à vous demander un service.* **4.** verbe auxiliaire formant les temps composés de tous les verbes transsitifs et de beaucoup de verbes intransitifs : J'AI *acheté une chaise,* J'AI *couru.* — **y avoir,** être dans un endroit ou dans un temps : *il y a beaucoup d'arbres dans ce jardin; il y a eu hier un accident.* — devant un nombre d'heures, de jours, etc. *il y a* marque le temps qui s'est passé : *je l'ai rencontré pour la dernière fois il y a six mois.* — **avoir,** n. m., ce qu'on a : *il a cent francs pour tout avoir,* il n'a que cent francs.

avouer [avwe, quelquefois avue] v. trans., reconnaître quelque chose qu'on a fait : *il a avoué qu'il s'est promené au lieu de faire son travail.*

avril [avril], n. m., le quatrième mois de l'année. PROVERBE : *En avril ne quitte pas un fil, en mai mets ce qui te plaît,* en avril (au mois d'avril) on doit faire encore attention à ne pas prendre froid, en mai on peut s'habiller comme on veut.

B

bagage [bagaʒ], n. m., **1.** (en général au pluriel) ce qu'on emporte en voyage : *j'ai laissé mes bagages à la gare; petits bagages ou bagages à main,* paquets et valises que les voyageurs prennent avec eux dans leur wagon*; gros bagages,* bagages qui sont mis dans des wagons, en tête ou à la queue du train; *il est parti avec armes et bagages,* avec tout ce qu'il avait; *l'ennemi a plié bagage,* il est parti. **2.** (en général au singulier) ce qu'on sait : *cet élève n'a pas un gros bagage.*

bague [bag], n. f., bijou de forme ronde que l'on porte au doigt : *cette dame a une bague en or.*

baigner [bɛñe], v. trans., mettre dans l'eau : *la maman baigne son bébé.* — v. intr., être dans l'eau : *le bas de la maison baigne dans le lac.* — **se baigner,** se mettre dans l'eau, prendre un bain : *il s'est baigné dans la mer.*

bain [bɛ̃], n. m., action de mettre le corps dans l'eau : *il a pris un bain; bains de mer,* endroits où l'on prend des bains dans la mer : *il est allé aux bains de mer cet été;* fam., *on l'a envoyé au bain,* on n'a pas voulu le recevoir.

baisse [bɛs], n. f., action de baisser : *on annonce la baisse du prix du pain.*

baisser [bɛse], v. trans., mettre plus bas : *il baisse la tête; l'épicier a baissé ses prix,* il vend moins cher. — v. intr., **1.** devenir plus bas : *l'eau baisse; la mer baisse* (contraire : *la mer monte*). **2.** devenir plus faible : *le malade baisse; sa vue baisse beaucoup.* **3.** devenir moins cher : *les légumes ont baissé cette semaine.* — **se baisser,** se pencher beaucoup : *il s'est baissé pour ramasser son crayon.*

bal [bal], n. m., ensemble de personnes qui dansent : *il y avait beaucoup de monde à ce bal.*

balai [balɛ], n. m., instrument qui sert à nettoyer en enlevant la poussière des planchers : *il a cassé le manche de son balai; donner un coup de balai,* nettoyer avec un balai, fig. chasser tous les employés d'une maison. PROVERBE : *Balai neuf balaye bien,* on fait souvent mieux le commencement d'un travail que ce qui vient après.

balance [balɑ̃s], n. f., instrument qui sert à peser : *vous n'avez pas mis assez de poids sur la balance;* fig. *mettre en balance,* peser en esprit le pour et le contre; *faire pencher la balance,* faire préférer.

balayer [balɛje], (*je balaie* ou *je balaye, nous balayons, vous balayez; je balayais, nous balayions, vous balayiez; je balaierai* ou *je balayerai; que je balaye, que nous balayions, que vous balayiez*), v. trans., **1.** nettoyer le plancher avec un balai : *il a balayé sa chambre;* fig., *la mer balaie* (ou *balaye*) *les quais quand le temps est mauvais.* **2.** faire partir avec un balai : *nous balaierons* (ou *balayerons*) *la poussière;* fig., *les ennemis ont été balayés.*

balcon [balkɔ̃], n. m., **1.** sorte de petite terrasse devant les fenêtres d'une maison : *les soirs d'été nous prenons l'air sur notre balcon.* **2.** au théâtre et au cinéma, places au premier ou au second étage : *nous avons pris deux places de balcon.*

balle [bal], n. f., **1.** objet rond qui sert à jouer : *les enfants jouent à la balle;* fig., *il lui a renvoyé la balle,* il lui a répondu avec force. **2.** projectile que lance un fusil ou un pistolet (autrefois ces projectiles étaient ronds) : *il a reçu une balle dans le bras.* **3.** gros paquet de marchandises : *une balle de coton; enfant de la balle,* acteur qui a des acteurs pour parents et qui a vécu dans un théâtre toute sa vie.

ballon [balɔ̃], n. m., **1.** grosse balle qui sert à jouer : *un ballon de football.* **2.** appareil rempli d'un gaz léger qui peut monter dans les airs : *les ballons ont été connus longtemps avant les avions.*

Ballons

banane [banan], n. f., fruit qui vient des pays chauds : *il a mangé une banane à son dessert.*

bananier [bananje], n. m., arbre qui produit des bananes : *on a planté beaucoup de bananiers dans cette région d'Afrique.*

banc [bɑ̃], n. m., **1.** siège où plusieurs personnes peuvent s'asseoir : *nous avons fait installer deux bancs de bois dans notre jardin.* **2.** *un banc de sable,* du sable caché sous l'eau, qui est dangereux pour les bateaux. **3.** *un banc de poissons,* beaucoup de poissons qui nagent ensemble.

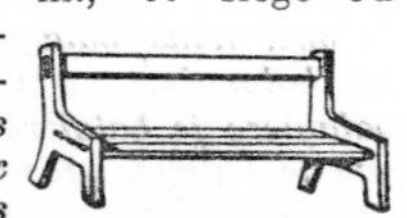

1. bande [bɑ̃d], n. f., morceau de tissu, de papier, etc., long et étroit : *l'infirmier a mis une bande de toile autour de la blessure.*

2. bande [bɑ̃d], n. f., groupe de personnes (surtout de personnes qui se conduisent mal) : *la police a arrêté une bande de voleurs.*

banlieue [bɑ̃ljø], n. f., la région qui se trouve autour des villes : *beaucoup de personnes travaillent à Paris, mais habitent dans la banlieue.*

banque [bɑ̃k], n. f., maison qui fait le commerce de l'argent : *je vais chercher de l'argent à la banque; il fait la banque,* il fait le commerce de l'argent.

banquier [bɑ̃kje], n. m., celui qui fait le commerce de l'argent (la banque) : *il a trouvé un banquier qui lui prêtera une somme importante.*

barbe [barb], n. f., **1.** poils qui poussent sur la joue et sur le bas de la figure : *il a la barbe dure; il se fait la barbe,* il se rase. **2.** les mêmes poils qu'on a laissé pousser : *il porte toute sa barbe; il s'est fait tailler la barbe.* EXPRESSIONS : *il rit dans sa barbe,* il rit en lui-même, sans laisser voir qu'il rit; *il a dit cela à ma barbe,* il a osé le dire devant moi; pop., *c'est la barbe,* cela ne m'intéresse pas du tout.

barque [bark], n. f., petit bateau : *les pêcheurs s'en vont sur leurs barques.*

barrage [baraʒ], n. m., sorte de mur qui coupe une rivière, de façon qu'on puisse se servir de la force de l'eau qui tombe : *on a construit de grands barrages pour produire de l'électricité.*

barre [bar], n. f., **1.** longue pièce de bois ou de métal, qui sert, par exemple, à fermer une porte : *enlever la barre de la porte.* **2.** trait droit; *il a dessiné des barres sur son papier.*

barrer [bare], v. trans., **1.** fermer par une barre : *on barre les rues où l'on fait des travaux; il m'a barré le chemin,* il m'a empêché de passer. **2.** faire un ou plusieurs traits sur quelque chose : *je barre une ligne de ma lettre.*

1. bas, basse [ba, bas], adj., **1.** qui ne s'élève pas loin du sol (contraire : *haut*) : *cette maison est très basse.* **2.** fig., peu élevé, en parlant des sentiments : *tout ce qu'il dit est très bas.* — EXPRESSIONS : *les voleurs ont fait main basse sur l'argent,* ils l'ont pris, ils l'ont volé; *à bas prix,* bon marché; *il a la vue basse,* il ne voit pas loin; *un enfant en bas âge,* très jeune; *au bas mot,* au moins : *ils étaient cent au bas mot.* — **basse-cour,** n. f., partie d'une maison où l'on élève les poules, les canards, les lapins, etc.; ces animaux eux-mêmes : *la cultivatrice soigne bien sa basse-cour.* — **bas,** adv. *parler bas,* sans bruit, pour ne pas être entendu. — **en bas,** adv., vers le bas : *regarder en bas.*

2. bas [ba], n. m., vêtement qui couvre les pieds et les jambes jusqu'au genou ou un peu au-dessus : *cette dame porte des bas gris; bas de laine,* l'argent qu'on a mis de côté (parce qu'autrefois, à la campagne, on le gardait dans un bas de laine); *un bas-bleu,* une femme qui écrit des livres (se dit pour se moquer).

base [ba:z], n. f., le bas d'une chose : *la base d'un mur;* fig., *il faut arrêter le mal à sa base,* à l'endroit où il commence.

bassin [basɛ̃], n. m., **1.** grand récipient rond en métal où l'on met de l'eau : *ne faites pas tomber le bassin.* **2.** sorte de grand récipient en pierre dans le sol d'un jardin : *les enfants font marcher des bateaux dans le bassin.* **3.** partie d'un port : *le bateau est entré dans le bassin.* **4.** région d'une rivière : *le bassin de la Loire est très important.*

bataille [bataj], n. f., action de se battre (quand deux armées ennemies sont en face l'une de l'autre) : *il a gagné* (contraire : *perdu*) *la bataille; champ de bataille,* endroit où deux armées se battent : *nous sommes allés sur les champs de bataille de la dernière guerre.*

bataillon [batajɔ̃], n. m., unité militaire qui comprend plusieurs compagnies : *ce bataillon a perdu beaucoup de soldats dans la bataille.*

bateau, plur. **eaux** [bato], n. m., moyen de transport par eau : *un bateau de pêche; un bateau de commerce; pont de bateaux,* pont fait avec des bateaux mis à côté les uns des autres; familier, *on lui a monté un bateau,* on lui a fait croire des choses qui n'étaient pas vraies.

bâtiment [bɑtimɑ̃], n. m. **1.** toute sorte de maison : *cette ferme comprend deux bâtiments.* **2.** ce qui se rapporte à l'art de construire des maisons : *le bâtiment intéresse beaucoup de métiers.* **3.** bateau : *un grand bâtiment est sorti du port.*

bâtir [bɑtir], v. trans., construire : *on a bâti un nouveau quartier dans la ville; terrain à bâtir,* terrain où l'on peut construire des maisons; *terrain bâti,* terrain où l'on a construit des maisons.

bâton [bɑtɔ̃], n. m., long morceau de bois qui sert à frapper ou à aider à marcher : *il lui a donné un coup de bâton;* fig., *il met des bâtons dans les roues,* il empêche une affaire de marcher. — *un bâton de chocolat,* un morceau de chocolat qui ressemble à un petit bâton.

battre [batrə] *(je bats, nous battons; je battais; je battis; je battrai; je battrais; bats, battons, battez; que je batte, que je battisse, battant, battu),* v. trans., **1.** frapper plusieurs fois, donner des coups : *ce méchant enfant a battu son petit frère; battre le blé,* le frapper pour faire sortir le grain; *battre des œufs,* les remuer rapidement pour mêler le jaune et le blanc; *battre les cartes* (à jouer), les mêler avant de commencer une partie; *battre la mesure* (en musique), marquer la mesure avec la main; *battre la campagne,* faire des rêves (en dehors du sommeil) : *quel esprit ne bat la campagne?* (La Fontaine). PROVERBE : *Il faut battre le fer quand il est chaud,* il faut faire les choses quand c'est le moment (comme le forgeron bat le fer). **2.** gagner (à la guerre) : *il a battu l'ennemi.* — v. intr., **1.** avoir un mouvement répété : *son cœur bat vite.* **2.** *battre des mains,* frapper les deux mains l'une contre l'autre pour montrer qu'on est content. — **se battre, 1.** se frapper les uns les autres, se donner des coups les uns aux autres : *ces deux enfants se sont battus.* **2.** frapper l'ennemi et se défendre : *ce soldat s'est battu avec courage.*

bavard, arde [bavar, ard], adj. et n., qui parle beaucoup : *c'est un élève bavard (une élève bavarde); les bavards doivent apprendre à se taire.*

1. beau (**bel** devant voyelle), **belle,** plur. **beaux, belles** [bo, bɛl], adj., **1.** qui plaît aux yeux ou aux oreilles : *un bel enfant; une belle maison; de la belle musique; les beaux-*

arts : la peinture, la sculpture, la musique, etc. **2.** qui plaît à l'esprit ou au cœur; *une belle action.* **3.** important : *j'ai payé une belle somme d'argent.* **4.** (en parlant du temps) sans pluie ni vent; *il fait beau; le temps est beau depuis huit jours.* **5.** (pour se moquer) *cela vous fait une belle jambe,* vous n'y gagnez rien; *il a mordu à belles dents,* de toutes ses dents; *de plus belle,* de nouveau et plus fort : *la pluie tombe de plus belle.* **6.** *un beau jour, un beau matin,* un jour, un matin (sans qu'on s'y attende) : *un beau matin il a quitté son village.* **7.** *avoir beau : vous avez beau dire, je ne vous croirai pas,* vous pouvez dire ce que vous voulez, je ne vous croirai pas. — **beau,** n. m., *ce chien fait le beau,* il se tient debout sur les pattes de derrière. — **bel et bien,** adv., marque que ce qu'on dit est tout à fait vrai : *il a été bel et bien blessé dans cet accident.*

2. beau, belle, plur. **beaux, belles,** adj., **1.** se met devant les noms des parents de la femme ou du mari : **beaux-parents, beau-père, belle-mère,** les parents, le père, la mère de la femme ou du mari; **beau-frère, belle-sœur,** frère (sœur) de la femme ou du mari; aussi le mari d'une sœur et la femme d'un frère; **beau-fils,** gendre; **belle-fille,** bru. **2. beau-père,** second mari de la mère; **belle-mère,** seconde femme du père; **beau-fils, belle-fille,** fils (fille) d'un premier mari de la femme ou d'une première femme du mari.

beaucoup [boku], adv., (contraire : *peu*), **1.** marque une grande quantité : *il mange beaucoup de pain; il a lu beaucoup de livres.* **2.** avec un verbe marque une action très forte : *il s'amuse beaucoup.*

beauté [bote], n. f., **1.** qualité des personnes et des choses qui sont belles : *je suis étonné de la beauté de cette région; un livre de toute beauté,* un livre très beau; *grain de beauté,* petite tache brune que l'on a sur la peau. **2.** personne très belle : *cette dame est une beauté.*

bébé [bebe], n. m., très jeune enfant : *Quel beau bébé!*

Bébé.

bec [bɛk], n. m., **1.** partie du corps des oiseaux : chez les oiseaux la bouche est remplacée par un bec dur et pointu : *le coq peut piquer avec son bec; un blanc-bec,* un jeune homme qui croit savoir tout et ne sait rien. **2.** fam., bouche (en parlant des personnes), *ferme ton bec,* ferme ta bouche, tais-toi. PROVERBE : *Il n'est bon bec que de Paris,* les gens de Paris savent mieux parler que les autres. **3.** partie d'un objet qui ressemble au bec d'un oiseau : *le bec d'une casserole; le bec d'un pot; ce fourneau a trois becs.* **4.** *bec de gaz, bec électrique,* lampe à gaz (lampe électrique) très haute, qui sert à éclairer les rues; fam., *il est tombé sur un bec,* il n'a pas réussi (comme une personne qui, en marchant, rencontre un bec de gaz).

Bec.

beige [bɛ:ʒ], adj., qui est d'une couleur claire, entre gris et brun clair : *cette dame porte un manteau beige.*

bénéfice [benefis], n. m., ce qui reste à un commerçant quand il a payé ce qu'il devait : *ce commerçant a fait de beaux bénéfices l'an dernier.*

bénéficier [benefisje], v. avec *de,* avoir quelque chose qui vous est utile : *il a bénéficié de grands avantages parce qu'on aimait beaucoup son père.*

béret [berɛ], n. m., coiffure ronde et plate : *il porte un béret bleu.*

Béret.

berger, ère [bɛrʒe, ɛr], n. m. et f., celui (celle) qui garde les moutons : *le berger porte un gros manteau; chien de berger,* grand chien qui aide le berger à garder les moutons.

Berger.

besogne [bəzɔñ], n. f., travail : *la besogne ne manque pas; il va vite en besogne,* il travaille vite; *il fait plus de bruit que de besogne,* il parle beaucoup, mais ne fait pas grand-chose; *je lui taillerai de la besogne,* je lui donnerai du travail.

besoin [bəzwɛ̃], n. m., le fait de manquer de choses nécessaires : *il est dans le besoin,* il manque de tout, il est très pauvre; *il a de grands besoins,* il lui faut beaucoup de choses, ou beaucoup d'argent pour les acheter; *j'ai besoin de ce livre,* ce livre m'est nécessaire.

bestiaux [bɛstjo], n. m. plur., animaux de ferme (sauf les animaux de basse-cour) : *il a acheté deux bœufs au marchand de bestiaux.* Le mot *bestiaux* ne peut être mis avec un nom de nombre. Pour compter les *bestiaux* on dit *tête de bétail* (voir *bétail*) : *dans cette ferme il y a vingt têtes de bétail.*

bétail [betaj], n. m. (seulement au singulier), ensemble des animaux de ferme (sauf les animaux de basse-cour) : *il n'y a presque pas de bétail dans cette région; gros bétail,* les bœufs, les vaches, les chevaux, les ânes; *petit bétail,* les moutons, les chèvres, les porcs; *tête de bétail,* chacun des animaux quand on en fait le compte (voir *bestiaux*).

bête [bɛ:t], n. f., **1.** animal : *il monte une belle bête,* un beau cheval; *les bêtes de la ferme; bête à bon Dieu,* petit insecte noir et rouge. EXPRESSIONS : *il cherche la petite bête,* il cherche à trouver quelque chose de mal chez une personne, dans un livre, etc.; *il est votre bête noire,* c'est la personne que vous aimez le moins; *il a repris du poil de la bête,* il est devenu plus fort après avoir été faible (comme une personne qui monte à cheval). **2.** homme peu intelligent : *c'est une bête; il fait la bête,* il veut faire croire qu'il est une bête. — adj., peu intelligent : *il est vraiment bête.* EXPRESSIONS : *il est bête à manger du foin,* il est très bête (comme les animaux qui mangent du foin); *bête comme une oie,* très bête.

beurre [bœr], n. m., matière grasse que l'on tire du lait : *la maman met du beurre sur le pain des enfants;* pop., *il a fait son beurre,* il a gagné beaucoup d'argent dans les affaires.

bibliothèque [biblijɔtɛk], n. f., **1.** maison ou partie d'une maison où sont les livres : *nous trouverons ce livre à la bibliothèque de la ville.* **2.** sorte d'armoire où l'on met des livres : *il a acheté une bibliothèque en métal.* **3.** ensemble des livres d'une personne : *il a vendu sa bibliothèque.*

bicyclette [bisiklɛt], n. f., véhicule qui a deux roues l'une derrière l'autre et que l'on fait marcher avec ses pieds : *nous nous promenons à bicyclette* (ne pas dire *en bicyclette*).

1. bien [bjɛ̃], adv., **1.** comme il est bon de faire, comme il faut (contraire : *mal*) : *il travaille bien; ses affaires vont bien; il se porte bien; tant bien que mal,* d'une façon qui n'est ni bonne ni mauvaise : *il a réussi tant bien que mal.* **2.** (devant un adjectif ou adverbe) très : *il est bien malheureux.* **3.** *bien de,* (avec l'article défini) beaucoup de : *j'ai eu bien de la peine; bien des amis me l'ont dit.* **4.** comme une sorte d'adj., *il est bien; un homme bien,* comme on doit être. — **bien que** conj. (avec le subjonctif), *il a recommencé, bien qu'on l'ait prévenu,* on l'a prévenu et il a quand même recommencé. — **si bien que, tant et si bien que,** conj. (avec l'indicatif), marquent le résultat : *il n'a pas travaillé cette année, si bien (tant et si bien) qu'il n'a pas réussi.*

2. bien [bjɛ̃], n. m., **1.** ce qui est bon (contraire : *mal*) : *il rend le bien pour le mal,* il est bon pour ceux qui lui ont fait du mal : *elle fait du bien autour d'elle,* elle aide les autres; *ce médicament vous fera du bien,* il sera bon pour votre santé; *il vous veut du bien,* il veut vous être utile. **2.** *avoir du bien,* être riche : *il a du bien au soleil,* il a des terres; *mon bien,* ce qui est à moi; *un bien de famille,* terre ou maison qui est à une famille. **3.** plur. *biens,* argent, terres, etc. : *il a de grands biens; marchand de biens,* celui qui achète et vend des terres.

bien sûr [bjɛ̃ syr], adv., c'est une chose sûre, certaine : *il viendra bien sûr; le connaissez-vous? — bien sûr.*

bientôt [bjɛ̃to], adv., dans peu de temps : *le train va bientôt arriver; il a eu bientôt fait,* il a eu vite fait; *cela est bientôt dit,* cela est vite dit.

bière [bjɛr], n. f., boisson faite avec de l'orge et du houblon : *il a bu un verre de bière.*

bifteck [biftɛk], n. m., morceau de viande de bœuf : *il a mangé un bifteck à son déjeuner.*

bijou, plur. **bijoux** [biʒu], n. m., petit objet d'ornement (par exemple, *bague, bracelet, collier*) : *cette dame porte de beaux bijoux.*

bille [bij,] n. f., petit objet rond en pierre ou en métal : *les enfants jouent aux billes.*

billet [bijɛ], n. m., **1.** papier, carte, qui donne des droits : *billet de théâtre, de cinéma, de chemin de fer : j'ai pris un billet pour Nice.* **2.** *billet de banque,* ou simplement *billet,* papier qui sert de monnaie : *un billet de mille francs.* **3.** lettre très courte : *il m'a prévenu de son départ par un billet.*

Billet de chemin de fer.

bizarre [bizar], adj., qui étonne parce qu'il n'est pas du tout comme les autres : *c'est un homme bizarre; il porte des vêtements bizarres.*

blanc, blanche [blɑ̃, blɑ̃ʃ], adj., qui est d'une couleur qui ressemble à celle du lait ou de la neige : *ce vieil homme a des cheveux blancs; nous écrivons sur du papier blanc; blanc comme un linge,* très blanc, qui a perdu toute couleur (se dit de la figure d'une personne qui est malade); *nuit blanche,* nuit où l'on ne dort pas *j'ai passé une nuit blanche; je lui ai donné carte blanche,* je lui ai permis de faire ce qu'il voulait; *oie blanche,* jeune fille bien élevée, mais qui ne sait rien de la vie. — **blanc,** n. m., **1.** couleur blanche : *le blanc lui va bien,* **2.** homme qui a la peau blanche (fém. *une blanche*). **3.** partie blanche de quelque chose : *le blanc d'un œuf; je l'ai regardé dans le blanc des yeux,* je l'ai regardé bien en face.

blancheur [blɑ̃ʃœr], n. f., qualité de ce qui est blanc : *ce linge est d'une grande blancheur.*

blanchir [blɑ̃ʃir], v. trans., rendre blanc : *la neige a blanchi la campagne.* — v. intr., devenir blanc : *ses cheveux ont blanchi.*

blanchisserie [blɑ̃ʃisri], n. f., métier du blanchisseur; endroit où le blanchisseur lave le linge : *cette blanchisserie lave très bien le linge qu'on lui apporte.*

blanchisseur, euse [blɑ̃ʃisœr, øz], n. m. et f., celui (celle) qui lave le linge : *nous avons porté notre linge sale chez la blanchisseuse.*

blé [ble], n. m., plante qui donne des grains que l'on écrase pour faire le pain : *on coupe le blé à la moisson; il mange son blé en herbe,* il dépense son argent avant de l'avoir reçu.

blesser [blɛse], v. trans. **1.** frapper une personne ou un animal d'un coup qui fait couler le sang ou qui peut être autrement dangereux : *il a été blessé d'une balle à la main.* **2.** faire du mal, être peu agréable aux sens : *cette musique blesse les oreilles; ces couleurs blessent la vue.* **3.** être peu agréable pour les sentiments : *ces mots l'ont beaucoup blessé; des mots blessants,* des mots qui blessent, qui sont peu agréables à entendre. —

blessé, ée, n. m. et f., personne blessée : *après l'accident on a soigné les blessés.*

blessure [blɛsyr], n. f., coup qui fait couler le sang : *il faut mettre un pansement sur votre blessure; il est couvert de blessures,* il est blessé en plusieurs endroits.

bleu, bleue [blø], adj., qui est de la couleur du ciel quand il fait très beau : *une robe bleue.* EXPRESSIONS : *j'en suis bleu,* je suis tout étonné; *une peur bleue,* une très grande peur. — n. m., **1.** la couleur bleue : *le bleu est à la mode.* **2.** *un bleu,* un jeune soldat, qui vient d'être appelé à l'armée. **3.** ce que produit un coup sur le corps : *il a un bleu sur la jambe.* — **bleu marine** (ne change pas au féminin ni au pluriel), bleu assez foncé (de la couleur des vêtements des marins) : *des robes bleu marine.*

bloc [blɔk], n. m. gros morceau : *il a reçu un bloc de pierre sur le pied; en bloc,* en une seule fois : *il a vendu ses livres en bloc; à bloc,* à fond : *il faut serrer à bloc.*

blond [blõ, blõd], adj., **1.** d'une couleur un peu plus foncée que le jaune ou l'or (se dit surtout des cheveux et de la barbe) : *elle a des cheveux blonds;* **2.** qui a des cheveux blonds : *sa sœur est blonde.* — n. m., la couleur blonde : *elle a des cheveux d'un blond clair.* — n. m. et f., personne blonde : *son frère est un petit blond.*

blouse [bluz], n. f., vêtement de dessus pour hommes et pour femmes : *il a mis sa blouse; elle porte une blouse bleue.*

Blouse.

bœuf, plur. **bœufs** [bœf, bø], n. m., animal domestique que l'homme élève pour sa viande et sa peau : *dans certaines régions le bœuf tire la charrue; du bœuf,* de la viande de bœuf : *il mange du bœuf à tous ses repas; c'est un bœuf de travail,* un homme qui travaille beaucoup; *il travaille comme un bœuf,* il travaille beaucoup; *il a saigné comme un bœuf,* il a perdu beaucoup de sang.

boire [bwar] *(je bois, nous buvons; je buvais; je bus; je boirai; que je boive, que nous buvions; bu),* v. trans. **1.** prendre du liquide par la bouche : *il a bu une tasse de café;* fig., *il boit tout ce que son maître dit,* il l'écoute avec beaucoup d'attention; *il y a à boire et à manger dans ce livre,* le bon y est mêlé au mauvais. **2.** (sans complément) avoir l'habitude de boire trop de vin : *cet homme travaillerait bien, s'il ne buvait pas; il boit comme un trou,* il boit beaucoup. PROVERBE : *Qui a bu boira,* celui qui a commencé à boire continuera. — n. m., *il en perd le boire et le manger,* il ne pense plus à boire ni à manger.

bois [bwa], n. m., **1.** matière dure qui vient des arbres : *ces meubles sont en bois; bois mort,* branches tombées des arbres : *il ramasse du bois mort dans la forêt; bois vert,* bois qui n'est pas encore sec et qui ne brûle pas facilement; *bois de chauffage,* bois qui sert à chauffer; *bois de lit,* partie du lit qui est en bois; *j'ai trouvé visage de bois,* je n'ai pas trouvé la personne que j'allais voir (la porte est restée fermée); *je ne suis pas de ce bois-là* ou *je ne me chauffe pas de ce bois-là,* je ne suis pas homme à faire cela. **2.** endroit planté d'arbres, petite forêt : *le bois de Vincennes* (à Paris); *promenons-nous dans les bois, pendant que le loup n'y est pas* (chanson d'enfants); *j'ai été volé comme dans un bois (comme au coin d'un bois),* j'ai eu affaire à des voleurs (parce qu'autrefois il y avait beaucoup de voleurs dans les bois).

boisson [bwasõ], n. f., **1.** ce que l'on boit : *une boisson agréable.* **2.** l'habitude de boire trop de vin : *il a été perdu par la boisson; il est pris de boisson,* il a bu trop de vin.

boîte [bwat], n. f., **1.** récipient en bois, en métal, etc., avec un couvercle : *il a acheté une boîte de couleurs pour peindre; boîte à lettres,* boîte où l'on met les lettres pour qu'elles partent; *boîte à outils,* boîte où l'on range les outils. **2.** pop., école, atelier, usine, bureau, magasin, etc. (pour ceux qui y travaillent) : *il faut que je sois à la boîte à 2 heures; c'est une boîte,* c'est une mauvaise maison.

boiter [bwate], v. intr., mal marcher, à cause d'une jambe trop courte : *il boite du pied droit.*

boiteux, euse [bwatø, øz], adj., qui a une jambe trop courte : *un cheval boiteux;* fig., *une chaise (une table) boiteuse,* une chaise (une table) qui a un pied trop court. — n. m. et f., celui (celle) qui boite : *ce méchant garçon s'est moqué d'un boiteux.*

bol [bɔl], n. m., sorte de grande tasse : *il y avait deux bols sur la table; il a bu un bol de lait à son petit déjeuner.*

bon, bonne [bɔ̃, bɔn], adj. **1.** qui a des qualités de cœur : *cette dame est très bonne; il a fait une bonne action.* **2.** qui fait bien un métier, etc. : *un bon médecin; un bon cordonnier (tailleur, ouvrier, etc.); il n'est bon à rien,* il ne peut faire aucun métier; *il est bon pour le service,* il est assez fort pour être soldat. **3.** qui a certaines qualités : *un bon cheval; de bons amis; un bon garçon,* un homme gentil, qui rend service; *il a bon pied bon œil,* il est fort et en bonne santé. **4.** agréable (en parlant des aliments, etc.), *de bons légumes;* adv. *cette fleur sent bon.* **5.** tout à fait (même plus) : *il y a deux bons kilomètres jusqu'à la ville; il est arrivé bon premier; de bon matin,* très tôt. **6.** *pour de bon,* de façon sérieuse.

bonbon [bɔ̃bɔ̃], n. m., morceau de sucre, de chocolat, etc. qu'on donne aux enfants : *ce petit garçon aime beaucoup les bonbons.*

bonheur [bɔnœr], n. m., **1.** état de celui qui est heureux : *il nage dans le bonheur,* il est très heureux; **2.** chance : *il a eu le bonheur de vous connaître.*

bonhomme, plur. **bonshommes** [bɔnɔm, bɔ̃zɔm], n. m., **1.** homme simple : *c'est un bonhomme; mon petit bonhomme,* mon petit garçon. **2.** dessin d'enfant qui veut représenter des hommes : *les enfants ont dessiné des bonshommes sur les murs.* — Expressions : *il fait son petit bonhomme de chemin,* il avance d'une façon lente, mais sûre; *Jacques Bonhomme,* le paysan français : *Jacques Bonhomme a su devenir libre.*

bonjour [bɔ̃ʒur], n. m., ce qu'on dit quand on entre dans une maison ou quand on rencontre un ami : *bonjour, monsieur (madame, mademoiselle).*

bonne [bɔn], n. f., femme ou jeune fille employée dans une famille : *nos amis ont une nouvelle bonne.*

bonnet [bɔnɛ], n. m., coiffure d'homme et de femme sans bords : *elle a mis son bonnet des jours de fête; bonnet de colon* ou *bonnet de nuit,* bonnet que l'on mettait autrefois pour dormir; *bonnet de police,* ancienne coiffure des soldats quand ils n'étaient pas de service; *bonnet à poils,* coiffure des soldats de Napoléon Ier; *bonnet d'âne,* coiffure en forme d'oreilles d'âne que les maîtres mettaient autrefois aux élèves pour les punir. Expressions : *ce sont deux têtes sous un même bonnet,* deux personnes qui sont d'accord en tout; *il a la tête près du bonnet,* il se met facilement en colère; *c'est blanc bonnet et bonnet blanc,* c'est la même chose, il n'y a pas de différence; fam., *un gros bonnet,* une personne importante; fam., *triste comme un bonnet de nuit,* très triste.

Bonnet de femme.

bonsoir [bɔ̃swar], n. m., **1.** ce qu'on dit quand on entre dans une maison ou quand on rencontre un ami le soir : *bonsoir, messieurs.* **2.** (quelquefois) au revoir : *bonsoir, je m'en vais.*

bonté [bɔ̃te], n. f., qualité d'une personne qui est bonne : *il est d'une grande bonté.*

bord [bɔr], n. m., **1.** la partie d'un objet qui en fait le tour : *il a mis son livre sur le bord de la table; il a rempli son verre jusqu'au bord; il habite sur le bord de la mer.* **2.** côté d'un bateau : *il va d'un bord à l'autre; il est tombé par-dessus bord :* il est tombé du bateau dans l'eau. **3.** le bateau lui-même dans quelques expressions : *prendre quelqu'un à son bord,* sur son bateau; *monter à bord,* sur le bateau; *à bord de...,* sur tel bateau : *il a écrit cette lettre à bord de l'Ile-de-France; livre (journal) de bord,* livre où le capitaine du bateau écrit chaque jour ce qui s'est passé. **4.** *je suis de votre bord,* je pense comme vous.

1. botte [bɔt], n. f., grande chaussure, montant presque jusqu'au genou, qui sert à monter à cheval ou à aller dans l'eau : *il a mis (enlevé) ses bottes.*

2. botte [bɔt], n. f., plantes coupées attachées ensemble : *une botte de foin.*

bouche [buʃ], n. f., **1.** partie de la figure qui sert à manger et à parler : *il ne faut pas parler la bouche pleine; pendant le dîner il n'a ouvert la bouche que pour manger,* il n'a pas dit un mot. EXPRESSIONS: *cela fait venir l'eau à la bouche,* cela donne envie de le manger (ou, au figuré, de l'avoir); *il fait la petite bouche,* il fait le difficile (comme les gens qui ne mangent que de petits morceaux); *je garde cela pour la bonne bouche,* pour plus tard; *il a le cœur sur la bouche,* il dit toujours la vérité. **2.** bout semblable à une bouche : *la bouche d'un canon; les bouches du Rhône.*

1. boucher [buʃe], v. trans., **1.** remplir un trou, un creux pour le fermer : *j'ai bouché la bouteille.* **2.** *il se bouche les oreilles (le nez),* il ferme ses oreilles (son nez) avec la main pour ne pas entendre (pour ne pas sentir).

2. boucher, ère [buʃe, ɛr], n. m. et f., celui (celle) qui vend la viande de bœuf, de veau, de mouton : *dans les villes autrefois et à la campagne encore aujourd'hui le boucher tuait lui-même les bêtes; garçon boucher,* employé qui aide le boucher.

boucherie [buʃri], n. f., magasin où l'on vend de la viande de bœuf, de veau et de mouton : *je suis allé à la boucherie; viande de boucherie,* viande de bœuf, de veau et de mouton (mais non de porc).

bouchon [buʃõ], **1.** petit paquet de paille ou de foin : *il a frotté avec un bouchon de paille.* **2.** ce qui sert à boucher une bouteille : *cette bouteille a perdu son bouchon.*

bouddhiste [budist], n. et adj., qui est d'une des grandes religions, répandue surtout en Asie : *il y a des bouddhistes en Inde.*

boue [bu], n. f., terre ou poussière mêlée d'eau et devenue une sorte de liquide épais et sale : *il est arrivé mouillé et couvert de boue.*

bouger [buʒe], v. trans., remuer, *je n'ai pas bougé un doigt.* — v. intr., remuer, faire un mouvement : *ne bougez pas pendant une minute.*

bouillir [bujir] *(je bous, tu bous, il bout, nous bouillons, vous bouillez, ils bouillent; je bouillais; je bouillis; je bouillirai; que je bouille; bouilli),* v. intr. **1.** se dit d'un liquide chauffé qui devient de la vapeur : *on fait bouillir le lait avant de le boire.* **2.** se mettre en colère : *il bouillait en entendant ces mots.*

bouillon [bujõ], n. m., eau qu'on a fait bouillir avec de la viande, des légumes, etc. : *ce malade ne boit que du bouillon;* fig., *il a bu un bouillon,* il a perdu beaucoup d'argent dans une affaire.

boulanger, ère [bulɑ̃ʒe, ɛr], n. m. et f., celui (celle) qui fait et vend le pain : *nous venons de chez le boulanger.*

boulangerie [bulɑ̃ʒri], n. f., maison où l'on fait et vend du pain : *il y a deux boulangeries dans notre quartier.*

boule [bul], n. f., objet rond : *la terre a la forme d'une boule; jeu de boules,* jeu où l'on lance des boules de bois : *nous avons joué aux boules; boule de neige :* boule que les enfants font avec de la neige; *faire boule de neige,* devenir de plus en plus gros, de plus en plus important, comme une boule de neige : *son commerce a fait boule de neige;* familier, *il a perdu la boule,* il est devenu fou.

boulevard [bulvar], n. m., rue très large et plantée d'arbres : *il s'est promené sur les Grands Boulevards.*

bouquet [bukɛ], n. m., **1.** fleurs attachées ensemble : *il a offert un bouquet à sa mère.* **2.** *un bouquet d'arbres,* un groupe de quelques arbres.

bouquin [bukɛ̃], n. m., familier, livre : *sa chambre est pleine de bouquins.*

bourg [bur], n. m., petite ville : *les paysans vont au marché dans le bourg.*

bourgeois, oise [burʒwa, waz], n. m. et f. **1.** autrefois personne qui habitait un bourg ou une ville : *les bourgeois de Paris.* **2.** personne qui est assez riche : *les bourgeois aiment ce quartier de la ville.* — adj., qui se rapporte aux bourgeois : *une maison bourgeoise,* une maison comme celles qu'habitent les bourgeois.

bourse [burs], n. f., **1.** petit sac où on met de l'argent : *il a perdu sa bourse; j'ai la bourse plate,* je n'ai pas beaucoup d'argent. **2.** somme d'argent que le gouvernement, la ville, etc., paie dans une école pour un élève qui n'est pas riche : *cet élève a reçu une bourse.* **3.** *la Bourse,* endroit où se font les affaires d'argent : *il a gagné (perdu) de l'argent à la Bourse.*

bout [bu, but dans *d'un bout à l'autre*] n. m., **1.** partie qui finit une chose : *il était assis sur le bout du banc.* EXPRESSIONS : *de bout en bout, d'un bout à l'autre,* du commencement à la fin : *j'ai lu ce livre d'un bout à l'autre; il sait sa leçon sur le bout du doigt,* très bien; *il mange du bout des dents,* très peu; *il ne voit pas plus loin que le bout de son nez,* il n'est pas intelligent; *il montre le bout de l'oreille,* il laisse voir ce qu'il veut faire; *j'ai ce mot sur le bout de la langue,* je connais ce mot, mais je ne le dis pas (parce que je ne veux pas le dire ou parce que je ne me le rappelle pas); *à tout bout de champ,* à tout moment; *porter à bout de bras,* avec les bras tendus (ce qui demande plus de force). **2.** fin. EXPRESSIONS : *on n'en voit pas le bout,* la fin (d'un travail par exemple); *jusqu'au bout,* jusqu'à la fin : *au bout du mois,* à la fin du mois; *il me pousse à bout,* il me met en colère; *je suis à bout de forces (*ou *je suis à bout),* je suis très fatigué; *il est venu à bout de son travail,* il a réussi à le terminer; *au bout du compte,* en résultat; *c'est tout le bout du monde,* on ne peut pas espérer plus. **3.** petit morceau : *un bout de ficelle; un bout de pain; nous avons fait un bout de chemin ensemble; un petit bout d'homme,* un homme très petit. — **au bout de,** après (un temps) : *il m'a rendu mon livre au bout d'un an.*

bouteille [butɛj], n. f., récipient en verre fait pour contenir des liquides : *il a rangé des bouteilles à la cave; une bouteille vide, une bouteille pleine.*

boutique [butik], n. f., partie d'une maison où des commerçants ou des artisans vendent des marchandises (une boutique est plus petite et moins importante qu'un magasin) : *le boulanger a ouvert sa boutique.*

Bouton de rose.

bouton [butɔ̃], n. m., **1.** fleur qui n'est pas encore ouverte : *un bouton de rose.* **2.** petite pointe sur la peau : *pendant sa maladie sa figure était couverte de boutons.* **3.** petit objet de forme ronde (en bois, en métal, etc.), qui est cousu sur les habits et qui sert à les fermer : *il a perdu un bouton de sa veste.* **4.** objets qui ressemblent à un bouton : *un bouton électrique, un bouton de porte.* **5.** *bouton d'or,* petite fleur jaune qui pousse dans les champs.

Bouton d'habit.

Bouton électrique.

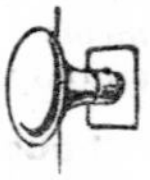

boutonner [butɔne], v. trans., fermer avec des boutons : *il fait plus frais, boutonnez votre manteau.*

Bouton de porte

boxe [bɔks], f., n. sport où l'on se bat avec les poings : *il veut apprendre la boxe.*

boxeur [bɔksœr], n. m., celui qui boxe : *ce boxeur a toujours gagné jusqu'à maintenant.*

bracelet [braslɛ], n. m., bijou en forme d'anneau que l'on porte au bras : *cette dame a un bracelet en argent.* — **bracelet-montre,** n. m., bracelet en métal ou en cuir qui sert à porter une montre.

branche [brɑ̃ʃ], n. f., **1.** partie de l'arbre qui pousse en partant du tronc : *cette branche porte beaucoup de fruits.* **2.** partie : *les branches des lunettes* (qui passent derrière les oreilles); *les branches des ciseaux.*

Branches de lunettes.

bras [bra], n. m., **1.** membre de l'homme qui va de l'épaule à la main : *le bras droit, le bras gauche; la mère porte son bébé dans ses bras; il vit de ses bras,* il travaille de ses mains pour vivre; *il frappe à tour de bras,* il frappe très fort; *il m'a reçu à bras ouverts,* il m'a reçu en ami; *il l'a pris à bras le corps,* par le milieu du corps; *il a le bras long,* il peut beaucoup; *les bras m'en tombent,* j'en suis très étonné; *cette nouvelle m'a coupé bras et jambes,* j'ai été si étonné que je ne pouvais rien faire; *il a quatre personnes sur les bras,* il doit donner à manger à quatre personnes. **2.** parties de certains objets : *les bras d'un siège* (*d'un fauteuil*), parties du siège (ou du fauteuil) où on met ses bras; *les bras d'une rivière,* parties d'une rivière qui entourent une île; *bras de mer,* espace de mer entre deux terres.

Les bras du fauteuil.

brave [brav], adj., **1.** qui a du courage, qui n'a pas peur : *il a été brave devant l'ennemi.* **2.** *un brave homme, une brave femme, des braves gens,* des personnes gentilles et bonnes : *son père est un brave homme.* — n. m., *un brave,* un homme qui a du courage : *ce soldat est un brave; un brave à trois poils,* un soldat très brave. PROVERBE : *Il n'y a pas d'heure pour les braves,* un homme qui a du courage est prêt à faire quelque chose à n'importe quel moment.

bravoure [bravur], n. f., qualité de celui qui est brave : *ce soldat a montré la plus grande bravoure.*

bref, brève [brɛf, brɛv], adj., court : *cette lettre était très brève.* — *bref,* adv., en peu de mots : *il n'est pas resté longtemps, bref il est parti.*

brillant, ante [brijɑ̃, ɑ̃t], adj., **1.** qui donne (ou semble donner) de la lumière : *l'or est un métal brillant;* **2.** fig., *il a eu une vie brillante; c'est un élève brillant.*

briller [brije], v. intr., **1.** donner (ou sembler donner) de la lumière : *le soleil brille; ses yeux brillaient.* PROVERBE : *Tout ce qui brille n'est pas or :* Des personnes ou des choses qui semblent valoir beaucoup ne valent rien. **2.** fig. : *cet artiste a brillé dans notre ville;* familier, *il a brillé par son absence,* il n'était pas là.

brin [brɛ̃], n. m., **1.** partie très mince d'une plante : *il a ramassé un brin d'herbe;* **2.** très petit morceau : *il n'a pas un brin de bon sens.*

brique [brik], n. f., terre que l'on fait cuire pour construire des murs : *il habite une maison en briques.*

briquet [brikɛ], n. m., instrument qui sert à produire du feu : *j'ai allumé mon briquet.*

briser [brize], v. trans., casser, mettre en morceaux : *il a brisé des branches en passant.*

brochure [brɔʃyr], n. f., livre très mince : *vous lirez cette brochure.*

brosse [brɔs], n. f., instrument avec des poils qui sert à nettoyer : *brosse à cheveux, brosse à habits, brosse à dents, brosse à ongles; il faut apprendre aux enfants à se servir de leur brosse à dents.*

brosser [brɔse], v. trans., frotter avec une brosse pour nettoyer : *il a brossé ses chaussures; il s'est brossé les cheveux;* populaire, *il s'est brossé le ventre,* il n'a pas eu à manger; *tu peux te brosser,* tu n'auras pas ce que tu veux.

brouette [bruɛt], n. f., **1.** petit véhicule qui a une seule roue (à l'avant) et qu'on pousse par derrière : *il a chargé du foin sur sa brouette.* **2.** fig. et familier, véhicule lent : *ce train est une vraie brouette.*

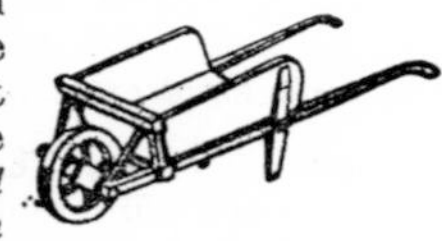

brouillard [brujar], n. m. vapeur d'eau répandue dans l'air qui empêche de voir : *le brouillard obligeait les autos à aller très lentement.*

brouiller [bruje], v. trans., **1.** mêler de façon qu'on ne voie plus rien : *des œufs brouillés,* des œufs où l'on a mêlé le jaune et le blanc; *il a la vue brouillée,* il voit très mal; fig. *il brouille les cartes,* il fait qu'on ne comprend plus rien à une question. **2.** faire que deux personnes ne soient plus amies : *cette affaire a brouillé nos deux amis.* — **se brouiller,** n'être plus ami(s), *en discutant ils se sont brouillés; il s'est brouillé avec sa sœur.*

brouter [brute], v. trans., manger de l'herbe : *le bœuf broute l'herbe de la prairie.*

bru [bry], n. f., la femme du fils : *cette dame est sortie avec sa bru.*

bruit [brɥi], n. m., **1.** tout ce qu'on entend, en dehors des mots et de la musique : *ces enfants font beaucoup de bruit en jouant; j'entends le bruit du train, d'une moto, d'une auto; le bruit de la mer; à petit bruit,* sans faire beaucoup de bruit; *à grand bruit,* en faisant beaucoup de bruit : *il arrive à grand bruit.* **2.** nouvelle qui se répand de bouche en bouche : *le bruit court que vous partez demain,* on raconte que vous partez demain.

brûler [bryle], v. trans., **1.** mettre le feu à quelque chose de façon qu'il n'en reste rien : *il a brûlé ses papiers.* **2.** tuer une personne par le feu : *Jeanne d'Arc a été brûlée,* **3.** faire mal avec du feu ou un objet très chaud : *il lui a brûlé la main; il lui a brûlé la cervelle,* il l'a tué d'un coup de feu à la tête. **4.** se servir d'une matière pour chauffer ou éclairer : *nous brûlons du bois dans ce poêle.* **5.** familier, passer sans s'arrêter : *le train brûle toutes les gares entre Paris et Amiens.* — avec *de* et un infinitif, avoir envie de : *il brûle de faire un grand voyage.* — v. intr., **1.** être en feu, en flammes : *il faut aider son voisin quand sa maison brûle.* **2.** être très chaud : *il a de la fièvre, la tête lui brûle.* — **se brûler,** se faire mal avec du feu ou des objets très chauds : *il s'est brûlé en touchant un fourneau allumé.* — **brûlant, ante,** adj., qui est en feu, qui est très chaud : *vous avez les mains brûlantes.*

brûlure [brylyr], n. f., blessure produite par le feu : *il a une brûlure à la main; son corps était couvert de brûlures.*

brume [brym], n. f., brouillard épais, surtout au-dessus de la mer : *la brume empêche les bateaux de sortir du port.*

brun, brune [brœ̃, bryn], adj., **1.** d'une couleur foncée entre le jaune et le noir : *elle porte une jupe brune;* se dit surtout de la couleur des cheveux : *il a les cheveux bruns.* **2.** qui a les cheveux bruns : *sa sœur est brune.* — n. m., la couleur brune : *le brun lui va bien;* n. m. et f., personne brune : *sa femme est une brune assez grande.*

brusque [brysk], adj., qui n'est pas doux, pas gentil, pas poli : *cet homme a des manières brusques.*

brusquement [bryskəmɑ̃], adv., de façon brusque, tout d'un coup : *le temps a changé brusquement.*

brutal, ale, plur. **aux, ales** [brytal, o], adj., qui emploie la force, qui ne se conduit pas de façon douce: *cet homme est brutal quand il a trop bu.*

bruyant, ante [brɥijɑ̃, ɑ̃t], adj., qui fait beaucoup de bruit : *ces enfants sont trop bruyants.*

bûcheron [byʃrɔ̃], n. m., celui qui coupe des arbres dans les forêts : *le métier de bûcheron demande beaucoup de force.*

budget [bydʒɛ], n. m., le budget d'un État comprend d'un côté l'argent qu'il pense recevoir et de l'autre côté l'argent qu'il pense dépenser dans l'année (on dit aussi *budget* en parlant d'une ville et même de n'importe quelle personne) : *il a mal établi son budget.*

buffet [byfɛ], n. m., **1.** meuble de salle à manger ou de cuisine où on range les assiettes, les verres et d'autres ustensiles : *la porte du buffet est restée ouverte.* **2.** restaurant dans une gare : *nous déjeunerons au buffet avant de prendre le train.*

bulletin [byltɛ̃], n. m., **1.** papier écrit : *bulletin de vote,* papier où l'on écrit le nom de la personne qu'on a choisie; *bulletin blanc,* papier où l'on n'a écrit aucun nom; *bulletin de bagages,* papier que remettent les chemins de fer quand on leur donne des bagages à transporter. **2.** sorte de journal : *cette société fait paraître un bulletin deux fois par an.*

bureau [byro], n. m., **1.** table où l'on s'assied pour écrire : *je l'ai trouvé assis à son bureau.* **2.** pièce de la maison où l'on écrit : *il travaille dans son bureau.* **3.** partie d'un service public : *cette question est l'affaire du premier bureau.* **4.** *bureau de poste,* endroit où se font les opérations de la poste; *bureau de tabac,* magasin où l'on vend du tabac, des cigarettes, des timbres.

but [by ou byt], n. m., **1.** point que l'on veut toucher en tirant : *il a manqué le but.* **2.** résultat que l'on cherche : *il va droit au but; il se promène sans but; il n'a pas de but dans la vie.* **3.** EXPRESSION : *de but en blanc,* tout à coup, sans prévenir.

C

c' [s], s'emploie pour *ce* (pronom) devant un mot commençant par une voyelle : *c'est moi.*

ça [sa], pron. démonstratif, familier, cela : *comment ça va? qu'est-ce que c'est que ça?*

cabine [kabin], n. f., **1.** sorte de petite chambre dans un bateau : *cette cabine est petite, mais bien arrangée.* **2.** *cabine téléphonique,* endroit d'où l'on peut téléphoner : *il y a des cabines téléphoniques dans les bureaux de poste, dans les cafés, etc.*

cabinet [kabinɛ], n. m., **1.** petite chambre à côté d'une autre : *cabinet de toilette* (où l'on fait sa toilette). **2.** pièce où l'on travaille : *un cabinet de travail ; le docteur est dans son cabinet.* **3.** plur., *les cabinets,* les w.-c.

cacher [kaʃe], v. trans., **1.** mettre une chose en un endroit de façon qu'on ne la trouve pas : *cet enfant a caché le livre de son frère.* **2.** ne pas dire : *il vous a caché qu'il m'avait vu.*

cachet [kaʃɛ], n. m., **1.** petit morceau de cire avec une marque que l'on met sur des lettres ou des paquets pour les fermer. **2.** petit médicament en général de forme ronde et plate que l'on prend avec un peu d'eau : *le médecin lui a ordonné un cachet avant chaque repas.*

cachette [kaʃɛt], n. f., endroit où l'on cache quelque chose : *les voleurs ont trouvé la cachette où il avait mis son argent.*

cadavre [kadavrə], n. m., corps d'un homme ou d'un animal mort : *on a porté le cadavre au cimetière.*

cadeau [kado], n. m., ce qu'on donne à quelqu'un : *on fait des cadeaux aux enfants à leur fête; son père lui a fait cadeau d'une bicyclette.*

cadre [kadrə], n. m., **1.** le bois ou le métal qui entoure un tableau, une photo, etc. : *nous avons acheté un cadre pour la photo de notre frère.* **2.** tout ce qui entoure : *cette maison de campagne a un beau cadre de forêts.* **3.** plur. : l'ensemble des directeurs, des chefs : *les cadres de l'industrie.*

café [kafe], n. m., **1.** grains d'une plante, qui servent à faire une boisson : *j'ai acheté un kilo de café chez l'épicier.* **2.** boisson faite avec ces grains : *il boit son café très chaud et très fort; café au lait,* café mêlé de lait : *il boit une tasse de café au lait à son petit déjeuner; café noir,* du café sans lait. **3.** maison où les clients peuvent boire du café et d'autres boissons : *il est entré dans un café; garçon de café,* l'employé qui sert à boire aux clients.

cage [kaʒ], n. f., **1.** sorte de boîte avec des barres où on garde des oiseaux ou d'autres animaux : *l'oiseau chante dans sa cage.* **2.** *la cage de l'escalier,* la partie de la maison où est l'escalier.

cahier [kaje], n. m., feuilles de papier blanc cousues ensemble de façon à former une sorte de livre : *les élèves apportent leurs cahiers en classe.*

caillou, plur. **cailloux** [kaju], n. m., petite pierre : les *cailloux roulent sous les pas.*

caisse [kɛs], n. f., **1.** sorte de grande boîte en bois : *l'épicier a reçu une caisse de fruits.* **2.** meuble où l'on met l'argent dans un magasin : *le marchand a sorti* 500 *francs de sa caisse; il a fait sa caisse,* il a compté l'argent qu'il avait dans sa caisse *(en caisse).* **3.** l'endroit du magasin où les clients payent ce qu'ils ont acheté : *nous a llons passer à la caisse pour paye*

calcul [kalkyl], n. m., **1.** le fait de compter, de faire des opérations avec les nombres : *cet élève est fort en calcul.* **2.** le fait de penser à ce qu'on fera plus tard, à ce qui arrivera : *cet accident a dérangé mes calculs.*

calculer [kalkyle], v. intr., faire des opérations avec les nombres : *il s'est trompé en calculant.* — v. trans., **1.** trouver le résultat d'une opération avec les nombres : *il a bien calculé le temps de son voyage.* **2.** penser à ce qu'on doit faire, à ce qui arrivera : *il a bien calculé ce qu'il doit répondre.*

caleçon [kalsõ], n. m., sorte de vêtement que l'on porte sous le pantalon : *il a acheté un caleçon de toile; caleçon de bain,* vêtement de toile qu'on met pour prendre un bain dans la mer ou dans une rivière.

calme [kalm], adj., tranquille, qui ne remue pas beaucoup : *la mer est calme; cette personne est très calme.* — n. m., qualité des personnes ou des choses qui sont calmes : *il a gardé son calme,* il ne s'est pas mis en colère; *calme plat,* état de la mer quand il n'y a pas du tout de vent.

camarade [kamarad], n. m., élève de la même école, soldat de la même compagnie, ouvrier de la même usine, etc. : *il est gentil avec ses camarades.*

camion [kamjõ], n. m., grande et lourde auto (autrefois grande et

lourde voiture) qui sert à transporter des marchandises : *ce camion est chargé de caisses très lourdes.*

camionnette [kamjɔnɛt], n. f., petit

camion : *le boulanger a une camionnette pour porter le pain à ses clients.*

camp [kã], n. m., ensemble de tentes ou de petites maisons en bois : *les soldats vont en été dans des camps; ces jeunes gens vont passer un mois dans un camp de vacances; il a levé le camp,* il est parti.

campagne [kãpañ], n. f., **1.** les champs, les prairies, les bois (contraire : *la ville*) : *nous passons nos vacances à la campagne; en pleine campagne,* dans une région où il n'y a pas de maisons; *une maison de campagne,* une maison que l'on a à la campagne; *nous avons fait une partie de campagne,* nous avons passé la journée dans les champs pour nous promener. **2.** (militaire partie d'une guerre : *ce vieux soldat a fait quatre campagnes; il est entré en campagne,* il a commencé la guerre.

camper [kãpe], v. intr., passer la nuit sous une tente : *nous avons campé au bord de la mer.*

campeur, euse [kãpœr, øz], n. m. et f., celui (celle) qui habite sous la tente pendant ses vacances : *il y a près du village un terrain pour les campeurs.*

canal, plur. **aux** [kanal, o], n. m., fossé très grand et très large quelquefois assez grand pour que les bateaux puissent passer : *les bateaux peuvent faire de grands voyages sur les canaux et les rivières.*

canard [kanar], n. m. (fém. **cane** [kan]), **1.** oiseau de basse-cour qui vit beaucoup dans l'eau : *les canards se promènent au bord de l'eau;* fam., *un froid de canard,* un grand froid. **2.** fam., nouvelle qui n'est pas vraie : *on a répandu des canards dans la ville.*

candidat, ate [kãdida, at], n. m. et f., celui (celle) qui cherche à avoir une fonction, ou une place, ou qui se présente à un examen : *tous les candidats n'ont pas été reçus.*

canon [kanõ], n. m., **1.** arme qui

tire au loin de gros projectiles : *on a*

tiré cent un coups de canon. **2.** partie d'une arme à feu où passe le projectile : *il a pris son fusil par le canon.*

Canon de fusil.

canot [kano], n. m., petit bateau : *les marins sont montés dans un canot pour aller à terre.*

caoutchouc [kautʃu], n. m., matière qu'on tire de certains arbres et qui sert à faire des pneus, des chaussures, des balles, des jouets, etc. : *les chaussures en caoutchouc ne font pas de bruit.*

cap [kap], n. m., partie de terre qui fait une pointe dans la mer : *de ce cap vous pouvez voir les côtes d'Angleterre.*

capable [kapablə], adj., qui peut faire : *il est capable de tout,* il peut tout faire, le bien et le mal (se dit surtout du mal); familier, *il est capable dans son métier,* il connaît bien son métier.

capitaine [kapitɛn], n. m., **1.** (militaire), celui qui commande une compagnie (unité de 100 à 200 hommes) : *il a été nommé capitaine.* **2.** grand homme de guerre : *Alexandre et César ont été de grands capitaines.* **3.** (marine), celui qui commande un bateau : *le capitaine est seul maître après Dieu.* **4.** (sports) celui qui commande un groupe : *vous voyez le capitaine au milieu de ses camarades.*

capital, ale; plur. **aux, ales** [kapital, kapito], adj., **1.** très important, le plus important : *c'est le point capital de cette question; faute capitale,* faute très grande. **2.** *lettre capitale,* grande lettre qui s'emploie surtout en tête des phrases ou des noms propres. **3.** *peine capitale,* peine de mort. — **capital,** plur. *capitaux,* n. m., argent que l'on a, et, en particulier, celui que l'on met dans une industrie ou un commerce : *il a mis de gros capitaux dans cette usine.* — **capitale,** n. f., **1.** ville où se trouve le gouvernement d'un pays : *Paris est la capitale de la France.* **2.** lettre capitale : *il a écrit son nom en capitales.*

caporal, plur. **aux** [kapɔral, kapɔro], n. m., celui qui dans l'armée est tout de suite au-dessus du soldat : *on a envoyé un caporal et quatre soldats.*

caprice [kapris], n. m., le fait de vouloir tout d'un coup une chose, puis une autre chose : *cet enfant a tous les jours de nouveaux caprices.*

1. car [kar], n. m., voir **autocar.**

2. car [kar], conjonction qui marque qu'on va expliquer ce qu'on a dit : *il n'a pas pu venir, car il était malade.*

caractère [karaktɛr], n. m., **1.** manière d'être d'une personne : *ces deux sœurs n'ont pas le même caractère; il a bon caractère,* il est gentil et agréable; *il a mauvais caractère,* il n'est pas agréable; *il manque de caractère,* il est mou, il ne sait pas vouloir. **2.** lettre (au sens 1) : *les caractères de ce livre sont très gros.*

carafe [karaf], n. f., sorte de bouteille assez large que l'on met sur la table pour les repas : *il a bu une carafe d'eau.*

1. cardinal, ale, plur. **aux, ales** [kardinal, o], adj., **1.** *point cardinal,* le nord, l'est, l'ouest, le sud. **2.** *nombre cardinal,* un, deux, trois, quatre, etc.

2. cardinal, plur. **aux** [kardinal, o], n. m., celui qui occupe un très haut rang dans l'Eglise catholique : *le pape a nommé de nouveaux cardinaux.*

carnet [karnɛ], n. m., sorte de petit livre à pages blanches où l'on peut écrire : *le maître écrit le nom des élèves sur son carnet.*

carotte [karɔt], n. f., plante qui a une racine rouge ou jaune que l'on mange comme légume : *nous avons mangé des carottes à notre dîner.*

carré, ée [kare], adj., qui a quatre côtés égaux (aussi longs l'un que l'autre) se coupant à angle droit : *il mange sur une table carrée.* — **carré,** n. m., figure qui a quatre côtés égaux : *l'élève a dessiné un carré.* — **mètre carré,** carré qui a un mètre de côté (de même *centimètre carré, kilomètre carré,* etc.).

carreau, pl. **eaux** [karo], n. m., **1.** morceau de pierre, de terre cuite, etc., plat et de forme régulière, qu'on met sur le sol ou sur les murs d'une maison : *il y a des carreaux rouges dans la cuisine;* fam., *il est resté sur le carreau,* il a été tué. **2.** verre qu'on met aux fenêtres : *j'ai cassé un carreau.* **3.** carré de couleur sur un tissu : *cette dame a une robe à petits carreaux.*

carte [kart], n. f., feuille de papier très fort ou de carton, **1.** *carte de géographie,* feuille où sont représentés les pays, les mers, les rivières, les montagnes, les villes : *je cherche le nom de votre ville sur la carte; carte muette,* carte qui ne porte pas de noms.

Carte de France.

2. *carte à jouer,* feuille qui porte certaines images en couleur et qui sert à jouer : *il a joué aux cartes; château de cartes,* sorte de maison que les enfants construisent avec des cartes; fig. *il joue cartes sur table,* il ne cache rien; *je connais le dessous des cartes,* je sais ce que l'on ne dit pas, ce que l'on veut cacher; *on lui a tiré les cartes,* on lui a dit ce qui lui arrivera d'après les cartes. **3.** *carte postale,* feuille de carton avec ou sans image qu'on envoie comme une lettre : *pendant mes vacances j'ai envoyé beaucoup de cartes postales à mes amis.* **4.** *carte de visite,* petite feuille de carton avec le nom, le métier, etc. d'une personne : *j'ai envoyé des cartes de visite pour le jour de l'an.* **5.** *carte de restaurant,* feuille où sont écrits, avec leur prix, tous les plats que le restaurant peut servir : *il a mangé à la carte,* il a choisi les plats qu'il voulait; *carte des vins,* feuille où sont écrits, avec leurs prix, tous les vins que le restaurant peut servir : *donnez-nous la carte des vins.*

carton [kartɔ̃], n. m., **1.** feuille plus épaisse et plus dure que les feuilles de papier : *il dessine sur une feuille de carton.* **2.** sorte de boîte en carton : *il range ses papiers dans un carton; un carton à dessins; carton à chapeaux,* boîte de carton où les dames mettent leurs chapeaux.

cas [ka], n. m., **1.** événement qui peut arriver : *le juge n'a jamais rencontré un cas pareil; il s'est mis dans un mauvais cas,* sa situation est mauvaise (parce qu'il a fait quelque chose de mal); *en ce cas, dans ce cas, en pareil cas,* en cette circonstance; *en cas de mauvais temps,* s'il fait mauvais temps; *en cas de besoin,* si c'est nécessaire : *vous me préviendrez en cas de besoin; en tout cas,* de toute façon : *je viendrai en tout cas; au cas où* (avec le conditionnel) = *si* (avec l'imparfait de l'indicatif) : *au cas où il pleuvrait,* s'il pleuvait. **2.** (grammaire) dans certaines langues, formes différentes que peut avoir un nom ou un adjectif : *il y a des cas en latin et en allemand.*

casque [kask], n. m., coiffure en métal ou en matière dure : *les soldats portent un casque.*

casquette [kaskɛt], n. f., sorte de coiffure en tissu : *il porte une casquette au bord de la mer.*

casser [kase], v. trans., mettre en morceaux, en pièces, en frappant ou en laissant tomber, etc. : *il a cassé une assiette; il s'est cassé un bras; le verre s'est cassé en tombant.* EXPRESSIONS : *cette nou-*

velle lui a cassé bras et jambes, elle lui a enlevé son courage; *ce bruit me casse la tête,* il me fait mal à la tête; *il s'est cassé le cou,* il s'est blessé en tombant; *je me suis cassé le nez,* je n'ai pas trouvé chez elle la personne que j'allais voir. — **cassé, ée,** adj., *il est cassé par l'âge,* c'est un vieillard fatigué.

casserole [kasrɔl], n. f., récipient en métal, avec un manche, qui sert à faire cuire les aliments : *j'ai mis la casserole sur le feu.*

catégorie [kategɔri], n. f., ensemble de personnes ou de choses qui se ressemblent : *il y a plusieurs catégories de livres.*

cathédrale [katedral], n. f., la plus importante église d'une ville où il y a un évêque : *Notre-Dame de Paris est une très belle cathédrale.*

catholique [katɔlik], adj. et n. m. et f., qui est d'une des grandes religions : *la religion catholique; un catholique, une catholique.*

cause [koz], n. f., **1.** ce qui fait que quelque chose arrive : *votre lettre est la cause de mon départ.* **2.** affaire portée devant un tribunal (procès) : *il a perdu sa cause; la cause est entendue,* l'affaire est jugée; *vous n'êtes pas en cause,* vous n'avez rien à voir dans l'affaire, il n'est pas question de vous; *en tout état de cause,* de toute façon. **3.** ce que l'on défend en général (comme on défend une cause devant un tribunal) : *il est mort pour la bonne cause; il a fait cause commune avec son frère,* il est d'accord avec son frère; *il prend fait et cause pour son ami,* il se met de son côté, contre ceux qui ne l'aiment pas. — **à cause de,** prép. qui marque la cause : *il n'a pas réussi à cause de sa mauvaise santé.*

1. causer [koze], v. trans., être cause de : *cet enfant cause beaucoup de peine à ses parents.*

2. causer [koze], v. intr., parler avec quelqu'un : *il cause avec son frère* (ne pas dire : *à son frère*).

cavalerie [kavalri], n. f., les soldats qui montent à cheval : *la cavalerie est déjà passée.*

cavalier [kavalje], n. m., **1.** celui qui monte à cheval : *j'ai rencontré un cavalier sur la route; il est bon (mauvais) cavalier,* il monte bien (mal) à cheval. **2.** soldat qui monte à cheval : *les cavaliers se sont battus avec courage.* **3.** celui qui danse avec une dame : *cette dame n'a pas de cavalier.*

cave [kav], n. f., partie de la maison, au-dessous du sol, où l'on met le vin, le charbon : *cette maison a de grandes caves; il a une bonne cave,* il a du bon vin.

1. ce [se] (*c'* devant un mot commençant par une voyelle), pronom démonstratif 1° devant le verbe *être : c'est beau; c'est lui qui a parlé.* 2° devant un pronom relatif : *je sais ce que je dis.*

2. ce [sə], déterminatif démonstratif masculin singulier, s'emploie devant consonne : CE *livre.* Autres formes : **cet** (devant voyelle) : CET *homme;* **cette** (féminin singulier) : CETTE *dame;* **ces** (pluriel masculin et féminin) : CES *arbres,* CES voitures. — On peut ajouter après le nom *ci* quand on parle de personnes ou de choses qui sont voisines (*cet homme-ci*), et *là* quand on parle de personnes ou de choses qui sont loin (*ces maisons-là*).

ceci [səsi], pronom démonstratif (singulier) qui s'emploie pour une chose voisine : *donnez-moi ceci et non cela.*

céder [sede] *(je cède, nous cédons; je céderai),* v. trans., **1.** laisser quelque chose à quelqu'un : *il a cédé ses droits à son frère; il a cédé du terrain,* il a reculé. **2.** vendre : *il a cédé son magasin de tissus.* — v. intr., **1.** donner à quelqu'un ce qu'il demande, après avoir d'abord dit « non » : *il a fini par céder; il a cédé à son frère.* **2.** se casser, se déchirer : *la branche a cédé.*

ceinture [sɛ̃tyr], n. f., **1.** morceau

de cuir ou de tissu, étroit et long, qui fait le tour du corps : *il tient son pantalon avec une ceinture;* fam., *il se met la ceinture,* il n'a pas assez à manger. **2.** le tour d'une ville : *un autobus de ceinture,* celui qui fait le tour de la ville.

cela [səla], pronom démonstratif (singulier) qui s'emploie en parlant des choses : *laissez donc cela.*

célèbre [selɛbrə], adj., très connu : *Léonard de Vinci est un artiste célèbre.*

célibataire [selibatɛr], n. et adj., qui n'est pas marié(e) : *un vieux célibataire.*

celle, celles [sɛl], pronom démonstratif, féminin singulier et pluriel de *celui* (voir **celui**).

celui [səlɥi], pron. démonstratif masc. singulier (fém. singulier *celle;* pluriel masc. *ceux,* fém. *celles*) ne s'emploie sans *ci* ou *là* que dans deux sortes de phrases : 1° *mon livre et celui de mon frère,* 2° *celui que je vois.* — **celui-ci** *(celle-ci, ceux-ci, celles-ci),* pron. démonstratif, s'emploie en parlant des personnes ou des choses qui ne sont pas loin. — **celui-là** *(celle-là, ceux-là, celles-là)* pron. démonstratif, s'emploie en parlant des personnes et des choses qui sont loin : *ce n'est pas celui-ci, c'est celui-là.*

cendre [sɑ̃drə], n. f., **1.** ce qui reste d'une chose qui a brûlé : *il a laissé tomber la cendre de sa cigarette.* **2.** plur., le corps de quelqu'un qui est mort (parce que les Romains brûlaient les morts) : *on a transporté en France les cendres de Napoléon Ier.*

cendrier [sɑ̃drije], n. m., petit récipient où les personnes qui fument mettent la cendre de leurs cigarettes : *vous avez un joli cendrier.*

cent [sɑ̃], au pluriel **cents** quand il n'est pas suivi d'un autre nom de nombre : *cinq cents,* mais *cinq cent dix, cinq cent mille* (il est permis de mettre toujours un *s*), nom de nombre, **1.** 100 : *dix fois cent font mille; vingt pour cent,* 20 % : *vingt pour cent des personnes sont de cet avis; il lui a prêté de l'argent à quatre pour cent.* **2.** un grand nombre en général : *je vous l'ai dit cent fois* (ou *cent et cent fois*). — **un cent,** n. m., cent : *il a vendu un cent d'œufs.*

centaine [sɑ̃tɛn], n. f., à peu près cent : *il y avait une centaine de personnes dans la salle.*

centième [sɑ̃tjɛm], nombre ordinal, **1.** 100e, qui vient après 99 autres : *il est dans sa centième année;* **2.** *un centième,* 1/100, une des cent parties d'un ensemble.

centime [sɑ̃tim], n. m., la centième partie du franc : *j'ai payé cinquante centimes.*

centimètre [sɑ̃timɛtrə], n. m., la centième partie du mètre : *il a grandi de deux centimètres.* — **centimètre carré,** surface qui a un centimètre de côté. — **centimètre cube,** cube qui a un centimètre carré sur chaque face.

central, ale [sɑ̃tral], adj., qui est au centre : *ce quartier est central,* il se trouve au centre de la ville; *chauffage central,* moyen de chauffage qui n'a qu'un feu pour toute une maison ou pour toutes les pièces d'un appartement : *on a installé le chauffage central dans cette maison; Ecole centrale,* grande école (à Paris et à Lyon) d'où sortent des ingénieurs. — **centrale,** n. f., usine qui produit de l'électricité.

centre [sɑ̃trə], n. m., **1.** le point qui est au milieu d'un cercle (figure ronde), le milieu : *il était au centre d'un groupe.* **2.** dans une ville le quartier qui est au milieu de la ville, où, en général, se trouvent les magasins, les hôtels, les restaurants, etc. : *il habite dans le centre.* **3.** endroit où s'exerce une activité : *il travaille dans un centre d'études.*

cependant [səpɑ̃dɑ̃], adv., quand même : *il a fait des efforts, il n'a cependant pas tout à fait réussi.*

cercle [sɛrklə], n. m., **1.** figure ronde : *il a dessiné un cercle; on a fait cercle au-*

tour de lui, on s'est mis en rond autour de lui. **2.** groupe de personnes : *j'ai trouvé dans cette ville un cercle d'amis.*

cerf [sɛrf], n. m. (fém. : *biche* [biʃ]), animal assez grand qui vit dans les forêts et porte des cornes longues et minces : *on chasse encore le cerf dans quelques forêts.*

cerise [səriz], n. f., petit fruit rouge foncé : *nous avons mangé des cerises au mois de juin.*

Cerises.

cerisier [sərizje], n. m., arbre qui produit des cerises : *le cerisier est couvert de cerises.*

certain, aine [sɛrtɛ̃, ɛn], adj., qui est sûr, qui est vrai : *son départ est certain, je suis certain de ce que je dis.* — (devant le nom) *un certain nombre,* un assez grand nombre; *il a un certain âge,* il n'est plus jeune. — **un certain, une certaine,** adj. indéfini, *un certain jour,* un jour (je ne peux dire quel jour). — **certains,** adj. indéfini, plusieurs quelques : *certains médecins peuvent le sauver.* — pronom indéfini, quelques-uns : *certains l'aiment, d'autres non.*

certificat [sɛrtifika], n. m., pièce (papier) qui fait savoir que certaines choses sont vraies : *le médecin m'a donné un certificat de maladie; certificat d'études,* examen que les enfants passent vers treize ans.

certifier [sɛrtifje], v. trans., dire (écrire) que quelque chose est vrai : *il m'a certifié qu'il habitait cette ville depuis un mois.*

cerveau, plur. **eaux** [sɛrvo], n. m., **1.** partie du corps, organe situé dans la tête, à l'intérieur du crâne : *les opérations au cerveau sont très difficiles; ce vin monte au cerveau,* il fait mal à la tête. **2.** *un grand cerveau,* un homme très intelligent.

cervelle [sɛrvɛl], n. f., **1.** le même organe que le cerveau, mais se dit surtout du cerveau des animaux employé comme aliment : *il a mangé de la cervelle de mouton.* **2.** *il s'est brûlé la cervelle,* il s'est tué d'un coup de feu dans la tête. **3.** *une petite cervelle, une cervelle d'oiseau, une tête sans cervelle,* une personne qui ne fait attention à rien.

ces [se], plur. de **ce,** déterminatif démonstratif.

cesse [sɛs], n. f., action de cesser, de s'arrêter. S'emploie surtout dans l'expression *sans cesse,* toujours, sans s'arrêter : *cet enfant s'amuse sans cesse.*

cesser [sɛse], v. trans., ne pas continuer, arrêter, s'arrêter de (avec inf.) : *il cesse son travail à six heures, il ne cesse* (ou *ne cesse pas*) *de parler;* — v. intr., ne pas continuer, s'arrêter : *le bruit a cessé; toutes affaires cessantes,* tout de suite.

c'est-à-dire [sɛ t a dir], adv., sert à expliquer : *nous vous quittons, c'est-à-dire que nous partons de votre ville.*

c'est pourquoi [səpurkwa], marque la cause : *notre camarade est tombé en chemin, c'est pourquoi nous arrivons très tard.*

cet [sɛt], forme de **ce,** déterminatif démonstratif, masc. sing., devant un mot qui commence par une voyelle.

cette [sɛt], fém. sing. de **ce,** déterminatif démonstratif.

ceux [sø], **ceux-ci** [søsi], **ceux-là** [søla], masc. plur. de **celui, celui-ci, celui-là,** pron. démonstratifs.

chacun, une [ʃakœ̃, yn], pron. indéfini, toute personne qui fait partie d'un groupe : *chacun des élèves avait son livre;* n'importe quelle personne, tout le monde : *chacun travaille pour sa famille.*

chagrin [ʃagrɛ̃], n. m., peine, état d'une personne qui est triste : *cet enfant a un gros chagrin.*

chaîne [ʃɛ:n], n. f., **1.** anneaux en métal qui servent à attacher ou à fermer : *le bateau est attaché par une chaîne; on a mis une chaîne pour empêcher de passer;* fig., *nous avons fait la* *chaîne,* nous nous sommes mis sur un rang pour faire passer quelque chose de l'un à l'autre (par exemple des seaux d'eau depuis la rivière jusqu'à la maison en feu). **2.** *une chaîne de montagnes,* des montagnes l'une à côté de l'autre : *la chaîne des Alpes est très haute.*

chaise [ʃɛz], n. f., siège à dos, mais sans bras : *nous avons six chaises dans notre salle à manger.*

Chaise

chaleur [ʃalœr], n. f., **1.** état de ce qui est chaud : *nous avons eu de grandes chaleurs cet été,* il a fait très chaud. **2.** sentiment pour quelqu'un : *il m'a parlé de vous avec beaucoup de chaleur.*

chambre [ʃɑ̃brə], n. f., **1.** pièce d'une maison ou d'un appartement, surtout pièce où l'on couche : *une chambre à coucher; il garde la chambre,* il ne sort pas de chez lui (parce qu'il est malade); *femme de chambre,* personne qui dans une maison ou un hôtel s'occupe du ménage et des habits, mais non de la cuisine. **2.** *chambre à air,* enveloppe de caoutchouc qui contient de l'air (dans un pneu).

chameau, plur. **eaux** [ʃamo], n. m., grand animal qui sert à porter les personnes et les marchandises dans les pays où il n'y a pas d'eau : *il a voyagé à dos de chameau.*

champ [ʃɑ̃], n. m., **1.** terre cultivée : *un champ de blé; il laboure son champ; ce chemin passe par les champs.* **2.** *les champs,* la campagne : *j'aime la paix des champs; il a pris la clé des champs,* il est parti de l'endroit où il était gardé. **3.** terrain : *champ de course,* terrain où courent les chevaux; *champ de bataille,* endroit où des armées se battent. **4.** *sur-le-champ,* tout de suite : *partez sur-le-champ; à tout bout de champ,* à chaque instant.

champion [ʃɑ̃pjɔ̃], n. m., celui qui réussit le mieux dans un sport : *il est champion de course à pied.*

champignon [ʃɑ̃piɲɔ̃], n. m., petite plante qui pousse dans les bois et dans les endroits humides : *certains champignons sont bons à manger, d'autres sont très dangereux.*

chance [ʃɑ̃s], n. f., ce qui fait qu'on réussit : *il a eu de la chance dans ses affaires; vous aurez de la chance,* vous réussirez toujours bien; *il met toutes les chances de son côté,* il travaille bien pour réussir; *bonne chance!* j'espère que vous réussirez.

changement [ʃɑ̃ʒmɑ̃], n. m., action de changer : *il y a eu bien des changements depuis que vous êtes parti.*

changer [ʃɑ̃ʒe] (*ge* devant *a* et *o* : *nous changeons*), v. trans., **1.** rendre différent : *il a changé sa façon de vivre (de s'habiller),* il vit (s'habille) de façon différente. **2.** *changer une chose contre une autre,* donner la première chose et recevoir la seconde : *il a changé sa vieille auto contre une moto neuve;* se dit en particulier de l'argent des différents pays : *il a changé des francs français contre des francs belges.* **3.** *changer une chose (ou une personne) en une autre,* la faire devenir cette autre : *changer de l'eau en vin.* — v. intr., devenir différent : *cet enfant a beaucoup changé depuis un an; il a changé de métier,* il a pris un autre métier; *il a changé d'habits, de linge; il a changé d'avis,* il ne pense plus la même chose.

chanson [ʃɑ̃sɔ̃], n. f., petite poésie que l'on chante (surtout pour s'amuser) : *les enfants marchaient en chantant des chansons;* fig. *c'est toujours la même chanson,* il dit toujours la même chose.

chant [ʃɑ̃], n. m., **1.** action de chanter : *il apprend le chant; j'écoute le chant des oiseaux dans la forêt; il se réveille au chant du coq,* quand le coq chante (très tôt). **2.** poésie que l'on chante : *ce chant est très beau.*

chanter [ʃɑ̃te], v. trans., **1.** produire avec la bouche des sons musicaux : *il chante une chanson;* **2.** familier (pour se moquer), dire : *qu'est-ce que vous chantez?* qu'est-ce que vous dites? **3.** faire des poésies : *les Anciens ont souvent chanté la guerre.*

chantier [ʃɑ̃tje], n. m., terrain où des ouvriers travaillent : *les maçons travaillent dans ce chantier;* fig. : *il a un livre sur le chantier,* il est en train d'écrire un livre.

chapeau, plur. **eaux** [ʃapo], n. m., coiffure (d'homme et de femme) avec des bords : *il a mis son chapeau, il a enlevé son chapeau pour saluer; je lui tire mon chapeau,* je le salue.

chapitre [ʃapitrə], n. m., partie d'un livre : *le deuxième chapitre de ce livre est plus court que le premier.*

chaque [ʃak], adj. indéfini, n'importe quelle personne d'un groupe : *chaque âge a ses plaisirs,* les personnes de tous les âges s'amusent chacune à sa façon.

char [ʃar], n. m., **1.** voiture (chez les Anciens et en poésie) : *il y avait autrefois à Rome des courses de chars.* **2.** grande voiture à la campagne : *un*

Char à foin.

char à foin. **3.** voiture décorée : *nous avons vu de beaux chars à la fête des fleurs.* — **char de combat,** auto

couverte de métal employée à la guerre : *les chars de combat ont attaqué l'ennemi.*

charbon [ʃarbɔ̃], n. m., matière noire et dure, tirée de la terre, que l'on brûle dans les fourneaux, etc. : *un marchand de charbon; ce charbon brûle bien.*

charcuterie [ʃarkytri], n. f., **1.** magasin du charcutier : *il y a deux charcuteries dans le village.* **2.** commerce de la viande de porc : *il travaille dans la charcuterie.* **3.** viande de porc préparée : *il mange trop de charcuterie.*

charcutier, ère [ʃarkytje, ɛr], n. m. et f., celui (celle) qui prépare et vend de la viande de porc : *ils vont chez le même charcutier.*

charge [ʃarʒ], n. f., **1.** poids à porter : *je ne peux pas porter une pareille charge.* **2.** dépenses qu'on est obligé de faire : *il a de lourdes charges; il a ses parents à sa charge,* il doit faire vivre ses parents. **3.** fonction importante : *la charge du pouvoir.* **4.** action de se lancer contre les ennemis : *les soldats sont partis à la charge.*

chargement [ʃarʒəmɑ̃], n. m., **1.** action de charger (au sens 1) : *le chargement de la voiture a été très long.* **2.** marchandises portées par une voiture, un navire, etc. : *le navire a laissé son chargement au port.*

charger [ʃarʒe] (s'écrit avec *ge* devant *a* et *o : nous chargeons*), v. trans., **1.** mettre des choses sur une personne ou sur une chose : *il charge sa voiture (son bateau) de marchandises; charger une arme à feu,* y mettre le projectile qui doit être tiré; *lettre chargée,* lettre qui contient de l'argent. **2.** donner à quelqu'un quelque chose à faire : *le patron a chargé son employé de porter les lettres à la poste.* **3.** se lancer avec force contre l'ennemi : *nos soldats ont chargé les ennemis.* — **se charger de,** offrir de faire quelque chose : *je me charge de prévenir votre frère.*

charmant, ante [ʃarmɑ̃, ɑ̃t], adj., très gentil, très agréable, qui plaît beaucoup : *ces enfants sont charmants.*

charme [ʃarm], n. m., qualité des personnes ou des choses qui plaisent beaucoup : *cette poésie a beaucoup de charme.*

charmer [ʃarme], v. trans., plaire beaucoup : *ce livre a charmé tous ceux qui l'ont lu.*

charpente [ʃarpɑ̃t], n. f., ensemble des pièces de bois qui servent à construire une maison ou un bateau : *cette charpente est très solide.*

charpentier [ʃarpɑ̃tje], n. m., ouvrier qui travaille le bois pour construire une maison ou un bateau :

le charpentier est monté en haut de la maison.

charrette [ʃarɛt], n. f., voiture à cheval à deux roues : *il a cassé une des roues de sa charrette.*

charrue [ʃary], n. f., instrument qui sert à labourer la terre : *cette charrue est tirée par des*

bœufs. — PROVERBE : *Il ne faut pas mettre la charrue devant les bœufs,* il faut commencer par le commencement, il faut faire les choses dans l'ordre.

chasse [ʃas], n. f., action de prendre ou de tuer les animaux sauvages : *il est à la chasse,* il est en train de chasser; *chien de chasse,* chien qui est employé à chasser.

chasser [ʃase], v. trans., **1.** prendre ou tuer des animaux sauvages : *il chasse le lièvre.* **2.** faire partir : *il a chassé ceux qui venaient le voir.* PROVERBE : *La faim chasse le loup du bois,* on est quelquefois obligé, pour vivre, de faire quelque chose qu'on ne voulait pas.

chasseur [ʃasœr], n. m., **1.** celui qui prend ou tue les animaux sauvages : *il est grand chasseur,* il chasse beaucoup. **2.** *chasseur à pied,* soldat d'infanterie; *chasseur à cheval, chasseur d'Afrique,* soldats de cavalerie. **3.** dans les cafés, les restaurants, les hôtels, employé qui fait des courses pour les clients : *le chasseur va m'apporter un paquet de cigarettes.*

chat, chatte [ʃa, ʃat], n. m. et f., petit animal domestique qui a les poils très doux : *il aime beaucoup son chat.* EXPRESSIONS : *il écrit comme un chat,* il écrit très mal; *j'ai un chat dans la gorge,* j'ai mal à la gorge (au fond de la bouche); *ne réveillez pas le chat qui dort,* il vaut mieux laisser cette personne tranquille, parce qu'elle se mettrait en colère; *à bon chat bon rat;* celui qui a voulu tromper est trompé lui-même; *il n'y a pas un chat dans cette rue,* on ne voit personne; *quand le chat n'est pas là, les souris dansent,* quand le maître (le chef, etc.) n'est pas là, les élèves s'amusent; *je donne ma langue aux chats,* je ne peux pas répondre à cette question.

château, plur. **eaux** [ʃato], n. m., grande et belle maison à la campagne : *il habite un château; château fort,* autrefois, grande maison défendue par des murs épais; *il fait des châteaux en Espagne,* il fait de beaux rêves (par exemple il pense à ce qu'il achètera s'il devient riche).

chaud, chaude [ʃo, ʃod], adj., ce qu'on sent près du feu en hiver, ou au soleil en été (contraire : *froid*) : *il a bu du lait très chaud; ce plat est trop chaud,* il brûle les mains; *il fait chaud,* le temps est chaud; *j'ai chaud, ce manteau est très chaud.* — **chaud,** n. m., *le malade est au chaud,* il est dans une chambre chaude et bien couvert; *un chaud et froid,* une maladie de la poitrine.

chaudière [ʃodjɛr], n. f., grand récipient de métal, où l'on fait chauffer de l'eau pour faire marcher une machine à vapeur ou pour le chauffage central : *il faut remplir d'eau la chaudière.*

chauffage [ʃofaʒ], n. m., le fait de chauffer : *le chauffage de cette maison coûte très cher; bois de chauffage,* bois qui sert à chauffer; *appareil de chauffage,* appareil qui sert à chauffer (p. ex. un poêle); *chauffage central,* appareil de chauffage qui chauffe toute une maison ou tout un appartement.

chauffer [ʃofe], v. trans., rendre chaud : *le soleil chauffe la terre.* — v. intr., devenir chaud : *l'eau chauffe dans la casserole;* fam. *cela chauffe,* on discute très fort.

chauffeur [ʃofœr], n. m., **1.** celui qui s'occupe du feu d'un chauffage central, d'une machine à vapeur, etc. : *le chauffeur met du charbon dans la machine.* **2.** celui qui conduit une auto : *je vais appeler un chauffeur.*

chaussette [ʃosɛt], n. f., vêtement qui couvre le pied et le bas de la jambe : *les chaussettes montent moins haut que les bas.*

chaussure [ʃosyr], n. f., ce qu'on met aux pieds : *il a acheté une paire de chaussures;* fig., *il a trouvé chaussure à son pied,* il a trouvé ce qu'il lui fallait.

chauve [ʃov], adj., **1.** qui n'a plus de cheveux : *il est devenu chauve de bonne heure.* **2.** (en parlant du sol) qui n'a pas d'herbes, pas de plantes : *une montagne chauve.*

chef [ʃɛf] n. m., celui qui commande, qui est à la tête d'un groupe : *un chef d'atelier; un chef de musique; un chef d'Etat,* le président de la République, le roi, etc., qui est à la tête d'un pays; *chef de cuisine* (ou simplement *chef*), celui qui fait la cuisine dans un restaurant; *chef de bataillon, chef d'escadron,* grades dans l'armée. — **chef-d'œuvre,** n. m., l'œuvre la plus belle, une œuvre très belle : *Notre-Dame est un des chefs-d'œuvre de l'art français.* — **chef-lieu,** n. m., ville principale d'un département : *Versailles est le chef-lieu de la Seine-et-Oise.*

chemin [ʃəmɛ̃], n. m., **1.** voie dans la campagne, moins large qu'une route : *les autos ne peuvent pas passer par ce chemin; voleur de grand chemin,* voleur qui attaque les gens dans la campagne. **2.** route, en général, pour aller d'un endroit à un autre : *je connais le chemin de la gare.* EXPRESSIONS : *chemin faisant,* en route : *nous parlions chemin faisant; il sort des chemins battus,* il fait quelque chose de nouveau; *il va son chemin,* il va droit dans la vie; *il suit le droit chemin,* il se conduit bien; *il n'y va pas par quatre chemins,* il dit tout ce qu'il pense; *il a fait son chemin,* il a bien réussi dans la vie. **3.** *chemin de fer,* les rails où passent les trains; l'ensemble des trains : *les chemins de fer ont fait des progrès.*

cheminée [ʃəmine], n. f., **1.** endroit d'une maison où l'on fait du feu : *les anciennes maisons avaient de grandes cheminées.* **2.** tuyau par où la fumée

monte, et surtout partie de ce tuyau au-dessus du toit : *le vent a fait tomber une cheminée dans la rue; cheminée d'usine,* cheminée très haute; *vous fumez comme une cheminée,* vous fumez beaucoup.

cheminot [ʃəmino], n. m., employé ou ouvrier des chemins de fer : *il y a beaucoup de cheminots dans cette ville, à cause des ateliers des chemins de fer.*

chemise [ʃəmiz], n. f., **1.** vêtement léger, en général en toile, qu'on porte sous ses habits : *il porte une chemise blanche :* EXPRESSIONS : *il a perdu jusqu'à sa chemise,* il a perdu tout ce qu'il avait; *il change d'idée comme de chemise,* il change très souvent d'idée. **2.** feuille de papier fort pliée où l'on range des papiers écrits : *j'ai mis ces lettres dans une chemise bleue.*

chêne [ʃɛ:n], n. m., grand arbre des forêts au bois très dur : *une armoire de chêne; il est fort comme un chêne,* il est très fort.

chèque [ʃɛk], n. m., écrit qui commande à une banque de payer une somme d'argent (en prenant sur l'argent que l'on a mis à cette banque) : *il m'a donné un chèque de cent francs sur sa banque.*

cher, chère [ʃɛ:r], adj., **1.** que l'on aime beaucoup : *la maison de mes parents m'est très chère; mon cher frère, mon cher ami, cher Monsieur,* etc. s'écrivent au commencement des lettres. **2.** qui coûte beaucoup d'argent (contraire : *bon marché*) : *ce tissu est très cher.* — **cher,** adv., à un prix très haut (contraire *bon marché*) : *ce marchand vend cher; ce livre coûte cher.*

chercher [ʃɛrʃe], v. trans., **1.** faire des efforts pour trouver quelqu'un ou quelque chose : *je vous ai cherché dans toute la ville; je cherche le crayon que j'ai perdu; aller chercher*, faire venir : *je suis allé chercher un médecin.* **2.** faire des efforts pour arriver à un résultat : *il cherche à faire plaisir.*

cheval, plur. **aux** [ʃəval, ʃəvo], n. m., animal domestique qui tire des voitures ou porte des cavaliers : *j'ai appris à monter à cheval; le cheval a été remplacé par le moteur.* EXPRESSIONS : *être à cheval*, se tenir comme quelqu'un qui monte à cheval : *il était à cheval sur le mur; une fièvre de cheval,* une fièvre très forte; *cela ne se trouve pas sous le pas d'un cheval,* cela n'est pas facile à trouver; *il monte sur ses grands chevaux,* il va se mettre en colère.

cheveu, plur. **eux** [ʃəvø], n. m., poil qui pousse sur la tête : *elle porte ses cheveux longs (courts).* EXPRESSIONS : *ils se prennent aux cheveux,* ils se battent; *il coupe les cheveux en quatre,* il discute trop; *je ne lui ai pas touché un cheveu,* je ne lui ai pas fait du tout de mal; *il y a un cheveu :* il y a quelque chose qui n'est pas facile.

cheville [ʃəvij], n. f., os de la jambe juste au-dessus du pied, que l'on peut sentir de chaque côté : *il est entré dans l'eau seulement jusqu'aux chevilles.*

chèvre [ʃɛvrə], n. f., animal domestique à longs poils, qui a deux cornes pointues, et qui donne du lait : *la chèvre saute de pierre en pierre.*

chez [ʃe], prép., **1.** dans la maison de : *il habite chez ses parents; je rentre chez moi.* **2.** dans la personne de, dans la façon d'être de : *il y a chez lui du courage.* **3.** dans les écrits de : *on ne trouve pas ce mot chez Racine.*

chic [ʃik], n. m., familier, **1.** façon de bien s'habiller (en parlant d'une personne) : *cette dame a du chic.* **2.** façon de bien habiller (en parlant d'un vêtement) : *cette robe a beaucoup de chic.* — adj. familier (ne change pas au féminin, mais prend un *s* au pluriel), **1.** qui s'habille bien : *un homme chic.* **2.** qui habille bien : *ces vêtements sont très chics.* **3.** très gentil : *vous êtes très chic avec moi.* — *chic!* interjection, marque qu'on est content : *chic! nous partons demain en voyage.*

chien, chienne [ʃjɛ̃, ʃjɛn], n. m. et f., animal domestique qui garde la maison *(chien de garde)* ou les moutons *(chien de berger),* ou sert à la chasse *(chien de chasse),* ou reste dans la maison de son maître *(chien d'appartement) : le chien est souvent intelligent et aime ses maîtres; les chiens du Saint-Bernard ont sauvé beaucoup d'hommes perdus dans les montagnes.* EXPRESSIONS : *il m'a reçu comme un chien,* très mal; *une vie de chien,* une vie très malheureuse; *un temps de chien* ou *un temps à ne pas mettre un chien dehors,* un très mauvais temps; *ils se regardent comme chien et chat,* comme des ennemis.

chiffon [ʃifɔ̃], n. m., **1.** morceau de tissu qui sert à nettoyer : *j'ai essuyé les meubles avec un chiffon.* **2.** (pour se moquer) tissus pour des habits de dames : *cette dame ne parle que de chiffons.*

chiffre [ʃifrə], n. m., signe qui sert à écrire les nombres : *0, 1, 2, 3, sont des chiffres.*

chimie [ʃimi], n. f., science qui étudie les corps (par exemple les métaux) : *la chimie a fait de grands progrès.*

chimique [ʃimik],, adj., qui se rapporte à la chimie : *des produits chimiques.*

chimiste [ʃimist], n. m. et f., celui (celle) qui s'occupe de chimie : *plusieurs chimistes travaillent dans cette usine.*

chirurgie [ʃiryrʒi], n. f., art de soigner les blessures et de faire les opérations : *la chirurgie a fait de grands progrès depuis quelques années.*

chirurgien [ʃiryrʒjɛ̃], n. m., médecin qui soigne les blessures et fait les opérations : *l'opération a été faite par un chirurgien très adroit.*

chocolat [ʃɔkɔla], n. m., aliment qui contient du sucre, qu'on mange en bâtons ou qu'on boit, chaud, dans des tasses : *il a bu une tasse de chocolat à son petit déjeuner; je lui ai donné à quatre heures un bâton de chocolat.*

choisir [ʃwazir], v. trans., prendre une personne ou une chose qu'on préfère au milieu d'autres : *il a bien choisi sa femme.*

choix [ʃwa], n. m., **1.** action de choisir : *le choix n'est pas toujours facile; vous avez le choix,* vous pouvez choisir; *je n'ai pas le choix,* je ne peux pas choisir, je suis obligé de prendre ce qui m'est offert, ou de faire ce qu'on me dit : *faire choix de,* choisir : *il a fait choix d'un métier; des livres de choix,* de beaux livres. **2.** plusieurs choses qui s'offrent pour qu'on choisisse entre elles : *un choix de poésies,* un livre où l'on trouve des poésies qui ont été choisies parmi beaucoup de poésies; *ce commerçant a un grand choix de cravates,* il a beaucoup de cravates différentes.

chômage [ʃomaʒ], n. m., le fait de ne pas travailler parce qu'on n'a pas de travail : *le chômage est un malheur pour les ouvriers.*

chômer [ʃome], v. intr., **1.** ne pas travailler : *un jour chômé,* un jour où on ne travaille pas, par exemple un jour de fête. **2.** en particulier, ne pas travailler parce qu'on n'a pas de travail : *ces ouvriers chôment un jour par semaine.*

chômeur, euse [ʃomœr, øz], n. m. et f., celui (celle) qui chôme, qui ne travaille pas parce qu'il n'a pas de travail : *le gouvernement aide les chômeurs.*

chose [ʃoz], n. f., ce qui existe, en dehors des personnes et des animaux : *c'est une belle chose; il aime les bonnes choses,* il aime manger de bons morceaux; fam., *je me sens tout chose,* je ne me sens pas bien.

chou, plur. **choux** [ʃu], n. m., plante à grosses feuilles que l'on mange en légume : *il a mangé de la soupe aux choux à son dîner; chou de Bruxelles, chou-fleur, chou rouge,* sortes de choux; *chou à la crème,* sorte de gâteau. EXPRESSIONS : *j'en fais mes choux gras,* je suis très content d'avoir cela; *je m'en vais planter mes choux,* je vais vivre à la campagne; *une feuille de chou,* un journal de petite ville.

chrétien, enne [kretjɛ̃, ɛn], adj. et n., qui est d'une des grandes religions du monde : *les catholiques et les protestants sont des chrétiens.*

ci [si], sert à former des pronoms et des adjectifs (ou déterminatifs) démonstratifs : *celui-ci, ce livre-ci; ci-joint,* voir **joindre.**

cidre [sidrə], n. m., boisson tirée des pommes : *on boit du cidre surtout en Normandie et en Bretagne.*

ciel, plur. **cieux** [sjɛl, sjø], n. m., **1.** l'espace que nous voyons quand nous levons les yeux : *le ciel est bleu; le ciel est couvert,* il est couvert de nuages; *bleu ciel,* bleu clair comme le bleu du ciel; *une mine à ciel ouvert,* une mine où les ouvriers travaillent en plein air; *le feu du ciel,* les éclairs. **2.** l'endroit où d'après les religions se trouve Dieu : *il est au ciel,* il est près de Dieu, il est mort; *il veut gagner le ciel,* il se conduit bien pour aller au ciel après sa mort. — Le pluriel *cieux* se dit pour *ciel* dans la langue de la poésie et de la religion; familier, *il vit sous d'autres cieux,* dans un autre pays.

cigarette [sigarɛt], n. f., petit tuyau de papier mince rempli de tabac : *il fume un paquet de cigarettes en deux jours.*

cigogne [sigɔɲ], n. f., grand oiseau qui a de longues pattes, qui passe l'hiver dans les pays chauds et qui revient en Europe au printemps : *les chasseurs ne tuent jamais les cigognes.*

ciment [simɑ̃], n. m., matière qui devient dure à l'air et qui sert à construire des murs : *on a apporté des sacs de ciment.*

cimetière [simtjɛr], n. m., terrain où l'on enterre les morts : *on a conduit son corps au cimetière.*

cinéma [sinema], quelquefois **ciné** [sine], ou **cinématographe** [sinematɔgraf], n. m., **1.** art de faire paraître sur une toile des images avec le mouvement de la vie : *le cinéma est devenu une industrie importante; cinéma muet,* cinéma où les personnes qu'on voit sur les images ne parlent pas; *cinéma parlant,* cinéma où ces personnes parlent; *cinéma en couleurs.* **2.** salle où on représente ces images : *ils vont au cinéma une fois par semaine.*

cinq [sɛ̃ devant consonne : *cinq francs* : sɛ̃ frɑ̃ ; sɛ̃k devant voyelle et à la fin des phrases : *cinq hommes* : sɛ̃ k ɔm ; *ils sont cinq* : il sõ sɛ̃k], nom de nombre, 5 : *un enfant de cinq ans.*

cinquantaine [sɛ̃kɑ̃tɛn], n. f., **1.** à peu près cinquante : *il m'a apporté une cinquantaine de pommes.* **2.** l'âge de *cinquante ans : il a passé la cinquantaine.*

cinquante [sɛ̃kɑ̃t], nom de nombre, 50 : *il a cinquante ans.*

cinquantième [sɛ̃kɑ̃tjɛm], nombre ordinal. **1.** celui qui vient après 49 autres : *il est arrivé cinquantième.* **2.** *un cinquantième,* une des 50 parties d'un ensemble.

cinquième [sɛ̃kjɛm], nombre ordinal, **1.** celui qui vient après quatre autres. **2.** *un cinquième,* une des cinq parties d'un ensemble : 2 *est le cinquième de* 10. — *le cinquième,* le cinquième étage d'une maison : *il habite au cinquième; la cinquième,* la classe de cinquième d'une école : *cet élève est entré en cinquième.*

circonstance [sirkõstɑ̃s], n. f., ce qui arrive, ce qui peut se passer : *je ferais comme vous dans une circonstance pareille; les circonstances ne me permettent pas de partir en vacances.*

circuit [sirkɥi], n. m., longueur d'un tour : *il a fait un long circuit autour de la ville.*

circulation [sirkylasjõ], n. f., **1.** mouvement qui revient à son point de départ : *la circulation du sang.* **2.** mouvement qui ressemble à celui-ci, sans qu'il revienne à son point de départ : *il y a beaucoup de circulation dans les grandes rues.*

cire [sir], n. f., matière molle et jaune que produisent les abeilles : *cela fond comme de la cire,* cela fond très facilement.

cirque [sirk], n. m., sorte de théâtre rond où l'on voit des choses curieuses ou amusantes faites par des hommes et des animaux : *les enfants ont beaucoup ri quand on les a conduits au cirque.*

ciseaux [sizo], n. m. plur., instrument fait avec deux lames, qui sert à couper : *cette dame a perdu ses ciseaux.* Pour parler de plusieurs de ces instruments on se sert du mot *paire : j'ai acheté deux paires de ciseaux.*

cité [site], mot n. f., **1.** ville : *Rome est une cité ancienne.* **2.** le plus ancien quartier d'une ville : *Paris est né dans l'île de la Cité.* **3.** ville ou quartier construit pour des raisons particulières : *cité-jardins,* quartier où les maisons sont entourées de jardins.

citer [site], v. trans., **1.** rapporter les mots que quelqu'un a dits ou écrits : *il cite toujours les livres qu'il a lus.* **2.** rapporter des faits pour mieux expliquer ce que l'on veut dire : *il cite toujours l'exemple de son père pour montrer qu'on doit avoir du courage.*

citoyen, enne [sitwajɛ̃, ɛn], n. m. et f., celui (celle) qui a des droits politiques dans un pays : *nous devons être de bons citoyens.*

citron [sitrõ], n. m., gros fruit d'un jaune clair : *on sert un morceau de citron avec le poisson, avec le thé,* etc.

citronnier [sitrɔnje], n. m., arbre qui produit des citrons : *on trouve des citronniers dans le midi de la France.*

civil, ile [sivil], adj., **1.** qui se rapporte aux citoyens : *guerre civile,* guerre entre habitants d'un même pays. **2.** qui n'est pas militaire : *ce vieux soldat est entré dans la vie civile. Un civil,* n. m., quelqu'un qui n'est pas militaire. **3.** qui n'est pas religieux : *mariage civil,* mariage à la mairie (avant le mariage religieux s'il y en a un). **4.** *tribunal civil,* celui qui juge les affaires entre particuliers. **5.** poli : *il l'a salué de façon très civile.*

civilisation [sivilizasjõ], n. f., **1.** ensemble des activités, des idées, des façons de vivre, des hommes considérées comme bonnes : la *civilisation a fait de grands progrès.* **2.** ensemble des activités, des idées, des façons de vivre des hommes d'un temps ou d'un pays : *la civilisation de l'Asie est différente de celle de l'Europe.*

clair, e [klɛr], adj., **1.** qui reçoit la lumière, *le temps est clair; il fait clair.* **2.** d'une couleur qui va vers le blanc (contraire : *foncé*) : *ce bleu est trop clair.* **3.** que l'on comprend bien : *cette lettre est très claire.* — n. m., *clair de lune,* la lumière que répand la lune : *il fait un beau clair de lune; tirer une affaire au clair,* réussir à bien la comprendre. — adv., *je ne vois pas clair,* je ne vois que du noir (au propre et au figuré).

clarté [klarte], n. f., état de ce qui est clair : *la clarté du jour est trop forte; il parle avec beaucoup de clarté.*

classe [klas], n. f., **1.** ensemble de personnes du même milieu social : *la classe ouvrière,* les ouvriers. **2.** les jeunes gens appelés chaque année à être soldats : *la classe* 1956 *comprend les jeunes gens nés en* 1936; *le gouvernement a appelé la classe* 1956. **3.** les élèves qui étudient la même chose avec le même maître : *ce maître est très content de sa classe.* **4.** le temps que le maître passe avec les élèves : *les enfants sont sortis après la classe; le maître fait la classe,* il apprend aux élèves ce qu'ils doivent savoir. **5.** une salle de l'école : *le maître fait entrer les élèves en classe.*

classer [klase], v. trans., ranger, mettre en ordre, en mettant ensemble les choses qui se ressemblent ou qui se rapportent à la même question : *il a classé ses papiers.* — **se classer,** arriver à un certain rang (une certaine place) : *il s'est classé troisième dans la course.*

classique [klasik], adj., *un auteur classique,* un grand écrivain (se dit surtout de ceux qu'on explique dans les classes, dans les écoles); *les études classiques,* les études de langues anciennes (de grec et de latin); *la littérature classique,* la littérature française du XVIIᵉ siècle. — n. m., *un classique,* **1.** un auteur classique. **2.** celui qui aime les littératures anciennes et la littérature du XVIIᵉ siècle.

clé ou **clef** [kle], n. f., petit instrument de métal qui sert à ouvrir et à fermer les portes : *vous fermerez la porte à clé; j'ai mes papiers sous clef,* je les ai enfermés.

client, te [klijɑ̃, klijɑ̃t], n. m. et f., celui (celle) qui achète dans un magasin : *ce commerçant fait tout ce qu'il peut pour plaire à ses clients.*

clientèle [klijɑ̃tɛl], n. f., ensemble de clients : *ce commerçant a une grosse clientèle,* il a beaucoup de clients.

climat [klima], n. m., le temps qu'il fait dans un pays, dans une région : *les pays du Nord ont un climat froid.*

clinique [klinik], n. f., maison où des médecins soignent les maladies : *il est soigné dans une bonne clinique.*

cloche [klɔʃ], n. f., **1.** instrument

de métal employé dans la religion catholique pour appeler à l'église : *les cloches sonnent* PROVERBE : *Qui n'entend qu'une cloche n'entend qu'un son*, il est bon d'écouter les avis de plusieurs personnes. **2.** couvercle de verre en forme de cloche : *il a mis le fromage sous une cloche.*

clocher [klɔʃe], n. m., tour au-dessus d'une église, qui porte les cloches : *il a aperçu de loin le clocher de son village.*

Clocher.

clou [klu], n. m., **1.** petit outil de métal, pointu à un bout, que l'on fait entrer dans du bois, dans un mur : *il s'est fait mal aux doigts en frappant sur un clou; cela ne vaut pas un clou*, cela ne vaut rien. **2.** ce qu'il y a de plus beau ou de plus curieux, dans ce qui est montré dans un théâtre, dans une fête, etc. : *ce film a été le clou de la fête.* **3.** sorte de bouton sur la peau, qui fait mal : *il a un clou sur la main.* — PROVERBE : *Un clou chasse l'autre*, un nouvel événement, une nouvelle idée remplace dans l'esprit ce qui y était avant.

Clous.

cocher [kɔʃe], n. m., celui qui conduit une voiture à chevaux : *le cocher a arrêté sa voiture devant votre porte.* — *porte cochère*, grande porte où les voitures peuvent entrer.

cochon [kɔʃɔ̃], n. m., **1.** animal de ferme; (appelé aussi porc). *On a tué le cochon*; *cochon de lait*, jeune cochon. **2.** fig. et pop. (fém. *cochonne*), personne sale : *il écrit comme un cochon.*

cœur [kœr], n. m., **1.** organe d'où le sang part et où il revient : *son cœur bat; il a une maladie de cœur; il a serré son frère sur son cœur*, il l'a serré sur sa poitrine, il l'a embrassé. **2.** *avoir mal au cœur*, ne pouvoir garder les aliments qu'on a mangés ou bus, les rendre par la bouche : *il a mal au cœur en auto; faire mal au cœur*, faire rendre les aliments : *l'auto lui fait mal au cœur.* **3.** milieu : *nous sommes au cœur de l'hiver*, en plein hiver; *au cœur de la forêt*, en pleine forêt, au milieu de la forêt. **4.** sentiment en général : *il a le cœur gros*, il est triste; *cela lui est resté sur le cœur*, il ne l'a pas accepté, il en est triste; *ce que vous dites me va au cœur*, me touche beaucoup; *je vous parle à cœur ouvert*, je vous dis la vérité; *il a le cœur sur la main*, il dit toujours la vérité; *je l'ai fait à contre-cœur*, je ne voulais pas le faire, je l'ai fait quand même; *il sait sa leçon par cœur*, il peut répéter tous les mots; *je le fais de bon cœur*, avec plaisir; *il a à cœur de vous parler*, il tient à vous parler, il voudrait beaucoup vous parler; *je le prends à cœur*, je veux arriver à un résultat. **5.** sentiment qui rend bon pour les autres : *il a du cœur, il a bon cœur, c'est un bon cœur*, il est bon; *il n'a pas de cœur, il est sans cœur, il a mauvais cœur, il a un cœur de pierre, c'est un mauvais cœur*, il est méchant, il est dur. **6.** courage : *il a du cœur à l'ouvrage*, il travaille avec courage.

coiffer [kwafe], v. trans., **1.** arranger les cheveux sur la tête : *il s'est bien coiffé ce matin ;* familier, *il est né coiffé*, il a toujours eu de la chance. **2.** mettre une coiffure (chapeau, casquette, etc.) à quelqu'un : *cette dame était coiffée d'un très joli chapeau.*

coiffeur, euse [kwafœr, øz], n. m. et f., celui (celle) qui coupe et arrange les cheveux : *il est allé chez le coiffeur se faire couper les cheveux.*

coiffure [kwafyr], n. f., **1.** façon d'arranger les cheveux sur la tête : *vous avez changé de coiffure.* **2.** ce qu'on met sur la tête (chapeau, etc.) : *il a porté la main à sa coiffure pour saluer.*

coin [kwɛ̃], n. m., endroit où deux murs ou deux lignes se rencontrent : *les enfants jouent dans un coin de la chambre; je l'ai rencontré au coin de la rue; il est tombé sur le coin d'un meuble.* EXPRESSIONS : *un coin de terre*, un petit terrain; *il aime rester au coin du feu,* chez lui; *il me regarde du coin de l'œil,* il me regarde de côté.

col [kɔl], n. m., **1.** partie des habits qui fait le tour du cou : *le col de sa veste est déchiré.* **2.** en poésie, cou de l'homme ou des animaux. **3.** partie d'un objet qui ressemble à un cou : *le col d'une bouteille,* la partie étroite de la bouteille. **4.** endroit où on peut passer entre deux montagnes : *plusieurs cols des Alpes et des Pyrénées sont très hauts.*

colère [kɔlɛr], n. f., sentiment qui donne tout à coup l'envie de faire du mal à quelqu'un : *il est en colère contre vous; ne le mettez pas en colère.*

colis [kɔli], n. m., paquet qu'on envoie par la poste ou par le train : *je lui ai envoyé ce colis par la poste.*

colle [kɔl], n. f., matière qui sert à faire tenir deux objets ensemble : *les parties de ce meuble tiennent avec de la colle.*

collectif, fém. **ive** [kolɛktif, iv], adj., qui se rapporte à plusieurs personnes : *un bien collectif* (contraire : *individuel*).

collection [kɔlɛksjõ], n. f., **1.** action de rechercher et de rassembler (de mettre ensemble) des objets, souvent des objets rares : *il fait collection de timbres.* **2.** les objets rassemblés : *il m'a montré sa collection de monnaies anciennes.*

collège [kɔlɛʒ], n. m., école où vont les élèves de 11 à 18 ans : *mon fils va au collège.*

coller [kɔle], v. trans., faire tenir deux objets l'un contre l'autre avec de la colle : *j'ai collé un timbre sur ma lettre.* — pop., *ça colle,* ça va.

collier [kɔlje], n. m., bijou que les dames portent autour du cou : *cette dame a un très beau collier.*

colline [kɔlin], n. f., petite montagne : *on voit toute la plaine du haut de cette colline.*

colonel [kɔlɔnɛl], n. m., grade dans l'armée : *un colonel commande un régiment.*

colonne [kɔlɔn], n. f., **1.** ensemble de pierres (ou de bois ou de métal), haut et mince, souvent orné, qui sert, avec d'autres, à porter un toit : *vous voyez quatre colonnes sur le devant de cette maison.* **2.** ensemble analogue, seul, au milieu d'une place, dans une ville : *la colonne Vendôme à Paris.* **3.** soldats qui marchent les uns derrière les autres : *la colonne s'est arrêtée sur la route.* **4.** chiffres ou mots écrits les uns au dessous des autres : *vous écrivez ce mot à la troisième colonne.*

combat [kõba], n. m., action de se battre (entre deux unités militaires ennemies) (un combat est moins important qu'une bataille) : *nous avons perdu dix hommes dans ce combat.*

combattre [kõbatrə] (comme *battre*), v. trans., se battre contre (surtout au figuré) : *je combats cette idée.* — v. intr., se battre : *il a combattu pour son pays.* — **combattant,** n. m., celui qui se bat dans une guerre : *après la guerre les combattants rentrèrent chez eux; ancien combattant,* celui qui s'est battu dans une guerre; *non-combattant,* celui qui ne se bat pas, qui n'est pas soldat, en particulier les femmes, les vieillards, les enfants : *dans les guerres modernes beaucoup de non-combattants ont été tués.*

combien [kõbjɛ̃], adv. interrogatif, **1.** quel nombre, quelle quantité : *combien de frères avez-vous?* **2.** quelle somme d'argent, quel prix : *combien gagne-t-il par an? je demande combien coûte cette auto.*

combinaison [kõbinɛzõ], n. f., **1.** action de mettre les choses ensemble pour un résultat : *c'est une heureuse combinaison de couleurs.* **2.** vêtement que les femmes portent sous la robe : *elle a acheté une combinaison.*

combiner [kõbine], v. trans., mettre ensemble pour un résultat : *il a bien combiné ce qu'il voulait faire.*

comble [kõblə], n. m., **1.** la partie haute d'une maison : *il habite sous les combles,* sous le toit; *on a démoli cette maison de fond en comble,* on n'en a rien laissé. **2.** le plus haut degré : *il est au comble du bonheur.*

combler [kõble], v. trans., remplir: *on a comblé de terre le fossé ;* fig. : *vous me comblez,* vous me donnez trop de choses; *on a comblé cet enfant de jouets,* on lui a donné beaucoup de jouets.

comédie [kɔmedi], n. f., **1.** pièce de théâtre qui fait rire (contraire : *tragédie*) : *Molière a écrit de belles comédies.* **2.** théâtre : *la Comédie-Française,* théâtre de Paris où on joue les plus belles pièces du théâtre français. **3.** le fait de mentir, de ne pas dire la vérité : *cet enfant joue la comédie.*

comique [kɔmik], adj., **1.** qui écrit des comédies : *un auteur comique.* **2.** qui fait rire : *ce film est très comique.*

comité [kɔmite], n. m., groupe de personnes qui s'occupent d'une question : *le comité des fêtes a décidé qu'on jouerait une pièce de théâtre.*

commander [kɔmãde], v. trans., **1.** être à la tête d'une unité de l'armée ou d'un bateau : *ce général commande une armée.* **2.** *commander à quelqu'un de faire quelque chose,* lui donner l'ordre de le faire, lui dire de le faire : *le maître a commandé aux élèves de se taire.* **3.** *commander un objet à un marchand,* lui dire de le faire venir ou de le préparer : *il a commandé un habit à son tailleur.* — **commandant,** n. m., celui qui commande des soldats ou un bateau : *le commandant a quitté le bateau le dernier.*

1. comme [kɔm], adv., de la même façon que, de la façon que : *il s'habille comme son frère; faites comme vous voulez.*

2. comme [kɔm], conj., **1.** marquant la cause : *comme il pleuvait, je ne suis pas sorti.* **2.** marquant le temps : *je l'ai rencontré comme j'allais à la gare.*

commencement [kɔmãsmã], n. m., la partie d'une chose qui vient d'abord, la partie d'un travail que l'on fait d'abord : *il est venu me voir au commencement de l'après-midi.*

commencer [kɔmãse] (ç devant *a* et *o : nous commençons, je commençais,* etc.), v. trans., **1.** faire la première partie de quelque chose : *j'ai commencé mon voyage; cet enfant commence à lire.* **2.** *commencer par,* faire d'abord : *je commence par lire cette lettre, ensuite je répondrai.* — v. intr., avoir son commencement, son début, sa première partie : *en été le jour commence de bonne heure.*

comment [kɔmã], adv. interrogatif, de quelle façon, **1.** (moyen) : *comment êtes-vous arrivé ici?* **2.** (manière) : *comment allez-vous?*

commerçant, te [kɔmɛrsã, ãt], n. m. et f., celui (celle) qui achète et vend des marchandises : *il y a beau coup de commerçants dans cette rue.*

commerce [kɔmɛrs], n. m., **1.** action d'acheter et de vendre des marchandises : *il fait du commerce avec l'étranger; il est dans le commerce.* **2.** magasin où l'on vend des marchandises (on dit aussi *maison de commerce*) : *il a un commerce d'épicerie dans cette ville.*

commercial, ale, plur. **aux, ales** [kɔmɛrsjal, kɔmɛrsjo], adj., qui se rapporte au commerce : *des affaires commerciales.*

commettre [kɔmɛtrə] (comme *mettre*), v. trans., faire une grande faute : *tuer quelqu'un, c'est commettre un crime.*

commissaire [kɔmisɛr], n. m., celui qui est chargé de certaines questions : *commissaire de police,* celui qui est chargé de la police d'une ville ou d'un quartier; (sur un bateau) *commissaire de bord,* celui qui s'occupe des voyageurs et des marchandises.

commission [kɔmisjõ], n. f., **1.** chose que quelqu'un a à faire pour une autre personne : *il m'a donné une commission importante.* **2.** *faire les commissions,* acheter les aliments nécessaires à la vie de tous les jours : *sa mère était partie faire les commissions.* **3.** groupe de personnes nommées pour s'occuper d'une question : *le gouvernement a nommé une commission.*

commode [kɔmɔd], adj., **1.** qui est bien pour ce qu'on veut en faire : *une maison commode.* **2.** fam., en parlant des personnes, *il n'est pas commode,* il n'est pas doux, on ne vit pas facilement avec lui.

commun, une [kɔmœ̃, yn], adj., **1.** qui est à plusieurs personnes : *cette chambre est commune aux deux frères; en commun,* ensemble, avec d'autres : *ils occupent cette maison en commun.* **2.** qui arrive souvent (contraire : *rare*) : *cette maladie est très commune.* **3.** fig., bas, peu joli : *cet homme a des manières très communes.* **4.** (grammaire) *nom commun,* nom qui n'est pas particulier à une personne ou à un objet (contraire : *nom propre*) : *« homme » est un nom commun, « Jean » est un nom propre.*

communauté [kɔmynote], n. f., **1.** personnes qui vivent ensemble : *une communauté religieuse.* **2.** pays qui ont des rapports étroits ensemble.

commune [kɔmyn], n. f., ville ou village au point de vue de l'administration : *le maire est à la tête de la commune.*

communication [kɔmynikasjõ], n. f., **1.** le fait d'annoncer, de faire connaître : *je vous ferai demain une communication importante.* **2.** moyen qui permet d'aller, d'écrire, de téléphoner à un endroit : *les communications sont très mauvaises avec ce village.* **3.** le fait de parler au téléphone : *je n'ai pu avoir la communication avec votre ville; j'ai déjà payé deux communications.*

communiquer [kɔmynike], v. trans., **1.** faire connaître : *on m'a communiqué des nouvelles importantes.* **2.** faire passer d'une personne ou d'une chose à une autre : *il lui a communiqué sa maladie.* — v. intr., **1.** parler, écrire, etc., à une personne ou en un endroit : *on ne peut communiquer avec lui;* **2.** former un ensemble : *ces deux chambres communiquent entre elles,* on peut passer de l'une à l'autre. —

communiqué, n. m., nouvelle donnée par le gouvernement : *un communiqué vient de paraître.*

communisme [kɔmynism], n. m., idées politiques donnant à l'ensemble du peuple tout ce qui sert à produire.

communiste [kɔmynist], n. m. et f., et adj., qui est pour le communisme : *un État communiste.*

compagnie [kõpaɲi], d. f., **1.** groupe de personnes : *il y avait une compagnie nombreuse; la bonne compagnie,* les personnes bien élevées ; *tenir compagnie à quelqu'un,* être avec lui : *je lui ai tenu compagnie pendant qu'il était malade; dame (demoiselle) de compagnie,* celle qui par métier tient compagnie à une dame; *ils vont de compagnie,* ils vont ensemble. **2.** unité militaire (d'une centaine de soldats) commandée par un capitaine : *le capitaine marchait en tête de sa compagnie.* **3.** société de commerce ou d'industrie : *il travaille pour une grande compagnie.*

compagnon [kõpaɲõ], n. m. (fém. : *compagne*), **1.** celui qui vit, qui travaille, qui joue, etc., avec quelqu'un : *j'ai parlé avec mes compagnons de route.* **2.** ouvrier qui travaille avec un artisan : *le maçon est venu avec son compagnon.*

comparaison [kõparɛzõ], n. f., action de comparer : *il n'y a pas de comparaison possible entre ces deux villes; on trouve de belles comparaisons dans cette poésie.*

comparer [kõpare], v. trans., étudier plusieurs personnes ou plusieurs choses pour en juger : *j'ai comparé votre maison avec la mienne; ils ont comparé leurs travaux.*

compartiment [kõpartimɑ̃], n. m., partie d'une boîte, d'un wagon de chemin de fer : *il n'y a personne dans ce compartiment.*

complément [kõplemɑ̃], n. m., **1.** qui rend complet : *il a ajouté un complément à son livre; il a payé le complément de la somme qu'il devait.* **2.** *(grammaire) complément d'un verbe,* le nom qui aide à comprendre le verbe : *il regarde* LA VILLE, *il viendra* A QUATRE HEURES ; *complément d'un nom,* le nom qui aide à comprendre le nom : *les maisons* DE LA RUE, *une tasse* A CAFÉ ; *complément* *d'un adjectif,* le nom qui aide à comprendre l'adjectif : *bon* POUR SES PARENTS.

complet, ète [kõplɛ, ɛt], adj., **1.** où il ne manque rien : *ce livre est complet.* **2.** plein : *l'hôtel est complet; l'autobus est passé complet.* — n. m., **un complet,** un habit d'homme comprenant le veston (la veste) et le pantalon : *il a un complet neuf.*

complètement [kõplɛtmɑ̃], adv., de façon complète, tout à fait : *cette maison a été complètement démolie.*

compliquer [kõplike], v. trans., rendre quelque chose moins facile à comprendre, en y ajoutant des nouvelles parties : *ne compliquez pas la situation.* — **compliqué, ée,** qui n'est pas facile à comprendre à cause du grand nombre de ses parties; *cette machine est très compliquée.*

comporter [kõpɔrte], v. trans., comprendre (au sens 2), avoir comme parties : *cette maison comporte plusieurs pièces et un jardin.* — **se comporter,** se conduire : *il s'est mal comporté avec ses amis.*

composer [kõpoze], v. trans., **1.** faire un ensemble au moyen de plusieurs personnes ou de plusieurs choses : *la ville est composée de plusieurs quartiers.* **2.** faire (se dit surtout de la poésie et de la musique) : *cet artiste a composé une belle œuvre.* — v. intr., faire un devoir en classe, à l'école : *ces élèves ont composé en français.* — *se composer de,* avoir comme parties : *cet appartement se compose de rois petites pièces.*

composition [kõpozisjõ], n. f., **1.** action de composer : *il s'occupe de la composition d'un air de musique.* **2.** les matières qui entrent dans une chose : *quelle est la composition de ce médicament?* **3.** devoir fait en classe : *les élèves font une composition de langue étrangère.* **4.** *composition française,* devoir français.

comprendre [kõprɑ̃drə] (comme *prendre*), v. trans., **1.** trouver le sens : *il comprend le français, mais il ne le parle pas; je comprends mal ce que vous dites.* **2.** avoir comme parties : *ce repas comprend de la viande et des fruits; y compris,* en comptant : *il a deux maisons, y compris celle qu'il habite,* il a la maison qu'il habite et une autre; *non compris,* en ne comptant pas : *il a deux maisons, non compris celle qu'il habite,* il a deux maisons, et, en plus, celle qu'il habite.

comprimer [kõprime], v. trans., presser très fort : on a comprimé *la paille pour qu'elle tienne moins de place.* — **comprimé,** n. m., petit médicament : *j'ai pris deux comprimés avant de déjeuner.*

comptable [kõtablə], n. m. et f., employé(e) qui tient les comptes d'une maison de commerce : *ce comptable ne se trompe jamais dans ses comptes.*

compte [kõt], n. m., nombre, quantité, somme : *j'ai fait le compte de mes livres,* j'ai compté mes livres; *il manque vingt francs à mon compte,* j'ai vingt francs de moins que je ne croyais. EXPRESSIONS : *cela fait le compte,* c'est la quantité (ou la somme d'argent) nécessaire; *il travaille à son compte,* il travaille pour lui, il n'est pas employé; *il y trouve son compte,* il y gagne; *je l'ai acheté pour mon compte,* pour moi; *pour le compte d'un autre,* pour un autre; *mettez cela à mon compte,* ajoutez-le à ce que je vous dois; *il a un compte chez son tailleur,* il doit de l'argent à son tailleur; *à bon compte,* bon marché, pas cher : *j'ai acheté ce livre à bon compte; il s'en est tiré à bon compte,* il est sorti de cette affaire sans trop de mal; *au bout du compte, en fin de compte,* à la fin; *il tient ses comptes,* il écrit l'argent qu'il reçoit et celui qu'il dépense; *la Cour des comptes,* tribunal qui étudie les comptes de l'État; *rendre compte,* expliquer ce qu'on a fait : *j'ai rendu compte de mon voyage; se rendre compte,* comprendre : *je me rends compte de l'accident qui est arrivé; tenir compte,* faire entrer dans ses comptes, dans sa façon de comprendre : *en jugeant votre travail, je tiens compte de votre mauvaise santé.* — PROVERBE :

Les bons comptes font les bons amis, il faut tenir des comptes justes, même entre amis.

compter [kõte], v. trans., **1.** chercher le nombre, la somme : *il compte son argent; il dépense sans compter,* sans faire attention à l'argent qu'il dépense. **2.** espérer, avoir dans l'idée (avec un infinitif) : *je compte aller vous voir demain.* — v. intr., **1.** être important, entrer en compte : *cela ne compte pas.* **2.** *compter avec,* faire entrer dans son compte, tenir compte de : *il faut compter avec le mauvais temps.* **3.** *compter sur,* espérer : *je compte sur vous,* j'espère que vous ferez ce que vous avez promis. — **comptant, au comptant,** en payant tout de suite : *j'ai acheté ce livre comptant; il vend seulement au comptant,* il veut être payé tout de suite.

comptoir [kõtwar], n. m., dans un magasin, un café, etc., grande table sur laquelle on sert les clients : *il y avait beaucoup de boîtes sur le comptoir; j'ai pris une tasse de chocolat au comptoir,* debout (dans un café).

concerner [kõsɛrne], v. trans., se rapporter à une personne ou à une chose : *cette affaire concerne votre père.*

concert [kõsɛr], n. m., **1.** musique jouée devant un public : *j'ai entendu de la très belle musique à ce concert.* **2.** *de concert,* d'accord : *nous avons décidé cela de concert.*

concevoir [kõsvwar] (se conjugue comme *recevoir*), v. trans., **1.** se faire une idée de quelque chose : *je ne conçois rien de mieux que ce voyage; je conçois que vous ne vous plaisiez pas ici.* **2.** avoir un sentiment : *il a conçu beaucoup d'amitié pour vous.*

concierge [kõsjɛrʒ], n. m. et f., celui (celle) qui garde une maison : *la concierge nettoie les escaliers.*

conclure [kõklyr] *(je conclus, nous concluons; je concluais; je conclus; je conclurai; que je conclue; conclu),* v. trans., **1.** finir : *j'ai conclu cette affaire; je conclus,* je dis la fin de ce que j'ai à dire. **2.** décider à la fin : *nous avons conclu que nous partirons demain.*

conclusion [kõklyzjõ], n. f., **1.** action de conclure (au 1er sens) : *la conclusion de cette affaire.* **2.** la dernière partie d'un livre où le sens du livre est expliqué : *ce livre manque de conclusion.*

concorde [kõkɔrd], n. f., le fait d'être bien d'accord : *ces deux frères ont toujours vécu en concorde ensemble.*

concours [kõkur], n. m., **1.** travail que l'on donne à plusieurs personnes pour voir celle qui le fera le mieux : *on n'entre dans certaines écoles qu'après avoir passé un concours; ce journal a ouvert un concours.* **2.** part de travail : *il m'a offert son concours; j'ai réussi avec le concours de mes amis.*

condamner [kõdane], v. trans., punir quelqu'un après l'avoir jugé : *le tribunal a condamné le voleur à un an de prison;* fig., *ce malade est condamné,* il ne peut plus vivre longtemps; *une fenêtre (une porte) condamnée,* une fenêtre (une porte) qu'on laisse toujours fermée (par exemple parce qu'on a mis un meuble devant elle).

condition [kõdisjõ], n. f., **1.** état social : *une personne de petite condition; se mettre en condition,* se mettre au service de quelqu'un comme domestique : *cette jeune fille s'est mise en condition.* **2.** circonstances où l'on fait quelque chose : *on travaille mal dans ces conditions.* **3.** circonstance nécessaire, qualité nécessaire : *le travail est la condition d'une vie heureuse; il fait ses conditions,* il dit ce qu'il juge nécessaire de son point de vue. — **à condition de,** prép., marque la circonstance nécessaire : *vous vivrez vieux à condition de vous soigner.* — **à condition que,** conj., marque aussi la circonstance nécessaire (= *si*) : *j'irai dans cette maison à condition que vouz veniez aussi.*

conditionnel [kõdisjɔnɛl], n. m., forme du verbe : *le conditionnel du verbe* CHANTER *est* JE CHANTERAIS, TU CHANTERAIS, etc.

conducteur, trice [kõdyktœr, tris], n. et adj., qui conduit : *un conducteur de travaux; le fer est un bon conducteur de l'électricité.*

conduire [kɔ̃dɥir] *(je conduis, nous conduisons; je conduisis; je conduirai; je conduirais; que je conduise; conduit)*, v. trans., **1.** faire aller une personne, un animal, une voiture d'un endroit dans un autre : *la mère conduit sa fille à l'école; il conduit la charrue; il conduit bien,* il conduit bien son auto. **2.** s'occuper de : *il conduit bien son travail.* — **se conduire,** agir d'une certaine façon : *il s'est conduit d'une façon intelligente; cet enfant se conduit mal dans la rue.*

conduite [kɔ̃dɥit], n. f., **1.** action de conduire : *la conduite de cette voiture n'est pas facile; je vous ferai la conduite (un bout de conduite),* je ferai une partie de la route avec vous. **2.** façon de se conduire : *cet élève a une bonne conduite à l'école et à la maison.* **3.** tuyau : *on a installé une conduite d'eau.*

conférence [kɔ̃ferɑ̃s], n. f., **1.** action de parler devant un public (pendant une heure environ) : *votre conférence m'a beaucoup intéressé.* **2.** action de causer de questions importantes : *les membres du gouvernement ont tenu une longue conférence.*

confiance [kɔ̃fjɑ̃s], n. f., **1.** le fait d'être sûr que quelqu'un fera bien ce qu'on lui a donné à faire, rendra ce qu'on lui a prêté, etc. : *j'ai confiance en vous; je vous fais confiance; il a perdu ma confiance.* **2.** le fait d'être sûr d'arriver à un résultat : *il s'en va avec confiance.*

confier [kɔ̃fje], v. trans., **1.** mettre quelque chose dans les mains de quelqu'un parce qu'on est sûr qu'il le fera bien, qu'il tiendra ce qu'il a promis, qu'il rendra ce qu'on lui a donné à garder, etc. *je vous confie mon porte-monnaie.* **2.** dire en secret : *je vous confie ce que je n'ai dit à personne.* — **se confier** *(à quelqu'un),* se mettre entre les mains de quelqu'un : *je me confie à ce médecin.* — **confiant, ante,** adj., qui a confiance dans les autres : *vous êtes trop confiant.*

confirmer [kɔ̃firme], v. trans., rendre plus sûr quelque chose qui a été dit : *le gouvernement a confirmé cette nouvelle.*

confiture [kɔ̃fityr], n. f., fruits cuits avec du sucre : *une confiture de pommes; les enfants aiment beaucoup les confitures.*

confondre [kɔ̃fɔ̃drə] (comme *fondre*), v. trans., **1.** mêler : *toutes les classes sont confondues dans la cour.* **2.** prendre une personne ou une chose pour une autre : *je l'ai confondu avec son frère.* **3.** étonner beaucoup : *son départ me confond.*

confort [kɔ̃fɔr], n. m., ce qui rend la vie moderne plus facile et plus agréable (eau dans la maison, salle de bain, électricité, etc.) : *cet appartement a tout le confort.*

confortable [kɔ̃fɔrtablə], adj., qui a ce qui rend la vie facile et agréable *une maison confortable.*

confusion [kɔ̃fyzjɔ̃], n. f., **1.** mélange sans ordre : *on ne peut pas discuter dans la confusion.* **2.** sentiment d'être gêné : *je suis rempli de confusion.*

congé [kɔ̃ʒe], n. m., **1.** jours où on ne travaille pas : *les travailleurs ont trois semaines de congé; il a demandé un congé de maladie.* **2.** *prendre congé :* dire au revoir : *il a pris congé de ses amis.*

congrès [kɔ̃grɛ], n. m., assemblée nombreuse et importante : *un congrès de savants.*

conjonction [kɔ̃ʒɔ̃ksjɔ̃], n. f., (grammaire) mot qui se met entre deux mots ou deux membres de phrases : *son père* ET *son frère; lui* OU *moi; je pense* QUE *vous venez; je partirai* SI *le temps est beau; il est parti* DÈS QU'*il m'a vu.*

conjugaison [kɔ̃ʒygɛzɔ̃], n. f., (grammaire) ensemble des formes d'un verbe : *il sait la conjugaison de l'indicatif.*

conjuguer [kɔ̃ʒyge], v. trans. (grammaire), dire ou écrire toutes les formes d'un verbe : *cet élève a conjugué le subjonctif du verbe « venir ».* — **se conjuguer,** prendre certaines formes (en parlant d'un verbe) : *le verbe « aller » se conjugue avec l'auxiliaire « être ».*

connaissance [kɔnɛsɑ̃s], n. f., **1.** le fait de connaître, de savoir; les choses qu'on sait : *il a de grandes connaissances en histoire; cette nouvelle n'est pas venue à ma connaissance,* je ne la sais pas; *j'ai pris connaissance de cette lettre,* je l'ai lue. **2.** le fait de voir une personne, de lui parler : *je suis heureux de faire votre connaissance; c'est une personne de ma connaissance.* **3.** personne que l'on connaît (moins qu'un ami) : *il a fait venir ses amis et connaissances.* **4.** le fait de pouvoir sentir, voir, comprendre : *le malade a encore toute sa connaissance; il a perdu connaissance; il est resté longtemps sans connaissance.*

connaître [kɔnɛtrə] (comme *paraître*), v. trans., **1.** savoir ce qu'est une personne ou une chose : *il connaît l'histoire de sa ville; il connaît bien la montagne; connais-toi toi-même; il ne se connaît plus,* il est dans une grande colère, il n'est plus maître de lui. **2.** *connaître une personne,* la voir et lui parler (mais moins que si l'on est ami avec elle) : *je connais l'ingénieur de cette usine; je le connais de vue,* je l'ai déjà vu, mais je ne lui ai pas parlé; fam., *je ne le connais ni d'Eve ni d'Adam,* je ne l'ai jamais vu. — **se connaître** (en quelque chose), savoir reconnaître ce qui est bien et vrai dans un art, dans une science : *il se connaît en peinture.*

conquérir [kõkerir] (comme *acquérir*), v. trans., **1.** prendre un pays par la force des armes : *les Romains ont conquis la Gaule.* **2.** fig., plaire beaucoup : *vos idées m'ont conquis.* — **conquérant,** n. m., celui qui conquiert des pays : *Alexandre et César ont été de grands conquérants.*

consacrer [kõsakre], v. trans., offrir comme une chose sainte : *il consacre sa vie à aider ses parents.* — **se consacrer,** employer son temps, son travail à quelque chose : *il s'est consacré à l'étude de l'histoire.*

conscience [kõsjɑ̃s], n. f., sentiment que l'on a du bien et du mal : *il a parlé d'après sa conscience; il a une faute sur la conscience; il a conscience d'avoir fait son devoir; nous avons la conscience tranquille,* nous sommes sûrs de n'avoir rien fait de mal.

conseil [kõsɛj], n. m., **1.** avis qu'on donne à quelqu'un : *vous lui avez donné un bon conseil; il m'a demandé conseil; il a pris conseil de son frère.* PROVERBE : *La nuit porte conseil,* il est bon de laisser passer une nuit avant de décider quelque chose d'important. **2.** personne qui donne des avis dans des questions importantes : *un ingénieur conseil,* un ingénieur qui donne des conseils. **3.** groupe de personnes qui étudient certaines questions : *conseil des ministres,* l'ensemble des ministres, le gouvernement; *président du conseil,* le chef du gouvernement; *le conseil général s'occupe des affaires du département; le conseil municipal s'occupe des affaires de la commune (ville ou village).*

1. conseiller [kõsɛje], v. trans., **1.** donner des conseils à quelqu'un : *il conseille bien ses amis.* **2.** donner à quelqu'un un certain conseil : *le médecin lui a conseillé d'aller à la campagne.*

2. conseiller, ère [kõsɛje, ɛr], n. m. et f., **1.** celui (celle) qui donne des conseils : *la colère est une mauvaise conseillère.* **2.** celui (celle) qui fait partie d'un conseil : *il est conseiller général.*

consentir [kõsɑ̃tir] (se conjugue comme *sentir*), v. (avec *à*), dire « oui » à celui qui demande : *ses parents ont consenti à son départ; il consent à rester à la maison pour vous recevoir.*

conséquence [kõsekɑ̃s], n. f., ce qui suit une action ou une idée : *il n'a pas pensé aux conséquences de ce qu'il a fait; j'ai tiré les conséquences de ce que vous disiez; cela ne tire pas à conséquence,* cela n'a pas de conséquence sérieuse; *en conséquence,* comme conséquence (= *par conséquent*).

conséquent, te [kõsekɑ̃, ɑ̃t], adj., est employé surtout dans l'expression *par conséquent,* donc : *ne vous voyant plus, j'ai pensé que vous étiez rentré chez vous, par conséquent je suis parti.*

conserve [kõsɛrv], n. f., aliment conservé : *une boîte de conserves.*

conserver [kõsɛrve], v. trans., **1.** garder, ne pas laisser perdre : *j'ai conservé la lettre que vous m'aviez envoyée.* **2.** garder des aliments (fruits, viande, poisson, etc.) de façon qu'on puisse les manger plus tard : *on peut conserver ce poisson dans de l'huile.*

considérable [kõsiderablə], adj., très important : *c'est un homme considérable; il a perdu une somme considérable.*

considérer [kõsidere] *(je considère, nous considérons; je considérerai)*, v. trans., **1.** regarder avec attention, étudier de près : *j'ai longtemps considéré cette question.* **2.** *considérer comme*, regarder comme, tenir pour : *je le considère comme mon meilleur ami.* **3.** *considérer que*, penser que : *je considère que nous n'avons pas assez de temps pour faire ce que nous voulions.* **considéré, ée,** adj., (en parlant des personnes) qu'on regarde comme important : *c'est un homme très considéré dans sa ville.*

consigne [kõsiɲ], n. f., **1.** ordre donné à des soldats : *n'oublie pas la consigne.* **2.** endroit d'une gare où on peut mettre ses bagages pour qu'ils soient gardés : *j'ai laissé ma valise à la consigne.* **3.** temps que les élèves punis doivent passer à l'école : *il a eu deux heures de consigne.*

consoler [kõsɔle], v. trans., rendre moins triste : *nous avons consolé un enfant qui pleurait.*

consommation [kõsɔmasjõ], n. f., **1.** le fait d'employer pour vivre : *il fait une grande consommation de pommes de terre.* **2.** ce qu'on boit dans un café : *il a déjà pris deux consommations.*

consommer [kõsɔme], v. trans., employer pour vivre (en le mangeant, en le buvant, en le brûlant) : *nous avons consommé, cet hiver beaucoup de pain, de café et de charbon.* — (sans objet) boire quelque chose dans un café : *plusieurs personnes consommaient quand je suis entré dans le café.* — **consommé,** n. m., sorte de soupe avec du jus de viande.

consonne [kõsɔn], n. f. (grammaire) : B, L, M *sont des consonnes,* A, E, I *sont des voyelles.*

constater [kõstate], v. trans., se rendre compte au moyen de ses yeux ou de ses oreilles : *j'ai constaté qu'il y avait beaucoup de bruit dans cette rue*

constituer [kõstitɥe ou kõstitye], v. trans., former : *plusieurs régions très différentes ont constitué ce pays.*

constitution [kõstitysjõ], n. f., **1.** façon d'être d'une personne (au point de vue de sa force et de sa santé) : *il a une forte constitution.* **2.** les lois les plus importantes pour le gouvernement d'un pays : *la constitution française.*

construction [kõstryksjõ], n. f., **1.** action de construire : *la construction de cette maison a été très longue.* **2.** ce qui est construit (maison, pont, etc.) : *c'est une belle construction.*

construire [kõstrɥir] (comme *conduire*), v. trans., **1.** faire les travaux nécessaires pour faire une maison, un bateau, un port, etc. : *les maçons construisent une nouvelle maison.* **2.** (grammaire) mettre les mots en ordre : *cette phrase est très mal construite.*

consul [kõsyl], n. m., fonctionnaire qui s'occupe des gens de son pays qui se trouvent dans un autre pays : *en passant dans cette ville d'Italie je suis allé voir le consul de France.*

consulat [kõsyla], n. m., maison du consul : *le consulat de France à Londres.*

conte [kõt], n. m., histoire qui n'est pas vraie : *les enfants aiment beaucoup les contes.*

contenir [kõtnir] (comme *tenir*), v. trans., **1.** *cette tasse contient du café*, il y a du café dans cette tasse; *cette boîte contient du tabac,* il y a du tabac dans cette boîte, etc. **2.** empêcher d'aller plus loin : *nous avons contenu l'ennemi; il contient sa colère.* — **se contenir,** empêcher ses sentiments (sa colère, par exemple) de se montrer : *il se contient avec peine.*

content, te [kõtɑ̃, ɑ̃t], adj., qui est heureux de ce qu'il a : *je suis content de vous voir; ces parents sont contents de leurs enfants; j'en ai mon content,* je ne veux rien de plus.

contenter [kõtɑ̃te], v. trans., faire que quelqu'un ne demande rien de plus : *cet élève contente ses maîtres et ses parents.* — **se contenter,** ne pas demander plus : *il se contente d'un petit appartement.*

conter [kõte], v. trans., raconter : *la grand-mère conte des histoires à ses petits-enfants.*

continuer [kõtinɥe ou nye], v. trans., ne pas s'arrêter de faire ce qu'on a commencé : *il continue son voyage; nous continuons à jouer.* — v. intr., ne pas s'arrêter : *la pluie continue.*

contraire [kõtrɛr], adj., qui est contre : *en sens contraire* (→ ←); *le vent est contraire au bateau.* — n. m., « *riche* » *est le contraire de* « *pauvre* »; « *grand* » *est le contraire de* « *petit* ».

contrat [kõtra], n. m., papier que l'on signe après que l'on s'est mis d'accord sur des questions (surtout des questions d'argent) : *ils ont fait un contrat avant de se marier.*

contre [kõtrə], prép., **1.** en ennemi : *il a parlé contre vous.* **2.** en touchant : *ne mettez pas votre bicyclette contre le mur.* **3.** *il a changé son livre contre un cahier,* il a donné son livre et on lui a donné un cahier.

contrôle [kõtrol], n. m., action de contrôler : *il faut montrer ses billets au contrôle.*

contrôler [kõtrole], v. trans., bien regarder si toutes les choses sont comme elles doivent être : *des inspecteurs contrôlent toutes les sommes qui sortent de la caisse.*

contrôleur, euse [kõtrolœr, øz], n. m. et f., celui (celle) qui contrôle (par exemple dans les trains) : *le contrôleur vient d'entrer dans notre wagon.*

convaincre [kõvɛ̃krə], (se conjugue comme *vaincre*), v. trans., faire en sorte que quelqu'un pense que l'on a raison : *il m'a convaincu qu'il avait bien fait; je vous convaincrai de mon bon droit.*

convenir [kõvnir] (se conjugue comme *venir*), v. (avec *à*), être en accord avec quelqu'un ou quelque chose : *ce travail lui convient; ces fleurs conviennent à votre jardin.* — v. intr. (avec l'auxiliaire *être*), **1.** être d'accord : *nous sommes convenus de voyager ensemble.* **2.** reconnaître comme vrai : *il convient de sa faute.*

conversation [kõvɛrsasjõ], n. f., action de parler avec quelqu'un : *j'ai eu une longue conversation avec votre frère.*

coopérative [kɔɔperati:v], n. f., groupe de personnes qui travaillent ensemble de façon que le résultat soit utile à chacune d'elles : *les cultivateurs de cette région ont une coopérative pour vendre leur lait.*

copain, copine [kɔpɛ̃, kɔpin], n. m. et f., pop., camarade : *Il ne sort jamais sans son copain.*

copie [kɔpi], n. f., **1.** action de faire une chose d'après une autre : *ce tableau est une copie d'une peinture célèbre.* **2.** devoir d'élèves : *les élèves ont remis leurs copies au maître.*

coq [kɔk], n. m., oiseau de basse-cour, mâle de la poule : *le coq est le roi de la basse-cour.*

corde [kɔrd], n. f., très grosse ficelle : *on étend le linge sur une corde pour le faire sécher.* — EXPRESSIONS : *ces petites filles jouent à la corde,* elles s'amusent à sauter au-dessus d'une corde que font tourner deux de leurs camarades; *ce drap est usé jusqu'à la corde,* il est très usé; *cet homme ne vaut pas la corde pour le pendre,* il est très mauvais. — PROVERBE : *Il ne faut pas parler de corde dans la maison d'un pendu,* il ne faut pas rappeler à des personnes certaines choses qui leur sont arrivées (à elles ou à leur famille).

cordonnier, ère [kɔrdɔnje, ɛr], n. m. et f., celui (celle) qui fait et surtout qui répare les chaussures : *j'ai porté mes chaussures au cordonnier pour qu'il les répare.*

corne [kɔrn], n. f., **1.** pointe assez longue et dure qui pousse sur la tête de certains animaux (bœufs, chèvres, etc.) : *le bœuf l'a frappé de ses cornes; bêtes à cornes,* les bœufs et les vaches. **2.** matière de cette corne : *on fait des peignes en corne.*

corps [kɔr], n. m., **1.** la partie matérielle d'un homme ou d'un animal : *il faut prendre soin de son corps.* EXPRESSIONS : *il s'est jeté dans cette affaire à corps perdu,* sans faire attention aux dangers; *il est venu à son corps défendant,* il ne voulait pas venir, il est venu quand même; *le bateau a coulé corps et biens,* avec les personnes et les choses qui étaient dedans; *il a combattu corps à corps,* en frappant l'ennemi de près; *un corps à corps,* n. m., un combat corps à corps. **2.** ce qui reste de quelqu'un qui est mort : *on a enterré les corps des soldats tués.* **3.** n'importe quelle matière : *certains corps sont liquides, d'autres solides.* **4.** ensemble de personnes : *ils sont venus en corps,* tous ensemble. **5.** unité militaire : *un chef de corps; ce soldat n'est pas rentré à son corps; corps d'armée,* unité comprenant plusieurs divisions. **6.** *corps de métier,* les ouvriers qui font le même métier : *pour construire une maison on a besoin de tous les corps de métier.*

correspondance [kɔrespɔ̃dɑ̃s], n. f., **1.** accord entre des choses : *il n'y a pas de correspondance entre ce que vous voulez et ce que vous pouvez faire.* **2.** lettres écrites et reçues par deux personnes : *la correspondance de ces deux grands hommes est très intéressante.* **3.** le fait qu'en descendant d'un train on peut en prendre un autre, peu de temps après, pour aller à l'endroit où l'on veut se rendre : *ne manquez pas la correspondance.*

correspondre [kɔrɛspɔ̃drə], v. (avec *à*), être d'accord : *ce livre correspond à ce que j'attendais.* — (avec *avec*) écrire souvent à quelqu'un et recevoir des lettres de lui : *je corresponds avec des amis d'Angleterre; nous avons longtemps correspondu.* — **correspondant, e,** n. f., celui (celle) qui écrit des lettres : *mes correspondants m'écrivent souvent.*

corsage [kɔrsaʒ], n. m., vêtement de femme couvrant le haut du corps : *sa sœur porte un corsage bleu.*

costume [kɔstym], n. m., habits, vêtements : *il a acheté un costume neuf.*

côte [ko:t], n. f., **1.** terrain qui monte : *cette côte est très dure.* **2.** le bord de la mer : *ces côtes sont très basses; le bateau a été jeté à la côte;* fig., *il est à la côte,* il n'a plus d'argent. **3.** un des os qui se trouvent de chaque côté de la poitrine : *il s'est cassé deux côtes en tombant de bicyclette; se tenir les côtes,* rire très fort. **4.** *côte à côte,* à côté l'un de l'autre : *ils sont assis côte à côte.*

côté [kote], n. m., **1.** une des faces d'une chose : *un carré a quatre côtés.* **2.** la face de droite ou celle de gauche (mais non le devant ni le derrière) : *il est passé du côté droit de la maison; il est couché sur le côté; il a un point de côté,* il a mal au côté; *il met de l'argent de côté,* il ne dépense pas tout son argent, il en garde pour plus tard; *laissons cela de côté,* ne nous en occupons plus; *il le regarde de côté,* pas en face. **4.** région, direction : *j'habite à côté de la boulangerie,* dans la maison voisine de la boulangerie; *il est assis à côté de moi,* il est mon voisin de table; *il a envoyé sa balle à côté du trou,* tout près du trou, mais pas dedans; *j'habite du côté de chez vous,* pas loin de chez vous (mais pas tout près); *de quel côté allez-vous?* dans quelle direction allez-vous?

coteau, plur. **eaux** [kɔto], n. m., petite colline : *la vigne pousse bien sur ces coteaux.*

coton [kɔtɔ̃], n. m., **1.** matière blanche, qui est produite par un arbre des pays chauds, et d'où l'on tire du fil : *on récolte le coton;* fig., *on élève cet* *enfant dans du coton*, on prend trop soin de lui. **2.** tissu fait avec cette matière : *elle porte des bas de coton.*

cou [ku], n. m., partie du corps au-dessous de la tête : *cet oiseau a le cou très long; il s'est jeté (il a sauté) au cou de son frère*, il l'a embrassé; *il s'est cassé le cou*, il s'est blessé en tombant.

coucher [kuʃe], v. trans., mettre dans un lit : *on couche les jeunes enfants de bonne heure.* — v. intr., passer la nuit : *j'ai couché deux nuits dans cet hôtel.* — **se coucher,** se mettre au lit : *il s'est couché très tard hier.*

coude [kud], n. m., **1.** endroit où le bras se plie en deux : *je me suis fait mal au coude en tombant; il a poussé son voisin du coude ; il a joué des coudes*, il a passé au milieu de beaucoup de personnes en les poussant du coude. **2.** endroit où une route ou une rivière tourne : *je vous attends au coude de la route.*

coudre [kudrə] *(je couds, tu couds, il coud, nous cousons, vous cousez, ils cousent; je cousais; je cousis; je coudrai; que je couse; cousu)*, v. trans., attacher avec une aiguille et du fil : *elle a cousu ces deux morceaux de tissu.* EXPRESSIONS : *il est tout cousu d'or*, il est très riche; *il a la bouche cousue*, il ne dit rien.

couler [kule], v. trans., **1.** faire passer un liquide d'un endroit dans un autre : *on a coulé du métal dans ce trou.* **2.** faire aller au fond de l'eau : *ce bateau a été coulé par l'ennemi.* **3.** *il coule des jours heureux*, il est heureux. — v. intr., **1.** passer d'un endroit en un autre (en parlant d'un liquide) : *cette rivière coule au milieu des champs; le sang a coulé.* **2.** aller au fond de l'eau : *le bateau a coulé.* — **coulant, ante,** adj., **1.** facile, qui permet de tout faire (en parlant d'une personne) : *ce père est trop coulant avec ses enfants.* **2.** *nœud coulant*, nœud que l'on peut serrer comme on veut.

couleur [kulœr], n. f., **1.** qualité des choses que les yeux voient (blanc, noir, bleu, rouge, etc.) : *ce meuble est de couleur noire; j'en ai vu de toutes les couleurs*, j'ai vu beaucoup de choses, des bonnes et des mauvaises. **2.** se dit aussi d'une couleur en dehors du blanc et du noir : *cette dame porte une robe de couleur*, **3.** *les couleurs*, le drapeau; *les trois couleurs*, le drapeau français. **4.** *marchand de couleurs*, celui qui vend toute sorte d'objets et de produits pour le ménage.

couloir [kulwar], n. m., partie étroite d'un appartement ou d'une maison, qui passe entre les pièces : *on entre dans cette chambre par un long couloir.*

coup [ku], n. m., action de frapper : *il a donné un coup*; *il a reçu un coup; un coup de poing; un coup de pied; un coup de bec; faire le coup de poing*, se battre à coups de poings; *il a été tué à coups de bâton; il a été blessé d'un coup de feu (d'un coup d'arme à feu); il a tiré un coup de fusil, un coup de canon;* fig. et fam., *c'est un coup de fusil*, on paye très cher dans ce restaurant. — EXPRESSIONS : *jetez un coup d'œil sur cette lettre*, regardez-la vite; *il a tout vu d'un coup d'œil; il n'en perd pas un coup de dent*, il mange bien tout en écoutant ce qu'on dit; *il m'a donné un coup de main*, il m'a aidé; *je vais boire un coup*, un peu; *il a réussi du premier coup*, la première fois; *il gagne à tout coup*, toutes les fois, chaque fois; *c'est un coup de maître*, il a bien réussi; *il a manqué son coup*, il n'a pas réussi; *il est mort sur le coup*, aussitôt (en parlant d'un accident); *il fait un coup de tête*, il décide de faire quelque chose sans penser à ce qui arrivera; *il le fait à coup sûr*, en étant sûr de réussir; *coup sur coup*, sans s'arrêter; *tout à coup*, sans prévenir : *il est arrivé tout à coup; tout d'un coup*, en une fois : *il a raconté son histoire tout d'un coup* (se dit aussi au sens de *tout à coup*); *faire un coup d'Etat*, prendre le pouvoir par la force; *coup de théâtre*, événement qui arrive sans être attendu : *il s'est produit un coup de théâtre; il fait les cent coups*, il se conduit très mal; *il est aux cent coups*, il n'est pas du tout tranquille, il a toujours peur.

coupable [kupablə], adj. et n. m. et f., celui (celle) qui fait une faute : *elle dit qu'elle n'est pas coupable; on a arrêté les coupables.*

couper [kupe], v. trans., faire deux ou plusieurs parties d'un objet avec un couteau ou un autre instrument : *il a coupé un morceau de pain; on coupe le blé quand il est mûr; je me suis coupé les ongles;* fig., *le brouillard est à couper au couteau,* il est très épais. — *ce manteau est bien coupé,* il est bien taillé, il va bien; *on a coupé cet appartement en deux,* on en a fait deux appartements; *la route coupe la forêt,* elle traverse la forêt; *on lui a coupé la parole,* on ne l'a pas laissé continuer à parler; *il boit du vin coupé d'eau,* il prend son vin moins fort en y mettant de l'eau. — v. intr., *nous avons coupé par les champs,* nous avons pris un chemin plus court en passant par les champs. — **se couper,** se faire du mal avec un couteau : *il s'est coupé au doigt.* — **coupant, ante,** adj., qui coupe : *cette plante a des feuilles coupantes.*

cour [kur], n. f., **1.** terrain entouré de murs, entre des maisons ou devant une maison : *cette maison est au fond d'une cour.* **2.** les personnes qui entourent un roi : *beaucoup de personnes vivaient à la cour de Louis XIV; faire la cour à quelqu'un,* faire ce qu'on peut pour lui plaire; *il est bien en cour,* il plaît au roi (ou, aujourd'hui, à quelqu'un d'important); *c'est la cour du roi Pétaud,* c'est une maison où tout le monde commande. **3.** tribunal important : *son affaire sera jugée par la cour d'appel* (voir *appel*).

courage [kuraʒ], n. m., **1.** qualité de celui qui n'a pas peur du danger : *ce soldat a montré beaucoup de courage; il a pris son courage à deux mains,* il a fait effort pour n'avoir pas peur. **2.** qualité de celui qui n'a pas peur de la fatigue, qui n'est pas faible dans le malheur : *il a toujours travaillé avec courage.*

courageux, euse [kuraʒø, øz], adj., qui a du courage : *cette dame a été très courageuse pendant la maladie de son mari.*

1. courant [kurɑ̃], n. m., **1.** mouvement de l'eau ou de l'air dans une certaine direction : *le courant de cette rivière est très rapide; courant d'air,* mouvement d'air entre des portes ou des fenêtres ouvertes : *il a peur des courants d'air.* **2.** *courant électrique,* l'électricité portée par le fil : *nous avons coupé le courant.* **3.** *être au courant,* savoir, connaître ce qui se passe : *il est au courant des derniers progrès; se mettre au courant,* apprendre : *il va se mettre au courant de son métier.*

2. courant, adj., voir **courir**.

courbe [kurb], adj., qui n'est pas droit, qui est un peu plié : *il a dessiné une ligne courbe.* — n. f., ligne courbe : *la rivière dessine une courbe après la ville.*

courber [kurbe], v. trans., rendre courbe, plier un peu : *il a courbé la tête sous le vent; ce vieillard est courbé par l'âge.*

courir [kurir] *(je cours, nous courons; je courais; je courus; je courrai; que je coure, couru),* v. intr., **1.** aller vite : *j'ai couru chez moi.* PROVERBE : *Rien ne sert de courir, il faut partir à point* (La Fontaine) : il vaut mieux commencer au bon moment que d'aller vite. **2.** se répandre (en parlant d'une nouvelle) : *le bruit court que vous partez,* on raconte partout que vous partez. — v. trans., *il court les théâtres, les cafés,* etc., il va souvent dans les théâtres, les cafés, etc.; *il court un danger,* il est en danger. — **courant, ante,** adj., *eau courante,* eau qui coule, en particulier eau qui va (dans des tuyaux) dans toutes les parties d'une maison; *le mois courant,* le mois où l'on est.

couronne [kurɔn], n. f., **1.** coiffure en métal que portent les rois : *une couronne d'or.* **2.** le pouvoir du roi : *prendre la couronne,* devenir roi.

cours [kur], n. m., **1.** mouvement de l'eau qui coule : *le cours de la Seine est très lent; cours d'eau,* toute eau qui coule (rivière, etc.). **2.** mouvement des événements : *il faut laisser la* *maladie suivre son cours.* **3.** mouvement des prix : *il suit les cours des métaux.* **4.** classe faite par un maître : *le cours de ce maître a beaucoup intéressé les élèves.* **5.** dans beaucoup de villes, rue ou place où l'on se promène : *le Cours-la-Reine* (à Paris). **6.** *un voyage au long cours,* un très grand voyage sur mer. — **au cours de,** pendant, dans le temps de : *il n'a rencontré personne au cours de son voyage.* — **en cours,** qui sert en ce moment : *la monnaie en cours.*

course [kurs], n. f., **1.** action de courir : *il prend sa course.* **2.** sport où on fait effort pour arriver le premier : *il fait de la course à pied, une course de chevaux (d'autos, de bicyclettes); un cheval de course,* un cheval qui court dans les courses à chevaux; *une auto (une bicyclette) de course,* une auto (une bicyclette) faite pour aller très vite; *champ de course,* terrain où se font les courses de chevaux. **3.** action d'aller porter ou chercher des choses en dehors de la maison : *je l'ai envoyé faire une course en ville; cette dame fait ses courses,* elle va acheter qui ce est nécessaire pour son ménage.

court, courte [kur, kurt], qui n'est pas long : *cet habit est trop court; son voyage a été très court.* — EXPRESSIONS : *il a la vue courte,* il ne voit pas loin (ou il n'est pas intelligent); *il (elle) a tourné court,* il (elle) a changé tout à coup de direction; *on m'a pris de court,* on ne m'a pas laissé le temps; *il est à court d'argent,* il manque d'argent, il n'a plus d'argent.

Ce manche est court, l'autre est long.

cousin, ine [kuzɛ̃, in], n. m. et f., fils ou fille de l'oncle ou de la tante : *il est allé se promener avec ses cousins.* EXPRESSION : *Le roi n'est pas son cousin,* il est très content de ce qu'il a, il est plus heureux qu'un roi.

couteau, plur. **eaux** [kuto], n. m., instrument qui sert à couper et qui comprend une lame et un manche : *il a sorti son couteau de sa poche; couteau de table,* couteau qui sert à table pour couper la viande; *couteau à dessert; couteau à poisson; couteau de cuisine,* grand couteau pointu qui sert à la cuisine; *couteau de poche,* petit couteau que l'on peut mettre dans sa poche parce que la lame se plie dans le manche; fig. *il est à couteaux tirés avec son frère,* il est très mal avec son frère.

coûter [kute], v. intr., **1.** être vendu à un certain prix : *ce livre coûte deux cents francs; cette robe lui a coûté cher; coûte que coûte,* à n'importe quel prix : *j'achèterai cet appareil coûte que coûte; vendre à prix coûtant,* au prix qu'on a soi-même payé. **2.** demander des efforts, de la peine : *ce travail me coûte; il me coûte de vous quitter.*

coûteux, euse [kutø, øz], adj., qui coûte cher : *ce voyage est très coûteux.*

coutume [kutym], n. f., habitude d'un homme, d'une région, d'un pays : *il a coutume de boire une tasse de café après son déjeuner.*

couture [kutyr], n. f., **1.** art de coudre : *cette jeune fille apprend la couture.* **2.** ligne de points à l'aiguille qui cousent deux choses ensemble : *on ne voit pas la couture; l'ennemi est battu à plate couture,* tout à fait.

couturière [kutyrjɛr], n. f., celle qui fait les habits de femmes : *cette dame fait faire ses robes par sa couturière.*

couvent [kuvɑ̃], n. m., maison de religieux ou de religieuses : *cette jeune fille est entrée au couvent.*

couvercle [kuvɛrklə], n. m., partie de dessus d'une boîte ou d'un autre récipient qu'on peut lever ou baisser : *il a laissé tomber le couvercle.*

couvert [kuvɛr], n. m., **1.** ce qu'on met sur table (plats, assiettes, verres, fourchettes, cuillers, couteaux, etc.) : *nous avons mis le couvert.* **2.** la fourchette et le couteau seulement : *il a acheté un couvert d'argent.* **3.** *se mettre à couvert de,* se défendre contre : *il s'est mis à couvert du vent; il a le vivre et le couvert chez ses amis,* il mange et habite chez ses amis.

couverture [kuvɛrtyr], n. f., **1.**

tissu qui couvre le lit : *en été il ne garde qu'une couverture pour dormir,* **2.** tout ce qui sert à couvrir : *la couverture d'une maison,* le toit; *la couverture de ce livre est solide.*

couvrir [kuvrir] (comme *ouvrir*), v. trans., mettre une chose sur une autre : *il a couvert le sol de branches; le temps (le ciel) est couvert,* il y a beaucoup de nuages. — **se couvrir, 1.** s'habiller d'habits chauds : *il fait froid, couvrez-vous bien.* **2.** mettre son chapeau : *couvrez-vous.*

cracher [kraʃe], v. trans., lancer en dehors de la bouche : *il crache ce qu'il vient de boire; il est défendu de cracher dans les trains.*

craie [krɛ], n. f., matière blanche qui sert à écrire sur les tableaux noirs : *il a écrit son nom à la craie.*

craindre [krɛ̃drə] *(je crains, tu crains, il craint, nous craignons, vous craignez, ils craignent; je craignais; je craignis; je craindrai; que je craigne; craint),* v. trans., avoir peur : *il craint les ennemis; je crains qu'il ne fasse froid.*

crainte [krɛ̃t], n. f., le fait de craindre, la peur : *la crainte l'empêche de parler.*

crâne [krɑ:n], n. m., les os qui couvrent le dessus de la tête comme une sorte de boîte : *le cerveau se trouve à l'intérieur du crâne.*

cravate [kravat], n. f., long morceau de tissu que les hommes portent autour du cou, passé sous le col de la chemise : *il a acheté une cravate de soie bleue.*

crayon [krɛjõ], n. m., instrument qui sert à écrire et à dessiner : *il dessine au crayon noir; j'ai une boîte de crayons de couleur.* — **crayon-bille,** voir **stylo-bille.**

création [kreasjõ], n. f., **1.** action de créer une chose qui n'existait pas : *la création du monde.* **2.** action de jouer une pièce pour la première fois : *c'est la troisième fois qu'on joue cette pièce depuis sa création.*

crédit [kredi], n. m., *il achète à crédit,* il payera plus tard; *ce marchand vend à crédit,* il veut bien être payé plus tard; *la maison (de commerce) ne fait pas crédit,* il faut payer tout de suite (payer comptant).

créer [kree], v. trans., **1.** faire une chose qui n'existait pas avant : *Dieu a créé le monde; nous avons créé une maison de commerce.* **2.** jouer une pièce de théâtre pour la première fois : *on a créé cette pièce dans un théâtre de Paris.*

crème [krɛm], n. f., **1.** matière grasse tirée du lait : *un fromage à la crème, une tarte à la crème.* **2.** aliment fait avec du lait, des œufs et du sucre : *il a mangé de la crème au chocolat.* **3.** ce qu'il y a de meilleur : *c'est la crème des hommes,* c'est un homme très bon.

creuser [krøze], v. trans., faire un trou : *la pluie a creusé le sol; il a creusé un fossé;* fig., *il se creuse la tête,* il pense beaucoup à une question.

creux, euse [krø, øz], adj., **1.** qui a un trou : *cet arbre est creux; j'ai le ventre creux,* j'ai faim. **2.** vide : *ce sont des idées creuses.* — **creux,** n. m., partie creuse : *cela tient dans le creux de la main,* il n'y en a pas beaucoup (parce que le creux de la main n'est pas grand); *je le lui ai dit dans le creux de l'oreille,* je le lui ai dit tout bas, à l'oreille.

crever [krəve] *(je crève, nous crevons; je crèverai),* v. trans., **1.** faire un trou dans un ballon ou un autre objet rempli d'air : *il a crevé le ballon avec un couteau;* fig., *cela crève les yeux,* tout le monde le voit, ou le comprend. **2.** fam., tuer de fatigue : *il a crevé deux chevaux; ce travail m'a crevé.* — v. intr., **1.** laisser partir l'air par un trou : *le ballon a crevé; le pneu a crevé; j'ai crevé deux fois,* le pneu de mon auto ou de ma bicyclette a crevé deux fois. **2.** mourir (en parlant d'un animal) : *le bœuf a crevé; une bête crevée;* populaire, en parlant de l'homme : *il crève de faim;* fig., *je crève de rire,* je ris beaucoup.

cri [kri], n. m., mot dit très fort : *ses cris m'ont réveillé; il a jeté (poussé) un cri,* il a crié; *il pousse les hauts cris,* il crie très fort.

crier [krije], v. intr., parler très fort : *on l'entend crier de loin.* — v. trans., dire très fort : *il m'a crié son nom.*

crime [krim], n. m., faute très grande (par exemple tuer) : *ce crime sera puni.*

crise [kriz], n. f., **1.** moment important dans une maladie : *le malade a sa crise.* **2.** moment important dans l'histoire d'un pays, du monde : *nous sommes en pleine crise.*

critique [kritik], adj. **1.** qui juge de ce qui est produit par l'esprit : *il a le sens critique; esprit critique,* esprit toujours prêt à juger. **2.** *moment critique,* moment qui doit décider de ce qui arrivera : *la maladie est arrivée à un moment critique.* — n. m., celui qui juge de ce qui est duit par l'esprit : *Sainte-Beuve a été un grand critique; critique d'art,* celui qui juge des œuvres d'art (peintures, etc.) — n. f., **1.** art de celui qui juge de ce qui est produit par l'esprit : *il fait la critique des livres dans un grand journal.* **2.** action de dire que quelque chose n'est pas bien : *on a fait beaucoup de critiques sur sa façon de lire.*

crochet [krɔʃɛ], n. m., pièce (morceau) de fer courbe qui sert à tirer ou à pendre des objets : *il a pendu sa ceinture à un crochet.* EXPRESSIONS : *il vit aux crochets de ses amis,* il se fait payer par ses amis tout ce qu'il faut pour vivre.

croire [krwar] *(je crois, tu crois, il croit, nous croyons, vous croyez, ils croient; je croyais; je crus; je croirai; que je croie, que nous croyions, qu'ils croient; cru),* v. trans., **1.** penser que quelqu'un dit la vérité : *je crois cet homme.* **2.** penser qu'une chose est vraie : *il croit ce que vous dites; je crois que nous aurons beau temps; je le crois intelligent.* — (avec *à*) penser qu'une chose existe : *je crois à la justice.*

croisement [krwazmɑ̃], n. m., endroit où deux routes se croisent (se coupent) : *l'auto s'est arrêtée avant le croisement.*

croiser [krwaze], v. trans., **1.** mettre deux objets de façon qu'ils forment une croix : *il croise les jambes; il se croise les bras,* il ne fait rien. **2.** aller en sens contraire : *nos lettres se sont croisées.*

croix [krwa], n. f., **1.** pièces de bois en forme de + : *la croix de Jésus-Christ.* **2.** n'importe quelle figure en forme de + : *cette dame porte une croix d'or au cou; on lui a donné la croix,* il a été décoré. **3.** fig., *elle porte sa croix,* elle a de grandes peines. **4.** *la Croix-rouge,* signe qui fait reconnaître les médecins, les hôpitaux, etc., en temps de guerre; société pour aider les blessés, les malades, etc., surtout en temps de guerre : *la Croix-rouge a sauvé beaucoup de malheureux.*

croûte [krut], n. f., **1.** partie dure du pain (qui entoure la mie) : *cet enfant laisse la croûte de son pain;* pop., *casser la croûte,* faire un petit repas : *nous avons cassé la croûte avec du pain et du fromage.* **2.** ce qui devient dur sur un bouton de la peau ou sur une légère blessure : *il ne faut pas enlever la croûte avec les ongles.* **3.** fam., mauvais tableau : *il n'a peint que des croûtes.*

croyance [krwajɑ̃s], n. f., ce que l'on croit (surtout en religion) : *il cherche à répandre sa croyance.*

1. cru [kry], participe passé de **croire.**

2. cru, crue [kry], adj., **1.** (en parlant des aliments) qui n'est pas cuit : *il mange de la viande crue.* **2.** (en parlant des autres matières) qui n'a pas été préparé : *du cuir cru.* **3.** fig., qui est dur à voir ou à entendre : *ces couleurs sont trop crues.*

cruche [kryʃ], n. f., sorte de pot où l'on met de l'eau ou un autre liquide : *il est allé chercher de l'eau avec une cruche;* fig. et pop., personne bête.

cruel, elle [kryɛl], adj., très méchant, qui aime à faire le mal *ne soyez pas cruel avec les animaux.*

cube [kyb], n. m., figure dans l'espace qui a six faces, toutes carrées *cette*

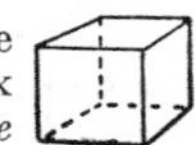

maison est construite en forme de cube. — **mètre cube,** cube qui a un mètre de côté (de même *centimètre cube,* etc.).

cueillir [kœjir] *(je cueille, tu cueilles, il cueille, nous cueillons, vous cueillez, ils cueillent; je cueillais; je cueillis; je cueillerai; que je cueille; cueilli),* v. trans., prendre un fruit (une fleur) sur la plante qui le porte : *nous avons cueilli des pommes (des fleurs).*

cuiller [kɥijɛr], n. f., instrument qui sert à porter les liquides à la bouche : *on mange la soupe avec une cuiller; une cuiller à soupe, une cuiller à café* (ou *petite cuiller*).

cuir [kɥir], n. m., peau d'animal préparée : *il porte un manteau de cuir; des chaussures de cuir.*

cuire [kɥir] *(je cuis, tu cuis, il cuit, nous cuisons, vous cuisez, ils cuisent; je cuisais; je cuisis; je cuirai; que je cuise; cuit),* v. trans., faire chauffer les aliments : *il faut cuire la viande; des pommes de terres cuites.* — v. intrans., **1.** être sur le feu (en parlant des aliments) : *les légumes cuisent.* **2.** avoir très chaud : *on cuit dans cette salle.* **3.** avoir mal (comme sous l'action du feu) : *les yeux me cuisent; il vous en cuira,* vous en serez puni.

cuisine [kɥizin], n. f., **1.** endroit de la maison où on prépare les aliments : *cet appartement a une grande cuisine.* **2.** art ou façon de préparer les aliments : *cette jeune fille apprend la cuisine; elle fait la cuisine; j'aime la cuisine de ce restaurant.*

cuisinier, ière [kɥizinje, jɛr], n. m. et f., celui (celle) qui prépare les aliments (dans sa maison ou par métier) : *sa femme est bonne cuisinière; il y a un nouveau cuisinier dans ce restaurant.*

1. cuisinière, fém. de *cuisinier.*

2. cuisinière [kɥizinjɛr], n. f., fourneau qui sert à faire chauffer les aliments : *on a installé une cuisinière moderne dans la maison.*

cuisse [kɥis], n. f., partie de la jambe au-dessus du genou; *il a été blessé à la cuisse.*

cuivre [kɥivrə], n. m., **1.** métal d'une couleur entre jaune et rouge : *cette casserole est en cuivre.* **2.** *les cuivres,* les instruments de musique en cuivre : *on entend les cuivres de loin.*

culotte [kylɔt], n. f., vêtement qui couvre le haut des jambes et qui descend seulement jusqu'au genou ou un peu au-dessous du genou : *cet enfant a déchiré sa culotte; cette dame porte la culotte dans son ménage,* c'est elle qui commande, et non son mari.

culte [kylt], n. m., **1.** ce que l'on fait pour Dieu, dans une église ou dans un temple (le mot se dit, en particulier, dans la religion protestante). **2.** *avoir un culte pour,* aimer beaucoup : *il a un culte pour la poésie.*

cultivateur, trice [kyltivatœr, tris], n. m. et f., celui (celle) qui travaille la terre (surtout des champs qui sont à lui ou à elle) : *il y a beaucoup de cultivateurs dans ce village.*

cultiver [kyltive], v. trans., **1.** travailler la terre : *il cultive bien le champ de son père.* **2.** faire pousser des plantes : *nous cultivons des pommes de terre, du blé.* **3.** étudier : *il cultive les arts.* — **se cultiver,** étudier et lire pour son plaisir : *il se cultive pendant les vacances.* — **cultivé, ée,** adj., **1.** *terre cultivée,* terre où l'on cultive des plantes utiles. **2.** *personne cultivée,* personne qui a beaucoup lu et beaucoup étudié : *cette dame est très cultivée.*

culture [kyltyr], n. f., **1.** action de travailler la terre et de faire pousser les plantes : *la culture du blé est très répandue en France; c'est un pays de grande culture,* beaucoup de champs sont à une seule personne; *c'est un pays de petite culture,* chaque personne a peu de champs. **2.** l'étude, les arts : *on cherche à répandre partout la culture.*

curé [kyre], n. m., prêtre catholique chargé d'un village ou d'un quartier d'une ville : *M. le Curé est à l'église.*

curieux, euse [kyrjø, øz], adj., **1.**

qui veut savoir, qui s'intéresse : *il est très curieux d'histoire.* **2.** qui veut tout savoir, et surtout ce qu'il ne doit pas savoir : *cet enfant est trop curieux.* **3.** qui est intéressant et qu'on ne voit pas souvent : *ce livre est très curieux.*

curiosité [kyrjozite], n. f., **1.** le fait de s'intéresser à certaines choses : *il a beaucoup de curiosité.* **2.** le fait de vouloir savoir ce qu'on ne doit pas savoir : *il a été puni de sa curiosité.* **3.** chose intéressante et rare : *vous trouverez ce que vous cherchez chez un marchand de curiosités.*

cuvette [kyvɛt], n. f., récipient large et rond où l'on met de l'eau, par exemple pour se laver : *il a rempli sa cuvette.*

cycliste [siklist], n. m. et f., celui (celle) qui va à bicyclette : *beaucoup de cyclistes passent sur cette route; agent cycliste,* agent de police qui fait son service à bicyclette.

cygne [siɲ], n. m., grand oiseau blanc, à long cou, qui vit sur l'eau des rivières et des lacs : *on voit des cygnes nager sur le lac.*

D

d' [d], s'emploie pour *de*, quand le mot suivant commence par une voyelle : *il vient d'une grande ville.*

dactylo [daktilo], ou **dactylographe** [daktilɔgraf], n. f., celle qui écrit à la machine (à écrire) : *la dactylo de notre bureau écrit très vite à la machine.*

dame [dam], n. f., femme mariée (le mot *dame* est plus poli que le mot *femme*, mais il faut dire *la femme de quelqu'un*) : *cette jeune fille habite chez une dame.*

danger [dɑ̃ʒe], n. m., ce qui peut tuer, blesser, faire mal, etc. : *il y a du danger à passer sur ce pont; il court un grand danger*, il peut être tué; fig. et fam., *il n'y a pas de danger qu'il vienne me voir*, je suis sûr qu'il ne viendra pas me voir.

dangereux, euse [dɑ̃ʒrø, øz], adj., qui peut tuer, blesser, etc. : *cet escalier est dangereux, parce qu'il n'est pas solide; c'est un homme dangereux; il est dangereux de prendre un bain dans cette rivière.*

dans [dɑ̃, dɑ̃ z devant voyelle], prép., **1.** à l'intérieur de : *le linge est dans l'armoire; je ne suis jamais entré dans cette maison.* **2.** (temps) à l'intérieur de : *cela se fera dans l'année*, avant que l'année soit finie. **3.** (temps) au bout de : *il viendra dans un mois; dans un moment*, tout à l'heure : *je vous le dirai dans un moment.*

danse [dɑ̃s], n. f., mouvements des jambes et du corps d'après la musique : *il prend des leçons de danse.*

danser [dɑ̃se], v. intr., faire des mouvements des jambes et du corps d'après la musique : *il a dansé avec votre sœur; cette dame danse à l'Opéra.*

danseur, euse [dɑ̃sœr, øz], n. m. et f., celui (celle) qui danse (par plaisir ou par métier) : *il est bon danseur; les danseuses de l'Opéra; un danseur de corde*, celui qui danse sur une corde tendue.

date [dat], n. f., le jour, le mois, l'année d'un événement, d'une action : *mettez la date au haut de votre lettre; les grandes dates de l'histoire*, les dates des grands événements.

davantage [davɑ̃taʒ], adv., plus (marquant la quantité) : *je n'ai pas beaucoup de livres, mon frère en a davantage.* Ne pas employer *que* avec *davantage;* ne pas dire *il en a davantage que moi*, mais *plus que moi.*

de [də], prép., **1.** devant le complément du nom : *le livre de mon frère*, qui est à mon frère; *un pont de bois*, qui est en bois (matière); *une dame de la ville*, qui habite la ville. **2.** devant le complément du verbe : *il vient de Paris; il rit de tout; il l'a frappé du poing*, avec le poing; *il est mort de maladie; il est couvert d'un manteau; il est aimé de ses parents.* **3.** devant l'infinitif : *il est beau d'avoir du courage.* **4.** *de* remplace *des*, article indéf. (plur. d'*un*) quand il y a un adjectif devant le nom : *j'ai vu de beaux tableaux.*

débarrasser [debarase], v. trans., enlever ce qui gêne : *je vais vous débarrasser de votre paquet; il faut débarrasser cette chambre de ce gros meuble.* — **se débarrasser,** enlever ce ce qu'on a sur soi et qui gêne : *je me suis débarrassé de mon manteau.*

debout [dəbu], adv., **1.** (en parlant des personnes) ni assis ni couché : *mettez-vous debout; vous êtes déjà debout*, vous n'êtes plus couché. **2.** (en parlant des choses) droit, vers le haut : *la chaise est tombée, il faut la remettre debout; le bateau a vent debout*, il a le vent contre lui.

débrouiller [debruje], v. trans., remettre de l'ordre dans des choses qui sont mêlées : *il faut débrouiller ce paquet de fil.* — **se débrouiller,** fam., s'arranger pour réussir, se tirer d'affaire : *il a bien su se débrouiller dans cette ville qu'il ne connaissait pas.*

début [deby], n. m., commencement, première partie : *il en est à ses débuts; c'est le début de la maladie.* — *au début*, au commencement, d'abord.

débuter [debyte], v. intr., commencer, faire ses premiers pas : *il a débuté tard dans le métier.* — **débutant, ante,** n. m. et f., celui (celle) qui débute, qui commence : *il faut aider les débutants.*

décembre [desɑ̃brə], n. m., le 12e et dernier mois de l'année : *décembre* (ou *le mois de décembre*) *a été très froid; nous avons eu de la neige en décembre* (ou *au mois de décembre*).

décharger [deʃarʒe] *(ge* devant *a* et *o : nous déchargeons),* v. trans., **1.** enlever ce qui a été mis sur une voiture, un bateau, etc. : *aidez-nous à décharger le camion; il a déchargé les légumes de la voiture.* **2.** *décharger sa conscience,* la rendre plus légère en reconnaissant sa faute. **3.** *décharger une arme à feu,* enlever le projectile qui y a été mis (en l'enlevant simplement ou en tirant).

déchausser (se) [sə deʃose], v., enlever ses chaussures : *il s'est déchaussé sans faire de bruit.* — *je suis déchaussé,* j'ai enlevé mes chaussures.

déchirer [deʃire], v. trans., mettre en morceaux du papier, du tissu, etc., en tirant très fort : *il a déchiré ses habits; j'ai déchiré cette lettre.* — EXPRESSIONS : *il m'a déchiré les oreilles,* il a fait beaucoup de bruit; *cette nouvelle m'a déchiré le cœur,* m'a fait beaucoup de peine; *on a déchiré cette personne à belles dents,* on a dit beaucoup de mal d'elle.

décider [deside], v. trans., **1.** choisir entre plusieurs actions, entre plusieurs choses qui peuvent être faites : *j'ai décidé de rester ici; nous avons décidé que vous partirez demain.* **2.** faire en sorte que quelqu'un fasse une certaine action : *j'ai décidé mon frère à vous écrire une lettre.* — v. intr., **décider de** (avec un nom), choisir ce qui sera fait dans un ordre de choses : *ce travail décidera de votre métier futur.* — **se décider,** choisir entre plusieurs actions, après y avoir bien pensé : *je me suis décidé à vous parler.* — **décidé, ée,** adj., qui a choisi ce qu'il fera : *il est décidé à partir, il semble décidé.*

décision [desizjɔ̃], n. f., **1.** action de se décider, de choisir entre plusieurs actions : *il a pris une décision,* il s'est décidé. **2.** qualité de celui qui sait ainsi choisir : *il a agi dans cette affaire avec beaucoup de décision.*

déclaration [deklarasjɔ̃], n. f., action de déclarer, de faire savoir : *il a fait la déclaration de ce qu'il avait gagné; on n'a pas tenu compte de ses déclarations,* de ce qu'il disait.

déclarer [deklare], v. trans., **1.** faire savoir : *il a déclaré ce qu'il a gagné; je déclare que je ne vous connais plus; déclarer la guerre,* faire savoir à un pays que la guerre va commencer avec lui : *les guerres ont parfois commencé sans avoir été déclarées.* — **se déclarer, 1.** faire savoir qu'on est l'ami ou l'ennemi de quelqu'un : *il ne s'est pas encore déclaré pour nous ni contre nous.* **2.** faire savoir à une jeune fille qu'on l'aime : *il a fini par se déclarer.*

décoration [dekɔrasjɔ̃], n. f., **1.** action de rendre plus belle une salle, une chambre, etc. : *la décoration de cette salle à manger est bien réussie.* **2.** ornement que le gouvernement donne à quelqu'un qui a fait quelque chose de bien : *il porte toutes ses décorations.*

décorer [dekɔre], v. trans., **1.** rendre plus belle une salle, une chambre, etc. : *cette chambre est décorée de nombreux tableaux.* **2.** donner à quelqu'un une décoration (au sens 2) : *il va être décoré pour ses belles actions.*

découper [dekupe], v. trans., couper avec un couteau ou des ciseaux : *il a découpé le gâteau en trois parties; les enfants s'amusent à découper des images.*

décourager [dekuraʒe] (*ge* devant *a* et *o* : *nous décourageons*), v. trans., faire perdre courage : *ne découragez pas votre jeune frère, il pourra faire mieux.* — **se décourager,** perdre courage : *il s'est découragé parce qu'il n'avait pas réussi tout de suite.* — **découragée, ée,** adj., qui a perdu courage : *j'ai trouvé notre ami découragé.*

découvrir [dekuvrir] (se conjugue comme *couvrir*), v. trans., **1.** enlever ce qui couvre quelque chose : *il a découvert le plat; le ciel (le temps) se* *découvre;* les nuages s'en vont; fig., *il m'a découvert son cœur,* il m'a dit ses sentiments cachés. **2.** voir quelque chose qu'on n'avait pas encore vu : *Christophe Colomb a découvert l'Amérique.* — **se découvrir,** enlever son chapeau : *l'élève s'est découvert devant le maître.*

décrire [dekrir] (se conjugue comme *écrire*), v. trans., dire ou écrire ce qu'on voit ou ce qu'on entend : *il m'a décrit dans sa lettre la ville qu'il habite.*

dedans [dədɑ̃], adv., à l'intérieur : *j'ai ouvert l'armoire et regardé dedans;* fig. et fam., *il m'a mis dedans,* il m'a trompé. — **là-dedans,** dans cela : *je n'ai rien trouvé là-dedans.* — **en dedans, au dedans,** à l'intérieur : *il rit en dedans,* il ne montre pas qu'il rit. — **en dedans de, au dedans de,** prép., à l'intérieur de, du côté de l'intérieur de : *j'ai laissé la clé en dedans de la porte.* — **dedans,** n. m., l'intérieur, ce qui est dans quelque chose : *le dedans de la maison est mieux que le dehors.*

défaire [defɛr] (se conjugue comme *faire),* v. trans., **1.** démolir ce qui a été fait : *il a défait le paquet; nous allons défaire nos valises; il a défait le travail de ses parents; elle a les cheveux défaits.* **2.** battre l'ennemi : *l'ennemi a été défait dans la plaine.* — **se défaire** *(de quelque chose),* faire partir quelque chose dont on ne veut plus, souvent en le vendant : *il s'est défait de ses vieux meubles.*

défaut [defo], n. m., **1.** ce qui n'est pas bien dans une personne ou dans une chose (contraire : *qualité*) : *chacun a ses défauts; ce tissu a quelques défauts.* **2.** le fait de manquer : *il a été jugé par défaut,* il ne s'est pas présenté devant le tribunal quand on l'a jugé. — **à défaut de,** prép., si la chose manque : *à défaut de gâteaux, nous mangeons du pain.*

défendre [defɑ̃drə] (se conjugue comme *fendre*), v. trans., **1.** *défendre une ville,* empêcher les ennemis de la prendre : *ce général a bien défendu la ville.* **2.** *défendre quelqu'un,* aider quelqu'un devant le tribunal : *l'accusé a été défendu par un bon avocat;* fig., répondre à ceux qui disent du mal de quelqu'un : *son ami l'a bien défendu.* **3.** *défendre une idée,* montrer ce que l'idée a de bon contre ceux qui en disent du mal : *il a défendu ses idées devant son directeur.* **4.** *défendre quelque chose,* commander qu'on ne fasse pas quelque chose : *la chasse est défendue pendant le printemps et l'été; je vous défends de parler; je défends qu'on dise ce mot.* — **se défendre,** répondre à ceux qui veulent du mal (qui attaquent); *se défendre d'avoir fait quelque chose,* dire qu'on ne l'a pas fait : *il se défend d'avoir volé un porte-monnaie.*

défense [defɑ̃s], n. f., **1.** action de défendre dans ses différents sens : *la défense d'un village contre les ennemis; la défense nationale,* tout ce qui se rapporte à la défense du pays; *la défense de cet accusé a bien réussi; il faut obéir aux défenses.* **2.** les grandes dents de l'éléphant : *on chasse l'éléphant pour prendre ses défenses.*

déficit [defisit], n. m., on a *un déficit* quand on a dépensé plus que l'on a gagné : *il a un déficit de deux mille francs.*

définir [definir], v. trans., **1.** expliquer le sens d'un mot : *il a défini le mot « maison ».* **2.** expliquer ce qu'est quelque chose avec les mots qu'il faut : *il a bien défini ses sentiments.* — **défini,** adj., (grammaire) *article défini :* LE *livre,* L'*homme,* LA *maison,* L'*heure,* LES *amis; passé défini* ancien nom de passé simple (*je chantai*).

définition [definisjɔ̃], n. f., façon de définir (d'expliquer le sens des mots) : *vous trouverez la définition des mots dans votre dictionnaire.*

dégoût [degu], n. m., sentiment qui fait reculer devant quelque chose : *il a du dégoût pour les voyages.*

dégoûter [degute], v. trans., donner du dégoût : *ce mauvais temps me dégoûte.* — **se dégoûter**, avoir du dégoût : *il s'est dégoûté de son métier.* — **dégoûté, tée,** adj., qui a du dégoût : *n'ayez pas l'air dégoûté de tout.*

degré [dəgre], n. m., **1.** partie d'une chose en progrès : *l'enseignement du premier, du second degré.* **2.** petite division (partie) du thermomètre : *il fait* 20 *degrés* (écrit 20°) *à l'ombre.*

dehors [dəɔr], adv., à l'extérieur (contraire de *dedans*) : *je n'entrerai pas, je resterai dehors; que faites-vous dehors à cette heure?* — **au dehors, en dehors,** à l'extérieur : *n'allez pas au dehors.* — **en dehors de,** prép., **1.** à l'extérieur de : *il habite en dehors des murs.* **2.** excepté, sauf, si ce n'est : *je ne connais ici personne en dehors de vous.* — **dehors,** n. m., l'extérieur, ce qu'on voit sans entrer : *je n'ai jamais vu que le dehors de cette maison.*

déjà [deʒa], adv., **1.** marque qu'on pense que l'action se fait de bonne heure : *vous partez déjà?* (il est bien tôt pour partir). **2.** marque que l'action a été faite avant, autrefois : *je suis déjà venu dans cette ville; je l'ai déjà vu il y a dix ans.*

1. déjeuner [deʒœne], v. intr., faire le repas du milieu du jour : *il déjeune tous les jours à treize heures.*

2. déjeuner [deʒœne], n. m., repas de milieu du jour : *j'ai fait un très bon déjeuner.* — **petit déjeuner,** repas du matin : *il prend du café au lait à son petit déjeuner.*

delà de (au) [o dla də], prép., de l'autre côté de : *le village est au delà de la rivière.*

délai [delɛ], n. m., temps que l'on donne à quelqu'un pour faire quelque chose : *il m'a demandé un délai de deux jours pour me répondre.*

délégué, fém. **ée** [delege,] adj. et n., qui est chargé par d'autres personnes de faire quelque chose pour elles : *le directeur a reçu les délégués des ouvriers.*

délicat, ate [delika, at], adj., **1.** très agréable, très bien choisi : *ce repas est très délicat.* **2.** peu facile à faire : *ce travail est délicat.* **3.** qui doit faire attention à sa santé : *cet enfant est très délicat.* **4.** qui fait attention à ne pas blesser les sentiments des autres personnes, qui cherche à leur faire plaisir : *ce fils est très délicat avec ses parents.* **5.** qui fait attention à ne pas faire tort aux autres : *ce marchand est peu délicat avec ses clients.*

délicatesse [delikatɛs], n. f., qualité de ce qui est délicat dans tous les sens de ce mot : *on aime la délicatesse de ses repas; vous avez beaucoup de délicatesse; il manque de délicatesse.*

demain [dəmɛ̃], adv., le jour qui vient après celui où on est (aujourd'hui) : *je ne peux pas venir aujourd'hui, je viendrai demain.*

demande [dəmɑ̃d], n. f., action de demander : *il n'a pas répondu à ma demande.*

demander [dəmɑ̃de], v. trans., en général faire savoir à quelqu'un qu'on a besoin (ou qu'on a envie) de quelque chose : **1.** pour qu'il donne quelque chose : *il m'a demandé mon crayon; il m'a demandé* 20 *francs.* **2.** pour qu'il fasse connaître quelque chose : *je vous demande l'heure; il me demande le chemin de la gare.* **3.** pour qu'il fasse quelque chose : *je vous demande de vous tourner.* **4.** pour qu'il permette quelque chose : *je demande à voir ce que vous avez dessiné.* **5.** pour qu'il réponde quelque chose : *je lui ai demandé s'il allait bien; je vous demande qui vous avez vu.* **6.** fig., avoir besoin : *ce travail demande beaucoup de soin.* — **se demander,** n'être pas sûr : *je me demande si vous aimez votre métier.*

déménager [demenaʒe] *(ge* devant *a* et *o : il déménageait),* v. intr., aller habiter dans une autre maison : *il a déménagé l'an dernier, parce que son appartement était trop petit.*

demeure [dəmœr], n. f., **1.** endroit où l'on habite : *il a choisi une demeure agréable.* **2.** le fait de rester longtemps quelque part : *cette armoire est ici à demeure,* pour longtemps. **3.** *mettre en demeure de faire quelque chose,* ordonner : *on l'a mis en demeure de quitter son appartement.*

demeurer [dəmœre], v. intr., **1.** rester, ne pas s'en aller : *il ne veut pas* *demeurer tranquille; j'en suis demeuré là,* je me suis arrêté, je n'ai pas continué. **2.** habiter : *il demeure dans ce village.*

demi, ie [dəmi], adj. (ne s'accorde pas si le nom le suit : *une demi-heure,* mais *une heure et demie*), la moitié : *il a fait un kilomètre et demi,* un kilomètre et la moitié d'un kilomètre; *il est resté une demi-heure,* la moitié d'une heure; *un demi-savant,* quelqu'un qui n'est pas un vrai savant; *demi-frère (demi-sœur),* fils (fille) du même père et non de la même mère, ou de la même mère et non du même père. — **à demi,** à moitié : *il fait toujours les choses à demi.* — **demi,** n. m., grand verre de bière (dans un café) : *il a bu un demi.*

demoiselle [dəmwazɛl], n. f., jeune fille, femme qui n'est pas mariée : *cette demoiselle est la sœur de ma mère.*

démolir [demɔlir], v. trans., jeter bas : *on est en train de démolir ce mur;* fig., *il s'est démoli la santé,* il n'a pas fait assez attention à sa santé

démonstratif, ive [demõstratif, iv], adj., (grammaire) qui sert à montrer : « *celui-ci* » *est un pronom démonstratif;* « *ce* » *dans* « *ce livre* » *est un adjectif (ou un déterminatif) démonstratif.*

dent [dã], n. f., **1.** un des petits os qui se trouvent sur le devant de la bouche : *nous avons trente-deux dents; il soigne bien ses dents; il faut se brosser les dents tous les jours; dents de lait,* les dents des petits enfants qui tombent vers l'âge de sept ans; *ce petit enfant fait ses dents,* les dents commencent à lui pousser. EXPRESSIONS : *je suis sur les dents,* je n'ai pas une minute pour me reposer; *il a montré les dents,* il a montré qu'il voulait se défendre; *il a les dents longues,* il veut beaucoup de choses, il n'est pas content de peu; *il mange du bout des dents,* très peu; *il a une dent contre vous,* il ne vous aime pas à cause d'une certaine chose. **2.** partie d'un objet, ressemblant à une dent : *les dents d'une scie, d'un peigne, d'une fourche; il ne faut pas couper les dents de ce timbre.*

dentiste [dãtist], n. m., celui qui soigne les dents : *j'avais mal aux dents, le dentiste m'a soigné.*

départ [depar], n. m., action de partir : *je vous verrai avant mon départ; je suis sur mon départ,* je vais partir bientôt.

département [departəmã], n. m., division du sol de la France : *la France a en Europe quatre-vingt-dix départements.*

dépasser [depase], v. trans., **1.** passer avant quelqu'un après avoir été derrière lui : *un cycliste m'a dépassé sur la route.* **2.** être trop fort, trop lourd pour : *cet effort dépasse ses forces.* **3.** être plus grand : *il dépasse ses camarades de la tête.*

dépêcher (se) [depɛʃe], v. intr., faire vite : *si vous ne vous dépêchez pas, nous arriverons trop tard.*

1. dépendre [depãdrə] (se conjugue comme *pendre*), v. trans., enlever ce qui est pendu : *il dépend son manteau.*

2. dépendre [depãdrə] (se conjugue comme *pendre*), v. (avec *de*), **1.** (en parlant des choses) *dépendre d'une chose,* changer si cette chose change : *la récolte dépend du temps qu'il fera.* **2.** (en parlant des personnes) *dépendre de quelqu'un,* avoir à lui obéir, ne pas pouvoir faire quelque chose s'il ne veut pas : *il dépend de ses parents.* **3.** *cela dépend de vous,* vous seul pouvez en juger, vous êtes le maître. **4.** *cela dépend,* cela n'est pas certain, cela peut changer.

dépense [depãs], n. f., **1.** action d'employer de l'argent à quelque chose : *il est porté à la dépense,* il a souvent envie de dépenser de l'argent; *il fait de grandes dépenses,* il dépense beaucoup d'argent. **2.** action d'employer du temps, du travail, etc. : *il a fait une grande dépense d'efforts.*

dépenser [depãse], v. trans., **1.** employer de l'argent : *il dépense beaucoup d'argent en livres; il a dépensé tout ce qu'il avait; vous dépensez trop.* **2.** employer du temps, du travail, etc. *il a mal dépensé son temps.* — **se dépenser,** employer ses efforts : *il se dépense beaucoup pour ses amis.*

déplacement [deplasmɑ̃], n. m., **1.** action de déplacer : *le déplacement de cette fenêtre est nécessaire.* **2.** action de se déplacer, de voyager : *nous sommes toujours en déplacement.*

déplacer [deplase], v. trans., changer de place : *on a déplacé cette table.* — **se déplacer,** aller dans un autre endroit : *je me suis beaucoup déplacé le mois dernier.* — **déplacée, ée,** adj. qui ne doit pas se faire ou se dire : *il a dit des mois déplacés.*

déplaire [deplɛr] (se conjugue comme *plaire*), v. (avec *à*), ne pas plaire : *cette ville déplaît à beaucoup de gens.*

déposer [depoze], v. trans., **1.** se décharger de quelque chose qu'on porte : *il a déposé son sac.* **2.** mettre dans un endroit : *je déposerai ce paquet chez vous.* **3.** porter de l'argent dans une banque : *il a déposé mille francs chez son banquier.* **4.** obliger un roi à ne plus être roi : *ce roi a été déposé par ses soldats.* — v. intr. : *déposer en justice,* dire au tribunal ce que l'on sait, ce que l'on a vu.

dépôt [depo], n. m., **1.** ce qui est déposé chez quelqu'un : *il a rendu le dépôt que je lui avais fait; mettre en dépôt,* déposer : *il a mis son argent en dépôt à la banque.* **2.** endroit où l'on dépose (des marchandises, par exemple) : *cet épicier a un dépôt près de la gare.*

dépouiller [depuje], v. trans., **1.** enlever la peau d'un animal : *il a dépouillé la bête qu'il avait tuée.* **2.** enlever ce qui couvre : *l'automne dépouille les arbres de leurs feuilles.* **3.** enlever à quelqu'un tout ce qu'il possède : *ses mauvais amis l'ont dépouillé.* **4.** mettre par écrit ce qui dans des papiers ou dans des livres semble intéressant : *il a dépouillé les lettres de son père.* — **se dépouiller,** quitter ce que l'on a, le perdre, le donner : *cette dame s'est dépouillée de ses bijoux pour aider sa sœur.*

depuis [dəpɥi, dəpɥi z devant une voyelle], prép., marque le moment où une action a commencé ou le temps qui a passé : *il habite à Paris depuis 1955; je le connais depuis dix ans.* — adv., à partir de ce moment : *je l'ai rencontré il y a deux ans et je ne l'ai pas revu depuis.* — **depuis que,** conj., à partir du moment où : *personne n'est passé ici depuis que la nuit est tombée.*

député [depyte], n. m., celui qui fait partie d'une assemblée politique (on appelle *députés* les membres de l'Assemblée nationale) : *il est député à l'Assemblée nationale.*

déranger [derɑ̃ʒe], v. trans., **1.** changer de place des choses qui sont rangées : *on a dérangé tous mes livres.* **2.** empêcher quelqu'un de travailler ou de se reposer : *on m'a dérangé toutes les cinq minutes.* **3.** empêcher que les choses marchent bien : *il a dérangé ma montre; je suis dérangé,* j'ai mal au ventre; *il a l'esprit dérangé,* il est fou.

dernier, ère [dernje, ɛr], adj., **1.** qui vient après tous les autres, *il est arrivé le dernier; il est le dernier de sa classe; sa dernière heure est venue,* il va bientôt mourir. **2.** *le mois dernier,* le mois qui est venu avant celui où l'on est : *nous nous sommes vus le mois dernier* (on dit de même *l'année dernière, l'an dernier, la semaine dernière, dimanche dernier,* etc.).

dérober [derɔbe], v. trans., **1.** voler sans qu'on s'en aperçoive : *un voleur lui a dérobé son porte-monnaie.* **2.** cacher : *une porte dérobée, un escalier dérobé,* une porte (un escalier) qu'on ne voit pas. — **se dérober,** partir, s'en aller sans être vu : *il s'est dérobé au moment où on allait l'arrêter.* — **à la dérobée,** sans être vu : *il nous a quittés à la dérobée.*

derrière [dɛrjɛr], prép., du côté qu'on ne voit pas (contraire : *devant*) : *il tient ses mains derrière le dos; il s'est caché derrière un arbre.* — adv. : *ne restez pas derrière.* — **par derrière,** adv. : *il l'a frappé par derrière.* — **derrière,** n. m., la partie qu'on ne voit pas : *le derrière de la maison est gris.*

1. des [de, de z devant voyelle], plur.

de *un*, article indéfini : *des amis sont venus vous voir.*

2. des [de, de z devant voyelle] = *de les* (article défini) : *les dents des enfants; il a parlé des amis qu'il a rencontrés.*

dès [dɛ, dɛ z devant voyelle], prép., tout de suite après (en pensant que c'est de bonne heure) : *il est parti dès la première heure du jour; vous commencerez dès demain.* — **dès que,** conj., tout de suite après que : *il s'est sauvé dès qu'il nous a vus.*

descendre [desɑ̃drə], v. intr. (se conjugue avec *être*), **1.** aller vers le bas : *il descend du sixième étage; il est descendu à terre,* il a quitté le bateau. **2.** habiter en arrivant dans une ville : *il descend à l'hôtel* ou *chez des amis.* **3.** avoir pour grand-père (arrière-grand-père, etc.) : *Louis XIV descendait de Henri IV.* — v. trans., **1.** porter vers le bas : *j'ai descendu ma valise.* **2.** prendre un chemin qui conduit vers le bas : *il a descendu la côte; nous avons descendu l'escalier.*

descente [desɑ̃t], n. f., **1.** action de descendre, d'aller vers le bas : *je l'attendais à la descente du train.* **2.** chemin qui descend : *la descente est dangereuse.*

désert, déserte [dezɛr, dezɛrt], adj., **1.** où on ne voit personne : *les rues de cette ville sont désertes le soir.* **2.** où il n'y a pas d'habitants : *Robinson a vécu longtemps dans une île déserte.* — **désert,** n. m., région de la terre où il n'y a presque pas d'habitants (surtout parce qu'il n'y a pas d'eau) : *le désert du Sahara.*

désespérer [dezɛspere], v. trans., faire que quelqu'un n'espère plus, rendre très triste : *ce jeune homme désespère ses parents en se conduisant mal.* — (avec *de*) ne plus espérer : *je désespère de vous voir réussir,* je n'espère plus que vous réussirez. — **se désespérer,** ne plus rien espérer, être très triste : *il se désespère parce qu'il croit qu'il ne guérira pas.* — **désespérée, ée, 1.** adj. et n., qui n'espère plus, très triste : *il est désespéré de n'avoir pas réussi; je l'ai trouvé désespéré de la mort de son père; un désespéré,* un homme qui n'espère plus rien : *il s'est battu comme un désespéré.* **2.** seulement adjectif : qui ne permet pas d'espérer : *le malade est dans un état désespéré,* il va mourir bientôt.

déshabiller [dezabije], v. trans., enlever les habits, les vêtements de quelqu'un : *la maman déshabille son bébé.* — **se déshabiller,** enlever ses habits : *il est très long à se déshabiller.*

désigner [deziɲe], v. trans., **1.** choisir pour faire quelque chose : *le maître a désigné deux élèves pour aller au théâtre.* **2.** indiquer par un nom ou par un signe : *le mot chêne désigne un arbre de nos forêts.*

désir [dezir], n. m., action de désirer, de vouloir avoir ou faire : *il a un grand désir de revoir ses parents.*

désirer [dezire], v. trans., vouloir avoir ou faire : *il désire une bicyclette; je désire vous parler; nous désirons que vous soyez heureux.*

désoler [dezɔle], v. trans., rendre triste : *le mauvais travail des enfants désole les parents.* — **se désoler,** être triste : *il se désole de ne plus voir ses amis.* — **désolé, ée,** adj., très triste : *je suis désolée de votre départ; une région désolée,* une région où il n'y a pas de vie (pas de maisons, pas d'arbres).

désordre [dezɔrdrə], n. m., **1.** manque d'ordre : *il a laissé sa chambre en désordre.* **2.** (au pluriel) mouvements contre le gouvernement : *il y a eu des désordres dans ce pays.*

desquels, desquelles [dekɛl] = *de + lesquels, de + lesquelles.* Voir *lequel.*

dessert [desɛr], n. m., gâteau ou fruit que l'on mange à la fin d'un repas : *nous avons eu des pommes à notre dessert.*

dessin [desɛ̃], n. m., **1.** art de représenter, avec un crayon ou une plume, des personnes ou des objets sur une feuille de papier : *il a appris le dessin.* **2.** les objets représentés : *il m'a montré ses dessins.*

dessiner [desine], v. trans., représenter (en particulier en se servant d'un crayon ou d'une plume) des personnes ou des objets sur une feuille de papier : *il a dessiné les arbres au bord de la rivière.*

dessous [dəsu], adv., sous quelque chose (contraire : *dessus*) : *les ciseaux ne sont pas sur la table, ils sont dessous; un vêtement de dessous,* un vêtement qu'on porte sous les autres. — **là-dessous, par dessous,** sous cette chose : *il y a de la poussière là-dessous.* — **au-dessous (de), en dessous (de), 1.** plus bas que quelque chose : *la rivière coule au-dessous des arbres.* **2.** à un étage plus bas d'une maison : *il habite au-dessous de vous.* **3.** fig., *cela est au-dessous de vous,* vous êtes trop intelligent ou trop bon pour faire cela. — **dessous,** n. m., **1.** le côté qu'on ne voit pas : *le dessous d'un habit; le dessous des cartes,* le côté des cartes à jouer qu'on ne montre pas quand on joue; fig., ce que quelqu'un cache, ne veut pas dire : *je ne connais pas le dessous des cartes.* **2.** *il a le dessous,* il est battu, il ne gagne pas : *quand il discute avec son frère, il a toujours le dessous.*

dessus [dəsy], adv., sur quelque chose (contraire : *dessous*) : *enlevez ce qui est sur la table, ne laissez rien dessus; un vêtement de dessus,* un vêtement qu'on met sur les autres. — **par-dessus,** *mettez cela par-dessus; il m'a donné cela par-dessus le marché,* en plus de ce que je lui achetais, sans me faire payer plus cher; *il aime son travail par-dessus tout,* plus que tout. — **là-dessus, 1.** sur cette chose : *que voyez-vous là-dessus?* **2.** tout de suite après : *là-dessus il a allumé sa cigarette.* — **au-dessus (de), 1.** plus haut : *l'avion vole au-dessus des toits.* **2.** à un étage plus élevé d'une maison : *son appartement est au-dessus de celui de son frère.* — EXPRESSION : *c'est au-dessus de mes forces,* je ne suis pas assez fort pour faire cela. — **dessus,** n. m., **1.** le côté que l'on voit : *il a essuyé le dessus de la table.* **2.** *il a le dessus,* il bat l'ennemi, ou il a raison quand il discute.

destin [destɛ̃], n. m., et **destinée** [destine], n. f., tout ce qui arrive et doit arriver à chacun : *il a eu un destin malheureux; je me demande quelle sera sa destinée.*

destiner [destine], v. trans., dire ce que doit devenir une personne ou une chose : *son père le destine au commerce.*

détacher [detaʃe], v. trans., **1.** enlever ce qui attachait : *on a détaché le bateau du quai.* **2.** envoyer en fonction pour un certain temps une personne loin de là où elle était : *ce juge a été détaché en Afrique.* **3.** *détacher une personne d'une autre,* la rendre moins amie avec elle : *on a voulu le détacher de sa famille.* — *un air détaché,* l'air de quelqu'un qui ne trouve pas intéressant ce qu'il voit ou ce qu'il entend : *il m'a écouté d'un air détaché.*

détail [detaj], n. m., **1.** action de vendre des marchandises par petites quantités (contraire : *gros*) : *cet épicier vend au détail* (contraire : *en gros*). **2.** tous les faits même les plus petits : *il se rappelle tous les détails de son accident; c'est un détail,* c'est un fait peu important; *il m'a tout raconté en détail,* avec tous les petits faits.

déterminatif [determinatif], n. m., (grammaire) petit mot placé devant un nom : *l'article est un déterminatif.*

déterminer [determine], v. trans., **1.** marquer avec soin : *le maître a déterminé le temps qu'il fallait pour apprendre la leçon.* **2.** pousser quelqu'un à décider quelque chose : *il a déterminé son frère à apprendre son métier.* **3.** être la cause de quelque chose : *l'orage d'hier a déterminé un changement de temps.* — **déterminé, ée,** adj., qui ne change pas ce qu'il a décidé : *il s'est avancé d'un air déterminé.*

détester [deteste], v. trans., avoir de mauvais sentiments pour une personne, une chose ou une action qu'on n'aime pas : *je ne sais pas pourquoi cet élève déteste ses camarades; je déteste qu'on me dérange.*

détour [detur], n. m., chemin qui n'est pas le plus court : *le mauvais* *état de la route m'a obligé à faire un détour*; fig. *il parle sans détour*, il dit tout ce qu'il a à dire.

détourner [deturne], v. trans., **1.** éloigner une chose ou une personne du chemin qu'elle suit : *on a détourné la rivière;* fig., *on l'a détourné de ses idées tristes.* **2.** tourner d'un autre côté : *il a détourné la tête; il s'est détourné.* **3.** employer pour soi sans en avoir le droit : *il a détourné l'argent de son patron.* — **détourné,** adj., *un chemin détourné*, un chemin qui n'est pas le chemin le plus droit : *il est venu par un chemin détourné pour n'être vu de personne.*

détruire [detrɥir] (comme *construire*), v. trans., jeter à bas de façon qu'il ne reste rien : *les ennemis ont détruit la ville.*

dette [dɛt], n. f., l'argent qu'on doit à quelqu'un (qu'on a à lui payer) : *il a fait des dettes; il a des dettes*, il doit de l'argent; *il est perdu de dettes*, il doit beaucoup d'argent; *la dette publique*, l'argent que doit l'État.

deuil [dœj], n. m., **1.** sentiment que cause la mort d'une personne qu'on aime : *c'est un jour de deuil;* fig., *faire son deuil de quelque chose*, accepter de ne pas l'avoir ou de la perdre : *il a fait son deuil de l'auto qu'il espérait avoir.* **2.** tout ce qui montre ce sentiment au dehors (par exemple dans les habits) : *il porte le deuil de son père; il prend le deuil*, il porte sur ses habits ce qui montre le deuil; *cette dame est en grand deuil; il conduit le deuil*, il est en tête des personnes qui vont enterrer le mort.

deux [dø, dø z devant voyelle], n. de nombre, 2 (deux fois un) : *il a encore ses deux grands-pères*; *il a plié cette feuille de papier en deux.* EXPRESSIONS : *je n'ai fait ni une ni deux*, je me suis décidé tout de suite; *j'habite à deux pas*, tout près; *il a été à deux doigts de mourir*, il a été sur le point de mourir; *j'ai deux mots à vous dire*, j'ai à vous parler peu de temps.

deuxième [døzjɛm], n. de nombre ordinal, qui vient tout de suite après le premier (= *second*) : *il est le deuxième de sa classe; il habite au deuxième*, au deuxième étage de la maison.

devant [dəvɑ̃], prép., du côté que l'on voit (contraire : *derrière*); *restez devant moi; la table est devant la fenêtre.* — adv. : *mettez-vous devant, je resterai derrière.* — **au-devant de,** de façon à rencontrer : *je vais au-devant de mon frère qui vient de la gare.* — **devant,** n. m., **1.** la partie que l'on voit : *cet appartement a trois fenêtres sur le devant.* **2.** *prendre les devants*, aller plus vite que quelqu'un; au fig., faire quelque chose avant quelqu'un : *on a voulu le frapper, mais il a pris les devants.*

développer [devlɔpe], v. trans., **1.** mettre à plat une chose roulée : *il a développé ce papier roulé.* **2.** rendre plus grand et plus fort : *nous développons notre savoir.* **3.** dire, raconter quelque chose sans rien oublier : *il a développé ses idées.* **4.** (photographie) faire paraître l'image qui est sur le film : *j'ai porté cette photo à développer.* — **se développer,** devenir plus grand et plus fort : *cet enfant s'est beaucoup développé depuis un an.*

devenir [dəvnir] (comme *venir*), v. intr., être en train de changer, d'être autre qu'on n'était : *petit poisson deviendra grand.*

deviner [dəvine], v. trans., trouver par un effort de l'esprit quelque chose que quelqu'un cache : *j'ai deviné ce que vous pensez.*

1. devoir [dəvwar] *(je dois, nous devons, ils doivent; je dus; je devrai; que je doive; devoir; dû, due, dus, dues)*, v. trans., **1.** avoir à payer : *je lui dois mille francs.* **2.** être obligé : *je dois partir demain.* **3.** (avec l'infinitif) marque que quelque chose est peut-être vrai : *il n'est pas encore là, il a dû se tromper de chemin.* **4.** *je lui dois de vous connaître*, c'est par lui que je vous ai connu.

2. devoir [dəvwar], n. m., **1.** ce qu'on est obligé de faire : *nous avons le devoir d'aider nos parents quand ils ne peuvent plus travailler.* **2.** *se mettre en devoir de*, commencer à : *il s'est mis* *en devoir de s'habiller.* **3.** travail écrit que les élèves ont à faire : *il a oublié son devoir à la maison.* **4.** *il m'a présenté ses devoirs;* il m'a salué; *il a rendu les derniers devoirs à son ami :* il a fait ce qu'il devait faire quand son ami est mort, il a conduit le corps de son ami au cimetière.

dévorer [devɔre], v. trans., **1.** manger très vite comme quelqu'un qui a grand faim : *il a dévoré un gros morceau de viande.* **2.** *dévorer un livre,* le lire très vite.

dévouement ou **dévoûment** [devumɑ̃], n. m., le fait de se dévouer : *ce médecin soigne les malades avec beaucoup de dévouement.*

dévouer (se) [sə devue ou we], v., *se dévouer à quelqu'un* ou *à quelque chose,* s'en occuper beaucoup en s'oubliant soi-même : *il se dévoue à ses vieux parents.* — **dévoué, e,** adj., qui se dévoue : *cet employé est très dévoué;* à la fin des lettres : *mes sentiments dévoués* (voir *agréer*).

diable [djablə], n. m., **1.** l'ennemi de Dieu : *il ne craint ni Dieu ni diable,* il n'a peur de personne. EXPRESSIONS : *il tire le diable par la queue,* il n'a plus d'argent; *il habite au diable vert,* il habite très loin; *il a le diable au corps,* il remue beaucoup, il ne reste jamais longtemps là où il est. **2.** en parlant de personnes : *cet enfant est un diable, il est très diable,* il remue beaucoup, il veut toujours jouer; *un pauvre diable,* un homme très malheureux; *il est bon diable, il n'est pas mauvais diable,* il n'est pas aussi méchant qu'on pourrait le croire. **3.** sorte de petite voiture à deux roues où l'on met des valises, des paquets, etc., et que l'on pousse avec les mains. **4.** *diable!* interjection, marque que l'on est étonné ou qu'on ne sait pas quoi faire : *où diable l'ai-je vu?*

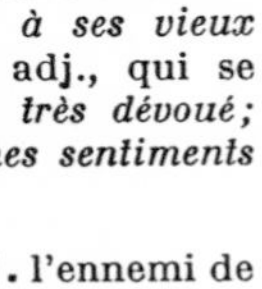

dictionnaire [diksjɔnɛr], n. m., livre qui explique le sens des mots d'une langue : *il y a beaucoup d'exemples dans ce dictionnaire.*

Dieu [djø], n. m., **1.** (dans les religions où il n'y a qu'un Dieu), l'être qui a fait le monde et les hommes et qui peut tout (s'écrit avec un grand D) : *Dieu est le roi du monde; le bon Dieu.* **2.** (dans les religions où il y a plusieurs dieux) un des êtres qui conduisent le monde (s'écrit avec un petit *d* et a pour féminin *déesse*) : *les Romains avaient beaucoup de dieux.*

différence [diferɑ̃s], n. f., ce qui rend une personne ou une chose différente d'une autre : *il y a une grande différence d'âge entre ces deux frères; mes parents ne font aucune différence entre nous.*

différent, ente [diferɑ̃, ɑ̃t], adj., **1.** qui est autre, qui ne ressemble pas, qui n'est pas pareil : *mes lunettes sont différentes de celles-ci,* **2.** (au plur., devant le nom) plusieurs (qui ne sont pas pareils) : *je connais différentes personnes dans cette ville; il a des timbres de différents pays.*

difficile [difisil], adj., **1.** qui n'est pas facile : *il est difficile de plaire à tout le monde.* **2.** (en parlant des personnes) qui n'est pas agréable pour ceux qui sont avec lui : *il est difficile à vivre; cet enfant est difficile,* il n'est pas facile de l'élever, ou il n'aime pas ce qu'on lui donne à manger.

difficulté [difikylte], n. f., ce qui rend une chose difficile : *ce travail présente beaucoup de difficultés; j'ai des difficultés avec lui,* je n'arrive pas à le conduire ou à être d'accord avec lui.

digérer [diʒere] *(je digère, nous digérons; je digérerai),* v. trans., **1.** faire passer les aliments dans les organes : *il a bien digéré son déjeuner.* **2.** mettre en ordre dans son esprit : *il a mal digéré ce qu'il a appris.*

digne [diɲ], adj., **1.** qui peut recevoir quelque chose justement : *il est digne d'être aimé.* **2.** sérieux : *il a une vie très digne.*

dimanche [dimɑ̃ʃ], n. m., le premier jour de la semaine : *nous nous promènerons dimanche prochain.*

diminuer [diminɥe ou diminye], v. trans., **1.** rendre plus petit : *on a diminué le nombre des arbres du jardin.*

2. *diminuer quelqu'un,* le payer moins cher : *j'ai été diminué le mois dernier.* — v. intr., **1.** devenir plus petit : *le nombre des bons élèves a diminué.* **2.** devenir moins cher : *la viande a un peu diminué.*

diminution [diminyjsjõ], n. f., **1.** le fait de devenir plus petit : *la diminution des dépenses.* **2.** le fait de payer moins cher : *c'est trop cher, faites-moi une diminution.*

1. dîner [dine], v. intr., faire le repas du soir : *nous avons dîné au restaurant* (quelquefois, à la campagne, faire les repas du milieu de jour).

2. dîner [dine], n. m., repas du soir : *il s'est couché tout de suite après le dîner* (quelquefois, à la campagne, le repas du milieu du jour).

dire [dir] *(je dis, tu dis, il dit, nous disons, vous dites, ils disent; je disais; je dis; je dirai; que je dise; dit),* v. trans., **1.** faire savoir en parlant : *il m'a dit qu'il habitait chez ses parents; il vous dira ce qu'il sait; il n'y a rien à dire,* c'est très bien; *il n'y a rien à lui dire,* on ne peut rien changer à ce qu'il veut faire. **2.** (avec *de* et l'infinitif ou *que* et le subjonctif); commander, donner un ordre : *je vous dis de vous taire, il a dit que tout soit fini pour demain.* **3.** *vouloir dire,* avoir comme sens : *« house » veut dire « maison » en anglais; je sais ce que parler veut dire,* je comprends ce que vous pensez, même si vous ne l'expliquez pas. **4.** *c'est-à-dire (que),* sert à expliquer ce qu'on vient de dire : *un ami, c'est-à-dire quelqu'un que je connais bien...; il ne vous a pas vu, c'est-à-dire qu'il ne faisait pas attention.*

direct, e [dirɛkt], adj., (contraire : *indirect*), droit, qui ne fait pas de tours : *c'est le chemin le plus direct pour aller à la poste; impôt direct,* impôt sur les personnes (et non sur les marchandises); *complément direct* (grammaire) complément sans préposition : *il regarde* LE MUR.

directeur, trice [dirɛktœr, tris], n. m. et f., celui (celle) qui dirige (qui commande, qui conduit) : *le directeur de l'usine; la directrice de l'école.*

direction [dirɛksjõ], n. f., **1.** action de diriger (commander, conduire) : *il a quitté la direction de ce journal.* **2.** ensemble des personnes qui dirigent : *il faut que vous demandiez à la direction.* **3.** chemin qui conduit vers un endroit : *il a pris la direction de la ville; il a changé de direction; il est parti dans la direction de la gare* (ou *en direction de la gare*).

diriger [diriʒe] (prend un *e* après le *g* devant *a* et *o* : *il dirige, nous dirigeons*), v. trans. : **1.** commander, conduire, être à la tête de : *il dirige l'atelier de peinture.* **2.** faire aller vers un certain endroit : *on a dirigé le train vers Paris.* — **se diriger, 1.** aller vers un certain endroit : *je me suis dirigé vers la porte.* **2.** trouver son chemin : *on se dirige mal dans cette forêt.*

discours [diskur], n. m., *faire un discours,* c'est parler de façon assez longue devant un public : *il a fait un beau discours.*

discussion [diskysjõ], n. f., action de discuter : *il a eu une discussion avec son frère.*

discuter [diskyte], v. intr., étudier, seul ou en parlant avec d'autres personnes, ce qu'une idée a de juste, de bon, de vrai, ou ce que l'on va faire : *ils discutent de l'endroit où ils passeront leurs vacances.*

disparaître [disparɛtrə] (se conjugue comme *paraître*), v. intr., **1.** ne plus être vu : *il a disparu en tournant le coin de la rue.* **2.** ne plus exister : *cette ville ancienne a disparu depuis longtemps.*

dispensaire [dispãsɛr], n. m., endroit où les médecins soignent les malades, mais où les malades ne restent pas la nuit : *il est allé se faire mettre un pansement au dispensaire.*

disposer [dispoze], v. trans., **1.** arranger, mettre en ordre : *j'ai disposé des fleurs sur la table.* **2.** préparer quelqu'un : *je l'ai disposé à vous recevoir.* — (avec *de*) pouvoir commander des personnes ou se servir de choses : *il dispose de trois employés pour répondre aux clients; j'ai* *disposé de mon après-midi,* je ne suis pas libre de mon après-midi parce que j'ai décidé de l'employer d'une certaine façon. — **se disposer** (avec *à*), se préparer à faire quelque chose : *je me disposais à ouvrir ce livre quand vous êtes entré.* — **disposé, ée,** adj., être dans certains sentiments pour une personne ou une action : *je suis bien disposé pour vous; il est disposé à travailler.*

disposition [dispozisjõ], n. f., **1.** façon dont une chose est disposée : *la disposition de votre jardin est très réussie.* **2.** pouvoir de commander quelqu'un ou de se servir de quelque chose : *il a la libre disposition de son argent; mes amis ont mis cette maison à ma disposition.* **3.** (au pluriel) ce qu'on décide pour qu'une chose soit faite : *j'ai pris des dispositions pour que cette chambre soit libre.* **4.** (au pluriel) sentiments que l'on a pour des personnes ou des actions : *il a de bonnes dispositions pour vous; cet enfant a des dispositions pour la musique,* il jouera bien de la musique.

dispute [dispyt], n. f., action de se disputer : *il a eu une dispute avec son camarade.*

disputer [dispyte], v. trans., **1.** *disputer quelque chose à quelqu'un,* chercher à l'avoir et empêcher que l'autre ne l'ait : *nos soldats ont disputé le terrain à l'ennemi.* **2.** fam., *disputer quelqu'un,* lui dire des mots peu agréables : *mon frère m'a disputé.* — **se disputer,** se dire l'un à l'autre des mots peu agréables : *ces enfants se disputent à cause d'une balle; il s'est disputé avec son frère.*

disque [disk], n. m., objet plat et rond : (dans les chemins de fer) *le train s'est arrêté devant le disque rouge;* (disque de phono) *ce disque donne une demi-heure de musique;* fig. et fam., *changez de disque,* parlez d'autre chose; (sport) *il lance le disque très loin.*

Disque de chemin de fer.

Disque de phono.

distance [distɑ̃s], n. f., nombre de mètres, de kilomètres, etc., qu'il y a entre deux personnes ou deux objets : *on a mesuré la distance de la terre au soleil; vous le tenez à distance,* vous ne voulez pas qu'il vienne près de vous.

distinguer [distɛ̃ge], v. trans., **1.** reconnaître au milieu d'autres personnes ou d'autres choses : *je vous ai distingué dans ce groupe; la nuit on ne distingue plus les maisons.* **2.** marquer une différence entre des personnes ou des choses : *le maître a distingué cet élève parmi les autres.* — **se distinguer,** montrer qu'on est différent des autres (souvent en mieux) : *cet élève s'est distingué en histoire; il cherche à se distinguer.* — **distingué, ée,** adj., **1.** qui a de bonnes manières : *cette dame est très distinguée.* **2.** qui est au-dessus des autres : *c'est un esprit distingué.* **3.** (à la fin d'une lettre) *mes sentiments distingués* (voir *agréer*).

distraction [distraksjõ], n. f., **1.** défaut de celui qui est distrait : *il a très souvent des moments de distraction.* **2.** ce qui amuse : *il a besoin de distractions après son travail.*

distrait, aite [distrɛ, ɛt], adj., qui ne fait pas attention : *vous avez à porter une grosse somme d'argent, ne soyez pas distrait.*

distribuer [distribɥe, ou bye], v. trans., donner quelque chose à chacune des personnes d'un groupe : *on a distribué des crayons aux élèves; le facteur distribue les lettres.*

distribution [distribysjõ], n. f., action de distribuer : *la deuxième distribution* (des lettres) *est faite.*

divan [divɑ̃], m., meuble qui ressemble à un lit, mais qui est plus bas, qu'on met contre le mur et qui sert à s'asseoir ou à se coucher : *nous avons mis un divan dans notre salle à manger.*

divers, e [divɛr, divɛrs], adj., **1.** différent, qui n'est pas pareil : *j'ai entendu des avis très divers.* **2.** (au plur.) plusieurs (qui ne sont pas pareils) (comme *différents*) : *j'ai vu divers amis dans la ville.*

diviser [divize], v. trans., couper en parties : *j'ai divisé le pain en deux morceaux; les gens de la ville sont divisés sur cette question,* ils ne sont pas du même avis; 12 *divisé par* 3 *donne* 4.

division [divizjɔ̃], n. f., **1.** action de diviser, de couper en parties : *la division de la France en départements a été décidée en* 1789. **2.** opération de calcul : 12 *divisé par* 3 *est une division.* **3.** le fait de n'être pas d'accord dans un groupe de personnes : *il y a des divisions dans cette famille.* **4.** unité militaire comprenant plusieurs régiments et commandée par un général : *la division a passé la rivière.*

divorce [divɔrs], n. m., action de divorcer : *pour qu'il y ait un divorce, il faut que le juge pense qu'il y a des raisons sérieuses.*

divorcer [divɔrse], v. intr., contraire de *se marier :* le mari et la femme qui divorcent ne sont plus mariés : *ce monsieur et cette dame ont divorcé après avoir été mariés pendant dix ans.*

dix [di devant un mot commençant par une consonne : *dix francs* : di frɑ̃ ; di z devant un mot commençant par une voyelle : *dix heures* : di z œr ; di s à la fin de la phrase : *donnez-m'en dix* : dɔne m ɑ̃ dis], n. de nombre, 10 (9 + 1) : *il est dix heures; cet enfant vient d'avoir dix ans.*

dix-huit [dizɥit, voir *huit*], n. de nombre, 18 : *le train de dix-huit heures* (ou de six heures du soir).

dix-huitième [dizɥitjɛm], n. de nombre ordinal, **1.** qui vient après dix-sept autres. **2.** une des dix-huit parties d'un ensemble.

dixième [dizjɛm], n. de nombre ordinal, **1.** qui vient après neuf autres : *c'est la dixième fois que je le dis.* **2.** une des dix parties d'un ensemble : *donnez-moi le dixième de cette somme.*

dix-neuf [diznœf, voir *neuf*], n. de nombre, 19.

dix-neuvième [diznœvjɛm], n. de nombre ordinal, **1.** qui vient après dix-huit autres. **2.** une des dix-neuf parties d'un ensemble.

dix-sept [disɛt], n. de nombre, 17 : *je dois dix-sept francs.*

dix-septième [disɛtjɛm], n. de nombre ordinal, **1.** qui vient après seize autres. **2.** une des dix-sept parties d'un ensemble.

dizaine [dizɛn], n. f., **1.** groupe de dix : *dix unités font une dizaine.* **2.** environ dix : *il nous reste une dizaine de jours avant les vacances.*

docteur [dɔktœr], n. m. (au fém. *doctoresse* dans la langue familière), médecin : *nous avons fait venir le docteur pour soigner notre père.* En parlant à un médecin on lui dit *docteur : bonjour, docteur.*

document [dɔkymɑ̃], n. m., écrit qui sert à étudier une question, à montrer que quelque chose est vrai : *ce livre d'histoire a été écrit d'après les meilleurs documents.*

doigt [dwa], n. m., partie de la main ou du pied : *nous avons cinq doigts à chaque main; petit doigt,* le plus petit des doigts, celui qui est le plus loin du pouce. — EXPRESSIONS : *il ne fait rien de ses dix doigts,* il ne fait rien du tout; *il a été à deux doigts de mourir,* il a été sur le point de mourir; *ils sont amis comme les dix doigts de la main,* ils sont très bons amis; *il n'a pas remué le petit doigt,* il n'a rien fait (pour aider quelqu'un); *il a reçu sur les doigts,* on lui a dit qu'il avait mal fait; *on le montre du doigt,* il est mal jugé par tout le monde; *je le sais sur le bout des doigts,* je le sais très bien; familier, *il se met le doigt dans l'œil,* il se trompe; *un doigt de vin,* très peu de vin.

domaine [dɔmɛn], n. m., **1.** terre importante que quelqu'un possède : *il a un grand domaine à la campagne.* **2.** tout ce qui fait partie d'un art ou d'une science : *l'étude des rivières et des montagnes est du domaine de la géographie; ce n'est pas de mon* *domaine,* cela ne fait pas partie des choses que je connais.

domestique [dɔmɛstik], adj., **1.** qui se rapporte à la famille, à la maison : *les affaires domestiques,* les affaires de la famille. **2.** (en parlant des animaux) qui est élevé par les hommes et qui vit près d'eux : *le chien, le cheval, le bœuf sont des animaux domestiques.* — n. m. et f., personne qui est au service de quelqu'un dans sa maison : *cette famille a la même domestique depuis dix ans.*

domicile [dɔmisil], n. m., endroit où l'on habite : *nous avons changé trois fois de domicile depuis cinq ans.*

dominer [dɔmine], v. trans., **1.** être plus haut : *cette montagne domine le lac.* **2.** être plus fort, être le maître : *autrefois Rome a dominé le monde.*

dommage [dɔmaʒ], n. m., ce qui fait perdre quelque chose à quelqu'un : *l'orage a causé de grands dommages aux cultivateurs; dommages de guerre,* les dommages causés par la guerre : *le gouvernement lui a payé ses dommages de guerre; c'est dommage,* c'est triste; *dommages et intérêts,* ce qu'on est obligé de payer à une personne quand on lui a fait du tort : *il a reçu des dommages et intérêts après l'accident où il a été blessé.*

donc [dɔ̃k ou dɔ̃], conj., **1.** marque le résultat de ce qui est dit avant : *vous êtes né en Angleterre, vous devez donc bien parler l'anglais.* **2.** pour rendre une question plus forte : *qu'est-ce que vous lui avez donc dit? quoi donc?* **3.** pour commander ou demander avec plus de force : *venez donc.*

donner [dɔne], v. trans., **1.** mettre quelque chose dans les mains de quelqu'un sans rien lui demander : *son père lui a donné une bicyclette; il donnerait jusqu'à sa chemise,* il est trop bon. **2.** causer, être cause de : *cela me donne du mal; il s'est donné la mort.* EXPRESSIONS : *donner un coup,* frapper; *donner raison,* dire que quelqu'un a raison, qu'il a bien fait, ou que ses idées sont bonnes : *le juge lui a donné raison; les événements me donnent raison,* ce qui arrive montre que je voyais juste; *donner tort,* dire que quelqu'un a tort, a mal fait ou s'est trompé : *donner la main à quelqu'un,* lui tendre la main pour lui dire bonjour, ou tenir un enfant par la main; *donner le bras à quelqu'un,* mettre son bras dans le sien. — intr., *cette fenêtre donne sur la rue,* elle est du côté de la rue (non de la cour). — **se donner, 1.** *se donner à quelque chose,* s'intéresser beaucoup à quelque chose : *il se donne à son travail.* **2.** *se donner pour,* dire que l'on est : *il se donne pour riche,* il veut faire croire qu'il est riche.

dont [dɔ̃, dɔ̃ t devant une voyelle], pron. relatif = *de* suivi d'un pronom relatif : *je connais l'homme* DONT *vous parlez* (= DE QUI *vous parlez*); *j'ai habité la maison* DONT *vous voyez le toit* (= DE LAQUELLE *vous voyez le toit*).

doré, ée [dɔre], adj., **1.** qui est couvert d'un peu d'or : *un bijou en argent doré.* **2.** qui ressemble à l'or : *des cheveux d'un blond doré.*

dormir [dɔrmir] *(je dors, nous dormons, ils dorment; je dormis; je dormirai; dormi),* v. intr., se reposer en fermant les yeux : *il a bien dormi cette nuit;* fig., *laissons dormir cette affaire,* ne nous en occupons pas. PROVERBE : *Qui dort dîne,* on sent moins la faim quand on dort. — **dormant, ante,** adj., *eau dormante :* eau qui ne coule pas, comme l'eau qui reste dans un fossé.

dos [do], n. m., **1.** la partie de derrière du corps : *il est couché sur le dos; il a tourné le dos,* il est parti; pop., *j'en ai plein le dos,* j'en ai assez; *le juge les a renvoyés dos à dos,* il n'a donné raison à aucun des deux. **2.** *le dos d'un habit,* la partie de l'habit qui couvre le dos; *le dos de la main,* le dessus de la main; *un chemin en dos d'âne,* un chemin où l'on monte, puis où l'on descend.

douane [dwan], n. f., service public qui fait payer des droits (de l'argent) sur les marchandises qui entrent dans un pays et quelquefois sur celles qui en sortent : *il faut payer à la douane pour faire entrer des cigarettes et du tabac.*

douanier [dwanje], n. m., employé de la douane : *les douaniers regardent à la frontière ce qu'il y a dans les valises des voyageurs.*

double [dublə], adj., qui est fait de deux choses pareilles : *des doubles fenêtres; il a fait coup double* (à la chasse), il a tué deux bêtes d'un seul coup de fusil; *il voit double,* il croit voir deux choses là où il n'y en a qu'une. — n. m., **1.** deux fois la même quantité : *il a fait le double du chemin; on vous fait payer le double.* **2.** objet pareil à un autre : *j'ai gardé un double de cette lettre.*

doubler [duble], v. trans., **1.** rendre deux fois plus grand : *il a doublé ce qu'il gagnait,* il gagne deux fois ce qu'il gagnait. **2.** (à l'école) *il double sa classe,* il suit deux années la même classe. **3.** mettre du tissu sous un habit : *il a fait doubler son manteau.* **4.** (au cinéma) *doubler un film :* le faire parler en une autre langue : *ce film anglais a été doublé en français.* **5.** (sur la route) : *cette auto nous a doublés,* elle roulait derrière nous et maintenant elle roule devant nous. — v. intr., devenir deux fois plus grand : *le bruit a doublé.*

doucement [dusmɑ̃], adv., **1.** de façon douce : *il a ri doucement.* **2.** sans bruit : *il parle doucement.* **3.** de façon lente : *cette voiture va tout doucement.*

douceur [dusœr], n. f., **1.** qualité de ce qui est doux, agréable : *j'aime la douceur de cette région.* **2.** qualité d'une personne qui est douce, gentille : *la douceur de cette petite fille plaît à tout le monde.* **3.** (au plur.) aliments qui contiennent du sucre (bonbons, etc.) : *cet enfant mange trop de douceurs.*

douche [duʃ], n. f., sorte de pluie, produite par un appareil, qui sert à se laver : *il a pris une douche.*

douleur [dulœr], n. f., **1.** ce qu'on sent quand on a mal : *il a une douleur au côté.* **2.** sentiment que l'on sent quand on perd quelqu'un de sa famille, quand on n'a pas ce qu'on espère, etc. *il a eu beaucoup de douleurs dans sa vie* — PROVERBE : *Les grandes douleurs sont muettes,* quand on a une vraie douleur, on ne parle pas.

doute [dut], n. m., le fait de ne pas être sûr de quelque chose : *j'ai des doutes sur ce que vous me dites; cela lève mes doutes,* je ne doute plus. — *sans doute,* c'est probable (cela peut bien être vrai), et non : c'est certain (pour « c'est certain », on dit *sans aucun doute*).

douter [dute], v., ne pas être sûr de quelque chose : *je doute que vous disiez vrai; il doute de tout; ne pas douter,* être sûr, certain de : *je ne doute pas que vous n'ayez travaillé.* — **se douter,** avoir un certain sentiment, une certaine idée de quelque chose qui est caché ou qui n'est pas encore arrivé : *je me doute de ce que vous pensez.*

doux, douce [du, dus], adj., **1.** qui est très agréable à voir, à entendre, etc. *cette dame a une voix douce; eau douce,* eau qui ne contient pas de sel (contraire : *eau salée, eau de mer*). **2.** qui n'est pas dur, qui ne donne pas de peine : *ce chemin est très doux; la vie est douce dans cette région.* **3.** (en parlant de personnes) gentil, qui ne crie pas, qui n'aime pas faire du mal : *ces enfants sont très doux.*

douzaine [duzɛn], n. f., **1.** ensemble de douze : *nous avons acheté une douzaine d'œufs.* **2.** environ douze : *j'ai une douzaine d'amis dans cette ville.* — *demi-douzaine,* n. f., ensemble de six : *une demi-douzaine de mouchoirs.*

douze [duz], nom de nombre, 12 : *il y a douze mois dans une année.*

douzième [duzjɛm], nom de nombre ordinal, **1.** 12e, qui vient après le 11e : *le douzième siècle* (de 1101 à 1200). **2.** une des douze parties d'un ensemble : *chaque mois il paye un douzième de la somme qu'il doit.*

drame [dram], n. m., **1.** pièce de

théâtre ou film qui souvent fait pleurer : *cet acteur joue mieux le drame que la comédie.* **2.** événement triste : *il y a eu deux drames dans cette famille.*

drap [dra], n. m., **1.** tissu de laine : *un manteau de drap.* **2.** pièce de linge (de toile) qui couvre le lit : *une paire de draps comprend le drap de dessus et le drap de dessous ; il a changé les draps de son lit;* fig., *il s'est mis dans de beaux draps,* il s'est mis dans une mauvaise situation.

drapeau, plur. **eaux** [drapo], n. m., morceau de tissu qui porte les couleurs d'un pays : *le drapeau français est bleu, blanc, rouge; on a donné des drapeaux à l'armée; il est sous les drapeaux,* il est soldat.

dresser [drɛse], v. trans., **1.** mettre debout, tenir droit : *le chien a dressé les oreilles.* **2.** écrire ou dessiner : *nous avons dressé la carte de cette région.* **3.** apprendre certaines choses à un animal : *il a dressé son chien à se tenir debout.* — **se dresser,** se mettre droit : *il s'est dressé en entendant ces mots.*

1. droit, droite [drwa, wat], adj., **1.** (en parlant d'une ligne, d'un chemin, d'un mur, etc.) qui n'est pas courbe : *cette route est bien droite; la ligne droite est le plus court chemin d'un point à un autre; angle droit,* angle qui mesure 90°; fig., *il faut suivre le droit chemin,* le chemin du bien. **2.** qui agit avec justice : *c'est un homme droit; un esprit droit,* qui pense juste. **3.** qui est d'un certain côté (contraire : *gauche*). — **droit,** adv., en suivant la ligne droite : *allez droit devant vous.* — **droite,** n. f., **1.** le côté droit : *en France les autos tiennent leur droite.* **2.** la main droite : *donnez votre droite.* **3.** ligne droite : *dessinez une droite au tableau.* — **à droite,** du côté droit : *il était assis à droite du directeur.*

90°

Angle droit.

Il lève le bras droit.

En France les autos roulent à droite.

2. droit [drwa], n. m., **1.** ce qu'une personne peut faire d'après la loi : *nous avons le droit d'habiter où il nous plaît; vous n'avez aucun droit sur cette maison; à bon droit,* avec raison; *il a fait droit à ce que je demandais,* il a fait ce que je demandais parce qu'il a reconnu que c'était juste; *les droits de l'homme,* les droits qu'a n'importe quel homme, simplement parce qu'il est un homme. **2.** ensemble des lois : *il fait son droit,* il étudie le droit. **3.** impôt : *le tabac paye des droits pour entrer en France.*

drôle [drol], adj., **1.** amusant : *il a chanté une chanson très drôle.* **2.** *un drôle d'homme,* un homme qui n'est pas comme tout le monde. — n. m., un homme qui ne plaît à personne (un voleur par exemple) : *je ne veux plus voir ce drôle.*

du [dy] = *de* + *le* : *la maison du médecin, donnez-moi du pain.*

duquel [dykɛl] = *du* + *lequel* (pron. relatif). Voir *lequel.*

dur, e [dyr], adj., **1.** qu'il est difficile de plier ou de mordre : *ce métal est très dur;* fig., *il a la tête dure,* il ne comprend pas vite. **2.** difficile, qui demande de la peine : *il fait un travail très dur.* **3.** (en parlant des personnes) qui n'est pas bon, pas gentil : *il est très dur avec ceux qui sont sous ses ordres.* EXPRESSION : *il couche sur la dure,* il couche par terre.

durée [dyre], n. f., le temps que dure une chose, une action : *le beau temps ne sera pas de longue durée.*

durer [dyre], v. intr., exister dans le temps : *l'hiver dure trois mois; le temps me dure,* je trouve le temps long. — **durant,** prép., pendant, *il a habité là durant sa vie* ou *sa vie durant.*

E

eau, plur. **eaux** [o], n. f., liquide sans couleur qui sort des sources ou tombe du ciel sous forme de pluie : *il a bu un grand verre d'eau; eau douce,* l'eau de la pluie ou des rivières; *eau de mer,* l'eau de la mer. EXPRESSIONS : *il tombe de l'eau,* il pleut; *il porte de l'eau à la rivière,* il fait quelque chose d'inutile; *ces deux frères se ressemblent comme deux gouttes d'eau,* ils se ressemblent beaucoup; *je suis heureux comme un poisson dans l'eau,* je suis très heureux; *il se noie dans un verre d'eau,* il est arrêté par n'importe quelle chose un peu difficile; *il met de l'eau dans son vin,* il devient moins dur, il est plus facile de discuter avec lui; *il sue sang et eau,* il se donne beaucoup de peine. — *eau minérale,* eau qui sort de terre chargée de certaines matières; *aller aux eaux,* aller dans une ville comme Vichy, Vittel, Evian, etc. *(ville d'eaux)* boire de l'eau minérale. — *eau-de-vie,* sorte d'alcool. — *eau de Cologne,* eau avec de l'alcool qui sert pour la toilette.

écarter [ekarte], v. trans., **1.** mettre des choses assez loin l'une de l'autre : *il a écarté les jambes; vous écarterez les fils électriques.* **2.** mettre quelqu'un ou quelque chose en dehors de son chemin : *j'écarterai les branches; il a écarté un homme qui voulait lui parler.* — **s'écarter,** se mettre en dehors d'un groupe de personnes, d'un endroit, etc. : *je me suis écarté de mon chemin.*

échange [eʃɑ̃ʒ], n. m., action d'échanger : *j'ai eu mon appartement par échange,* j'ai donné mon appartement et j'en ai reçu un autre; *en échange de,* à la place de (par échange) : *j'ai reçu ce stylo en échange d'une boîte de couleurs.*

échanger [eʃɑ̃ʒe], v. trans., donner une chose et en recevoir une autre : *il a échangé un timbre français contre un timbre anglais; ils ont échangé des coups,* chacun a donné des coups à l'autre.

échapper [eʃape], v. (avec *à*), partir de façon à n'être plus gardé ou tenu : *il a échappé à ceux qui le gardaient; il a échappé à un danger; ce verre m'a échappé des mains,* je l'ai laissé tomber; *ce mot m'a échappé,* je ne me le rappelle pas, ou j'ai dit ce mot sans faire attention. — EXPRESSION : *vous l'avez échappé belle,* vous avez échappé à un grand danger. — **s'échapper (de),** se sauver, quitter un endroit qui est dangereux ou bien où l'on est gardé : *il s'est échappé de la prison.*

échec [eʃɛk], n. m., le fait de ne pas réussir : *il n'est pas content de son échec.*

échelle [eʃɛl], n. f., appareil (en bois, en métal, en cordes, etc.) qui sert à monter : *il a mis l'échelle contre le mur; il est tombé d'une échelle; je lui ai fait la courte échelle,* je l'ai aidé à monter en lui permettant de se servir de mes épaules comme d'une échelle; fig. je l'ai aidé à avoir une bonne situation; *échelle de cordes,* échelle faite avec des cordes.

échouer [eʃwe ou eʃue], v. intr., **1.** (en parlant d'un bateau) aller sur la côte : *le bateau a échoué sur le sable.* **2.** ne pas réussir : *cet homme a échoué dans tous les métiers qu'il a faits.*

éclair [eklɛr], n. m., lumière très rapide qu'on voit dans un orage : *on voit l'éclair un peu avant d'entendre le coup de tonnerre;* fig. : *il est parti comme un éclair,* très vite.

éclairer [eklɛre], v. trans., **1.** répandre de la lumière : *la lampe éclaire mal; notre maison est éclairée à l'électricité.* **2.** faire connaître la vérité à quelqu'un : *ces mots m'ont éclairé sur ce qu'il voulait.*

éclat [ekla], n. m., **1.** morceau d'une matière dure qui part vite et avec force : *il a été blessé par un éclat de* *verre.* **2.** grand bruit : *il a ri aux éclats; j'ai entendu un éclat de rire; un éclat de colère.* **3.** lumière très forte : *l'éclat du soleil.* **4.** fig., qualité qui ressemble à une lumière : *il était dans tout son éclat.*

éclater [eklate], v. intr., **1.** se casser en morceaux : *la lampe a éclaté.* **2.** faire tout à coup un grand bruit : *l'orage a éclaté;* fig. *sa colère va éclater;* — **éclatant, ante,** adj., **1.** qui éclate ; (bruit) : *un bruit éclatant.* **2.** qui a de l'éclat (lumière, couleur) : *un rouge éclatant.* **3.** qui a de l'éclat (personne, sentiment) : *un courage éclatant.*

école [ekɔl], n. f., **1.** maison où l'on apprend : *les enfants vont à l'école à six ans; grande école,* école où vont les jeunes gens qui veulent être professeurs, officiers, ingénieurs, etc. ; fig., *il est à bonne école,* il a un bon maître. **2.** ensemble d'idées sur l'art, etc. : *il y a plusieurs écoles en peinture.*

écolier, ère [ekɔlje, ɛr], n. m. et f., enfant qui va à l'école : *les écoliers rentrent de la classe; nous avons pris le chemin des écoliers,* le chemin le plus long (parce que les écoliers s'amusent souvent en route).

économie [ekɔnɔmi], n. f., **1.** le fait de ne pas dépenser trop d'argent : *il vit avec économie.* **2.** l'argent qu'on a mis de côté : *il a fait des économies.* **3.** *économie politique,* science qui s'occupe des finances, du commerce, etc. : *il a étudié l'économie politique.*

économique [ekɔnɔmik], adj., **1.** qui ne coûte pas beaucoup d'argent : *ce chauffage est très économique.* **2.** qui se rapporte à l'économie politique : *les questions économiques tiennent aujourd'hui une grande place dans le monde.*

écorce [ekɔrs], n. f., matière qui entoure les arbres et qu'on peut enlever en général facilement : *il a cassé un morceau d'écorce.* PROVERBE : *Il ne faut pas mettre le doigt entre l'arbre et l'écorce,* il ne faut pas se mêler des affaires entre personnes d'une même famille.

écouter [ekute], v. trans., **1.** faire attention pour entendre : *les élèves doivent écouter le maître.* **2.** faire ce que quelqu'un demande : *il a écouté mon avis.* — **s'écouter,** fam., s'occuper trop de sa santé : *ce jeune homme s'écoute beaucoup.*

écran [ekrɑ̃], n. m., **1.** tissu tendu (ou autre matière) mis debout pour couper une chambre en deux, pour cacher un meuble, etc. : *cet écran ancien est très joli;* fig. *un écran de nuages (de fumée),* des nuages (de la fumée) qui empêchent de voir. **2.** (au cinéma) toile blanche tendue où l'on voit les images du film : *on voit dans certains cinémas de grands écrans ou même plusieurs écrans.*

écraser [ekraze], v. trans., **1.** peser très fortement sur un objet et le rendre plat ou le casser : *il a écrasé un fruit avec son pied; les grains de blé ont été écrasés;* fig. : *l'armée des ennemis a été écrasée; je suis écrasé de travail,* j'ai beaucoup de travail. **2.** faire tomber et blesser (ou tuer) quelqu'un avec un véhicule : *il a été écrasé par une auto.*

écrier (s') [ekrije], v., se mettre à crier : *il s'est écrié qu'on le trompait; il s'est écrié : assez!*

écrire [ekrir] *(j'écris, tu écris, il écrit, nous écrivons, vous écrivez, ils écrivent; j'écrivais; j'écrivis; j'écrirai; que j'écrive; écrit),* v. trans., **1.** représenter des mots avec des lettres : *il a bien écrit ce mot; il écrit mal.* **2.** faire une lettre (à quelqu'un), un livre : *il a écrit une lettre à son frère* (ou simplement *il a écrit à son frère*); *Victor Hugo a écrit de belles poésies; vous écrivez l'histoire de votre temps.* — **écrit,** n. m., chose écrite : *il a laissé à sa mort des écrits importants.*

écrivain [ekrivɛ̃], n. m., celui qui écrit des livres : *connaissez-vous les grands écrivains français?*

écurie [ekyri], n. f., bâtiment où on met les chevaux : *cette écurie est très propre.*

édifice [edifis], n. m., bâtiment (en

général grand et beau) : *il y a de beaux édifices dans cette ville.*

éducation [edykasjõ], n. f., action d'élever les enfants de façon à leur donner de bons sentiments et de bonnes manières, et en général de façon à les faire devenir des hommes utiles : *les pays modernes s'occupent beaucoup de l'éducation des enfants; il manque d'éducation,* il a de mauvaises manières, il se tient mal. — *Education nationale,* ministère qui s'occupe de donner l'éducation aux enfants d'un pays.

effacer [ɛfase] (avec un *ç* devant les lettres *a* et *o* : *il effaça, nous effaçons*), v. trans., **1.** faire disparaître (enlever) quelque chose qui a été écrit : *il a effacé cette ligne.* **2.** fig., faire oublier : *votre travail a effacé votre faute.* — **s'effacer,** se mettre de côté pour laisser passer quelqu'un : *il s'est effacé devant vous.*

effectuer [ɛfɛktɥe ou tye], v. trans., faire (un travail) : *il a effectué ce travail plus vite qu'on ne l'espérait.*

effet [ɛfɛ], n. m., **1.** ce qui est produit par une cause : *ce médicament n'a pas eu d'effet.* **2.** action que quelqu'un ou quelque chose a sur les sentiments ou sur l'esprit : *il n'a pas fait d'effet dans cette ville; cette maison fait beaucoup d'effet,* **3.** au pluriel, les habits, le linge : *il a fait un paquet avec ses effets.* — **en effet,** explique ce qui vient avant : *je ne l'ai pas vu hier. En effet il m'a dit qu'il restait chez lui.*

efficace [ɛfikas], adj., qui produit un effet, une action : *ce médicament est très efficace.*

efforcer (s') [s ɛfɔrse] (avec *ç* devant les lettres *a* et *o* : *je m'efforçais, nous nous efforçons*), v., faire effort, employer ses forces, se donner de la peine pour arriver à un résultat : *nous nous efforçons de vous plaire.*

effort [ɛfɔr], n. m., la peine qu'on se donne pour arriver à un résultat : *il a fait tous ses efforts pour arriver le premier.*

effrayer [ɛfrɛje] (comme *payer*), v. trans., faire peur : *l'orage l'a effrayé.* — **s'effrayer,** avoir peur : *ne vous effrayez pas si vous entendez du bruit.* — **effrayant, ante,** adj., qui fait peur : *il a des yeux effrayants.*

égal, ale, plur. **aux, ales** [egal, ego], adj., tout à fait semblable en qualité, en quantité, en droit, etc. : *ces deux carrés sont égaux; un terrain égal,* un terrain plat; *un esprit égal,* qui est toujours le même.

également [egalmɑ̃], adv., **1.** de façon égale, de la même façon : *ils n'ont pas été également punis.* **2.** aussi, de plus : *je l'ai entendu, je l'ai également vu.*

égalité [egalite], n. f., qualité de ce qui est égal : *on trouve chez nous l'égalité devant la loi,* tous les hommes sont chez nous égaux devant la loi, la loi est la même pour tous.

égard [egar], n. m., n'existe au singulier que dans deux expressions : **1.** *avoir égard à,* tenir compte de : *il a eu égard à mon âge;* **2.** *à l'égard de,* dans ses rapports avec : *il n'a pas été gentil à votre égard, à l'égard de vos parents,* pour vous, pour vos parents. — au plur., *des égards,* actions qui montrent que l'on est gentil et doux pour quelqu'un : *il faut avoir des égards pour les personnes âgées.*

église [egliz], n. f., **1.** édifice de la religion chrétienne : *l'église est au milieu du village.* **2.** (avec un grand *E*) la religion catholique ou les autres religions chrétiennes.

égoïste [egɔist], adj., et n. m. et f., qui ne pense qu'à soi : *cet égoïste ne partage avec personne ce qu'on lui donne.*

égout [egu], n. m., gros tuyaux placés sous le sol pour conduire les eaux sales loin d'une ville : *on a installé de nouveaux égouts; bouche d'égout,* trou qui conduit à un égout.

eh bien! [ɛ bjɛ̃], interjection, s'emploie pour annoncer qu'on va dire quelque chose : *eh bien! je suis arrivé;* — pour annoncer une question : *Eh bien! qu'avez-vous vu?* — pour montrer qu'on est étonné : *Eh bien! voilà une bonne nouvelle!*

élancer (s') [s elɑ̃se], v. intr., partir en courant : *il s'est élancé pour monter dans le train.*

électeur, trice [elɛktœr, tris], n. m. et f., celui (celle) qui élit : *pour être électeur il faut avoir* 21 *ans.*

élection [elɛksjɔ̃], n. f., action d'élire : *nous avons eu des élections dimanche dernier.*

électricien [elɛktrisjɛ̃], n. m., celui qui s'occupe d'électricité : *nous avons fait réparer notre poste de radio par l'électricien.*

électricité [elɛktrisite], n. f., force qui donne de la lumière, qui fait marcher des moteurs, etc. : *nous avons fait installer l'électricité dans notre maison;* fig., *il y a de l'électricité dans l'air,* les gens vont se mettre en colère.

électrique [elɛktrik], adj., qui se rapporte à l'électricité : *un fil électrique, un moteur électrique.*

électronique [elɛktrɔnik], adj., qui se rapporte à certaines formes nouvelles de l'électricité : *une machine électronique;* n. f., science qui étudie ces formes nouvelles.

électrophone [elɛktrɔfɔn], n. m., appareil qui fait entendre les disques en marchant à l'électricité : *venez écouter mon électrophone.*

élégance [elegɑ̃s], n. f., qualité d'une personne ou d'une chose élégante : *il s'habille avec élégance.*

élégant, ante [elegɑ̃, ɑ̃t], adj. et n., fin, distingué, agréable à voir, à entendre : *un homme élégant s'habille avec soin; un élégant,* un homme élégant; *une élégante,* une femme élégante.

élément [elemɑ̃], n. m., **1.** ce qui sert à faire un ensemble : *les quatre éléments,* l'eau, l'air, la terre et le feu (on croyait autrefois que le monde était fait de ces quatre matières); *il est dans son élément,* il est dans un milieu, dans un métier, etc., qui lui plaît. **2.** ce que l'on apprend d'abord dans une étude, dans un métier : *il sait les éléments de l'histoire; il en est encore aux éléments,* il commence seulement à apprendre.

éléphant [elefɑ̃], n. m., très gros animal sauvage : *la peau de l'éléphant est très épaisse.*

élevage [elvaʒ], n. m., action d'élever des animaux (bœufs, moutons, chevaux, etc.) (voir *élever*) : *l'élevage des bœufs réussit bien dans cette région.*

élève [elɛv], n. m. et f., celui (celle) qui étudie dans une école ou avec un maître : *il y a beaucoup d'élèves dans cette école.*

élever [elve] *(j'élève, nous élevons; j'élèverai),* v. trans., **1.** faire aller vers le haut, faire monter : *il faut élever ce mur* (parce qu'il n'est pas assez haut); fig., *il a été élevé à un poste très important.* **2.** bâtir : *on va élever ici une grande maison.* **3.** s'occuper d'enfants : *cette dame a élevé deux fils et une fille.* **4.** donner des aliments et des soins à des animaux domestiques : *on élève des moutons dans cette ferme.* — **s'élever, 1.** monter en l'air : *le ballon s'élève.* **2.** au fig., avoir une situation meilleure dans la vie : *il s'est élevé par son travail et son intelligence.* **3.** être situé (en parlant d'une maison, d'une montagne, d'arbres) : *les montagnes s'élèvent derrière la rivière.* — **élevé, ée,** adj., **1.** *bien élevé,* poli, qui a de bonnes manières; *mal élevé,* qui n'est pas poli, qui a de mauvaises manières. **2.** haut : *cet arbre est très élevé.*

éleveur [elvœr], n. m., celui qui élève des animaux (bœufs, moutons, chevaux, etc.) : *c'est un grand éleveur de moutons.*

élire [elir] (comme *lire*), v. trans., choisir (d'ordinaire en votant) : *nous avons élu un nouveau conseil.*

elle, plur. **elles** [ɛl], pron. personnel féminin : ELLE *lit* (masc. : *il lit*); ELLES *lisent* (masc. : *ils lisent*); *nous parlons d'*ELLE (masc. : *de lui*); *nous allons devant* ELLES (masc. : *devant eux*). — **elle-même, elles-mêmes,** elle (ou elles) en personne (et non une autre ou d'autres) : *elle est venue* ELLE-MÊME; *elles ont fait cela* ELLES-MÊMES.

éloigner [elwaɲe], v. trans., porter loin, faire partir loin : *éloignez la table de la fenêtre.* — **s'éloigner,** s'en aller, partir : *le train s'éloigne de la gare; il s'est éloigné en pleurant.* — **éloigné, ée,** adj., qui est loin : *il habite une ville éloignée; cette maison est éloignée du village.*

embarrasser [ɑ̃barase], v. trans., **1.** empêcher de remuer, de faire des mouvements : *j'ai les deux mains embarrassées.* **2.** gêner, rendre l'action peu facile : *cette question m'embarrasse,* je ne sais pas ce que je dois répondre; *je suis embarrassé,* je ne sais pas ce que je dois faire. — **s'embarrasser,** se charger de choses qui gênent, qui empêchent de marcher : *il s'est embarrassé de deux valises ;* au fig., *ne vous embarrassez pas de ce qu'on vous dira.*

embrasser [ɑ̃brase], v. trans., prendre dans ses bras, serrer dans ses bras : *le père a embrassé son fils avant de s'en aller.*

émettre [emɛtrə] (comme *mettre*), v. trans., **1.** produire, mettre dans le public : *vous avez émis une idée très juste; le gouvernement a émis des timbres, des billets de banque.* **2.** faire entendre à la radio : *ce poste émet surtout de la musique.*

émission [emisjɔ̃], n. f., **1.** action de mettre dans le public : *une nouvelle émission de timbres.* **2.** action de faire entendre à la radio : *ce poste a cessé ses émissions.* **3.** ce qu'on entend à la radio : *nous avons entendu une émission intéressante.*

emmener [ɑ̃mne] *(j'emmène, nous emmenons; j'emmènerai),* v. trans., conduire loin d'un endroit, ou d'un endroit à un autre : *emmenez-moi loin d'ici; son père l'a emmené avec lui à Paris.*

émotion [emosjɔ̃], n. f., ce qu'on sent quand on est ému : *cette mort a causé une grande émotion dans la ville.*

émouvoir [emuvwar] (comme *mouvoir*), v. trans., remuer les sentiments de quelqu'un : *cette pièce de théâtre m'a beaucoup ému.* — **s'émouvoir,** avoir les sentiments remués : *cette dame s'émeut au plus petit bruit.*

emparer (s') [s ɑ̃pare], v. (avec *de*), prendre (le plus souvent par la force) : *l'armée ennemie s'est emparée de la ville.*

empêcher [ɑ̃pɛʃe], v. trans., faire que quelqu'un ne puisse faire quelque chose : *cette nouvelle m'a empêché de partir.*

empereur [ɑ̃prœr], n. m., chef de certains pays : *Napoléon Ier a été empereur des Français.*

empire [ɑ̃pir], n. m., **1.** pays qui a à sa tête un empereur : *l'empire français, l'empire allemand.* **2.** pouvoir : *il faut garder de l'empire sur soi-même.*

emploi [ɑ̃plwa], n. m., **1.** la façon de se servir de quelque chose : *mode d'emploi* (*mode* est ici un nom masculin), papier où est écrit la façon dont on doit se servir d'un médicament, d'un appareil, etc.; *cela fait double emploi,* c'est deux fois la même chose. **2.** le fait d'être employé dans un magasin, une usine, etc. : *il a un bon emploi; il va quitter son emploi; le plein emploi,* le fait que, dans un pays, tout le monde a du travail.

employé, ée [ɑ̃plwaje], n. m. et f., celui (celle) qui travaille dans un magasin ou un bureau : *l'employé qui m'a répondu a été très poli.*

employer [ɑ̃plwaje] (prend *i* au lieu de *y* devant *e* muet : *il emploie*), **1.** se servir de quelque chose : *il a employé un balai pour nettoyer.* **2.** avoir à son service : *cette usine emploie beaucoup d'ouvriers.*

employeur, euse [ɑ̃plwajœr, øz], n. m. et f., celui (celle) qui emploie un employé, un ouvrier, etc.; patron : *il a trouvé un nouvel employeur.*

emporter [ɑ̃pɔrte], v. trans., **1.** porter au dehors : *j'emporte cette valise pour mon voyage.* **2.** prendre de force : *l'ennemi a emporté la ville.* **3.** (en parlant d'une maladie) faire mourir : *une mauvaise fièvre l'a emporté.* **4.** *l'emporter,* gagner sur quelqu'un : *nous l'avons emporté de peu.* — **s'emporter,** se mettre en colère : *il s'est emporté contre son frère.* — **emporté, ée,** adj., qui s'emporte, qui se met facilement en colère : *ne soyez pas si emporté.*

emprunt [ɑ̃prœ̃], n. m., **1.** action d'emprunter : *il a fait un emprunt,* il a emprunté de l'argent. **2.** l'argent qu'on a emprunté : *il a vécu de ses emprunts.* **3.** *des mots d'emprunt,* des mots qui viennent d'une autre langue.

emprunter [ɑ̃prœ̃te], v. trans., se faire prêter : *il m'a emprunté mon livre en disant qu'il me le rendrait demain;* fig., *le français a emprunté des mots à d'autres langues.* — **emprunté, ée,** adj., *il a un air emprunté,* il ne sait pas se présenter dans le monde.

1. en [ɑ̃, ɑ̃ n devant une voyelle], prép., **1.** (lieu), dans : *il voyage en Italie; il est arrivé en Espagne.* **2.** (temps) : *en ce temps-là; il est né en* 1950. **3.** marque qu'une action est faite en peu de temps : *il est allé de Paris à Lille en* 3 *heures.* **4.** avec le verbe *changer : cette maison a été changée en château.* **5.** marque comment on fait quelque chose : *il est mort en soldat.*

2. en [ɑ̃, ɑ̃ n devant une voyelle], adv. et pron. personnel. **1.** adv. : de là, de cet endroit : *je suis allé passer mes vacances à la mer et j'en suis revenu hier.* **2.** pron. personnel : de lui, d'elle, d'eux, d'elles (se dit surtout en parlant des choses) : *ce livre m'a intéressé, j'en ai lu déjà la moitié.*

encore [ɑ̃kɔr], adv., **1.** de nouveau, une nouvelle fois : *donnez-moi encore un morceau de sucre; il est encore venu.* **2.** marque qu'une action continue jusqu'à ce moment : *vous travaillez encore.* **3.** (avec *ne... pas*) marque qu'une action qu'on attendait n'est pas faite : *vous n'êtes pas encore couché.* **4.** de plus, dans *non seulement... mais encore : non seulement il ne m'a pas écrit, mais encore il n'a pas répondu à ma lettre.* **5.** devant *plus* ou *moins,* donne plus de force : *il est encore plus grand que vous,* vous êtes grand, mais il est plus grand que vous.

encourager [ɑ̃kuraʒe], v. trans., **1.** (avec un nom de personne pour objet) donner du courage à quelqu'un pour qu'il continue à bien faire : *il fau encourager les bons élèves; je l'ai encouragé à aller vous voir,* il voulait seulement à moitié aller vous voir, je l'ai poussé à le faire. **2.** (avec un nom de chose pour objet) aider à développer : *le gouvernement encourage l'art et l'industrie.*

encre [ɑ̃krə], n. f., liquide noir ou de couleur qui sert à écrire : *il a écrit avec de l'encre de couleur; noir comme de l'encre,* très noir; *c'est la bouteille à l'encre,* on n'y comprend rien.

endormir [ɑ̃dɔrmir] (comme *dormir*), v. trans., faire dormir : *ce médicament l'a endormi.* — **s'endormir,** commencer à dormir : *je me suis endormi de bonne heure.*

endroit [ɑ̃drwa], n. m., **1.** lieu, place : *on ne voit rien de cet endroit.* **2.** partie d'un livre : *vous avez lu le plus bel endroit.* **3.** le côté d'une chose qui doit être dessus et qu'on doit voir : *remettez cet habit à l'endroit.*

énergie [enɛrʒi], n. f., **1.** force morale qui donne du courage pour travailler : *il a réussi parce qu'il a travaillé avec énergie.* **2.** force matérielle employée dans l'industrie (charbon, pétrole, électricité) : *on se sert beaucoup aujourd'hui de l'énergie électrique.*

énergique [enɛrʒik], adj., **1.** qui a une grande force morale : *un homme énergique peut arriver à un résultat.* **2.** qui produit beaucoup d'effet : *ce médicament est très énergique.*

énerver [enɛrve], v. trans., à la fois fatiguer et mettre en colère, rendre nerveux (au sens 2 de *nerveux*) *: ce qu'il dit m'énerve toujours.* — **s'énerver,** devenir nerveux (prêt à se mettre en colère) : *il s'énerve parce qu'il ne réussit pas à faire partir son auto.*

enfance [ɑ̃fɑ̃s], n. f., le commencement de la vie : *il a eu une enfance heureuse; cette vieille personne est tombée en enfance,* elle a l'esprit très faible, comme celui d'un enfant.

enfant [ɑ̃fɑ̃], n. m., **1.** petit garçon ou petite fille : *il s'amuse comme un enfant* (quelquefois au féminin quand on parle d'une petite fille : *une gentille enfant); il est bon enfant,* il est facile à vivre. **2.** fils ou fille de quelqu'un : *cette dame est mère de trois enfants, deux fils et une fille.*

enfermer [ɑ̃fɛrme], v. trans., **1.** mettre une personne ou un animal dans un endroit et ne pas lui permettre de sortir : *vous avez enfermé le chat sans faire attention.* **2.** mettre des choses dans une chambre ou dans un meuble que l'on ferme à clé : *il a enfermé son linge dans l'armoire.* — **s'enfermer,** fermer à clé sa chambre ou sa maison pour n'être dérangé par personne : *il s'est enfermé pour écrire une lettre importante.*

enfin [ɑ̃fɛ̃], adv., à la fin, pour finir : *je vous ai longtemps cherché, je vous trouve enfin.*

enfler [ɑ̃fle], v. trans., **1.** rendre plus gros : *il a la main enflée.* **2.** fig., présenter une chose comme plus importante qu'elle n'est : *il a enflé ses services.* — v. intr., devenir plus gros : *sa joue enfle.*

enfoncer [ɑ̃fɔ̃se] (avec *ç* devant *a* et *o : j'enfonçais, nous enfonçons*), v. trans., **1.** pousser une chose pour qu'elle entre dans la terre, dans une pierre, etc. : *j'ai enfoncé un clou dans le mur.* **2.** mettre en morceaux en poussant et en frappant : *comme personne n'ouvrait, on a enfoncé la porte.* — **s'enfoncer,** aller vers le fond : *un bateau qui coule s'enfonce dans la mer.*

engagement [ɑ̃gaʒmɑ̃], n. m., action de promettre : *il n'a pas tenu son engagement.*

engager [ɑ̃gaʒe], v. trans., **1.** prendre comme employé, comme ouvrier, comme domestique : *il a engagé deux ouvriers.* **2.** pousser quelqu'un à faire quelque chose, lui donner un conseil : *je vous engage à sortir par ce beau temps.* **3.** faire entrer : *il a engagé la lame dans le manche.* — **s'engager, 1.** promettre : *je m'engage à aller vous voir la semaine prochaine.* **2.** entrer dans l'armée, devenir soldat avant d'être appelé : *il s'est engagé à dix-huit ans.*

engrais [ɑ̃grɛ], n.m., matière qu'on met dans la terre pour que les plantes poussent mieux : *ces cultivateurs savent mettre les engrais qu'il faut à leurs champs.*

enlever [ɑ̃lve] *(j'enlève, vous enlevons; j'enlèverai),* v. trans., **1.** faire partir de sa place : *on a enlevé les meubles de la salle à manger.* **2.** prendre par force : *cet enfant a été enlevé.*

ennemi, ie [ɛnmi], n. et adj., **1.** celui (celle) qui est contraire à quelqu'un, qui veut du mal à quelqu'un : *il s'est fait beaucoup d'ennemis.* PROVERBE : *Le mieux est l'ennemi du bien,* en voulant faire mieux on fait souvent plus mal. **2.** celui (celle) qui est en guerre contre quelqu'un : *l'armée ennemie est entrée dans la ville.*

ennui [ɑ̃nɥi], n. m., **1.** sentiment qui vient de ce qu'on ne sait pas quoi faire : *on trompe l'ennui en travaillant.* **2.** sentiment qui vient d'une personne ou d'une chose qui n'intéresse pas : *quel ennui de l'écouter!* **3.** chose qui n'est pas agréable : *il a eu quelques ennuis de santé cet hiver.*

ennuyer [ɑ̃nɥije] (avec *i* au lieu d'*y* devant *e* muet : *il ennuie*), v. trans., **1.** ne pas intéresser : *ce film m'a ennuyé d'un bout à l'autre.* **2.** rendre triste : *cette mauvaise nouvelle m'ennuie.* — **s'ennuyer, 1.** ne pas savoir quoi faire : *les enfants s'ennuient souvent le dimanche quand il pleut.* **2.** ne pas être intéressé : *je me suis ennuyé au théâtre.*

ennuyeux, euse [ɑ̃nɥijø, øz], adj., **1.** qui ennuie (en n'intéressant pas) : *ce livre est ennuyeux.* **2.** qui ennuie (en rendant triste) : *votre départ est bien ennuyeux.*

énorme [enɔrm], adj., **1.** trop grand, trop gros : *il a tellement grossi qu'il est* *devenu énorme.* **2.** fam., très grand, très gros : *il y avait un monde énorme au cinéma.*

énormément [enɔrmemɑ̃], adj., **1.** trop : *il a énormément grossi.* **2.** fam., beaucoup : *je connais énormément de gens dans cette ville; je l'aime énormément.*

enquête [ɑ̃kɛt], n. f., action de chercher la vérité sur quelque chose, en particulier sur une affaire qui intéresse la justice : *le juge a ouvert une enquête sur la mort de notre voisin.*

enregistrer [ɑ̃rʒistre], v. trans., **1.** écrire ce que quelqu'un dit (en particulier devant la justice) : *on a enregistré tout ce qu'il disait.* **2.** *enregistrer des bagages,* présenter ses bagages à la gare pour les faire envoyer par le train : *j'ai fait enregistrer ma valise, je ne garderai qu'un paquet avec moi.* **3.** *enregistrer des sons,* faire qu'on puisse les entendre de nouveau en faisant tourner un disque de phono (ou par un autre moyen) : *cette chanson a été bien enregistrée.*

enrichir [ɑ̃riʃir], v. trans., rendre riche : *le commerce a enrichi ce pays.* — **s'enrichir,** devenir riche : *ce marchand s'est enrichi.*

enseignement [ɑ̃sɛɲmɑ̃], n. m., **1.** action d'enseigner, d'apprendre quelque chose aux autres : *tous les gouvernements s'intéressent à l'enseignement; il est entré dans l'enseignement;* il a commencé à enseigner, il est devenu maître dans une école; *l'enseignement public,* l'enseignement que donnent des maîtres nommés et payés par le gouvernement; *l'enseignement libre,* l'enseignement que donnent des maîtres qui ne sont pas nommés par le gouvernement; *un établissement d'enseignement,* une école. **2.** chose qui enseigne, leçon : *ce livre est plein d'enseignements.*

enseigner [ɑ̃sɛɲe], v. trans., apprendre quelque chose à d'autres : *ce maître enseigne bien les langues.*

ensemble [ɑ̃sɑ̃blə], adv., à la fois, en même temps : *mes trois frères sont arrivés ensemble.* — n. m., personnes ou choses qui forment un tout : *vous avez un bel ensemble de meubles anciens.*

ensuite [ɑ̃sɥit], adv., après cela : *travaillez d'abord, vous vous amuserez ensuite.*

entendre [ɑ̃tɑ̃drə] *(j'entends, tu entends, il entend, nous entendons, vous entendez, ils entendent; j'entendais; j'entendis; j'entendrai; que j'entende; entendu),* v. trans., **1.** la fonction des oreilles (ce que font les oreilles) : *parlez plus fort, je ne vous entends pas bien; j'ai entendu parler de cette nouvelle; j'ai entendu dire que vous vouliez voyager;* fig., *je n'entends pas de cette oreille,* je ne ferai pas ce que vous voulez que je fasse. **2.** comprendre : *j'entends ce que vous voulez dire; il ne veut pas entendre raison,* il ne veut pas faire ce qui est juste, ce qui est utile; *laisser entendre,* faire comprendre sans le dire tout à fait : *il m'a laissé entendre qu'il préparait son départ* **3.** (avec *que* et le subj.) vouloir : *j'entends que tout le monde se taise.* — **s'entendre, 1.** être d'accord : *ces deux frères s'entendent bien; il s'entend bien avec ses parents.* **2.** *s'entendre à quelque chose* (ou *en quelque chose*), se connaître à quelque chose : *il s'entend bien aux jardins.* — **entendu, ue,** adj., **1.** (en parlant de personnes) qui s'entend à certaines choses, qui sait beaucoup de choses : *il fait l'entendu.* **2.** (en parlant des choses) *c'est entendu, c'est bien entendu,* cela sera fait ainsi, nous en sommes d'accord; (dans un tribunal) *la cause est entendue,* le tribunal en sait assez pour juger. — **bien entendu,** adv., cela va de soi, naturellement, nous en sommes d'accord : *bien entendu, nous irons en vacances dans les montagnes.*

enterrement [ɑ̃tɛrmɑ̃], n. m., action d'enterrer un mort : *il y avait beaucoup de monde à cet enterrement.*

enterrer [ɑ̃tɛre], v. trans., **1.** mettre quelque chose dans la terre : *il a enterré son argent dans son jardin.* **2.** mettre un mort dans la terre : *on l'a enterré dans le cimetière du village;*

fam., *il nous enterrera tous*, il vivra plus longtemps que nous tous. **3.** fig., *enterrer une affaire, une question*, ne plus s'en occuper. — **s'enterrer**, fig., (en parlant d'une personne de la ville) s'en aller habiter la campagne : *il s'est enterré dans une ferme.*

entier, ière [ɑ̃tje,ɛr], adj., **1.** où il ne manque rien : *il a mangé un gâteau entier* (ou *tout entier*). **2.** (en parlant des personnes) qui tient beaucoup à ses idées : *c'est un esprit entier.* — **en entier**, complètement : *il a fait son travail en entier.*

entièrement [ɑ̃tjɛrmɑ̃], adv., en entier, complètement tout à fait : *vous avez entièrement raison.*

entourer [ɑ̃ture], v. trans., **1.** être autour de quelqu'un ou de quelque chose : *le jardin entoure la maison; il est entouré d'ennemis.* **2.** mettre autour de quelqu'un ou de quelque chose : *j'ai entouré le paquet d'une ficelle;* fig., *ses enfants l'entourent de soins*, le soignent bien. — **s'entourer** (en parlant de personnes), avoir autour de soi : *il s'entoure de gens agréables; il s'est entouré de tableaux anciens.*

entraîner [ɑ̃trɛne], v. trans., **1.** tirer avec soi : *en tombant il a entraîné son camarade.* **2.** pousser par l'exemple à faire quelque chose : *ses amis l'ont entraîné à mal faire.* **3.** préparer pour un sport : *on entraîne ce cheval à courir; il s'entraîne à nager.* **4.** avoir pour résultat : *cette nouvelle maison entraînera de grosses dépenses.*

entre [ɑ̃trə], prép., **1.** marque une place dans l'espace ou le temps : *j'étais assis entre mes deux amis*, l'un était assis à ma droite l'autre à ma gauche; *nous partirons entre le 10 et le 20 septembre*, nous partirons après le 10 et avant le 20 septembre. **2.** au fig. : *ce père ne fait pas de différence entre ses enfants; ces dames se voient entre elles*, l'une l'autre.

L'arbre est entre les deux maisons.

entrée [ɑ̃tre], n. f., **1.** action d'entrer : *il a été salué à son entrée.* **2.** endroit par où l'on entre : *je vous attends à l'entrée du jardin; l'entrée de ce port est étroite.*

entreprendre [ɑ̃trəprɑ̃drə] (comme *prendre*), v. trans., commencer à faire : *nous avons entrepris un grand travail.*

entrepreneur [ɑ̃trəprənœur], n. m., celui qui fait certains travaux (surtout des maisons, des ponts, etc.) pour l'Etat, les villes, des particuliers : *il y a dans cette ville deux entrepreneurs importants.*

entreprise [ɑ̃trəpriz], n. f., ce que l'on entreprend : *il n'a pas réussi dans son entreprise.*

entrer [ɑ̃tre], v. intr. (se conjugue avec l'auxiliaire *être*), **1.** aller dans un endroit : *les élèves entrent en classe.* **2.** prendre un métier : *il est entré dans le commerce.* **3.** *il entre dans mes idées (dans mes vues)*, il pense maintenant comme moi.

entretenir [ɑ̃trətnir] (se conjugue comme *tenir*), v. trans., **1.** *entretenir quelque chose*, faire qu'une chose reste comme elle doit être : *nous entretenons le feu avec du bois; il entretient bien ses habits.* **2.** *entretenir quelqu'un*, lui donner tout ce qui est nécessaire pour la vie : *ce père de famille a cinq enfants a entretenir.* **3.** *entretenir quelqu'un*, lui parler assez longtemps : *je l'ai entretenu de mes idées.* — **s'entretenir**, causer avec quelqu'un : *ils se sont longtemps entretenus après mon départ; il s'est entretenu avec son frère.*

entretien [ɑ̃trətjɛ̃], n. m., **1.** action d'entretenir une chose : *ces casseroles sont d'un entretien facile.* **2.** action de donner à quelqu'un ce qui lui est nécessaire pour vivre : *l'entretien de ses enfants lui coûte très cher.* **3.** action de causer avec quelqu'un : *je n'ai pas voulu arrêter leur entretien; il a demandé un entretien au directeur.*

enveloppe [ɑ̃vlɔp], n. f., **1.** ce qui sert à envelopper, à entourer de tous les côtés : *il a déchiré l'enveloppe du paquet.* **2.** papier plié d'une certaine façon où l'on met les lettres : *il a tiré la lettre de l'enveloppe.*

envelopper [ɑ̃vlɔpe], v. trans., entourer de tous les côtés : *le blessé avait la tête enveloppée de linge.*

envie [ɑ̃vi], n. f., le fait de désirer (de vouloir) quelque chose : *avoir envie : j'ai envie de me promener,* je voudrais me promener; *donner envie : le beau temps me donne envie de sortir,* il est cause que je voudrais sortir.

environ [ɑ̃virɔ̃], adv., à peu près : *il est environ quatre heures; il y a environ deux kilomètres jusqu'à la ville.*

environs [ɑ̃virɔ̃], n. m. plur., région autour d'une ville; *on trouve de belles forêts aux environs de Paris.*

envisager [ɑ̃vizaʒe], v. trans., **1.** voir (au figuré) (se dit surtout de ce qui arrivera) : *j'envisage l'avenir sans peur.* **2.** avoir l'idée de faire quelque chose : *nous envisageons pour nos vacances un voyage sur mer; j'envisage d'avancer mon départ.*

envoler (s') [ɑ̃vɔle], v. intr., partir en volant : *l'oiseau s'est envolé quand il a aperçu le chasseur.*

envoyer [ɑ̃vwaje] (prend *i* au lieu d'*y* devant *e* muet : *j'envoie;* — futur : *j'enverrai;* conditionnel : *j'enverrais*), v. trans., faire aller en un endroit : *il a envoyé une lettre à son client; vous enverrez votre fils acheter des fruits;* fam., *je ne le lui ai pas envoyé dire,* je le lui ai dit moi-même (quelque chose de peu agréable).

épais, aisse [epɛ, ɛs], adj. (contraire : *mince*), **1.** d'une matière serrée,

Ce livre est épais, l'autre est mince.

qui ne coule pas facilement : *cette soupe est épaisse.* **2.** gros : *ce livre est épais.*

épaisseur [epɛsœr], n. f., qualité de ce qui est épais : *regarde l'épaisseur de ce mur.*

épargner [eparñe], v. trans., **1.** ne pas dépenser : *il a épargné beaucoup d'argent; il épargne sa peine,* il ne travaille pas beaucoup; *il épargne ses mots,* il parle peu. **2.** *épargner quelque chose à quelqu'un,* faire qu'il n'ait pas à dépenser ou à faire : *je lui ai épargné un gros travail.* **3.** ne pas frapper quelqu'un qu'on pourrait tuer : *il a épargné son ennemi.*

épaule [epol], n. f., partie du corps, à l'endroit où commence le bras : *il lit le journal pardessus l'épaule de son voisin; il a la tête dans les épaules,* il a le cou très court.

épi [epi], n. m., la partie du blé et d'autres plantes où sont les grains : *on a coupé les épis.*

épicerie [episri], n. f., **1.** magasin où se vendent toute sorte d'aliments : *j'ai acheté des pâtes à l'épicerie.* **2.** commerce de ces aliments : *il est dans l'épicerie.*

Épi.

épicier, ière [episje, jɛr], n. m. et f., celui (celle) qui a un commerce d'une épicerie : *cet épicier est très bien installé.*

épingle [epɛ̃glə], n. f., petite tige de métal pointue à un bout, plus large à l'autre bout, qui sert à attacher des morceaux de tissu ou de papier : *elle s'est piquée avec une épingle.* EXPRESSIONS : *il est tiré à quatre épingles,* il est très bien habillé; *il a su tirer son épingle du jeu,* il a su se tirer d'une mauvaise situation.

éponge [epɔ̃ʒ], n. f., matière qui sert à laver, parce qu'elle boit l'eau et la rend si on la presse : *on a lavé le tableau noir avec une éponge;* fig., *nous passerons l'éponge sur cette faute,* nous n'en parlerons plus, nous l'oublierons.

époque [epɔk], n. f., moment dans l'histoire d'un pays, ou dans la vie d'une personne : *à cette époque j'étais jeune.*

épouser [epuze], v. trans., se marier avec quelqu'un, prendre pour mari ou pour femme : *ce jeune homme épousera bientôt la jeune fille qu'il aime.*

époux, ouse [epu, uz], n. m. et f., le mari ou la femme : *il est sorti avec son épouse; les époux,* le mari et la femme : *ces deux époux sont mariés depuis longtemps.*

épreuve [eprœv], n. f., **1.** essai pour voir si un outil, une arme, etc., est en état de servir : *on a mis cet homme à l'épreuve avant de l'employer,* on a cherché à voir ce qu'il pouvait faire; *un mur à toute épreuve,* qui peut tenir contre tout; *un manteau à l'épreuve de la pluie,* la pluie ne le traverse pas. **2.** malheur : *cet homme a eu bien des épreuves dans sa vie.* **3.** une des chose qu'on a à faire dans un examen : *nous avons passé deux des trois épreuves de notre examen.* **4.** en photographie, la photo tirée sur du papier : *ces épreuves sont bien réussies.*

éprouver [epruve], v. trans., **1.** essayer : *il a voulu éprouver ma force.* **2.** sentir : *j'ai éprouvé de la peur en traversant la forêt pendant la nuit.* **3.** fatiguer par des malheurs : *la mort de sa femme l'a beaucoup éprouvé.*

épuiser [epɥize], v. trans., **1.** ne rien laisser de quelque chose : *nous avons épuisé nos provisions.* **2.** fatiguer beaucoup: *ce voyage nous a épuisés.* — **épuisé, ée,** adj. très fatigué : *nous sommes arrivés épuisés.*

équilibre [ekilibrə], n. m., le fait de ne pencher ni d'un côté ni de l'autre : *ce livre est en équilibre au bord de la table; il a perdu son équilibre,* il s'est trop penché d'un côté et il est tombé; fig. *il garde son équilibre,* il reste calme.

équipage [ekipaʒ], n. m., **1.** les marins d'un bateau : *l'équipage est descendu à terre.* **2.** sens anciens : *arriver en grand équipage,* avec une voiture et des personnes à son service; *le train des équipages,* les voitures de l'armée et les soldats qui les conduisent.

équipe [ekip], n. f., ouvriers d'un même métier qui travaillent ensemble : *c'est l'heure où l'on change les équipes; il fait équipe avec nous,* il travaille avec nous; *homme d'équipe,* dans les chemins de fer, celui qui s'occupe des wagons, des rails, etc.

équipement [ekipmɑ̃], n. m., tout ce qui sert à équiper : *l'équipement du soldat, l'équipement d'un pays en usines.*

équiper [ekipe], v. trans., donner ce qui est nécessaire : *un bateau équipé; cette usine est bien équipée.* — **s'équiper,** acheter ce qui est nécessaire : *nous nous sommes équipés pour le sport.*

erreur [ɛrœr], n. f., le fait de se tromper : *il a fait une erreur en comptant; ne le laissez pas dans l'erreur.*

escadre [ɛskadrə], n. f., ensemble important de bateaux de guerre ou d'avions : *l'escadre est arrivée au port.*

escalier [ɛskalje], n. m., partie de la maison qui sert à monter aux étages : *cet escalier est très étroit.*

espace [ɛspas], n. m., **1.** ce qui est vide entre des choses : *il y a un grand espace entre la table et l'armoire; un espace de temps,* le temps entre deux événements. **2.** la terre, l'air, partout où l'on peut aller, où l'on peut voir : *le ballon est perdu dans l'espace.*

espèce [ɛspɛs], n. f., **1.** sorte : *on voit dans cette ferme plusieurs espèces d'animaux.* **2.** *une espèce de,* une sorte de, quelque chose qui ressemble à : *il avait une espèce de livre sous le bras.* **3.** au plur., *espèces,* argent (pièces ou billets) : *il a été payé en espèces.*

espérance [ɛsperɑ̃s], n. f., le fait d'espérer : *ce père a mis toutes ses espérances en son fils.*

espérer [ɛspere] *(j'espère, nous espérons; j'espérerai),* v. trans., penser que quelque chose d'heureux arrivera : *j'espère que vous réussirez; j'espère ne pas manquer le train.*

espoir [ɛspwar], n. m., le fait d'espérer : *tous les espoirs vous sont permis.*

esprit [ɛspri], n. m., **1.** ce qui permet à l'homme de penser et de comprendre : *il a cultivé son esprit en lisant et en écoutant; c'est un esprit juste.* **2.** qualité qui fait parler et répondre de façon à intéresser ceux qui écoutent : *il a de l'esprit.* **3.** EXPRESSIONS : *il reprend ses esprits,* il revient à la vie ; *de l'esprit de vin,* de l'alcool.

essai [esɛ], n. m., **1.** action d'essayer : *il n'a pas été content de cet essai.* **2.** livre où on s'occupe d'une question sans vouloir l'étudier à fond : *il a écrit un essai sur la poésie.*

essayer [esɛje] *(j'essaie* ou *j'essaye, nous essayons, vous essayez ; j'essayais, nous essayions, vous essayiez ; j'essaierai* ou *j'essayerai ; que j'essaye, que nous essayions, que vous essayiez),* v. trans., **1.** se servir d'une chose pour voir si elle est bonne pour ce qu'on veut en faire : *il essaie* (ou *essaye*) *ses nouvelles lunettes ; le tailleur lui essaiera* (ou *essayera*) *son manteau.* **2.** faire une action pour voir si on peut réussir à la faire bien : *nous essayons de conduire cette auto.* — **s'essayer,** voir si on est assez fort pour faire quelque chose : *qu'il s'essaye à ce sport.*

essence [esɑ̃s], n. f., **1.** liquide tiré du pétrole, qui sert à faire marcher les autos, les motos, etc. : *cette auto n'a pas besoin de beaucoup d'essence.* **2.** liquide tiré de certaines fleurs : *de l'essence de rose.*

essentiel, elle [esɑ̃sjɛl], adj., très important : *il est essentiel de bien faire ses devoirs.* — **essentiel,** n. m., ce qui est le plus important : *j'ai oublié de vous dire l'essentiel.*

essuyer [esɥije] (avec *i* au lieu d'*y* devant un *e* muet : *il essuie*) : v. trans., **1.** frotter un objet mouillé pour qu'il devienne sec : *je me suis essuyé les mains avec une serviette.* **2.** frotter un objet avec un chiffon pour le nettoyer : *j'ai essuyé les chaises.* **3.** *j'ai essuyé sa colère,* il s'est mis en colère contre moi : *j'ai essuyé un orage,* j'ai été mouillé par une pluie d'orage.

est [ɛst], n. m., un des quatre points cardinaux, celui qui se trouve à droite quand on regarde le nord : *le soleil se lève à l'est.*

est-ce que [ɛskə], mot interrogatif : *est-ce que votre maison est grande? quand est-ce que vous venez?*

estime [ɛstim], n. f., le fait de penser du bien de quelqu'un ou de quelque chose : *j'ai de l'estime pour vos efforts.*

estimer [ɛstime], v. trans., **1.** dire ce que vaut un objet : *il a fait estimer sa montre en or.* **2.** penser du bien de quelqu'un ou de quelque chose : *j'estime beaucoup votre frère.* **3.** *estimer que,* penser que : *j'estime que vous vous êtes mal conduit.*

estomac [ɛstɔma], n. m., organe du corps, sorte de poche où passent les aliments : *il a un bon estomac ; il a l'estomac vide,* il y a longtemps qu'i n'a pas mangé ; *cela m'est resté sur l'estomac,* cela n'a pas passé (au sens propre et au sens figuré).

et [e], conj., attache l'un à l'autre des mots, ou des parties de phrase : *il est bon et agréable ; il s'est assis et a commencé à déjeuner ; je sortirai s'il fait beau et si j'ai fini mon travail.*

étable [etablə], n. f., bâtiment où l'on met les bœufs et les vaches : *cette étable est bien soignée.*

établir [etablir], v. trans., **1.** installer : *on a établi une école dans le village.* **2.** *établir quelqu'un,* le marier ou lui donner une situation : *ce père a bien établi ses enfants.* — **s'établir,** s'installer : *un médecin s'est établi dans notre ville.*

établissement [etablismɑ̃], n. m., **1.** action d'établir, d'installer : *l'établissement de nouveaux quartiers a coûté très cher.* **2.** maison de commerce, usine : *il est ouvrier aux établissements X ; établissement d'enseignement,* école ; *chef d'établissement,* directeur de l'école.

étage [etaʒ], n. m., dans une maison tous les appartements et toutes les pièces qui ont le même plancher (on ne compte pas le bas de la maison [*le rez de chaussée*]) : *il habite le premier étage dans une maison de huit étages.*

La maison a deux étages.

étain [etɛ̃], n. m., métal blanc, assez léger : *on faisait autrefois des assiettes et des pots en étain.*

étalage [etalaʒ], m., **1.** ce qu'un commerçant met sous les yeux de ceux qui regardent son magasin (sa boutique) : *j'ai vu de belles chaussures à cet étalage.* **2.** fig., le fait de montrer ce qu'on a de bien, de façon que les autres le voient : *je n'aime pas cet étalage de qualités; il fait étalage de son courage,* il fait savoir à tout le monde qu'il est courageux.

étaler [etale], v. trans., **1.** mettre quelque chose à plat : *le marchand étale ses tissus; le peintre étale les couleurs sur la toile.* **2.** montrer : *il étale ses services.* — **s'étaler,** fam., tomber : *il s'est étalé en courant.*

étang [etɑ̃], n. m., sorte de très petit lac : *il est défendu de pêcher dans cet étang.*

étape [etap], n. m., **1.** endroit où des soldats et des voyageurs s'arrêtent pour passer la nuit, après avoir marché dans la journée : *nous nous reposerons à l'étape.* **2.** chemin que l'on fait pendant une journée: *l'étape a été longue.*

état [eta], n. m., **1.** manière d'être : *cette chaise est en bon état, en mauvais état; être en état de,* pouvoir : *ces lunettes ne sont plus en état de servir.* — **état civil,** service de la mairie qui est chargé d'écrire les noms des personnes qui sont nées, qui se marient, qui meurent. **2.** (avec une grande lettre : *État*) le pays : *les États modernes ont des charges très lourdes; l'État,* c'est moi (phrase de Louis XIV qui voulait montrer qu'il était seul maître en France); *chef d'État,* celui qui est à la tête de l'État; *homme d'État,* homme qui a les qualités nécessaires pour s'occuper des affaires publiques.

etc. [ɛtsetera] (en latin *et cetera,* et tout le reste) : *pour aller de Paris à Marseille je suis passé par Dijon, Lyon, etc.* (et d'autres villes que je ne dis pas).

été [ete], n. m., la saison qui suit le printemps (du 21 juin au 22 septembre) : *nous avons eu un été très chaud.*

éteindre [etɛ̃drə] *(j'éteins, tu éteins, il éteint, nous éteignons, vous éteignez, ils éteignent; j'éteignais; j'éteignis; j'éteindrai; que j'éteigne; éteint),* v. trans., arrêter le feu, la lumière (contraire : *allumer*) : *j'ai éteint la lampe.* — **s'éteindre, 1.** arrêter de brûler : *la lumière s'est éteinte.* **2.** mourir doucement : *cette vieille dame s'est éteinte.*

étendre [etɑ̃drə] (comme *tendre*), v. trans., **1.** mettre à plat : *on a étendu de la paille; on a étendu le blessé sur un lit.* **2.** donner une surface plus grande (une place plus grande sur la terre) : *il a étendu ses champs; j'étends les bras.* — **s'étendre, 1.** se mettre à plat, se coucher : *je me suis étendu sur l'herbe.* **2.** occuper plus de place : *le village s'est étendu jusqu'à la rivière.* — **étendu, ue,** adj., **1.** qui occupe une grande place sur la terre : *cette ville est très étendue.* **2.** *du vin étendu d'eau,* du vin où l'on a mis de l'eau (du vin coupé d'eau).

étendue [etɑ̃dy], n. f., surface (place occupée sur la terre) : *le blé couvre toute l'étendue de la plaine;* fig. : *il ne sait pas encore l'étendue de son malheur.*

éternel, elle [etɛrnɛl], adj., qui n'a ni commencement ni fin (ou seulement pas de fin) : *vos malheurs ne sont pas éternels,* ils finiront; *la Ville éternelle,* Rome.

éternité [etɛrnite], n. f., **1.** qualité de ce qui est éternel. **2.** temps très long : *cette maison est bâtie pour l'éternité; il y a une éternité que nous nous sommes vus,* il y a très longtemps que nous nous sommes vus.

étoffe [etɔf], n. f., **1.** tissu : *cette étoffe est très solide.* **2.** ce qu'un homme vaut par lui-même, ce qui fait penser qu'il pourra faire quelque chose : *ce jeune homme a de l'étoffe.*

étoile [etwal], n. f., **1.** astre que l'on voit dans le ciel pendant la nuit : *quand la nuit est belle on voit beaucoup d'étoiles;* fig., *il est né sous une bonne étoile,* il est né pour réussir (parce qu'on croyait autrefois que l'on pouvait savoir par les étoiles ce que les

Étoiles.

hommes deviendraient). **2.** image en forme d'étoile : *une étoile d'or.* **3.** *étoile de la danse* ou *danseuse étoile,* femme qui danse très bien au théâtre.

étonner [etɔne], v. trans., produire le sentiment que produit quelque chose qui arrive sans être attendu : *ce résultat m'étonne; je suis étonné de vous voir déjà.* — **s'étonner,** avoir ce sentiment : *je m'étonne qu'on vous ait permis de sortir.*

étouffer [etufe], v. trans., empêcher de respirer : *il est mort étouffé;* fig., *j'ai étouffé le feu.* — v. intr., ne pas pouvoir respirer : *on étouffe dans cette salle.*

étourdi, ie [eturdi], adj. et n. m. et f., qui ne fait pas attention à ce qu'il fait : *cet étourdi a oublié son livre chez lui.*

étrange [etrɑ̃ʒ], adj., qu'on n'a pas l'habitude de voir ou d'entendre : *j'ai entendu un bruit étrange; votre histoire est bien étrange.*

étranger, ère [etrɑ̃ʒe, ɛr], adj., **1.** qui est d'un autre pays : *il reçoit des journaux étrangers.* **2.** qui ne fait pas partie d'un ensemble : *cette personne est étrangère à notre famille.* — n. m. et f., **1.** celui (celle) qui est d'un autre pays : *beaucoup d'étrangers viennent en France pendant les vacances.* **2.** (au sing.) les autres pays : *nous avons voyagé à l'étranger.*

étrangler [etrɑ̃gle], v. trans., empêcher de respirer en serrant le cou : *cette cravate m'étrangle.*

1. être [ɛːtrə] *(je suis, tu es, il est, nous sommes, vous êtes, ils sont; j'étais; je fus; je serai; sois, soyons, soyez; que je sois, que tu sois, qu'il soit, que nous soyons, que vous soyez, qu'ils soient; étant, été),* v. intr., **1.** (suivi d'un adjectif ou d'un nom) marque que le sujet de la phrase a une certaine qualité : *cette école est grande, Pierre a été mon ami.* **2.** se trouver dans un endroit : *le linge est dans l'armoire.* **3.** exister, vivre : *ce temps n'est plus.* **4.** *ce crayon est à moi,* c'est mon crayon. **5.** *il est de Paris,* il est né à Paris; *cette pièce est de Molière,* elle a été écrite par Molière. **6.** (au passé seulement) être allé dans un endroit et en être revenu : *hier j'ai été à la mairie.*

2. être [ɛːtrə], n. m., tout ce qui vit : *je n'ai pas vu un être vivant dans cette rue.*

étroit, oite [etrwa, wat], adj., (contraire : *large*), **1.** qui occupe peu de place sur un des côtés : *cette chambre est longue et étroite.* **2.** (en parlant d'un habit) qui serre le corps : *cette veste est trop étroite.* **3.** qui n'accepte rien en dehors de ses idées : *il a l'esprit étroit.* — **à l'étroit, 1.** trop serré : *nous sommes à l'étroit dans cet appartement.* **2.** de façon pauvre : *il vit à l'étroit.*

étude [etyd], n. f., **1.** action d'apprendre : *il se donne à l'étude du français; il fait ses études,* il va à l'école. **2.** action de travailler avec attention à une question : *vos idées seront mises à l'étude.*

étudiant, ante [etydjɑ̃, ɑ̃t], n. m. et f., celui (celle) qui étudie dans une université : *cette jeune fille est étudiante en lettres.*

étudier [etydje], v. trans., **1.** apprendre avec attention : *nous étudions l'histoire.* **2.** regarder avec beaucoup d'attention : *ce médecin a étudié ce qui se passe dans cette maladie.*

eux [ø, ø z devant un mot commençant par une voyelle : *eux aussi* : ø z osi], pron. pers. masc. 3e pers. du plur. : *nous avons parlé d'eux; nous arrivons, et eux, ils partent.* — *eux-mêmes,* en personne : *ils ont écrit eux-mêmes.*

événement [evɛnmɑ̃], n. m., chose importante qui arrive : *il est arrivé beaucoup d'événements depuis que je suis parti.*

évêque [evɛk], n. m., prêtre d'un haut rang dans la religion catholique : *un nouvel évêque vient d'être nommé.*

évidemment [evidamɑ̃], adv., de façon certaine : *vous avez évidemment raison.*

évident, ente [evidɑ̃, ɑ̃t], adj., certain, sûr, très clair pour tout le monde : *ce résultat est évident.*

évier [evje], n. m., sorte de table en pierre contre le mur des cuisines; elle sert à laver les assiettes les verres, etc., un trou permet à l'eau de s'en aller : *nous avons placé les assiettes sur l'évier.*

éviter [evite], v. trans., **1.** réussir à ne pas être touché par quelqu'un ou quelque chose de dangereux : *j'ai évité cette auto.* **2.** ne pas faire : *évitez cette faute quand vous écrivez; évitez de marcher au milieu de la route.*

évolution [evɔlysjõ], n. f., action de changer peu à peu dans le temps : *l'évolution est quelquefois lente, quelquefois rapide.*

évoquer [evɔke], v. trans., rappeler dans l'esprit : *nous avons évoqué le temps où nous étions jeunes.*

exact, e [ɛgza ou ɛgzakt, ɛgzakt], adj., **1.** tout à fait vrai, tout à fait juste : *votre compte est exact.* **2.** qui arrive toujours à l'heure : *cet employé est très exact à son bureau.*

exactement [ɛgzaktəmã], adv., **1.** de façon tout à fait vraie ou juste : *cela s'est passé exactement comme vous le racontez.* **2.** à l'heure : *le train arrive toujours exactement.*

exagérer [ɛgzaʒere] *(j'exagère, nous exagérons; j'exagérerai),* v. trans., présenter une chose comme plus grande qu'elle n'est : *vous exagérez les services que vous avez rendus.*

examen [ɛgzamɛ̃], n. m., **1.** action de regarder de près : *l'examen des papiers a été très long.* **2.** travail que font les élèves pour que l'on juge s'ils peuvent continuer leurs études : *il a passé son examen.*

examiner [ɛgzamine], v. trans., regarder de près : *le médecin a examiné la blessure.*

excellent, ente [ɛksɛlã, ãt], adj., très bon : *c'est un excellent élève; nous avons fait un repas excellent.*

excepté [ɛksɛpte], prép., marque qu'une personne ou une chose n'est pas comprise dans un ensemble : *toute la famille est en vacances excepté le père; j'ai apporté toutes mes valises excepté une.*

exception [ɛ̃ksɛ̃psjõ], n. f., personne ou chose qui n'est pas comme les autres : *je fais une exception pour vous,* j'ai fait pour vous ce que je ne fais pas pour les autres. EXPRESSIONS : *sans exception,* tous : *j'ai lu ces livres sans exception; faire exception,* n'être pas comme les autres : *tous ces élèves sont grands, celui-ci seul fait exception* — **à l'exception de,** excepté : *il. n'aime pas les animaux, à l'exception de son chien.*

exceptionnel, elle [ɛksɛpsjɔnɛl], ajd., qui est très rare, qui est comme une exception : *il a un courage exceptionnel.*

excursion [ɛkskyrsjõ], n. f., petit voyage que l'on fait pour son plaisir : *nous avons fait une excursion au bord de la mer.*

excuse [ɛkskyz], n. f., raison que l'on donne pour n'être pas puni : *la colère n'est pas une excuse; il m'a fait (présenté) des excuses,* il m'a dit qu'il était triste d'avoir fait ce qu'il a fait.

excuser [ɛkskyze], v. trans., reconnaître que quelqu'un ne doit pas être puni pour ce qu'il a fait : *j'excuse votre faute; je vous excuse de n'être pas arrivé à l'heure.* — **s'excuser,** présenter des excuses : *je m'excuse d'arriver si tard.*

exécuter [ɛgzekyte], v. trans., **1.** faire : *il a exécuté ce qu'il avait annoncé.* **2.** (musique) jouer : *il a exécuté un morceau de musique.* **3.** tuer, mettre à mort d'après ce qu'a décidé un tribunal : *il a été exécuté sur la place publique.* — **s'exécuter,** faire ce qui a été demandé ou commandé : *on lui a dit de sortir, il s'est exécuté tout de suite.*

exécution [ɛgzekysjõ], n. f., **1.** l'action de faire quelque chose : *l'exécution des travaux du port a été très rapide; mettre à exécution,* faire : *il a mis son idée à exécution; passer à l'exécution,* faire quelque chose après l'avoir décidé : *il est temps de passer à l'exécution.* **2.** l'action de jouer un morceau de musique : *l'exécution de ce morceau a été très bonne.* **3.** action de tuer, de mettre à mort (d'après ce qu'a décidé un tribunal) : *l'exécution a eu lieu hier.*

exemple [ɛgzɑ̃plə], n. m., **1.** personne ou chose que l'on montre pour faire voir comment on doit faire : *ce chef a servi d'exemple à ses soldats; il a été puni pour l'exemple,* pour que les autres comprennent que, s'ils font la même chose, ils seront aussi punis; *le maître a fait un exemple,* il a puni un élève pour que les autres voient qu'ils doivent bien se conduire. **2.** phrase ou fait qui sert à expliquer ce qui a été dit dans une grammaire, un dictionnaire, ou un autre livre : *lisez toujours les exemples du dictionnaire; par exemple* se met devant (ou quelquefois après) un exemple, que l'on donne. **3.** *par exemple!* marque qu'on est étonné de ce qu'on vient d'apprendre : *Il n'est pas venu hier comme il me l'avait promis. — Ah! par exemple!*

exercer [ɛgzɛrse] (*ç* devant *a* et *o* : *j'exerçais, nous exerçons*), v. trans., **1.** faire travailler quelqu'un pour lui donner l'habitude de quelque chose : *on exerce les élèves à faire attention; il exerce son esprit (son corps),* il fait travailler son esprit (son corps). **2.** avoir comme métier : *il exerce le métier de boulanger.* — **s'exercer,** travailler, faire un effort tous les jours pour prendre l'habitude de quelque chose : *il s'exerce à aller à bicyclette.*

exercice [ɛgzɛrsis], n. m., **1.** travail que l'on fait faire à quelqu'un pour lui donner une habitude : *les soldats vont à l'exercice; le maître a donné un exercice aux élèves.* **2.** le fait d'exercer un métier : *ce vieux médecin est toujours en exercice.*

exigence [ɛgziʒɑ̃s], n. f., le fait d'exiger, de demander avec force comme une chose due : *je ne peux accepter ses exigences.*

exiger [ɛgziʒe] (avec *ge* devant *a* et *o* : *j'exigeais, nous exigeons*), v. trans., **1.** demander avec force, comme un droit : *il exige d'être servi le premier.* **2.** (surtout en parlant des choses), avoir besoin : *cette plante exige beaucoup de soins.* — **exigeant, ante,** adj., qui demande beaucoup de choses: *cet enfant est très exigeant.*

existence [ɛgzistɑ̃s], n. f., le fait d'exister, la vie : *il n'a pas eu une existence facile; on ne connaît pas ses moyens d'existence,* on ne sait pas comment il gagne sa vie.

exister [ɛgziste], v. intr., être, vivre : *il existe beaucoup d'animaux sur la terre.*

expédier [ɛkspedje], v. trans., **1.** envoyer quelque chose par la poste, par le train, etc. : *j'ai expédié votre valise par le train de cinq heures.* **2.** faire un travail très vite (souvent trop vite) : *cet élève a expédié ses devoirs.*

expérience [ɛksperjɑ̃s], n. f., **1.** le fait d'essayer : *j'ai fait l'expérience de cet appareil de chauffage; les médecins font des expériences sur des animaux.* **2.** le fait de connaître beaucoup de choses parce qu'on les a faites ou vues: *ce menuisier a l'expérience de son métier; les vieilles personnes ont beaucoup d'expérience.*

expert [ɛkspɛr], n. m., celui qui connaît bien certaines choses et qui doit donner son avis sur ces choses : *on a fait venir un expert pour dire si ce tableau est bien de Cézanne.*

explication [ɛksplikasjɔ̃], n. f., ce qu'on dit pour faire comprendre une chose : *je voudrais avoir l'explication de ce malheur.*

expliquer [ɛksplike], v. trans., faire comprendre une chose : *le maître a expliqué aux élèves la forme du gouvernement.* — **s'expliquer, 1.** donner la raison de ce qu'on pense ou de ce qu'on fait : *il devra s'expliquer sur son départ.* **2.** (avec le subjonctif) arriver à comprendre : *je m'explique que vous ayez fait une faute dans ce devoir.*

exploitation [ɛksplwatasjɔ̃], n. f., **1.** action de faire produire : *l'exploitation des forêts a rendu ce pays très riche.* **2.** terre que l'on fait produire, ferme : *il m'a conduit dans son exploitation.*

exploiter [ɛksplwate], v. trans., faire produire : *on exploite des mines,* *des forêts.* — **exploitant** n. m., celui qui fait produire (par exemple un champ).

exploser [ɛksploze], v. intr., produire un mouvement violent (très fort et très rapide) de l'air et, en même temps, un grand bruit : *le gaz a explosé.*

explosion [ɛksplozjõ], n. f., le fait d'exploser : *j'ai entendu le bruit de l'explosion; faire explosion,* exploser.

exportation [ɛkspɔrtasjõ], n. f., action d'exporter, de faire sortir des marchandises d'un pays : *l'exportation de certaines marchandises n'est pas permise.*

exporter [ɛkspɔrte], v. trans., faire sortir des marchandises d'un pays pour les vendre dans un autre : *la France exporte du blé et du vin.*

exposer [ɛkspoze], v. trans., **1.** mettre une chose dans un endroit où tout le monde peut la voir : *ce marchand expose de très beaux tissus.* **2.** mettre quelqu'un en danger : *il a exposé son ami à être puni; il expose sa vie,* il est en danger d'être tué. **3.** faire connaître : *il a exposé ses idées.* — **s'exposer,** se mettre en danger : *il s'expose à un grand danger; il s'expose* = il s'expose à être tué, il est en danger d'être tué. — **exposé, ée,** adj., **1.** (en parlant des maisons) avoir le devant d'un certain côté : *cette maison est exposée au nord.* **2.** qui est en danger : *il a été très exposé pendant la guerre.* — **exposé,** n. m., action de faire connaître ses idées : *il a fait un exposé en public.*

exposition [ɛkspozisjõ], n. f., action d'exposer, de faire voir à tous ceux qui veulent : *une exposition de tableaux,* une salle où l'on peut voir des tableaux.

exprès [ɛksprɛ], adv., *faire quelque chose exprès,* en sachant bien ce qu'on fait : *il a fait tomber ce verre exprès.*

express [ɛksprɛs], n. m., train qui ne s'arrête pas à toutes les gares, mais qui ne va pas aussi vite qu'un rapide : *je prends l'express de Bruxelles.*

expression [ɛksprɛsjõ], n. f., **1.** façon de parler ou d'écrire, mot, phrase : *cette expression est mal employée.* **2.** façon dont on montre un sentiment : *il parle avec beaucoup d'expression.* **3.** *réduire à sa plus simple expression,* faire qu'une chose n'occupe plus que très peu de place : *j'ai réduit mes paquets à leur plus simple expression.*

exprimer [ɛksprime], v. trans., faire connaître ce qu'on pense ou ce qu'on sent : *il exprime ses idées.* — **s'exprimer,** parler ou écrire d'une certaine façon : *ce petit enfant s'exprime encore très mal.*

extérieur, eure [ɛksterjœr], adj., qui est au dehors de quelque chose (contraire : *intérieur*) : *une porte (une fenêtre) extérieure,* une porte (une fenêtre) qui s'ouvre sur le dehors; *politique extérieure,* la partie de la politique qui s'occupe des autres pays; *commerce extérieur,* le commerce avec les autres pays. — n. m., **1.** le dehors, ce qu'on voit d'une personne ou d'une chose : *on a peint l'extérieur de la maison.* **2.** (peinture, photo, cinéma) ce qui est représenté en dehors des maisons : *vous verrez de beaux extérieurs dans ce film.* — **à l'extérieur,** au dehors : *ne restez pas à l'extérieur.*

extraordinaire [ɛkstraɔrdinɛr], adj., qui n'arrive pas souvent, qui étonne : *vous m'annoncez une nouvelle extraordinaire.*

extrême [ɛkstrɛm], adj., **1.** qui est tout au bout : *il était assis à l'extrême bord du bateau.* **2.** qui est très grand : *sa peur est extrême.* — n. m., le bout : *ne poussez pas les choses à l'extrême,* n'allez pas jusqu'au bout.

extrêmement [ɛkstrɛmmâ], adv., beaucoup, très : *ce travail est extrêmement important.*

extrémité [ɛkstremite], n. f., bout, fin : *il a pris le bâton par son extrémité; il a froid aux extrémités,* aux mains et aux pieds; *le malade est à toute extrémité,* il va bientôt mourir.

F

fable [fablə], n. f., **1.** récit d'animaux qui sert à donner des conseils aux hommes : *La Fontaine a écrit de très belles fables.* **2.** *La Fable,* les histoires des anciens dieux des Grecs et des Romains : *les dieux de la Fable.* **3.** *il est la fable de la ville :* toute la ville se moque de lui.

fabricant [fabrikɑ̃], n. m., celui qui fabrique (qui fait) des objets : *un fabricant de jouets.*

fabrique [fabrik], n. f., atelier ou usine où l'on fait des objets : *une fabrique de verres de lunettes.*

fabriquer [fabrike], v. trans., faire des objets : *on fabrique des pipes dans cette ville.*

façade [fasad], n. f., **1.** le devant d'une maison : *la façade de cette maison est très belle.* **2.** ce que quelqu'un ou quelque chose semble être (mais n'est pas) : *sa richesse est de façade,* il veut qu'on le croie riche, mais il n'est pas riche.

face [fas], n. f., **1.** la figure d'une personne : *il a la face pleine de boutons.* **2.** côté d'une chose : *toutes les choses ont plusieurs faces.* **3.** *faire face,* être tourné de façon à voir le devant : *ces deux maisons se font face,* ou bien regarder sans peur : *il faut faire face au danger.* — **en face,** devant (adv.) : *j'habite en face.* — **en face de,** prép., devant (prép.) : la *mairie est en face de la gare.* — **de face,** bien en face (contraire : *de côté*) : *mettez-vous de face.* — **face à face,** l'un regardant l'autre : *les deux ennemis étaient face à face.*

facile [fasil], adj., **1.** qui ne donne pas beaucoup de peine : *ce travail est très facile.* **2.** gentil, agréable : *cet enfant est très facile.*

facilement [fasilmɑ̃], adj., sans peine : *j'ai monté facilement votre escalier.*

facilité [fasilite], n. f., **1.** le fait d'être facile, de ne pas donner beaucoup de peine : *ne vous laissez pas tromper par la facilité de ce travail.* **2.** qualité de celui qui travaille facilement : *cet élève a beaucoup de facilité.*

façon [fasɔ̃], n. f., **1.** comment on fait : *ne vous conduisez pas de cette façon; de toute façon,* n'importe comment. Proverbe : *La façon de donner vaut mieux que ce qu'on donne.* **2.** action de faire quelque chose : *ce tailleur travaille à façon,* on lui donne l'étoffe et il fait payer seulement son travail. **3.** *il fait des façons,* il est trop poli. — **de façon à** (avec l'infinitif), **de façon que** (avec le subjonctif) marquent le résultat cherché : *travaillez de façon à faire plaisir à vos parents.*

facteur [faktœr], n. m., employé des postes qui porte les lettres dans les maisons : *le facteur m'a donné une lettre pour vous.*

facture [faktyr], n. f., **1.** papier où est écrit le prix des marchandises qui ont été vendues à un client : *j'ai reçu mes lunettes avec une facture.* **2.** façon dont une peinture, une sculpture, etc., est faite : *ce tableau est d'une belle facture.*

faible [fɛblə], adj., (contraire : *fort*), qui manque de force : *après sa maladie il est resté longtemps très faible; j'ai entendu un faible bruit; cet élève est faible en français.* — n. m., *j'ai un faible pour la musique,* j'aime la musique.

faim [fɛ̃], n. f., besoin de manger : *il ne faut pas se laisser mourir de faim; j'ai faim; j'ai une faim de loup = j'ai grand faim; il mange à sa faim,* il mange autant qu'il a faim.

faire [fɛr] *(je fais, tu fais, il fait, nous faisons* [fəzɔ̃], *vous faites, ils font; je faisais* [fəzɛ]; *je fis; je ferai; fais, faisons, faites; que je fasse; faisant* [fəzɑ̃], *fait*), v. trans., **1.** produire un objet : *le tailleur fait des habits; l'élève fait ses devoirs.* **2.** se dit de toutes sortes d'actions : *il fait son lit,* il arrange son lit pour dormir; *il fait la* *guerre (la paix).* **3.** vouloir sembler : *il fait l'homme fort.* **4.** fam., dire : « *Oui* » *fait-il.* **5.** (avec l'infinitif) commander que... ou être cause que... : *il a fait venir le maçon; il a fait tomber une bouteille.* **6.** (impersonnel) marque le temps : *il fait beau, il fait nuit.* **7.** *ne faire que* (avec l'infinitif), tout le temps, sans arrêter : *il ne fait que rire.* — **se faire, 1.** devenir : *il se fait vieux.* **2.** *s'en faire,* populaire, être triste : *il ne faut pas s'en faire.* — PROVERBE : *Bien faire et laisser dire.* il faut faire ce qu'on doit et ne pas s'occuper de ce que disent les gens.

fait [fɛ], n. m., **1.** chose qui se fait, événement : *il a appris beaucoup de faits en histoire.* EXPRESSIONS : *les hauts faits,* les belles actions; *un fait d'armes,* une action où l'on montre du courage (à la guerre); *des faits divers* (dans les journaux), les accidents, les personnes qui volent ou qui tuent, etc. **2.** action : *il a été pris sur le fait,* pendant qu'il faisait quelque chose (qu'il volait par exemple); *il a pris fait et cause pour son ami,* il aide et défend son ami. — **en fait,** marque ce qui est vrai : *c'est lui qui en fait est le maître de la maison.*

falloir [falwar] *(il faut, il fallait, il fallut, il faudra, il faudrait,* pas d'impératif, *qu'il faille, qu'il fallût,* pas de participe présent; *fallu*), v. impersonnel, être nécessaire : *il faut travailler; il leur faut beaucoup de soins; une personne comme il faut,* une personne bien élevée.

fameux, euse [famø, øz], adj., **1.** très connu (en bien ou en mal) : *ce roi est très fameux dans l'histoire.* **2.** fam., donne plus de force au nom : *c'est un fameux voleur,* un grand voleur. **3.** fam., très bon (en parlant des choses) : *ce vin-là est fameux; ce n'est pas fameux,* ce n'est pas bon.

familial, ale (plur. **aux, ales**) [familjal, o], adj., qui se rapporte à la famille : *il m'a reçu d'une façon familiale,* comme si j'étais de la famille.

familier, ière [familje, jɛr], adj., **1.** qui parle de façon très libre avec quelqu'un : *il est trop familier avec vous.* **2.** *mot familier,* mot que l'on peut employer quand on est avec des amis, mais qu'on ne doit pas écrire dans un livre ou dans un devoir.

famille [famij], n. f., **1.** le père, la mère et les enfants : *il se promène avec sa famille; une famille nombreuse,* une famille où il y a beaucoup d'enfants; *père (mère) de famille,* homme (femme) qui a des enfants; *chef de famille,* le père (ou, s'il n'est pas là, la mère). **2.** l'ensemble des parents (frères, sœurs, oncles, tantes, neveux, nièces, cousins, cousines) : *c'est une personne de ma famille; j'ai de la famille en Bretagne; j'ai déjeuné en famille,* chez des parents; *ils ont un air de famille,* ils se ressemblent beaucoup, comme s'ils étaient de la même famille. **3.** *famille de mots,* des mots qui viennent du même mot : *venir et revenir sont des mots de la même famille.*

fantaisie [fɑ̃tɛzi], n. f., **1.** quelque chose qui n'est pas vrai, qui est trouvé par l'esprit : *ce qu'il raconte est de la fantaisie.* **2.** le fait de vouloir souvent des choses différentes : *laissez pas cet enfant faire toutes ses fantaisies.*

farine [farin], n. f., grain écrasé : *on fait le pain avec la farine du blé.*

fatigue [fatig], n. f., état où l'on est quand on a fait un grand travail ou quand on a beaucoup marché : *on soigne la fatigue par le repos.*

fatiguer [fatige], v. trans., causer de la fatigue : *cette longue course m'a fatigué.* — **se fatiguer,** travailler beaucoup, marcher beaucoup, etc., et ainsi sentir de la fatigue : *il s'est fatigué à courir derrière vous.* — **fatigué, ée,** adj., qui sent de la fatigue : *je vais me coucher parce que je suis très fatigué.*

faute [fot], n. f., **1.** chose qu'on ne doit pas faire : *il a fait deux fautes dans son devoir; c'est une grande faute de voler.* **2.** *faire faute,* manquer : *mes ciseaux m'ont fait faute; sans faute,* de façon sûre, certaine : *venez demain sans faute.* — **faute de,** prép., si on n'a pas : *faute d'autobus, je prendrai le train.*

fauteuil [fotœj], n. m., sorte de chaise avec des bras : *le grand-père est assis dans un fauteuil.*

1. faux [fo], n. f., outil qu'on emploie à la campagne pour couper le blé; il a un long manche et une lame large et pointue : *on coupe aujourd'hui le blé avec des machines plutôt qu'avec des faux.*

2. faux, fausse [fo, fos], adj., **1.** qui n'est pas vrai : *tout ce qu'il raconte est faux; de fausses dents,* des dents en matière dure qu'on met à la place des dents qui manquent; *de la fausse monnaie,* des pièces ou des billets faits par des voleurs pour tromper les personnes qui les reçoivent; *il fait fausse route,* il se trompe; *j'ai fait un faux pas,* j'ai mal posé (mis) mon pied en marchant. **2.** (en parlant des personnes) qui n'est pas droit, qui cherche à tromper, qui ne dit pas la vérité : *cet homme a l'air faux.*

faveur [favœr], n. f., **1.** bons sentiments qu'on a pour quelqu'un ou quelque chose : *cet homme avait la faveur du roi; cette couleur est en faveur.* **2.** chose qu'on fait pour quelqu'un sans qu'elle lui soit due : *on lui a fait une grande faveur.* — **à la faveur de,** en se servant de : *il s'est sauvé à la faveur de la nuit.* — **en faveur de,** pour (pour être utile à quelqu'un) : *il est venu me parler en faveur de son frère.*

favorable [favɔrablə], adj., est qui bon pour quelqu'un ou pour quelque chose : *nous attendons un temps favorable pour faire un voyage sur mer.*

favoriser [favɔrize], v. trans., être bon pour quelqu'un ou pour quelque chose, rendre quelque chose plus facile : *le gouvernement favorise certaines industries.*

fédération [federasjɔ̃], n. f., groupe d'États liés ensemble, de façon à former un seul État : *la Suisse est une fédération.*

femelle [fəmɛl], n. f., animal du sexe féminin : *la chienne est la femelle du chien.*

féminin, ine [feminɛ̃, in], adj., **1.** qui se rapporte aux femmes : *des habits féminins.* **2.** (grammaire) adj. et n. : *le genre féminin;* LA FEMME, LA MAISON *sont des noms féminins;* FORTE *est le féminin de* FORT.

femme [fam], n. f., **1.** personne du sexe féminin : *cette femme est employée à la poste.* **2.** celle qui est mariée à quelqu'un : *j'ai rencontré la femme de mon ami.* **3.** *femme de chambre,* domestique qui s'occupe d'une dame, ou, dans un hôtel, des chambres des voyageurs; *femme de ménage,* celle qui travaille dans une maison pour nettoyer, coudre, etc., mais seulement à certaines heures.

fendre [fɑ̃drə] *(je fends, tu fends, il fend, nous fendons, vous fendez, ils fendent; je fendais; je fendis; je fendrai; que je fende; fendu),* v. trans., couper en long : *il fend du bois; le plafond est fendu;* fig., *cela me fend le cœur,* cela me rend triste, cela me fait de la peine.

fenêtre [fənɛtrə], n. f., ouverture dans un mur pour donner de la lumière et de l'air dans une maison : *j'ai ouvert (fermé) la fenêtre;* fig., *il jette son argent par les fenêtres,* il dépense tout son argent.

fente [fɑ̃t], n. f., trou en long : *le maçon a bouché les fentes du mur.*

fer [fɛr], n. m., métal blanc ou gris, très employé et très bon marché : *les hommes se servent de fer depuis très longtemps; il a une santé de fer,* il est très solide, il n'est jamais malade; *fer à repasser,* instrument en fer qui sert à repasser (à rendre le linge bien plat après qu'on l'a lavé); *fer électrique,* fer à repasser qui marche à l'électricité; *fer à cheval,* morceau de fer qu'on met au pied des chevaux; *il est tombé les quatre fers en l'air,* il est tombé sur le dos (comme un cheval qui tombe sur le dos); *fer-blanc,* fer fondu avec de

Fer électrique.

Fer à cheval.

l'étain (métal) qui sert à faire des jouets, des boîtes, etc.

1. ferme [fɛrm], n. f., maison à la campagne avec des champs que l'on cultive : *le cultivateur est rentré à la ferme.*

2. ferme [fɛrm], adj., solide, qui ne remue pas : *le sol n'est pas très ferme; cet homme se tient ferme sur ses jambes; la terre ferme,* la terre, comme contraire de la mer : *en sortant du bateau nous avons mis le pied sur la terre ferme;* — fig., *ce maître est très ferme.* — adv., *il faut parler ferme,* avec force.

fermer [fɛrme], v. trans., mettre quelque chose devant une ouverture : (contraire : *ouvrir*) : *je ferme la porte, la fenêtre; quand on dort, on a les yeux fermés;* fig., *j'ai fermé les yeux sur votre faute,* je n'ai pas voulu voir votre faute; *il ferme la marche,* il marche le dernier. — v. intr., *cette porte ferme bien,* il est facile de la fermer; *cette porte ferme mal,* il est difficile de la fermer.

fermeture [fɛrmətyr], n. f., **1.** action de fermer : *aller dans ce magasin avant l'heure de la fermeture.* **2.** ce qui sert à fermer : *cette fermeture est très solide.*

fermier, ière [fɛrmje, jɛr], n. m. et f., cultivateur qui habite dans une ferme : *le fermier est allé de bonne heure aux champs, la fermière a donné à manger aux poules.*

ferrer [fɛre], v. trans., garnir de fer (mettre du fer) : *ferrer un cheval,* lui mettre des fers (des fers à cheval). — **ferré, ée,** adj., garni de fer : *bâton ferré,* bâton qui a un bout en fer, une pointe de fer; *souliers ferrés,* souliers garnis de gros clous; *voie ferrée,* chemin de fer, rails.

féroce [ferɔs], adj., très méchant, qui aime tuer : *le lion est un animal féroce.*

fête [fɛ:t], n. f., jour important : *la fête d'un saint; la fête nationale,* la fête de tout le pays (en France, le 14 juillet); *c'est aujourd'hui la fête du village; ce train ne marche pas les dimanches et les jours de fête; le chien fait fête à son maître,* il lui montre qu'il est heureux de le voir; *la ville est en fête,* tout le monde est gai et heureux; *des habits de fête,* de beaux habits.

feu [fø], n. m., **1.** ce que produisent le bois, le charbon, etc., quand ils brûlent : *j'ai allumé (éteint) le feu; le bois a pris feu,* il s'est allumé; *le feu a pris à une maison,* elle a commencé à brûler; *la forêt est en feu,* elle est en train de brûler; *il est resté au coin du feu,* chez lui (parce qu'autrefois on se chauffait avec du bois). **2.** *arme à feu,* fusil, pistolet; *il a fait feu,* il a tiré un coup de fusil ou de pistolet; *feu,* ordre donné pour tirer; *il a été tué d'un coup de feu,* d'un coup de fusil ou de pistolet; *ce soldat n'est pas encore allé au feu, il n'a pas encore vu le feu,* il n'est pas encore allé à la guerre; *je suis entre deux feux,* les ennemis tirent des deux côtés. — EXPRESSIONS : *il jette feu et flammes,* il est en colère; *il a pris feu et flammes,* il s'est mis en colère; *il n'y voit que du feu,* il n'y voit rien; *il ne faut pas jouer avec le feu,* il ne faut pas s'amuser avec ce qui peut être dangereux; *sa colère n'est qu'un feu de paille,* elle s'arrêtera bientôt.

feuillage [fœjaʒ], n. m., ensemble des feuilles des arbres : *les oiseaux chantent dans le feuillage.*

feuille [fœj], n. f., **1.** partie plate et verte des plantes, qui pousse sur les branches : *à l'automne les feuilles deviennent jaunes et tombent.* **2.** objet plat et mince : *une feuille de papier; une feuille de métal.*

février [fevrije], n. m., le second mois de l'année : *février est le mois le plus court : il a 28 ou 29 jours.*

fiancer (se) [fjɑ̃se] (avec *ç* devant *a* et *o*), v., promettre de se marier : *sa sœur s'est fiancée avec un jeune artisan.* — **fiancé, ée,** n. et adj., celui (celle) qui a promis de se marier : *les deux fiancés sont allés hier au cinéma.*

ficelle [fisɛl], n. f., fils mis ensemble (une ficelle est moins grosse qu'une corde) : *j'ai attaché mon paquet avec une ficelle.*

fidèle [fidɛl], adj., qui ne trompe pas, qui fait ce qu'il a promis : *vous avez là un ami très fidèle.*

fier, fière [fjɛr], adj., qui montre qu'il a une haute idée de lui-même : *il est fier d'avoir réussi.*

fièvre [fjɛvrə], n. f., **1.** ce qu'on sent dans beaucoup de maladies (le corps est chaud et fatigué et on a mal à la tête) : *le malade a eu une très forte fièvre.* **2.** fig., façon de se conduire comme si on avait la fièvre : *il a parlé avec fièvre.*

figure [figyr], n. f., **1.** visage (le devant de la tête) : *cet enfant a une jolie figure;* pop., *il s'est cassé la figure,* il s'est blessé en tombant sur la tête. **2.** ce que l'on semble : *il fait bonne figure dans le monde.* **3.** forme : *un carré est une figure qui a quatre côtés égaux; il n'a plus figure humaine* (en parlant d'un blessé), on ne reconnaît même pas qu'il est un homme.

figurer [figyre], v. trans., représenter par le dessin, la peinture, la sculpture : *l'artiste a figuré les quatre saisons.* — **se figurer,** se représenter dans l'esprit : *je me figure une belle maison à la campagne; il se figure que je le crois.* — **figurant, ante,** n. m. et f., celui (celle) qui joue au théâtre et au cinéma, mais ne parle pas : *les figurants sont moins bien payés que les acteurs.* — **figuré, ée,** adj., *sens figuré* (contraire de *sens propre*), sens qui n'est pas le vrai sens du mot : dans *le feu a pris à la maison* (la maison brûle) le mot *feu* a son sens propre; dans *il jette feu et flammes* (il est en colère), il a un sens figuré.

fil [fil], n. m., **1.** morceau de matière très long et très mince qui sert à coudre et à faire des tissus : *un fil de laine (de soie, de coton, etc.).* EXPRESSIONS : *son mensonge est cousu de fil blanc,* on le voit très bien (comme on voit un fil blanc sur un tissu de couleur); *sa santé ne tient qu'à un fil,* elle n'est pas solide; *il a perdu le fil de ses idées,* il ne sait plus où il en est. **2.** *fil de fer,* morceau de métal très long et très mince : *son jardin est entouré de fil de fer.* **3.** *fil électrique,* fil de métal qui transporte de l'électricité; *je l'ai eu au bout du fil,* je lui ai téléphoné; *je vous donnerai un coup de fil,* je vous téléphonerai.

filer [file], v. trans., **1.** faire du fil avec une matière : *autrefois les femmes filaient de la laine;* fig., *il file des jours heureux* (ou *il file des jours d'or et de soie*), il est heureux. — v. intr., **1.** *la lampe file,* la flamme est trop longue et fait de la fumée. **2.** fam., aller ou s'en aller très vite : *le train file à toute vitesse.* **3.** *il file doux,* il fait tout ce qu'on lui commande (parce qu'il a peur d'être puni).

filet [filɛ], n. m., **1.** tissu très peu serré : *filet de pêche,* pour prendre les poissons. **2.** sac où les dames mettent les légumes, les fruits, la viande, etc. qu'elles ont achetés : *elle a oublié son filet chez l'épicier.* **3.** *filet de bœuf,* morceau de viande de bœuf. **4.** *filet d'eau,* eau qui coule presque aussi mince qu'un fil : *cette source ne donne qu'un filet d'eau.*

Filet de pêche.

fille [fij], n. f., **1.** enfant (de quelqu'un) du sexe féminin : *ce père de famille n'a que des filles et pas un seul fils.* **2.** *petite fille,* enfant du sexe féminin (jusqu'à 13 ou 14 ans); *jeune fille,* personne non mariée du sexe féminin qui a plus de 13 ou 14 ans.

film [film], n. m., **1.** ce qu'on met dans l'appareil photographique pour prendre des photos : *j'ai enlevé le film de mon appareil.* **2.** ce qu'on voit au cinéma : *nous avons vu des films très intéressants.*

fils [fis], n. m., enfant (de quelqu'un) du sexe masculin : *c'est un bon fils,* il est bon pour ses parents.

1. fin, fine [fɛ̃, fin], **1.** très mince : *ce papier est très fin; sel fin,* sel en très petits grains qu'on met sur la table de la salle à manger (contraire : *gros sel*). **2.** très bon à manger et à boire : *on nous a servi un repas très fin.* **3.**

très intelligent : *il est fin comme une mouche,* il est très fin. — EXPRESSIONS : *je saurai le fin mot de cette histoire,* je saurai la vérité sur cette histoire; *il habite au fin fond de la Bretagne,* tout au fond de la Bretagne; *il a l'oreille fine,* il entend très bien.

2. fin [fɛ̃], n. f., **1.** bout, ce qui finit quelque chose : *les vacances sont près de leur fin.* **2.** but (résultat qu'on cherche à avoir) : *il veut en venir à ses fins,* avoir ce qu'il veut. PROVERBE : *Qui veut la fin veut les moyens,* si on veut arriver à un résultat, il ne faut pas reculer devant les moyens qui le permettent. — **à la fin,** enfin.

final, ale [final], adj., qui se trouve à la fin de quelque chose : *le moment final,* le dernier moment.

finalement [finalmɑ̃], adv., à la fin, en dernier lieu : *il est resté longtemps debout, finalement il s'est assis.*

finances [finɑ̃s], n. f. plur., les affaires d'argent (surtout l'argent de l'État, du pays) : *le ministre des finances,* celui qui s'occupe de l'argent de l'État.

financier, ère [finɑ̃sje, finɑ̃sjɛr], adj., qui se rapporte aux finances, aux affaires d'argent. — n. m., celui qui s'occupe d'argent (de banque, par exemple).

finir [finir] (contraire : *commencer*), v. trans., faire jusqu'au bout : *j'ai fini ce livre,* je l'ai lu jusqu'au bout; *il a fini de déjeuner.* — v. intr., arriver au bout : *cette histoire finit bien; il a fini par rire,* il a ri à la fin. PROVERBE : *Tout est bien qui finit bien,* quand le résultat est bon, on oublie la peine qu'on a eue. — **fini, ie,** adj., *c'est un homme fini,* c'est un homme qui ne peut plus rien faire.

fixe [fiks], adj., **1.** qui ne remue pas : *il a le regard fixe.* **2.** qui ne change pas : *le temps est au beau fixe,* il restera beau; *ce marchand vend à prix fixe,* le prix des objets est le même pour tous les clients; *ils se rencontrent à jour fixe,* toujours le même jour; *il a une idée fixe,* il a toujours la même idée dans l'esprit.

fixement [fiksəmɑ̃], adv., *il le regarde fixement,* sans baisser les yeux, bien en face.

fixer [fikse], v. trans., **1.** attacher de façon solide : *nous avons fixé cette image au mur.* **2.** dire quelque chose qui ne doit pas être changé : *vous fixerez l'heure où nous pourrons nous voir.* **3.** *fixer quelqu'un* (ou *fixer les yeux sur quelqu'un*), le regarder fixement, bien en face.

fleur [flœr], n. f., partie d'une plante, qui souvent a de belles couleurs : *nous cultivons des fleurs dans notre jardin; les fleurs sont belles au printemps; fleur de farine,* la partie la meilleure de la farine; fig., *il est mort à la fleur de l'âge,* jeune, en pleine force.

fleuve [flœv], n. m., grande rivière qui se jette (qui finit) dans la mer : *la Seine est un fleuve.*

flot [flo], n. m. (souvent au plur. : *les flots*), eau en mouvement de la mer, des lacs, des fleuves : *les flots ont poussé le bateau à la côte.*

flotte [flɔt], n. f., ensemble de bateaux de guerre : *la flotte a traversé la Méditerranée.*

flotter [flɔte], v. intr., **1.** être porté sur l'eau : *un morceau de bois flotte sur l'eau, un morceau de fer ne flotte pas, il coule.* **2.** ne savoir que faire, ne pas savoir se décider : *il flotte toujours longtemps avant de choisir.* **3.** pop., *il flotte,* il pleut.

foi [fwa], n. f., **1.** ce qu'on croit dans une religion : *il est solide dans sa foi.* **2.** le fait de tenir ce qu'on promet, de dire la vérité : *il a fait cela de bonne foi,* sans vouloir tromper, en pensant qu'il faisait bien; *avec mauvaise foi,* en sachant qu'il faisait mal; *c'est un homme sans foi ni loi,* c'est un homme qui n'a aucune idée morale; *ma foi,* expression qui marque qu'on dit la vérité.

foie [fwa], n. m., organe du corps de couleur rouge brun qui se trouve à droite dans la poitrine : *il a une maladie de foie.*

foin [fwɛ̃], n. m., herbe coupée et séchée qu'on donne à manger aux bœufs, aux chevaux, etc. : *il est bête à manger du foin,* il est très bête (aussi bête qu'un animal qui mange du foin).

foire [fwar], n. f., **1.** grand marché qui a lieu tous les mois ou tous les ans : *beaucoup de marchands sont venus à la foire; champ de foire,* grande place où a lieu la foire. **2.** dans les grandes villes, endroit où chaque année des marchands montrent des objets, des machines, des appareils : *la foire de Paris est très importante.*

fois [fwa], n. f., **1.** sert à marquer si une action est répétée : *je ne l'ai rencontré qu'une fois; il a frappé trois fois à votre porte; je vous le dis une fois pour toutes,* je ne le répéterai pas. **2.** *une fois,* un jour, autrefois (sans dire quand) : *il y avait une fois un roi et une reine* (commencement des histoires qu'on raconte aux enfants). **3.** pop., *des fois,* quelquefois. — **à la fois,** en même temps : *tous ses frères sont arrivés à la fois.* — **une fois que,** quand : *une fois que vous serez à Paris, vous vous promènerez sur les quais de la Seine.*

folie [fɔli], n. f., **1.** le fait d'être fou, de ne pas savoir ce qu'on fait : *les médecins soignent la folie.* **2.** chose qui n'a pas de sens : *il dit des folies; vous avez fait des folies,* vous avez dépensé trop d'argent; *aimer à la folie,* aimer beaucoup.

foncé, ée [fõse], adj., (contraire : *clair*), sombre, sans lumière (en parlant des couleurs) : *elle avait un chapeau bleu foncé.*

fonction [fõksjõ], n. f., **1.** ce qu'on a à faire dans une société, dans un groupe : *tout le monde a sa fonction dans le pays; fonction publique,* travail qui est fait pour l'État (le pays). **2.** ce que font les organes du corps, les pièces d'une machine : *la fonction du cœur est de faire aller le sang dans tout le corps.*

fonctionnaire [fõksjɔnɛr], n. m. et f., celui (celle) qui est employé par l'État (le pays) : *le gouvernement a nommé de nouveaux fonctionnaires.*

fonctionnement [fõksjɔnmã], n. m., comment une chose (une machine par exemple) fait ce qu'elle a à faire : *vous m'expliquerez le fonctionnement de ce nouveau moteur.*

fonctionner [fõksjɔne] v. intr., (en parlant d'une chose) faire ce qu'elle doit faire : *cette machine fonctionne bien,* elle marche bien.

fond [fõ], n. m., **1.** ce qui est le plus bas dans une chose creuse, dans un récipient : *la pierre est tombée au fond de la rivière; il a bu le fond du verre (le fond de la bouteille).* **2.** partie d'une chambre la plus éloignée de la porte : *le marchand se trouve au fond de la boutique.* **3.** la matière d'une chose (contraire : *forme*) : *le fond de ce livre est meilleur que la forme.* — **à fond,** tout à fait : *il sait sa leçon à fond.* — **au fond, dans le fond,** si on regarde de près, si on étudie bien la chose : *au fond, il est plus intelligent qu'il ne semble.*

fonder [fõde], v. trans., faire que quelque chose soit : *on a fondé un hôpital dans la ville.*

fondre [fõdrə] *(je fonds, il fond, nous fondons; je fondis; je fondrai; fonds; que je fonde; fondu),* v. trans., **1.** faire passer une chose (un métal par exemple) de l'état solide à l'état liquide : *on a fondu du fer.* **2.** mêler pour faire un tout : *on a fondu deux classes en une.* — v. intr., **1.** devenir liquide : *la glace a fondu; le sucre fond dans l'eau; il fond en larmes,* il pleure beaucoup. **2.** se jeter, se lancer : *il a fondu sur l'ennemi.*

fonds [fõ], n. m., **1.** sol d'un champ : *il cultive le fonds que lui a laissé son père.* **2.** (au plur.) somme d'argent : *il lui faudrait beaucoup de fonds pour établir son commerce.* **3.** qualité que quelqu'un a en naissant : *il a un grand fonds de bonté.* — EXPRESSIONS : *fonds de commerce,* boutique (magasin) avec tout ce qui est utile pour faire un commerce : *il a acheté un fonds de commerce de boulangerie; le directeur fait fonds sur cet employé;* il espère que cet employé fera très bien.

fontaine [fõtɛn], n. f., **1.** eau qui sort de la terre (on dit plutôt *source* en ce sens) : *les oiseaux boivent à la fontaine.* **2.** appareils qui donnent de l'eau en certains endroits des villes ou des villages ou dans les cours des maisons : *depuis que nous avons l'eau dans notre cuisine, nous n'allons plus à la fontaine.*

force [fɔrs], n. f., qualité de celui qui est fort, qui est solide : *il a beaucoup de force dans les bras.* EXPRESSIONS : *de force,* en employant la force : *il est entré de force dans la maison; force morale,* qualité de celui qui a du courage; *il a fait un tour de force,* il a réussi quelque chose de très difficile; *il est dans la force de l'âge,* il est à l'âge où l'on est le plus fort; *il veut s'en aller à toute force,* sans que rien puisse l'arrêter. — **à force de,** marque le moyen employé : *il a réussi à force de travail* (ou de *travailler*).

forcer [fɔrse] (avec *ç* devant *a* et *o, je forçais, forçant*), v. trans., **1.** avoir un résultat par la force : *il a forcé la porte,* il a mis la porte en morceaux pour entrer; au figuré, on lui défendait d'entrer, il est entré quand même. **2.** obliger, faire faire à quelqu'un ce qu'il ne veut pas : *ses parents le forcent à travailler.* — **forcé, ée,** adj., qu'on est obligé de faire. EXPRESSIONS : *le cours forcé* (d'une monnaie), le fait que cette monnaie doit être acceptée; *une marche forcée,* une marche très longue et très dure. — **forcément,** adv., de façon nécessaire : *en travaillant trop vite il se trompera forcément.*

forêt [fɔrɛ], n. f., grand terrain où il y a beaucoup d'arbres : *la route traverse la forêt; on a coupé beaucoup d'arbres dans la forêt.*

forge [fɔrʒ], n. f., atelier où on travaille le fer : *il y a toujours un grand feu dans une forge.*

forger [fɔrʒe] (*ge* devant *a* et *o* ; *il forgeait, forgeant*), v. trans., **1.** travailler le fer dans une forge : *on forge des outils.* PROVERBE : *A force de forger on devient forgeron,* on connaît bien un métier seulement quand on a beaucoup travaillé dans ce métier. **2.** faire : *on a forgé de nouveaux mots.*

forgeron [fɔrʒərõ], n. m., celui qui travaille le fer dans une forge : *le forgeron a forgé des fers pour les chevaux.*

formation [fɔrmasjõ], n. f., action de former, surtout au sens d'action d'élever (un enfant, un jeune homme) : *la formation des maîtres est très importante.*

forme [fɔrm], n. f., ce que l'on voit d'une chose : *la nuit on voit les formes, mais non les couleurs; en forme de,* qui a la forme de, qui ressemble à : *un nuage en forme d'animal.*

former [fɔrme], v. trans., **1.** donner la forme, faire que quelque chose soit : *l'eau du sol forme les rivières.* **2.** élever (un enfant, un jeune homme) : *les voyages l'ont bien formé.*

formidable [fɔrmidablə], adj., **1.** qui fait peur : *l'ennemi a une armée formidable.* **2.** fam., très beau, très grand, très intelligent, etc. : *ce film est formidable.*

formule [fɔrmyl], n. f., **1.** papier officiel avec des phrases ou des questions préparées : *pour demander un passeport il faut remplir une formule.* **2.** phrase toute faite : *il emploie des formules qu'il ne comprend pas.*

fort, forte [fɔr, fɔrt], adj., (contraire : *faible*). **1.** qui a le corps solide, qui peut porter quelque chose de lourd, etc. : *l'homme est plus fort que l'enfant; il est fort comme un Turc, fort comme un bœuf,* très fort. **2.** fig., *une armée très forte,* qui a beaucoup de soldats et de bonnes armes; *cet élève est fort en anglais,* il réussit bien en anglais. **3.** (en parlant des choses) *une forte somme,* beaucoup d'argent; *une ville forte,* une ville bien défendue;

ce vin est très fort, il monte à la tête. — adv., **1.** avec force : *il crie fort.* **2.** très, beaucoup : *il est fort intelligent; je l'aime fort.* — n. m., **1.** un homme fort. PROVERBE : *La raison du plus fort est toujours la meilleure* (La Fontaine), on donne souvent raison à ceux qui sont forts. **2.** bâtiment militaire entouré de murs et de fossés : *il y avait autrefois des forts autour de Paris.* **3.** *au fort de l'été,* au moment où l'été est le plus chaud; *au fort de l'hiver,* au moment où l'hiver est le plus froid (on dit aussi : *au cœur de l'été, au cœur de l'hiver*).

fortune [fɔrtyn], n. f., **1.** ce qui arrive : *vous dînerez chez moi à la fortune du pot,* vous mangerez ce qui aura été préparé (sans qu'on vous attende). **2.** beaucoup d'argent : *il a de la fortune,* il est riche; *il a une grande fortune,* il est très riche; *il a fait fortune,* il est devenu riche.

fossé [fose], n. m., creux (trou) très long, souvent plein d'eau : *il y a un fossé au bord de la route.*

fou, folle, plur. **fous, folles** [fu, fɔl] (**fol** au masc. devant un nom commençant par une voyelle), adj. et n. m., et f. **1.** qui n'a pas sa raison : *les médecins soignent les fous.* **2.** autrefois, personnes qui amusaient les rois : *les anciens rois avaient leurs fous.* — EXPRESSIONS : *cela coûte un argent fou,* cela coûte très cher; *herbes folles,* herbes qui poussent toutes seules, sans être cultivées; *fou rire,* rire qui commence tout d'un coup et qu'on ne réussit pas à arrêter : *j'ai été pris d'un fou rire; un monde fou,* beaucoup de monde : *il y avait un monde fou dans les magasins.*

foudre [fudrə], n. f., feu qui, dans un orage, tombe sur la terre et peut causer des accidents : *la foudre est tombée sur un arbre.*

foulard [fular], n. m., morceau de tissu plus long que large que l'on porte autour du cou : *un foulard de laine bleue.*

foule [ful], n. f., un grand nombre de gens : *il y avait foule sur la place; j'ai traversé la foule avec peine.* — **en foule,** en grand nombre : *pendant les vacances les gens des villes vont en foule au bord de la mer ou dans les montagnes.*

four [fur], n. m., **1.** pierres formant un creux rond où l'on fait cuire des aliments : *le boulanger met son pain dans le four; il fait chaud comme dans un four,* il fait très chaud. **2.** *petit four,* sorte de petit gâteau. **3.** fam. : *c'est un four,* cette pièce de théâtre n'a pas plu au public.

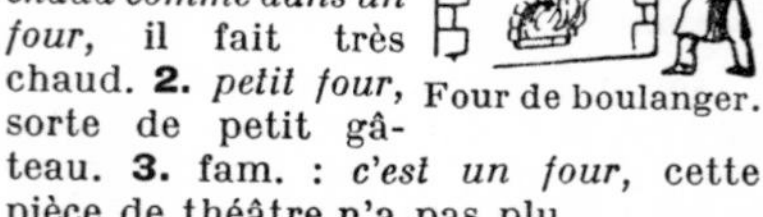

Four de boulanger.

fourche [furʃ], n. f., outil fait de deux ou trois dents (morceaux de fer pointus) au bout d'un long manche : *le cultivateur a ramassé le foin avec sa fourche.*

fourchette [furʃɛt], n. f., instrument de métal qui sert à table pour piquer les morceaux de viande : *on met une cuiller, une fourchette et un couteau à côté des assiettes; il a un bon coup de fourchette,* ou *c'est une bonne (une belle) fourchette,* il mange beaucoup.

fourmi [furmi], n. f., petit insecte qui vit sous la terre en grand nombre et qui se répand dans les champs et les jardins : *il y a des fourmis noires et des fourmis brunes;* fam., *j'ai des fourmis dans les jambes,* les jambes me piquent (parce que je suis resté longtemps sans remuer).

fourneau [furno], n. m., **1.** appareil qui sert à faire cuire les aliments : *nous avons installé un fourneau dans la cuisine.* **2.** *haut fourneau,* grand four avec une très haute cheminée

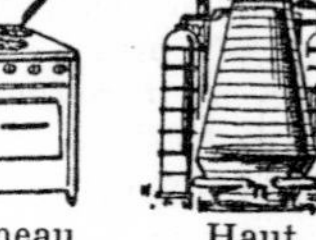

Fourneau de cuisine. Haut fourneau.

(d'où sort la fumée) pour faire fondre le fer.

fournir [furnir], v. trans., donner ou vendre à quelqu'un ce qui lui est nécessaire : *je lui ai fourni le pain et la viande.* — **se fournir** (avec *de*), acheter ce qui est nécessaire : *je me fournis de pain chez votre boulanger.*

fourrure [furyr], n. f., peau d'animal, avec ses poils, préparée pour servir de vêtement : *cette dame porte un manteau de fourrure.*

Fourrure

fragile [fraʒil], adj., **1.** qui se casse facilement : *ce verre est très fragile.* **2.** qui a une santé faible, qui tombe facilement malade : *un enfant fragile.*

1. frais, fraîche [frɛ, frɛʃ], adj., **1.** un peu froid : *le temps est frais ce matin.* **2.** pas fatigué : *quand je me serai reposé je serai de nouveau frais.* **3.** *du poisson frais,* du poisson qu'on a pêché il n'y a pas longtemps; *du beurre frais,* du beurre qu'on a fait il n'y a pas longtemps; *du linge frais,* du linge qu'on vient de laver; *des nouvelles fraîches,* des nouvelles qu'on vient de savoir. — n. m., *il prend le frais,* il est content d'avoir un moment agréable où il ne fait pas trop chaud, par exemple en étant assis à l'ombre. — adv., *il boit frais,* il boit une boisson qui est un peu froide. — **de frais,** adv., il n'y a pas longtemps : *il est rasé de frais,* il vient de se raser.

2. frais [frɛ], n. m., toujours au pluriel, l'argent que l'on dépense : *le toit de la maison m'a causé de grands frais; il s'est mis en frais pour vous recevoir,* il a dépensé beaucoup d'argent pour vous recevoir; *cet épicier ne fait pas ses frais,* il perd de l'argent dans son commerce; *faux-frais,* ce que l'on dépense à côté des sommes importantes : *il a eu beaucoup de faux-frais dans son voyage;* fig., *il a réussi à peu de frais,* sans se donner beaucoup de peine.

fraise [frɛz], n. f., fruit rouge de forme pointue, avec de petits grains : *il a mangé des fraises avec du sucre; fraise des bois,* très petites fraises qu'on trouve dans les bois.

fraisier [frɛzje], n. m., plante très basse qui produit des fraises : *nous avons planté des fraisiers dans notre jardin.*

1. franc [frɑ̃], n. m., monnaie française : *ce livre coûte cinq cents francs; il a dépensé un billet de mille francs.*

2. franc, franche [frɑ̃, frɑ̃ʃ], adj., qui dit la vérité : *elle a été toujours très franche avec vous.*

Français, aise [frasɛ, ɛz], n. et adj. (avec un grand *F* comme nom, un petit *f* comme adjectif) qui habite la France, qui se rapporte à la France : *les Français, un livre français.*

France [frɑ̃s], n. f., pays d'Europe : *la France a 43 millions d'habitants.*

Carte de France.

franchir [frɑ̃ʃir], v. trans., **1.** passer de l'autre côté, traverser : *l'armée a franchi la rivière sur un pont.*

franco [frɑ̃ko] (ne change pas au féminin ni au pluriel), première partie d'adjectifs qui mettent en rapport la France ou les Français avec un autre peuple : *l'amitié franco-anglaise,* l'amitié de la France et de l'Angleterre.

frapper [frape], v. trans., **1.** donner des coups : *il a frappé son camarade avec un bâton.* **2.** faire des pièces de monnaie : *on frappe de nouvelles pièces.* **3.** attirer l'attention : *cette nouvelle m'a frappé.* — v. intr., *frapper à la porte,* donner des coups sur la porte pour se faire ouvrir. — fam., **se frapper,** avoir peur d'un danger : *il se frappe facilement.*

fraternel, elle [fratɛrnɛl], adj., qui se rapporte à des frères : *l'amour fraternel.*

fraternité [fratɛrnite], n. f., sentiment qu'on a pour d'autres hommes comme s'ils étaient des frères : *il faut qu'il y ait beaucoup de fraternité entre les hommes.*

fraude [frod], n. f., action de tromper : *il a passé des cigarettes en fraude,* sans les déclarer (sans dire qu'il en avait) à la frontière.

frein [frɛ̃], n. m., appareil qui permet d'arrêter une bicyclette, une auto, un train, etc., ou d'aller moins vite : *il a serré les freins en descendant la côte.*

freiner [frɛne], v. intr., se servir de freins : *il n'y a pas eu d'accident parce que le chauffeur a freiné à temps.*

fréquent, ente [frekɑ̃, ɑ̃t], adj., qui arrive souvent : *les accidents sont fréquents sur cette route.*

fréquenter [frekɑ̃te], v. trans., aller souvent chez une personne ou dans un endroit : *je ne fréquente plus mes voisins; cette rue est très fréquentée,* il y passe beaucoup de personnes; *mon fils fréquente l'école du village,* il va en classe à cette école.

frère [frɛr], n. m., qui a le même père et la même mère : *il est plus petit que son frère; ces deux frères aiment beaucoup leurs parents.*

frit, frite [fri, frit], adj., qu'on a fait cuire dans du beurre bouillant ou de l'huile bouillante : *du poisson frit.* — **frites**, n. f. pl., pommes de terre frites; *nous avons mangé des frites à notre déjeuner.*

froid, froide [frwa, frwad], adj., (contraire : *chaud*), **1.** ce qu'on sent en hiver ou en touchant un morceau de glace : *nous avons eu une semaine très froide; il fait froid,* le temps est froid; *nous avons froid, j'ai pris froid,* je suis tombé malade à cause du froid. **2.** (en parlant des personnes) qui ne laisse pas voir ce qu'il pense ou ce qu'il sent : *cet homme est très froid.* — n. m. (contraire : *chaleur*), *je crains les grands froids.* — adv., *il lui bat froid,* il ne le reçoit pas très bien.

fromage [frɔmaʒ], n. m., aliment fait avec du lait : *nous avons mangé du fromage à la fin du repas.*

front [frɔ̃], n. m., **1.** le haut de la figure, entre les yeux et les cheveux : *il a un très grand front.* **2.** (militaire) les endroits où l'on se bat (contraire : *l'arrière*) : *le soldat est parti pour le front.* — **de front,** l'un à côté de l'autre : *ces hommes marchent de front sur la route.*

frontière [frɔ̃tjɛr], n. f., ligne entre deux pays : *cette rivière sert de frontière entre nos deux pays.*

frotter [frɔte], v. trans., passer plusieurs fois la main, un chiffon, etc. sur un objet : *on a frotté la table.* PROVERBE : *Qui s'y frotte s'y pique,* celui qui veut y toucher se fait mal.

fruit [frɥi], n. m., **1.** ce que produisent les plantes après les fleurs : *les pommes, les poires, les cerises sont des fruits qui poussent en France;* fig., *fruit sec,* mauvais élève qui ne fera rien de bon après l'école. PROVERBE : *On juge l'arbre à ses fruits :* on juge une personne à ce qu'elle fait. **2.** résultat : *cette maison est le fruit de vingt ans de travail.*

fruitier, ière [frɥitje, jɛr], adj., *arbre fruitier,* arbre qui produit des fruits que l'on peut manger : *nous avons planté des arbres fruitiers dans notre jardin.* — n. m. et f., celui (celle) qui vend des fruits et des légumes : *j'ai acheté un kilo de pommes chez le fruitier.*

fuir [fɥir] *(je fuis, nous fuyons, ils fuient; je fuyais; je fuis; je fuirai; que je fuie, que nous fuyions, qu'ils fuient, fui),* v. intr., **1.** s'en aller loin du danger et de tout ce qu'on craint (ce qui fait peur) : *il a fui quand il nous a vus.* **2.** laisser partir de l'eau : *ce pot fuit.* — v. trans., *il a fui son pays,* il a quitté son pays parce qu'il pensait qu'il y était en danger.

fuite [fɥit], n. f., **1.** action de fuir : *il a pris la fuite,* il a fui. **2.** petit trou par où l'eau sort : *nous avons trouvé la fuite; il y a eu une fuite de gaz,* le gaz est sorti par un trou et s'est répandu dans la maison.

fumée [fyme], n. f., ce qui monte d'un feu : *le plafond était noir de fumée.* — PROVERBE : *Il n'y a pas de fumée sans feu,* quand on raconte quelque chose sur quelqu'un il y a toujours un peu de vrai [ce proverbe n'est pas toujours vrai].

fumer [fyme], v. intr., **1.** produire de

la fumée : *ce poêle fume beaucoup.* **2.** allumer une cigarette, une pipe et faire sortir de sa bouche la fumée du tabac : *vous fumez trop.* — v. trans., *il a fumé trois cigarettes ce matin.*

fureur [fyrœr], n. f., grande colère : *ne lui parlez pas, il est en fureur;* fig. : *la mer est en fureur.*

furieux, euse [fyrjø, øz], adj., qui est en fureur, en grande colère : *il est furieux d'avoir manqué son train; un fou furieux,* un fou qui est très méchant quand il est en colère.

fusil [fyzi], n. m., arme à feu : *les soldats portent le fusil sur l'épaule droite.*

futur, e [fytyr], adj., qui doit arriver plus tard : *il pense à son métier futur.* — n. m., (grammaire) temps des verbes qui marque qu'une action sera faite : JE CHANTERAI *est un futur.*

G

gagner [gañe], v. trans., **1.** recevoir de l'argent pour son travail, en tirer de son commerce, etc. : *il gagne x francs par mois; il a beaucoup gagné dans cette boutique;* **2.** se dit aussi de l'argent qui vient du jeu (contraire : *perdre*) : *il a gagné* 100 *francs aux cartes.* **3.** *il a gagné la bataille,* il a été plus fort que l'ennemi (contraire : *il a perdu la bataille*). **4.** aller à un endroit : *il a gagné Paris.* — v. intr., **1.** devenir meilleur : *le bon vin gagne à rester dans les bouteilles; il gagne à être connu,* on le juge meilleur quand on le connaît bien. **2.** avoir de meilleurs résultats que les autres dans un sport, dans un jeu : *il a gagné à la course, aux cartes, etc.*

gai, e [gɛ], adj. (contraire : *triste*), **1.** qui aime à rire, à s'amuser : *ces jeunes gens sont très gais.* **2.** (en parlant des choses) qui plaît et amuse : *cette couleur est très gaie.*

gaiement [gɛmɑ̃], adv., de façon gaie : *il a déjeuné gaiement.*

gamin, ine [gamɛ̃, in], n. m. et f., enfant qui joue dans la rue; fam., n'importe quel enfant : *ces gamins jouent à la balle.*

gant [gɑ̃], n. m., pièce de vêtement qui couvre la main : *il tient ses gants à la main.* Expressions : *cela vous va comme un gant,* cela vous va très bien; *je n'ai pas pris de gants avec lui,* je ne lui ai pas parlé doucement.

garage [garaʒ], n. m., **1.** bâtiment où on range les autos : *il y a un garage dans la maison.* **2.** maison de commerce qui loue des places pour les autos et qui souvent vend de l'essence et de l'huile, répare les autos et même achète et vend des autos : *j'ai conduit mon auto au garage pour la faire réparer.*

garagiste [garaʒist], n. m., celui qui loue des places pour les autos, qui vend de l'essence et de l'huile, qui répare les autos, et même achète et vend des autos : *le garagiste m'a dit que mon auto avait besoin de grosses réparations.*

garantie [garɑ̃ti], n. f., le fait de garantir (de promettre qu'une chose marchera bien) : *le commerçant qui m'a vendu ce poste de radio m'a donné sa garantie.*

garantir [garɑ̃tir], v. trans., **1.** promettre qu'une chose marchera bien, en promettant de payer ou de faire les réparations si elle marche mal : *cette montre est garantie pour un an.* **2.** promettre : *je vous garantis que cette bicyclette roulera bien.* **3.** défendre contre quelque chose : *les murs épais garantissent les maisons du froid.*

garçon [garsɔ̃], n. m., **1.** enfant du sexe masculin : *mon frère a une fille et deux garçons.* **2.** *petit garçon,* enfant du sexe masculin de 2 à 13 ans : *ces petits garçons font beaucoup de bruit en jouant; il est resté petit garçon,* il ne se conduit pas comme un homme. **3.** *il est resté garçon,* il ne s'est pas marié; *un vieux garçon,* un homme qui ne s'est pas marié. **4.** employé dans certains métiers : *un garçon boucher garçon de café,* celui qui sert les clients dans un café; *garçon de courses,* celui qui fait des courses (au sens 3 de ce mot). **5.** *il est bon garçon,* il est gentil.

1. garde [gard], n. m. et f., celui (celle) qui s'occupe de certaines choses en particulier pour les défendre, pour empêcher qu'il n'arrive du mal : *garde-chasse,* celui qui empêche de chasser dans certains terrains; *garde-malade,* celle qui s'occupe d'un malade (ce n'est pas une infirmière : elle ne le soigne pas).

2. garde [gard], n. f., **1.** action de s'occuper de certaines choses pour empêcher qu'on ne fasse mal : *il a fait bonne garde; le soldat monte la garde; je vous mets en garde contre ses mensonges; prenez garde,* faites attention. **2.** soldats qui défendent un roi, un chef d'État, etc. : *la vieille garde de Napoléon.*

garder [garde], v. trans., **1.** s'occuper de quelqu'un ou de quelque chose pour empêcher qu'il n'arrive du mal : *la mère garde bien ses enfants.* **2.** ne pas rendre : *il a gardé l'argent qu'on lui avait prêté.* **3.** ne pas toucher à quelque chose : *il a gardé son argent et n'a rien voulu dépenser; il garde le silence,* il se tait, il ne dit rien. — **se garder, 1.** faire attention (s'il y a un danger) : *gardez-vous à droite.* **2.** (avec *de* et l'infinitif) faire attention à ne pas faire une action : *gardez-vous de l'écouter,* ne l'écoutez pas.

gardien, enne [gardjɛ̃, ɛn], n. m. et f., celui (celle) qui garde une personne ou une chose : *un gardien de prison; la gardienne d'une maison; gardien de la paix,* agent de police (à Paris); *ange gardien,* dans la religion catholique, ange qui aide une personne et la défend contre les dangers; fig., celui qui aide une personne : *sa mère est son ange gardien.*

gare [gar], n. f., endroit où les trains s'arrêtent et où les voyageurs montent et descendent : *le train n'est pas encore entré en gare.*

garer [gare], v. trans., placer une auto dans un endroit où elle ne gênera pas et où elle ne sera pas gênée : *je n'ai pas réussi à garer mon auto dans cette rue.* — **se garer,** se défendre contre un danger, par exemple en reculant : *cette auto va très vite, garez-vous.*

garnir [garnir], v. trans., **1.** décorer : *on a garni le mur de tableaux.* **2.** mettre des meubles dans une chambre qu'on loue : *une chambre garnie.* **3.** (dans un restaurant) *un plat garni;* de la viande avec des légumes.

gars [ga], n. m., fam., garçon, jeune homme : *c'est un gars,* c'est un jeune homme qui a du courage.

gaspiller [gaspije], v. trans., dépenser de façon peu utile : *il gaspille tout l'argent que son père lui donne;* fig., *il gaspille son temps,* il n'emploie pas son temps de façon utile.

gâteau, plur. **gâteaux** [gɑto], n. m., aliment fait avec de la farine (comme le pain), mais où on a mis aussi du beurre, du sucre, des œufs, etc. : *les enfants aiment les gâteaux.*

gauche [goʃ], adj., **1.** qui se rapporte au côté du corps où se trouve le cœur (contraire : *droite*) : *il lève le bras gauche; il part du pied gauche.* **2.** qui n'est pas adroit, qui ne sait pas se servir de ses mains : *il est gauche dans tous ses mouvements.* — n. f., la main gauche, le côté gauche : *il était assis à la gauche de la maîtresse de maison.* — *à gauche,* du côté gauche : *vous prendrez la première rue à gauche.*

Il lève le bras gauche.

gaz [gaz], n. m., **1.** un des trois états de la matière (les gaz ne sont ni solides ni liquides) : *l'air est un gaz.* **2.** en particulier gaz tiré du charbon : *nous faisons notre cuisine au gaz; un réchaud à gaz.*

géant, e [ʒeɑ̃, ɑ̃t], n. et adj., qui est très grand : *cet homme a deux mètres de haut, c'est un géant;* fig., *il marche à pas de géant,* il fait de très grands pas.

geler [ʒəle] (*il gèle, il gelait, il gèlera*), v. trans., changer en glace : *l'hiver a gelé l'eau dans la maison.* — v. intr., **1.** devenir de la glace : *la rivière commence à geler.* **2.** avoir très froid : *on gèle dans cette chambre quand le poêle est éteint.* **3.** v. impers. : *il gèle,* il fait très froid; *il gèle à pierre fendre,* il fait si froid que les pierres se fendent.

gémir [ʒemir], v. intr., se plaindre faiblement : *le blessé gémissait.*

gendarme [ʒɑ̃darm], n. m., soldat qui est chargé de la police dans l'armée et dans les campagnes : *les gendarmes sont allés à la ferme où on avait volé de l'argent.*

gendre [ʒɑ̃drə], n. m., le mari de la fille : *ce monsieur et cette dame sont venus avec leur fille et leur gendre.*

gêner [ʒɛne], v. trans., **1.** rendre les mouvements peu faciles, serrer (en parlant des chaussures ou des habits) : *mon col me gêne.* **2.** rendre une action peu facile : *votre question le gêne,* il ne sait pas ce qu'il doit répondre. — **se gêner,** ne pas faire tout ce qu'on veut : *il ne se gêne pas,* il fait comme s'il était seul, comme si d'autres personnes n'étaient pas là. — **gênant, e,** adj., qui gêne : *une question gênante.* — **gêné, ée,** adj., qui manque d'argent : *il a été gêné à la fin du mois.*

1. général, ale; plur. **aux, ales** [ʒeneral, o], adj., qui ne se rapporte pas à une seule personne ou à une seule chose, mais à un ensemble : *il m'a donné une vue générale sur la question.* — **en général** (contraire : *en particulier*), presque toujours : *il prend en général le train de deux heures.*

2. général, plur. **aux** [ʒeneral, o] n. m., chef militaire qui commande une unité importante de l'armée : *ce général commande un corps d'armée.*

généralement [ʒeneralmɑ̃], adv., en général : *il rentre chez lui généralement à 8 heures.*

généreux, euse [ʒenerø, øz], adj., qui donne facilement : *cette dame est très généreuse pour les pauvres.*

génie [ʒeni], n. m., **1.** qualités d'esprit très grandes et très rares : *il a du génie; il a le génie de la poésie.* **2.** homme qui a ces qualités : *Victor Hugo était un génie.* **3.** les soldats qui font des murs, des fossés, des routes, des chemins de fer, etc. : *ce pont a été fait par le génie.*

genou, plur. **oux** [ʒənu], n. m., partie du corps où la jambe se plie : *il est tombé sur le genou; se mettre à genoux,* mettre les deux genoux sur le sol.

genre [ʒɑ̃r], n. m., **1.** ensemble de personnes ou d'animaux qui se ressemblent, espèce, sorte : *je n'aime pas beaucoup ce genre d'hommes.* **2.** manière de se tenir : *il a mauvais genre,* il se tient mal. **3.** (grammaire) il y a en français deux genres : le masculin et le féminin : « *homme* » et « *banc* » *sont du genre masculin,* « *femme* » *et* « *chaise* » *sont du genre féminin.*

gens [ʒɑ̃], n. plur. (l'adj. placé devant *gens* se met au féminin; l'adj. placé après *gens* se met au masculin), hommes, personnes : *je ne connais pas les gens de ce village; ce sont de bonnes gens; des gens adroits; gens de lettres,* écrivains (personnes qui écrivent des livres).

gentil, ille [ʒɑ̃ti, ij], adj., **1.** agréable à voir : *ce jardin est très gentil.* **2.** (en parlant des personnes) qui est agréable, qui cherche à faire plaisir : *cet enfant est gentil avec ses parents.*

géographie [ʒeografi], n. f., la science de la terre (les montagnes, les rivières, les mers, les pays, les villes, etc.) : *il sait bien sa géographie.*

géographique [ʒeografik], adj., qui se rapporte à la science de la terre : *une carte géographique.*

gérant, ante [ʒerɑ̃, ɑ̃t], n. m., et f., celui (celle) qui s'occupe d'un commerce à la place du patron : *ce magasin est tenu par un gérant.*

gerbe [ʒɛrb], n. f., plantes coupées attachées ensemble : *une gerbe de blé; une gerbe de fleurs.*

geste [ʒɛst], n. m., mouvement que l'on fait avec le bras et la main : *j'ai fait de grands gestes pour vous appeler.*

gibier [ʒibje], n. m., les animaux que l'on chasse : *le gibier est rare cette année; gibier à poil,* les lapins, les lièvres; *gibier à plume,* les oiseaux; fig., *gibier de prison,* personne qui un jour ou l'autre ira en prison.

gilet [ʒilɛ], n. m., vêtement d'homme sans manches qu'on met sous la veste : *dès qu'il fait chaud, on ne porte plus de gilet.*

glace [glas], n. f., **1.** eau devenue solide sous l'action du froid : *le lac est couvert de glace; j'ai mis un morceau de glace dans mon verre.* **2.** aliment fait avec de la glace : *nous avons mangé une glace au chocolat.* **3.** surface de verre où l'on peut se regarder : *elle se regarde longtemps dans la glace.* **4.** grande vitre (surface de verre) d'une boutique : *la glace a été cassée par accident.*

glacé, ée [glase], adj., **1.** très froid : *il a bu de l'eau glacée.* **2.** qui a une surface très plate et très douce : *du papier glacé.*

glisser [glise], v. intr., faire un mouvement en frottant sur le sol comme celui qu'on fait sur la glace : *j'ai glissé sur le plancher; la bouteille m'a glissé dans les mains.* — **glissant, ante,** adj., où l'on glisse : *faites attention, ce terrain est glissant.*

globe [glɔb], n. m., **1.** corps rond comme une boule : *la terre a la forme d'un globe.* **2.** la terre (au sens 1) : *il a fait le tour du globe.*

gloire [glwar], n. f., le plus haut rang qu'on puisse occuper dans les esprits : *le nom de Victor Hugo est entouré de gloire.*

golfe [gɔlf], n. m., partie de mer qui entre dans les terres : *le bateau est entré dans le golfe.*

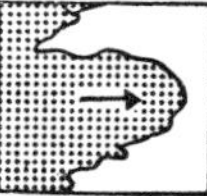

gomme [gɔm], n. f., morceau de caoutchouc qui sert a effacer ce qui est écrit sur le papier : *il a frotté si fort avec sa gomme qu'il a fait un trou dans le papier.*

gonfler [gõfle], v. trans., faire devenir plus gros : *on a gonflé le ballon, la chambre à air de la bicyclette.* — v. intr., devenir plus gros : *les grains ont gonflé.*

gorge [gɔrʒ], n. f., **1.** la partie creuse à l'arrière de la bouche : *un petit os lui est resté dans la gorge; il a mal à la gorge; il a la gorge rouge.* EXPRESSIONS : *il crie à pleine gorge,* très fort; fig., *on fait des gorges chaudes de ce qu'il dit,* on s'en moque beaucoup; *je lui ferai rentrer ces mots dans la gorge,* je l'obligerai à reconnaître que ce qu'il a dit n'est pas vrai; *il a rendu gorge,* il a rendu l'argent qu'il avait volé. **2.** le devant du cou : *il a la gorge nue.* **3.** endroit très creux et très étroit dans une région de montagnes : *la rivière passe dans une gorge.*

gosse [gɔs], n. m. et f., pop., enfant : *ces gosses font trop de bruit.*

gourmand, ande [gurmã, ãd], adj. et n., qui aime manger de bonnes choses : *les gourmands mangent beaucoup de gâteaux.*

gourmet [gurmɛ], n, m., celui qui sait reconnaître si un aliment ou un vin est bon : *les gourmets connaissent bien ce restaurant.*

goût [gu], n. m., **1.** le sens qui permet de connaître les qualités des aliments : *il a le goût très fin.* **2.** ce qui fait que les aliments semblent bons ou mauvais : *ce morceau de viande a un goût de brûlé.* **3.** sentiment de plaisir qu'on a à s'occuper de certaines choses : *il a du goût pour la musique.* **4.** sentiment qui fait reconnaître ce qui est beau : *il a installé sa chambre avec goût; il a mauvais goût,* il ne sait pas ce qui est beau.

1. goûter [gute], v. trans., **1.** manger ou boire très peu de quelque chose pour reconnaître ses qualités : *j'ai goûté ce morceau de fromage.* **2.** aimer les qualités d'une chose : *je goûte beaucoup ce morceau de musique.* — v. intr., faire un petit repas dans l'après-midi : *les enfants ont goûté avec du pain et du chocolat.*

2. goûter [gute], n. m., petit repas que l'on fait dans l'après-midi : *il a bu du café au lait à son goûter.*

goutte [gut], n. f., partie très petite et ronde d'un liquide : *vous avez fait tomber quelques gouttes d'eau sur la table; le médecin m'a dit de boire trois gouttes de ce médicament dans un verre d'eau.*

gouvernail, plur. **ails** [guvɛrnaj], n. m., appareil qui sert à conduire un bateau ou un avion : *ne quittez pas le gouvernail.*

gouvernement [guvɛrnəmã], n. m., ceux qui sont à la tête d'un pays (se dit surtout des ministres) : *nous avons depuis longtemps le même gouvernement.*

gouverner [guvɛrne], v. trans., **1.** conduire les affaires, surtout les affaires d'un pays : *ce ministre a bien gouverné.* **2.** conduire un bateau : *il a gouverné de façon que le bateau entre dans le port.*

grâce [grɑ:s], n.f., **1.** ce qu'on fait de bien à quelqu'un sans y être obligé : *faire grâce,* pardonner. **2.** manière d'être agréable, qui plaît : *cette dame parle avec grâce; il m'a donné de bonne grâce ce que je lui demandais*, de façon gentille. **3.** *rendre grâce*, dire merci. — **grâce à,** au moyen de (se dit de quelque chose qui aide) : *grâce à son travail il est devenu un homme utile.*

gracieux, euse [grasjø, øz], adj., qui a une manière d'être agréable, qui plaît : *cette jeune fille est gracieuse.*

grain [grɛ̃], n. m., **1.** petite partie d'une plante qui poussera si on la met dans la terre : *on écrase les grains de blé pour faire de la farine.* **2.** corps très petit : *des grains de sable, j'ai reçu un grain de poussière dans l'œil;* fig., *il n'y a pas un grain de vérité dans ce qu'il dit*, rien de vrai.

graine [grɛn], n. f., petite partie d'une plante qui pousse quand elle est mise dans la terre : *il a semé les graines qu'il avait;* fig. : *c'est de la mauvaise graine*, ce sont de méchants enfants.

graisse [grɛs], n. f., matière qu'on trouve dans les animaux et les plantes et qui ressemble à du beurre ou à de l'huile : *la graisse fond si on la chauffe; il a sali ses habits avec de la graisse; prendre de la graisse*, devenir gras (en parlant d'une personne).

graisser [grɛse,] v. trans., mettre de la graisse sur quelque chose : *il faut bien graisser ces machines;* fig. et fam., *graisser la patte* (à quelqu'un), lui donner de l'argent pour qu'il fasse pour vous quelque chose qui lui est défendu (qu'il ne doit pas faire).

grammaire [gramɛr], n. f., **1.** science de la langue : *la grammaire française est plus facile qu'on ne le dit.* **2.** livre de grammaire : *il a oublié sa grammaire chez lui.*

gramme [gram], poids : le millième du kilo : *cette lettre pèse 20 grammes.*

grand, e [grɑ̃, grɑ̃d. — au masculin grɑ̃ t devant un mot commençant par une voyelle : *grand arbre* : grɑ̃ t arbrə], adj., **1.** qui occupe beaucoup de place : *votre appartement est très grand.* **2.** haut : *un grand arbre; cet homme est très grand.* **3.** important : *une grande ville; un grand magasin*, un magasin très important, où on vend toute sorte de choses. — dans quelques expressions on dit *grand* au féminin : *la grand-rue, la grand-place, la grand-porte*, la rue (la place, la porte) la plus importante de la ville; *ce n'est pas grand-chose*, ce n'est pas important. **4.** qui est dans les premiers en bien ou en mal : *un grand homme; un grand voleur.* **5.** *le grand air*, l'air de la campagne; *il fait grand jour*, il fait tout à fait jour. — n. m., **1.** celui (celle) qui est grand : *dans cette école il y a des petits et des grands.* **2.** un homme important : *il aime aller chez les grands.*

grandeur [grɑ̃dœr], n. f., **1.** qualité de ce qui est grand : *la grandeur d'une maison.* Se dit surtout au sens figuré : *la grandeur de cet homme*, ses grandes qualités (au sens propre on dit « sa taille »). **2.** tout ce qui met au-dessus des autres : *il aime les grandeurs; ni l'or ni la grandeur ne nous rendent heureux* (La Fontaine); *il a la folie des grandeurs*, il veut paraître beaucoup plus qu'il n'est; *il vous regarde du haut de sa grandeur*, il vous regarde comme si vous étiez très au-dessous de lui.

grandir [grɑ̃dir], v. intr., devenir grand : *cet enfant a beaucoup grandi depuis l'an dernier.*

grand-mère [grɑ̃mɛr], n. f., la mère du père ou de la mère : *cet enfant habite chez sa grand-mère.*

grand-père [grɑ̃pɛr], n. m., le père du père ou de la mère : *son grand-père aime raconter des histoires.*

grands-parents [grɑ̃parɑ̃], n. m. plur., le grand-père et la grand-mère : *il est allé voir ses grands-parents à la campagne.*

grange [grɑ̃ʒ], n. f., à la campagne, bâtiment où on met le blé qu'on a coupé : *il aide à porter le blé dans la grange.*

grappe [grap], n. f., groupe de fruits (surtout de raisins) qui poussent ensemble : *j'ai acheté une grappe de raisins.*

gras, grasse [gra, gras], adj., qui

a beaucoup de graisse : *ce poulet est très gras; un papier gras,* un papier qui est sali avec de la graisse.

gratuit, ite [gratɥi, it], adj., qui ne coûte rien : *il a eu une place gratuite au théâtre.*

grave [grav], adj., **1.** (en parlant des personnes) qui est toujours sérieux qui n'aime pas rire : *ce juge est très grave.* **2.** (en parlant d'une maladie ou d'une blessure) qui peut être dangereux : *sa blessure est très grave.* **3.** (en parlant de quelque chose qui arrive) important : *cette affaire est très grave; un grave accident.*

grêle [grɛl], n. f., pluie froide avec des grains de glace très durs, comme de petites pierres : *il est tombé de la grêle; la grêle a cassé des branches.*

grêler [grɛle], v. intr., *il grêle,* il tombe de la grêle.

grenier [grənje], n. m., l'étage le plus haut d'une maison, sous le toit, où l'on met toute sorte de choses qui ne servent plus : *nous avons monté ce vieux meuble au grenier.*

grenouille [grənuj], n. f., petit animal vert qui saute au bord de l'eau : *les grenouilles aiment les endroits humides.*

grève [grɛv], n. f., le fait pour des ouvriers ou des employés d'arrêter le travail pour avoir ce qu'ils demandent: *les ouvriers de l'usine font grève; ils se sont mis en grève,* ils ont commencé la grève.

gréviste [grevist], n. m. et f., celui (celle) qui fait grève : *les grévistes attendent dans la cour de l'usine.*

griffe [grif], n. f., ongle pointu de certains animaux : *le chat a sorti ses griffes.*

griffer [grife], v. trans., faire mal avec des griffes : *cet enfant a été griffé par son chat.*

grille [grij], n. f., ensemble de tiges de fer placées pour empêcher de passer : *on a mis une grille autour du jardin.*

griller [grije], v. trans., faire cuire très vite, sans eau et près des flammes : *il a mangé de la viande grillée à son déjeuner.*

grimper [grɛ̃pe], v. intr., monter sur une maison, sur un arbre, etc., en se servant des mains et des pieds : *il a grimpé tout en haut de l'arbre.*

grippe [grip], n. f., sorte de maladie, avec de la fièvre, qui se répand très vite d'une personne à l'autre : *le médecin a soigné beaucoup de grippes pendant le printemps;* fig., *prendre en grippe,* ne plus aimer : *il a pris en grippe ses anciens amis.*

gris, e [gri, griz], adj., **1.** d'une couleur entre le blanc et le noir : *il a un chapeau gris; le temps est gris,* e ciel est couvert. **2.** qui a bu trop de vin : *il était gris quand il est sorti du café.*

gronder [grɔ̃de], v. intr., faire un grand bruit sourd : *quand on s'approche de la côte, on entend la mer gronder.* — v. trans., dire à quelqu'un qu'il a mal fait : *cette dame gronde souvent ses enfants.*

gros, grosse [gro, gros; — au masculin on prononce gro z devant un mot qui commence par une voyelle : *gros homme:* gro z ɔm], adj., **1.** qui est très large, qui a un tour très long : *cet homme est très gros; j'ai la joue très grosse.* **2.** fam., important : *un gros commerçant,* un commerçant (marchand) qui gagne beaucoup d'argent. **3.** fig. : *j'ai le cœur gros,* je suis triste; *un gros mot,* un mot qu'une personne polie ne dit pas. — **gros**, n. m., **1.** la partie la plus importante d'une armée : *le gros de l'armée a traversé la rivière.* **2.** *le gros* ou *le commerce de gros* (contraire : *le détail*), commerce où l'on vend les marchandises par quantités importantes et seulement aux commerçants : *cette maison ne vend qu'en gros, elle ne fait pas le détail.*

grosseur [grosœr], n. f., **1.** qualité de ce qui est gros : *quelle est la grosseur de cet animal?* **2.** partie du corps qui est devenue grosse : *il a une grosseur à la main.*

grossier, ère [grosje, jɛr], adj., **1.** (en parlant des choses) qui n'est pas bien fait, qui ne plaît pas : *ce tissu est très grossier.* **2.** (en parlant des personnes) qui n'est pas bien élevé : *cet homme est très grossier.*

grossir [grosir], v. intr., devenir gros : *son cou a grossi depuis un mois; la rivière a grossi,* il coule plus d'eau dans la rivière.

groupe [grup], n. m., ensemble de quelques personnes ou de quelques choses : *j'ai rencontré un groupe d'amis qui allaient au cinéma.*

grouper [grupe], v. trans., mettre ensemble, de façon à faire un groupe : *j'ai groupé les lettres que j'ai reçues de mes amis.*

guère [gɛr], adj., pas beaucoup : *je ne connais guère cette personne; il ne voit guère de monde.*

guérir [gerir], v. trans., rendre la santé à un malade : *le médecin m'a guéri de ma fièvre.* — v. intr., être de nouveau en bonne santé : *vous guérirez si vous prenez ce médicament.*

guerre [gɛr], n. f., ce que font deux pays qui se battent : *ces deux pays se sont fait longtemps la guerre.*

gueule [gœl], n. f., bouche des animaux : *le chien a ouvert sa gueule.*

guide [gid], n. m., **1.** celui qui conduit dans des chemins difficiles, dans des montagnes : *nous avons pris un guide pour monter au haut de la montagne.* **2.** livre où on trouve tout ce qu'il faut savoir pour aller dans une ville, une région, un pays : *j'ai acheté un guide avant d'aller en Angleterre.*

guider [gide], v. trans., conduire quelqu'un sur un chemin qu'il ne connaît pas : *mon ami m'a guidé dans la ville;* fig., *ses parents l'ont bien guidé dans ses études.*

H

habile [abil], adj., **1.** adroit de ses mains avec intelligence : *cet ouvrier est très habile pour réparer les montres.* **2.** intelligent, qui sait se servir des moyens qu'il a : *il a été très habile dans sa façon de se défendre.*

habiller [abije], v. trans., **1.** mettre les habits à quelqu'un : *la maman habille son petit enfant.* **2.** (en parlant d'un habit) bien aller à quelqu'un : *sa robe grise habille bien cette dame.* — **s'habiller,** mettre ses habits : *je me suis habillé très vite ce matin.* — **habillé, e,** adj., **1.** (en parlant des personnes) *il est bien habillé,* il a de beaux habits; *il est mal habillé,* il a des habits qui ne lui vont pas ou qui sont sales. **2.** (en parlant des habits) très beau, pour les dimanches et les jours de fête : *ce manteau est très habillé.*

habit [abi], n. m., ce que l'on met sur soi pour se couvrir (= vêtement) : veste, pantalon, robe, manteau : *il a acheté des habits neufs.*

habiter [abite], v. trans., avoir sa maison ou son appartement dans un endroit : *il habite une belle maison; nous habitons la campagne.* — v. intr., même sens : *il habite dans une belle maison; nous habitons à la campagne.* — **habitant, e,** n., celui (celle) qui habite dans un endroit : *la France a 43 millions d'habitants.*

habitude [abityd], n. f., façon d'être ordinaire : *il a l'habitude de fumer une cigarette après le déjeuner; ses parents lui ont donné de bonnes (de mauvaises) habitudes.* — **d'habitude,** en général, le plus souvent : *il quitte d'habitude son bureau à six heures.* — PROVERBE : *L'habitude est une seconde nature,* elle est aussi forte sur nous que notre nature (ce que nous sommes naturellement).

habituer [abitɥe ou ye], v. trans., donner à quelqu'un une habitude : *ses parents l'ont habitué à se lever de bonne heure.* — **s'habituer,** prendre l'habitude : *il ne s'habitue pas facilement à vivre à la ville.* — **être habitué,** avoir l'habitude : *il n'est pas encore habitué à sa nouvelle maison.*

hache [haʃ], n. f., outil qui sert à couper du bois : *on a coupé l'arbre à coups de hache.*

Hache

haie [hɛ], arbres ou autres plantes qui entourent des champs : *il est entré dans le champ en faisant un trou dans la haie;* fig., *faire la haie,* se tenir debout, en rang : *les gens ont fait la haie pour le regarder passer.*

haine [hɛːn], n. f., sentiment qui fait que l'on voudrait faire du mal à quelqu'un : *il a de la haine pour son voisin.*

haïr [hair], *(je hais, tu hais, il hait, nous haïssons, vous haïssez, ils haïssent; je haïssais; je haïs; je haïrai; je haïrais; que je haïsse; haï),* v. trans., avoir de mauvais sentiments contre quelqu'un : *il hait ceux qui ne pensent pas comme lui.*

halte [halt], n. f., le fait de s'arrêter en marchant : *nous avons fait halte au bord de la route; halte!* ou *halte-là!* arrêtez-vous, n'allez pas plus loin.

hangar [hãgar], n. m., grand bâtiment, ouvert d'un côté, où l'on range des voitures, des outils, etc. : *on construit un hangar a côté de la ferme.*

hardi, ie [hardi], adj., qui a beaucoup de courage, qui ose, qui ne recule pas devant le danger : *ce jeune homme est très hardi.*

haricot [hariko], n. m., plante qui donne un légume : *nous avons mangé des haricots verts.*

hasard [hazar], n. m., ce qui arrive sans qu'on puisse s'y attendre : *je l'ai rencontré par hasard; quel heureux hasard! les hasards de la guerre,* les dangers de la guerre; *un jeu de hasard,* un jeu où tout est conduit par le hasard (comme certains jeux de cartes); *il marche au hasard,* sans savoir où il va.

hausse [hos], n. f., le fait de monter (en parlant des prix), de devenir plus cher : *la hausse de la viande a gêné beaucoup de gens.*

haut, haute [ho, ho:t], adj., qui est grand (à partir de la terre en allant vers le ciel) : *j'ai vu de hautes montagnes.* — EXPRESSIONS : *il va la tête haute,* avec la tête levée; *il jette les hauts cris,* il crie très fort; *il m'a regardé de haut en bas,* d'une façon peu agréable, pour me montrer que je suis beaucoup moins que lui; *il prend de haut tout ce qu'on lui dit,* il se croit au-dessus de tout ce qu'on lui dit. — n. m., la partie la plus haute : *je ne vois pas le haut de la colline; il est tombé du haut du toit;* fig., *il est tombé de son haut,* il a été très étonné. — **en haut, là-haut,** dans un endroit très haut : *il habite en haut de la maison; allez le voir là-haut.* — **de haut,** en mesurant à partir de la terre : *cet arbre a six mètres de haut.* — **haut,** adv. : *je ne suis jamais monté si haut; ne parlez pas trop haut.*

hauteur [hotœr], n. f., **1.** mesure en partant de la terre ou de ce qui est le plus près de la terre : *savez-vous la hauteur de cette maison?* **2.** colline, petite montagne (on ne dit pas *une hauteur* en parlant d'une grande montagne) : *il fait assez froid sur les hauteurs.* **3.** façon d'être de celui qui croit qu'il est au-dessus des autres : *il parle à tout le monde avec hauteur.*

hebdomadaire [ɛbdɔmadɛr], adj., qui a lieu toutes les semaines : *le repos hebdomadaire,* jour libre que tout le monde a chaque semaine. — n. m., journal qui paraît chaque semaine : *il a acheté un hebdomadaire pour lire dans le train.*

hectare [ɛktar], n. m., mesure de la surface des champs qui vaut 10 000 mètres carrés : *ce fermier a vingt hectares de bonnes terres.*

hein [hɛ̃], interjection, s'emploie pour montrer qu'on est étonné : *hein! qu'avez-vous dit?*

hélas [helas], interjection qui marque que l'on est triste : *hélas! j'ai oublié de vous répondre.*

hélicoptère [elikɔptɛr], n. m., sorte d'avion qui peut monter et descendre droit dans l'air : *un hélicoptère s'est posé dans le champ.*

herbe [ɛrb], n. f., petite plante verte : *il a nettoyé son jardin des mauvaises herbes; sur l'herbe,* sur un terrain où il y a des herbes : *nous avons déjeuné sur l'herbe.* — EXPRESSIONS : *un artiste en herbe,* un enfant ou un jeune homme qui n'est pas encore un artiste, mais qui deviendra un artiste; *il mange son blé en herbe,* il dépense son argent avant de l'avoir gagné; *il m'a coupé l'herbe sous le pied,* il a réussi à arriver avant moi au résultat que je voulais.

hésiter [ezite], v. intr., ne pas se décider, ne pas savoir ce qu'on doit faire : *j'hésite à partir par ce mauvais temps.*

heure [œr], n. f., **1.** une des vingt-quatre parties du jour : *il est 13 heures* (ou une heure de l'après-midi); *le train fait 100 kilomètres à l'heure.* **2.** le moment : *c'est l'heure de partir.* — EXPRESSIONS : *c'est sa dernière heure,* il va bientôt mourir; *de bonne heure,* tôt : *il se lève de bonne heure tous les matins; à la bonne heure!* c'est bien; *sur l'heure,* tout de suite : *il faut partir sur l'heure; tout à l'heure,* bientôt (dans la même journée) : *je vous reverrai tout à l'heure; à l'heure,* juste au moment, ni trop tôt ni trop tard : *ce train arrive toujours à l'heure.*

heureux, euse [œrø, øz], adj., **1.** qui est content de ce qu'il a : *ce monsieur et cette dame sont heureux.* **2.** qui a de la chance : *il est heureux au jeu.*

heureusement [œrøzmɑ̃], adv., **1.** de façon heureuse : *ils sont heureusement arrivés.* **2.** il est heureux que... : *heureusement je suis arrivé à l'heure;* fam., *heureusement que,* même sens.

heurter [hœrte], v. trans., **1.** rencontrer une personne ou une chose avec force : *je l'ai heurté du coude en passant.* **2.** dire à quelqu'un quelque chose qui ne lui plaît pas : *je l'ai heurté quand je lui ai dit mes idées.*

hier [jɛr], adv., le jour avant le jour où l'on est : *hier nous sommes allés au cinéma.*

hirondelle [irɔ̃dɛl], n. f., petit oiseau qui, à l'automne, s'en va vers les pays du sud et qui revient au printemps : *les hirondelles se préparent au départ.* — PROVERBE : *Une hirondelle ne fait pas le printemps,* une seule circonstance ne suffit pas pour qu'on soit sûr de quelque chose d'important.

histoire [istwar], n. f., **1.** l'ensemble des événements qui sont arrivés depuis les temps les plus anciens jusqu'à maintenant : *nous apprenons l'histoire de notre pays.* **2.** des faits qui ne sont pas vrais : *les enfants aiment que leurs parents leur racontent des histoires; vous me racontez des histoires,* vous ne dites pas la vérité. — pop., *histoire de,* pour : *il a fait la bête, histoire de rire.*

hiver [ivɛr], n. m., la saison qui vient après l'automne et avant le printemps : *l'hiver a été très froid cette année.*

homme [ɔm], n. m., **1.** être vivant qui est au-dessus des animaux par la raison : *l'homme est devenu le maître de la terre.* **2.** personne du sexe masculin : *souvent l'homme travaille au dehors pendant que la femme élève les enfants.* **3.** (dans l'armée) soldat (surtout avec un nom de nombre) : *on a envoyé 200 hommes dans le village; homme de troupe,* simple soldat (non chef). **4.** *homme de lettres,* écrivain (celui qui écrit des livres); *homme d'Etat,* celui qui conduit les affaires du pays; *homme d'affaires,* celui qui s'occupe de commerce et de finances; *homme d'armes* (autrefois), soldat; *homme de guerre,* grand chef d'armée; *homme de peine,* homme qui fait de gros travaux; *homme du monde,* qui sait se tenir dans le monde. **5.** *un brave homme,* un homme gentil et bon; *un pauvre homme,* un homme malheureux (quelquefois un homme peu intelligent).

honnête [ɔnɛt], adj., **1.** qui ne prend pas l'argent ou les autres choses qui ne sont pas à lui : *cet honnête homme a porté à la police le porte-monnaie qu'il a trouvé dans la rue; il est trop poli pour être honnête,* il faut faire attention si quelqu'un est trop poli, il n'est peut-être pas honnête. **2.** qui est juste (en parlant d'une somme d'argent) : *je l'ai payé un prix honnête.*

honneur [ɔnœr], n. m., **1.** sentiment qui fait que l'on se conduit bien : *l'honneur te commande de tenir ce que tu as promis; un homme d'honneur,* un homme qui a ce sentiment; *un homme sans honneur,* un homme qui n'a pas ce sentiment. **2.** ce qui marque qu'une personne est au-dessus des autres : *on lui a fait de grands honneurs; c'est un grand honneur que vous me faites; votre fils vous fait honneur,* vous devez être très content de lui; fig., *il a fait honneur au repas,* il a bien mangé; *la croix d'honneur,* décoration avec un ruban rouge; *dame (demoiselle) d'honneur,* dame (jeune fille) qui est à côté d'une reine; *garçon (demoiselle) d'honneur,* jeune homme (jeune fille) ami (amie) du marié ou de la mariée; *il est mort au champ d'honneur,* il a été tué à la guerre.

honte [hɔ̃t], n. f., sentiment de s'être mal conduit : *il a honte de ce qu'il a dit hier; on lui a fait honte,* on lui a dit qu'il s'était mal conduit.

honteux, euse [hɔ̃tø, øz], adj., **1.** très mal (au point de vue moral) : *il est honteux de mentir.* **2.** qui a le sentiment de s'être mal conduit : *cet homme est honteux d'avoir trop bu.* **3.** qui n'ose pas : *un pauvre honteux,* un homme pauvre qui n'ose pas dire qu'il est pauvre.

hôpital, plur. **aux** [ɔpital, o], n. m., maison où on soigne les malades et les blessés : *on a conduit le malade à l'hôpital.*

horaire [ɔrɛr], adj., qui se rapporte à l'heure : *un salaire horaire,* ce que quelqu'un est payé pour une heure de travail. — n m., livre ou tableau où l'on marque les heures où quelque chose doit se faire : *l'horaire des chemins de fer* (où l'on trouve les heures où les trains arrivent et partent).

horizon [ɔrizõ], n. m., le plus loin qu'on peut voir : *on voit la mer à l'horizon.*

horloge [ɔrlɔʒ], n. f., appareil (beaucoup plus grand qu'une montre) qui marque les heures : *je lis l'heure à l'horloge de la mairie.*

horloger, ère [ɔrlɔʒe, ɛr], n. m. et f., celui (celle) qui vend et qui répare les horloges et les montres : *j'ai porté ma montre chez l'horloger.*

horreur [ɔrœr], n. f., sentiment que produit une chose laide et qui fait peur : *cette mauvaise action me fait horreur; les horreurs de la guerre,* les choses très laides que produit la guerre; fig., *ces tableaux sont des horreurs,* ils sont très laids.

horrible [ɔriblə], adj., **1.** qui produit un sentiment d'horreur : *ces blessures sont horribles.* **2.** qui déplaît beaucoup, très laid : *nous avons eu un temps horrible pendant nos vacances.*

hors de [*h*ɔr də], prép., en dehors de, *on a conduit les blessés hors de la ville.*

hors-d'œuvre [*h*ɔrdœvrə], n. m. (le pluriel comme le singulier), petits plats qu'on sert au commencement du repas : *le déjeuner a commencé par des hors-d'œuvre.*

hôtel [ɔtɛl ou otɛl], n. m., **1.** maison où on reçoit les voyageurs : *j'ai passé quinze jours dans cet hôtel; cet hôtel a de très belles chambres.* **2.** très belle maison habitée par une famille (en ce sens on dit aussi *hôtel particulier*). **3.** *hôtel des postes,* le bureau de poste le plus important d'une ville; *hôtel de ville,* mairie d'une ville; *hôtel-Dieu,* hôpital.

houblon [*h*ublõ], n. m., plante qui sert à faire la bière : *le houblon pousse très haut.*

houille [*h*uj], n. f., charbon produit dans les mines (*houillères) : les houillères du nord de la France produisent beaucoup de houille.*

huile [ɥil], n. f., **1.** liquide gras qu'on tire des plantes : *ils font la cuisine à l'huile; ce tableau est peint à l'huile;* fig., *il jette de l'huile sur le feu,* il rend encore plus ennemies des personnes qui ne sont pas d'accord. **2.** autres liquides gras qu'on met dans les machines : *votre moteur manque d'huile.*

huit [*h*ɥi devant un mot qui commence par une consonne : *huit maisons :* *h*ɥi mɛzõ ; *h*ɥi t devant un mot qui commence par une voyelle ou à la fin d'une phrase : *huit heures :* *h*ɥi t œr; *ils sont huit :* il sõ *h*ɥit], nom de nombre, 8 : *il a huit francs dans sa poche; huit jours* (au lieu de *sept jours*), une semaine : *je vous ai vu il y a huit jours; venez aujourd'hui en huit,* le même jour la semaine prochaine.

huitième [*h*ɥitjɛm], nom de nombre ordinal, 8 : *il est arrivé le huitième à la course; le huitième,* la huitième partie : 2 *est le huitième de* 16.

humain, aine [ymɛ̃, ɛn], adj., **1.** qui se rapporte à l'homme (au sens 1) : *jamais un pied humain n'est monté si haut.* **2.** bon, qui aide les autres hommes : *même à la guerre on doit rester humain.* — n. m. plur., *les humains* (en poésie), les hommes.

humanité [ymanite], n. f., **1.** l'ensemble des hommes : *l'humanité a fait beaucoup de progrès depuis les anciens temps.* **2.** la qualité d'être bon avec les autres hommes : *il s'est toujours conduit avec humanité.* **3.** *les humanités,* les études grecques et latines : *il a fait ses humanités.*

humeur [ymœr], n. f., façon de sentir : *il est de bonne humeur,* il est gai; *il est de mauvaise humeur,* il est triste, il trouve que tout va mal; *je ne suis pas en humeur de m'amuser* ou d'*humeur à m'amuser*, je n'ai pas envie de m'amuser; *il a eu un mouvement d'humeur*, un peu de colère.

humide [ymid], adj., mouillé, où on sent de l'eau : *il a frotté avec un mouchoir humide; le temps est humide.*

hurler [hyrle], v. intr., crier très fort : *j'ai entendu hurler dans la rue.* — PROVERBE : *Il faut hurler avec les loups*, il faut se conduire comme ceux avec qui l'on vit.

hygiène [iʒjɛn], n. f., ce qu'on doit faire pour rester en bonne santé : *l'air et l'eau sont nécessaires à l'hygiène.*

I

ici [isi], **1.** adv. de lieu, à l'endroit où je suis (contraire : *là*) : *ne restez pas ici; venez ici; partez d'ici; ici et là; ici-bas,* sur terre (contraire : *au ciel*) : *il y a beaucoup de malheurs ici-bas.* **2.** adv. de temps : *d'ici à huit jours,* à partir de maintenant et avant huit jours.

idéal, ale, plur. **aux, ales** [ideal, o], adj., qui est le plus beau, le meilleur qu'on puisse penser : *depuis huit jours nous avons un temps idéal.* — n. m., la chose la plus belle ou la meilleure qu'on puisse penser : *mon idéal est de vivre à la campagne.*

idée [ide], n. f., façon de se représenter quelque chose dans l'esprit : *j'ai toujours la même idée sur cet homme; vous avez eu une bonne (une mauvaise) idée,* vous avez bien (mal) fait; fam., *j'ai idée,* je pense : *j'ai idée que le temps va changer; il a des idées noires,* il est triste.

identité [idɑ̃tite], n. f., tout ce qui fait qu'une personne est bien elle et non une autre personne (nom, prénom, adresse, métier, jour où elle est née, etc.) : *on m'a demandé mon identité à la poste; pièce d'identité,* papier qui fait savoir qui on est; *carte d'identité,* papier donné par la police qui porte le nom, l'adresse, etc., et aussi une photographie de la personne : *ne perdez pas votre carte d'identité.*

idiot, ote [idjo, ɔt], adj. et n., qui n'est pas intelligent : *ce qu'il a dit est idiot; c'est un idiot.*

ignorer [iɲɔre], v. trans., ne pas savoir : *j'ignore quand je pourrai partir en vacances.* — **ignorant, ante,** adj., qui ne sait rien ou pas beaucoup de choses : *cet enfant est très ignorant.*

il, ils [il. — *ils* se prononce il z devant un verbe qui commence par une voyelle : *ils ont* : il z ɔ̃], pron. pers. sujet, masc. (sing. et plur.) de la 3e personne : *il vient, ils viennent.* — *il* s'emploie devant les verbes impersonnels : *il pleut.*

île [il], n. f., terre entourée d'eau : *il y a une île au milieu du lac.*

illustre [ilystrə], adj., très connu : *un artiste illustre.*

illustration [ilytsrasjɔ̃], n. f., **1.** image d'un livre : *nous regardons des illustrations.* **2.** l'ensemble des images d'un livre : *l'illustration de ce livre est très belle.*

illustrer [ilystre], v. trans., **1.** rendre illustre : *il a illustré son nom.* **2.** *un livre illustré,* un livre où il y a des images. — **illustré,** n. m., journal illustré (où il y a des images) : *on trouve beaucoup d'illustrés chez les marchands de journaux.*

image [imaʒ], n. f., personne ou chose représentée sur un papier : *il y a beaucoup d'images dans ce journal;* fig., *il est l'image de son père,* il ressemble beaucoup à son père.

imagination [imaʒinasjɔ̃], n. f., **1.** art de trouver des choses par l'esprit : *cet artiste a beaucoup d'imagination.* **2.** chose qui n'est pas vraie, que l'on a cru voir ou que l'on a rêvée : *laissez vos imaginations.*

imaginer [imaʒine], v. trans., trouver des choses par l'esprit : *il a imaginé un nouvel appareil.* — **s'imaginer,** croire (le plus souvent sans raison) : *il s'est imaginé qu'on voulait le tuer.*

imbécile [ɛ̃besil], adj. et n., qui n'est pas intelligent : *c'est une idée imbécile; c'est un jeune imbécile.*

imitation [imitasjɔ̃], n. f., action d'imiter : *une imitation réussie.*

imiter [imite], v. trans., faire ce que d'autres font : *ce jeune garçon imite son père.*

immédiat, ate [imedja, at], adj., qui a lieu tout de suite : *un départ immédiat.*

immédiatement [imedjatmɑ̃], adv., tout de suite : *votre père veut vous voir, partez immédiatement.*

immense [imɑ̃s], adj., très grand : *cette plaine est immense.*

immeuble [imœblə], n. m., maison, surtout grande maison où on loue des appartements (en ce sens on dit aussi *immeuble de rapport*) : *nous avons habité dans cet immeuble.*

immobile [imɔbil], adj., qui ne remue pas : *voulez-vous rester immobile une minute?*

immoral, ale [imɔral], adj. **1.** qui n'est pas moral, qui n'est pas bien : *voler est une action immorale.* **2.** (en parlant des personnes) qui se conduit mal, et surtout qui n'a pas d'idées morales : *cet homme est tout à fait immoral.*

impair, e [ɛ̃pɛr], adj., *nombre impair*, 1, 3, 5, 7, etc., en ajoutant chaque fois 2 : 15 *est un nombre impair; les numéros impairs de la rue; les jours impairs*, le 1er, le 3, le 5, etc., de chaque mois (voir *pair*). EXPRESSION : *j'ai fait un impair*, j'ai dit quelque chose que je n'aurais pas dû dire.

imparfait [ɛ̃parfɛ], n. m., (grammaire) un des temps du passé : *« je lisais », « tu mangeais » sont des imparfaits.*

impatient, ente [ɛ̃pasjɑ̃, ɑ̃t], adj., qui n'aime pas attendre : *les enfants sont souvent impatients; je suis impatient de recevoir sa lettre.*

impératif [ɛ̃peratif], n. m., forme du verbe qui sert à commander : *« viens », « taisez-vous » sont des impératifs.*

impérialisme [ɛ̃perjalism], n. m,. le fait pour un pays de vouloir devenir plus fort et plus grand, souvent en faisant tort à d'autres pays.

impérialiste [ɛ̃perjalist], n. m. et f. et adj., qui est pour l'impérialisme.

imperméable [ɛ̃pɛrmeablə], adj., qui ne laisse pas passer l'eau : *ce terrain est imperméable; un tissu imperméable.* — n. m., manteau fait dans un tissu imperméable et qu'on met surtout quand il pleut : *le temps est couvert, je vais mettre mon imperméable pour sortir.*

impersonnel, elle [ɛ̃pɛrsɔnɛl], adj., (grammaire) *verbe impersonnel*, verbe qui n'est employé qu'à la 3e personne du singulier : IL FAUT, IL PLEUT sont des verbes impersonnels.

importance [ɛ̃pɔrtɑ̃s], n. f., qualité de ce qui est important : *cette faute est sans importance; il prend des airs d'importance*, il veut qu'on croie qu'il est important.

important, e [ɛ̃pɔrtɑ̃, ɑ̃t], adj. **1.** (en parlant des choses) grand : *cette boulangerie est la plus importante de la ville; une importante somme d'argent.* **2.** utile, nécessaire : *cette lettre est très importante.* **3.** (en parlant des personnes) qui peut beaucoup, qui a un grand pouvoir : *le directeur est l'homme le plus important de l'usine; il fait l'important*, il veut qu'on croie qu'il est important.

importation [ɛ̃pɔrtasjɔ̃], n. f., action d'importer, de faire entrer des marchandises dans le pays où l'on est : *l'importation de ces marchandises rendra de grands services.*

1. importer [ɛ̃pɔrte], v. intr. impers., être important : *il importe que vous soyez là quand le patron viendra; peu importe*, cela est peu important.

2. importer [ɛ̃pɔrte], v. trans., faire entrer dans son pays des marchandises qui viennent d'autres pays : *la France importe du charbon de Belgique.*

impossible [ɛ̃pɔsiblə], adj., **1.** qui n'est pas possible, qu'on ne peut pas faire, qui ne peut pas arriver : *ce travail est impossible*, on ne peut pas le faire (quelquefois, seulement, *il n'est pas facile*); *il m'est impossible de prendre le train demain.* **2.** fam., (en parlant d'une personne) qu'on ne peut recevoir ou avoir comme amie parce qu'elle ne fait rien comme les autres ou n'est jamais contente : *c'est un homme impossible.* — n. m., *l'impossible*, ce qui n'est pas possible : *je ferai l'impossible pour vous faire plaisir,* je ferai tout ce que je pourrai. — PROVERBE : *A l'impossible nul (personne) n'est tenu :* on est obligé de faire seulement ce qui est possible.

impôt [ɛ̃po], n. m., somme que l'on doit payer chaque année à l'Etat : *il n'a pas encore payé ses impôts*; *feuille d'impôt,* feuille de papier où sont écrites les sommes qu'on doit payer : *j'ai reçu ma feuille d'impôt.*

impression [ɛ̃prɛsjõ], n. f., **1.** action d'imprimer : *l'impression de ce livre a été très rapide.* **2.** ce qu'une personne ou une chose produit sur l'esprit ou sur les sentiments : *cet homme m'a fait une bonne (une mauvaise) impression; j'ai l'impression de l'avoir déjà vu,* il me semble que je l'ai déjà vu; *il écrit ses impressions de voyage.*

imprimer [ɛ̃prime], v. trans., **1.** marquer en pressant : *il lui a imprimé ses ongles sur la main.* **2.** marquer des lettres ou des dessins sur du papier : *on imprime les journaux avec des machines très rapides; ce livre est bien imprimé.* — **imprimé,** n. m., (se dit surtout en parlant de la poste) papier imprimé, livre, journal : *j'ai envoyé deux imprimés à l'étranger.*

imprimerie [ɛ̃primri], n. f., **1.** art d'imprimer des livres : *l'imprimerie a permis de répandre les idées.* **2.** atelier où l'on imprime des livres, des journaux, etc. : *ce jeune homme travaille dans une imprimerie.*

imprimeur [ɛ̃primœr], n. m., celui qui imprime des livres, des journaux, etc. : *il y a deux imprimeurs dans notre ville.*

incapable [ɛ̃kapablə], adj., **1.** qui ne sait pas faire quelque chose : *il est incapable de faire du mal.* **2.** qui ne sait pas son métier : *cet infirmier est incapable; c'est un incapable.*

incendie [ɛ̃sɑ̃di], n. m., le feu qui brûle des maisons, des forêts, etc. : *les voisins ont éteint l'incendie.*

incident [ɛ̃sidɑ̃], n. m., événement qui arrive pendant une action : *un incident a empêché la fête de finir de bonne heure.*

incliner [ɛ̃kline], v. trans., baisser, pencher : *il incline la tête.* — v. intr., fig., *j'incline à penser comme vous,* je pense presque comme vous. — **s'incliner, 1.** se baisser, se pencher (par exemple pour saluer) : *il s'est incliné devant cette dame.* **2.** faire ce qui est ordonné (commandé), ou demandé : *il s'est incliné quand on lui a dit de rester.* — **incliné, ée,** adj., en pente : *un toit incliné.*

inconnu, e [ɛ̃kɔny], adj., qu'on ne connaît pas : *il a voyagé dans des régions inconnues.* — n. m. et f., personne qu'on ne connaît pas : *un inconnu a demandé à vous parler.*

inconvénient [ɛ̃kõvenjɑ̃], n. m., ce qu'une chose, une action peut avoir de mauvais (contraire : *avantage,* au sens 2) : *ce voyage a beaucoup d'inconvénients.*

indéfini, ie [ɛ̃defini], adj., (grammaire) : *« un », « une », « des » sont des articles indéfinis; « rien », « quelqu'un » des pronoms indéfinis; « aucun » un adjectif indéfini.* — *passé indéfini,* ancien nom du passé composé (*il a chanté, l est venu).*

indemnité [ɛ̃dɛmnite], n. f., ce qu'on doit donner à quelqu'un quand on lui a fait du tort : *il a reçu une indemnité pour les vêtements qu'on lui a déchirés.*

indépendance ɛ̃depɑ̃dɑ̃s], n. f. **1.** le fait, pour un pays, d'être libre, de n'avoir pas de maître étranger : *plusieurs pays ont fait la guerre pour avoir leur indépendance.* **2.** (en parlant des personnes) le fait de faire ce qu'on veut, sans s'occuper des autres : *il parle toujours avec beaucoup d'indépendance.*

indépendant, ante [ɛ̃depɑ̃dɑ̃, ɑ̃t], adj., **1.** (en parlant d'un pays) qui est libre, qui n'a pas de maître étranger : *ce pays est indépendant depuis longtemps.* **2.** (en parlant d'une personne) qui fait ce qu'il veut, qui n'écoute pas les conseils des autres : *ce jeune homme est très indépendant.* **3.** (en parlant des choses) qui existe en dehors des autres : *cette chambre est indépendante,* on peut y entrer sans passer par une autre pièce de la maison.

indicatif [ɛ̃dikatif], n. m., (grammaire) forme du verbe qui marque une action présentée comme certaine : *« il vient », il « viendra », « il est venu » sont des formes de l'indicatif du verbe « venir ».*

indication [ɛ̃dikasjɔ̃], n. f., ce qu'on dit à quelqu'un pour l'aider à faire quelque chose : *il m'a donné quelques indications sur la ville où je vais.*

indifférence [ɛ̃diferɑ̃s], n. f., le fait de ne pas s'intéresser à une personne on à une chose : *il a appris cet accident avec indifférence.*

indifférent, ente [ɛ̃diferɑ̃, ɑ̃t], adj., **1.** qui n'intéresse pas : *tout ce qu'il dit m'est indifférent.* **2.** qui ne s'intéresse pas à quelque chose : *il est resté indifférent quand je lui ai parlé de mon malheur; cela me laisse indifférent,* je ne m'y intéresse pas.

indiquer [ɛ̃dike], v. trans., montrer, faire connaître (quelque chose d'utile) : *il m'a indiqué le chemin de la gare.*

indirect, e [ɛ̃dirɛkt], adj., (contraire : *direct*), qui n'est pas le plus court, le plus droit : *il m'a fait prendre un chemin indirect; impôt indirect,* impôt sur les choses qu'on achète : *les impôts sur le vin et sur le sucre sont des impôts indirect;* (grammaire) *complément indirect,* complément avec préposition : *dans « il vient de la maison », « de la maison » est complément indirect du verbe « venir ».*

indispensable [ɛ̃dispɑ̃sablə], adj., tout à fait nécessaire : *ces lunettes me sont indispensables pour voir de loin.* — n. m., ce qui est tout à fait nécessaire : *ne prenez avec vous que l'indispensable.*

individu [ɛ̃dividy], n. m., homme (le plus souvent pour en dire du mal) : *j'ai vu cette nuit un individu qui entrait dans votre jardin; un sale individu,* un homme dangereux.

individuel, elle [ɛ̃dividyɛl ou ɥɛl], adj., qui se rapporte à une seule personne (contraire : *commun*) : *ces enfants ont une chambre individuelle,* ils ont une chambre chacun.

industrie [ɛ̃dystri], n. f., activité des usines et des ateliers : *ce pays est riche par son industrie; industrie lourde,* industrie qui fait des machines; *industrie légère,* industrie qui fait des habits, des appareils pour les maisons etc.

industriel, elle [ɛ̃dystrijɛl], adj., qui a une industrie importante (en parlant d'un pays ou d'une ville) *l'Angleterre est un pays industriel.* — n. m., celui qui a une usine, un atelier : *je connais un industriel qui fabrique* (fait) *du papier; un grand industriel, un gros industriel,* celui qui a une usine importante.

infanterie [ɛ̃fɑ̃tri], n. f., ensemble des soldats à pied : *il sert dans l'infanterie.*

inférieur, eure [ɛ̃ferjœr], adj., **1.** qui est au dessous : *il habite à l'étage inférieur.* **2.** qui est au-dessous par le rang, ou par la qualité : *son travail est inférieur à celui de l'an dernier.* — n. m., *un inférieur,* celui qui est d'un rang au dessous : *il faut être poli avec les inférieurs.*

infini [ɛ̃fini], adj., **1.** qui n'a pas de fin : *le ciel est infini.* **2.** très long, très grand : *je vous ai attendu un temps infini; j'ai vu un nombre infini de gens.*

infiniment [ɛ̃finimɑ̃], adv., beaucoup, très : *j'aime infiniment cette ville.*

infinitif [ɛ̃finitif], n. m., forme du verbe : *« aimer », « finir », « faire » sont des infinitifs.*

infirme [ɛ̃firm], n. et adj., qui ne peut pas se servir d'un membre ou d'un organe important : *un aveugle, un sourd sont des infirmes.*

infirmerie [ɛ̃firməri], n. f., endroit dans une école, une usine, etc. où on soigne les malades et les blessés : *on a conduit à l'infirmerie l'élève qui est tombé dans la cour.*

infirmier, ière [ɛ̃firmje, jɛr], n. m. et f., celui (celle) qui aide le médecin à soigner les malades et les blessés : *l'infirmier a pansé la blessure.*

infirmité [ɛ̃firmite], n. f., le fait d'être infirme : *ce malheureux est gêné par son infirmité.*

influence [ɛ̃flyɑ̃s], n. f., action morale d'une personne sur une autre : *son père a de l'influence sur lui;* se dit aussi des choses : *le mauvais temps a beaucoup d'influence sur la moisson.*

information [ɛ̃fɔrmasjɔ̃], n. f., chose que l'on fait connaître, nouvelle : *je vais aux informations,* je vais savoir ce que l'on dit.

informer [ɛ̃fɔrme], v. trans., faire savoir quelque chose à quelqu'un : *il m'a informé de son départ.* — **s'informer,** chercher à savoir, demander : *il s'est informé de votre santé.*

ingénieur [ɛ̃ʒenjœr], n. m., celui qui conduit le travail dans une industrie : *cet ingénieur est à la tête de plusieurs ateliers.*

ingrat, e [ɛ̃gra, at], adj., **1.** qui ne reconnaît pas le bien qu'on lui a fait : *il a été ingrat pour ses parents et ses maîtres.* **2.** qui n'est pas agréable : *il a une figure ingrate; l'âge ingrat,* l'âge de 13-14 ans. **3.** qui ne peut pas donner de résultat pour la peine qu'on prend : *ce travail est ingrat.*

initiative [inisjativ], n. f., **1.** le fait d'avoir l'idée d'une chose et de la faire : *il a pris l'initiative de nous appeler.* **2.** qualité de celui qui sait faire quelque chose par lui-même, sans avoir besoin qu'on le lui commande : *cet ingénieur a beaucoup d'initiative.* On dit aussi en ce sens *esprit d'initiative.* — *syndicat d'initiative,* groupe de personnes qui s'occupent d'intéresser les voyageurs à une ville.

injure [ɛ̃ʒyr], n. f., **1.** mot que l'on dit pour blesser quelqu'un : *il m'a crié des injures.* **2.** (sens ancien) mal que l'on fait : *les injures des ans,* les maux qui viennent avec l'âge; *je vous ferais injure,* je ne serais pas juste avec vous.

injuste [ɛ̃ʒyst], adj., qui n'est pas juste (au sens 1 de ce mot) : *ce roi a été injuste quand il a puni son bon conseiller.*

injustice [ɛ̃ʒystis], n. f., le fait d'être injuste : *nous n'aimons pas l'injustice.*

innocent, e [inɔsɑ̃, ɑ̃t], adj. et n. m. et f., **1.** qui n'a rien fait de mal (contraire : *coupable*) : *le juge a reconnu que cet homme était innocent.* **2.** qui ne sait pas ce que c'est que le mal : *des enfants innocents.* **3.** peu intelligent, bête : *il a l'air innocent.*

inondation [inɔ̃dasjɔ̃], n. f., ce qui arrive quand les eaux d'une rivière se répandent dans la campagne : *les inondations de cet hiver ont causé de grands malheurs.*

inonder [inɔ̃de], v. trans., couvrir d'eau : *notre cuisine est inondée;* se dit surtout d'une rivière : *la plaine a été inondée par les eaux de la rivière.*

inquiet, ète [ɛ̃kjɛ, ɛt], adj., qui n'est pas tranquille : *il est inquiet pour sa santé; les mères sont souvent inquiètes pour leurs enfants.*

inquiéter [ɛ̃kjete], v. trans., rendre inquiet : *cette lettre m'a beaucoup inquiété.*

inquiétude [ɛ̃kjetyd], n. f., le fait d'être inquiet, de n'être pas tranquille : *depuis que son enfant est malade, cette mère vit dans l'inquiétude.*

inscription [ɛ̃skripsjɔ̃], n. f., **1.** action d'inscrire (d'écrire un nom ou des noms). **2.** mots écrits sur une maison, sur un mur, etc : *cette inscription est trop petite, je ne peux pas la lire.*

inscrire [ɛ̃skrir], (se conjugue comme *écrire*), v. trans., écrire des noms : *il a fait inscrire son fils dans une école.* — **s'inscrire,** faire écrire son nom : *ce jeune homme s'est inscrit dans une société de sports.*

insecte [ɛ̃sɛkt], n. m., très petit animal, comme les mouches ou les moustiques : *il y a des insectes qui vivent sur la terre, d'autres qui volent dans l'air.*

insister [ɛ̃siste], v. intr., répéter plusieurs fois ce que l'on demande, ce que l'on explique : *il a beaucoup insisté pour être reçu; le maître a insisté sur la dernière leçon.*

inspecter [ɛ̃spɛkte], v. trans., voir si tout est bien : *le directeur a inspecté toutes les classes.*

inspecteur, trice [ɛ̃spɛktœr, tris], n. m. et f., personne qui est chargée d'inspecter : *l'inspecteur est allé dans les écoles de la ville.*

inspection [ɛ̃spɛksjɔ̃], n. f., action d'inspecter : *l'inspecteur a commencé son inspection.*

installation [ɛ̃stalasjɔ̃], n. f., **1.** action de mettre en place des meubles dans un appartement, une maison, une boutique, un bureau, des machines dans une usine : *l'installation de son appartement lui a demandé beaucoup de travail.* **2.** l'ensemble des meubles placés dans la maison, les machines placées dans l'usine : *j'ai vu les nouvelles installations de vos bureaux.* **3.** (en parlant des personnes) action de faire entrer dans une place, dans un appartement, etc. : *l'installation du nouveau maître aura lieu demain.*

installer [ɛ̃stale], v. trans., **1.** (en parlant de choses) mettre en place. *on a installé de nouvelles machines* **2.** (en parlant de personnes) faire entrer dans une place, un appartement, etc. : *on a installé un nouveau maître.* — **s'installer, 1.** se mettre en un endroit : *il s'est installé à une table du café.* **2.** mettre des meubles dans un appartement, une maison, une boutique : *cet épicier vient de s'installer.*

instant [ɛ̃stɑ̃], n. m., partie du temps plus courte qu'un moment : *il n'est resté qu'un instant; un instant!* attendez un instant; *à l'instant,* tout de suite : *partez à l'instant; dans un instant,* tout à l'heure, bientôt : *il sera là dans un instant; à chaque instant, à tout instant,* tout le temps : *il me dérange à chaque instant.*

instinct [ɛ̃stɛ̃], n. m., ce qui remplace l'intelligence chez les animaux (se dit aussi quelquefois en parlant des hommes) : *l'instinct des animaux ressemble quelquefois à l'intelligence; il a de mauvais instincts,* il est naturellement méchant; *d'instinct,* sans avoir besoin de penser : *je me suis levé d'instinct.*

instituteur, trice [ɛ̃stitytœr, tris], n. m. et f., maître (maîtresse) qui apprend aux enfants d'une école ce qu'ils doivent savoir : *l'instituteur fait la classe aux enfants du village.*

instruction [ɛ̃stryksjɔ̃], n. f., **1.** action d'instruire des élèves : *ces parents s'occupent bien de l'instruction de leurs enfants.* **2.** ce que l'on sait : *cet homme a beaucoup d'instruction.* **3.** action d'instruire une affaire devant la justice : *l'instruction de votre affaire est bientôt finie; juge d'instruction,* juge qui est chargé d'instruire les affaires devant un tribunal. **4.** au plur. *instructions,* ce que l'on doit savoir pour un travail : *le directeur de l'usine a donné des instructions aux ingénieurs.*

instruire [ɛ̃strɥir], v. trans., **1.** apprendre aux élèves ce qu'ils doivent savoir : *ce maître instruit bien ses élèves.* **2.** faire savoir à quelqu'un : *le maître instruit les parents du travail des enfants.* **3.** *le juge instruit une affaire,* il étudie à fond une affaire.

instrument [ɛ̃strymɑ̃], n. m., sorte d'outil ou d'appareil : *une clef, des lunettes sont des instruments; des instruments de musique.*

intact, e [ɛ̃takt], adj., qui n'a pas été touché, qui n'a eu aucun mal : *il s'est tiré intact de cet accident d'auto.*

intellectuel, elle [ɛ̃tɛlɛktyɛl ou ɥɛl], adj., qui se rapporte à l'intelligence, à l'esprit : *des efforts intellectuels.* — n. m., et f., celui (celle) qui travaille avec son esprit, par exemple des professeurs.

intelligence [ɛ̃tɛliʒɑ̃s], n. f., **1.** qualité de celui qui comprend bien : *il s'est conduit avec intelligence.* **2.** *il a des intelligences dans ce milieu,* il y connaît des personnes qui lui disent ce qui se passe.

intelligent, ente [ɛ̃tɛliʒɑ̃, ɑ̃t], adj., qui comprend vite et bien : *ce petit garçon est très intelligent.*

intense [ɛ̃tɑ̃s], adj., très fort : *il fait un froid intense.*

intention [ɛ̃tɑ̃sjɔ̃], n. f., ce qu'on a dans l'esprit quand on veut faire quelque chose : *on a mal compris mes intentions; il a toujours de bonnes intentions; il a l'intention de bien travailler.* — **à l'intention de,** pour en pensant à : *ce monsieur a écrit un livre à l'intention des enfants.*

interdire [ɛ̃tɛrdir] (comme *dire*, mais la 2e pers. du plur. de l'ind. prés. et de l'impératif est *interdisez*), v. trans., ne pas permettre, défendre : *on lui a interdit d'entrer.* — **interdit, ite,** adj., très étonné, qui ne sait plus ce qu'il doit faire : *son départ rapide m'a laissé interdit.*

intéressant, ante [ɛ̃terɛsɑ̃, ɑ̃t], adj., qui intéresse, qui plaît à l'esprit : *ce livre est très intéressant.*

intéresser [ɛ̃terɛse], v. trans., **1.** plaire à l'esprit : *cette histoire ne m'intéresse pas.* **2.** donner une part dans une affaire (un commerce, une industrie) : *le patron a intéressé son fils à son commerce.* — **s'intéresser, 1.** apporter de l'attention à quelque chose : *il s'intéresse à son travail.* **2.** aider quelqu'un : *il s'intéresse à ce jeune homme.* — **intéressé, ée,** adj., **1.** qui a une part dans une affaire : *il est intéressé dans ce magasin.* **2.** qui voit seulement ce qu'il peut gagner dans quelque chose : *c'est un homme intéressé.*

intérêt [ɛ̃terɛ], n. m., **1.** attention qu'on apporte à ce qui plaît à l'esprit : *j'ai vu ce film avec intérêt; j'ai pris intérêt à ce travail,* je m'y suis intéressé. **2.** sentiment qui fait que l'on s'occupe de quelqu'un : *il lui a montré de l'intérêt.* **3.** le fait de chercher à gagner de l'argent : *il parle ainsi par intérêt.* **4.** part que l'on a dans une affaire (un commerce, une industrie) (en ce sens souvent au plur.) : *il a des intérêts dans cette usine.* **5.** ce que la personne qui emprunte paye chaque année à celle qui prête : *il a prêté de l'argent à petit intérêt; à un intérêt de 4 %; il n'a pas voulu payer les intérêts.*

intérieur, eure [ɛ̃terjœr], adj. (contraire : *extérieur*), qui est dedans : *un mur intérieur.* — **intérieur,** n. m. : **1.** la partie qui est dedans : *il m'a montré l'intérieur de la boîte.* **2.** la maison, l'appartement où l'on vit : *il m'a reçu dans son intérieur; une femme d'intérieur,* une femme qui s'occupe de sa maison, de son ménage; *un homme d'intérieur,* un homme qui aime vivre chez lui; *robe (vêtement) d'intérieur,* robe (vêtement) que l'on porte chez soi. **3.** *ministre de l'intérieur,* le ministre qui s'occupe de ce qui se passe à l'intérieur du pays. — **à l'intérieur,** au dedans : *restez à l'intérieur.* — **à l'intérieur de,** dans : *il n'y avait rien à l'intérieur de l'armoire.*

interjection [ɛ̃tɛrʒɛksjɔ̃], n. f. (grammaire), mot qui sert à exprimer (à faire connaître) un sentiment. *« allons! » « courage! » sont des interjections.*

international, ale; plur. aux, ales [ɛ̃tɛrnasjɔnal; plur. masc. ɛ̃tɛrnasjɔno], adj., qu se rapporte à plusieurs pays; *les rapports internationaux,* les rapports qui existent entre les pays.

interprète [ɛ̃tɛrprɛt], n. m. et f., celui (celle) qui fait passer d'une langue dans une autre (ne se dit que de celui ou de celle qui parle; celui qui écrit est un *traducteur,* celle qui écrit une *traductrice*) : *nous avons besoin d'un interprète parce que nous ne savons pas la langue de ce pays.*

interroger [ɛ̃tɛrɔʒe] (*ge* devant *a* et *o* : *j'interrogeais, nous interrogeons*), v. trans., poser des questions à quelqu'un, lui demander (au sens 5) quelque chose : *le maître a interrogé les élèves en histoire.*

interrompre [ɛ̃tɛrɔ̃prə] (comme *rompre*), v. trans., **1.** arrêter : *j'ai interrompu mon voyage.* **2.** empêcher quelqu'un de parler (lui couper la parole) : *il m'a interrompu au milieu de mon histoire.*

intervalle [ɛ̃tɛrval], n. m., espace

ou temps entre deux choses ou deux personnes : *il m'a suivi à peu d'intervalle.*

intervenir [ɛ̃tɛrvənir] (se conjugue comme *venir*), v. intr., s'occuper d'une action pendant qu'elle se fait : *je suis intervenu au moment où vos frères discutaient.*

intervention [ɛ̃tɛrvɑ̃sjɔ̃], n. f., action d'intervenir (de s'occuper d'une action pendant qu'elle se fait) : *mon intervention a mis fin à ce jeu dangereux.*

intestin [ɛ̃tɛstɛ̃], n. m., organe du corps où les aliments passent après être sortis de l'estomac : *le médecin soigne l'intestin de ce malade.*

intransitif, ive [ɛ̃trɑ̃zitif, iv], adj., (grammaire) se dit des verbes qui ne peuvent pas avoir de complément d'objet (contraire : *transitif*) : *« marcher » est un verbe intransitif.*

introduction [ɛ̃trɔdyksjɔ̃], n. f., **1.** action d'introduire, de faire entrer : *l'introduction des cigarettes étrangères n'est pas permise.* **2.** partie au début d'un livre où on explique l'idée du livre : *avez-vous lu l'introduction de ce livre?*

introduire [ɛ̃trɔdɥir] (comme *conduire*), v. trans., faire entrer : *il a introduit quelqu'un dans sa maison; nous avons introduit en France un nouvel appareil.* — **s'introduire,** entrer : *il s'est introduit la nuit dans le magasin.*

inutile [inytil], adj., qui n'est pas utile, qui ne sert à rien : *ce voyage m'a été inutile.*

inventer [ɛ̃vɑ̃te], v. trans., trouver par l'esprit quelque chose de nouveau : *il a inventé un nouvel avion;* fam., *il n'a pas inventé le fil à couper le beurre* ou *il n'a pas inventé la poudre,* il n'est pas intelligent.

inventeur [ɛ̃vɑ̃tœr], n. m., celui qui invente, qui trouve quelque chose de nouveau : *les grands inventeurs ont été très utiles aux hommes.*

invention [ɛ̃vɑ̃sjɔ̃], n. f., **1.** action d'inventer, de trouver quelque chose de nouveau : *l'invention de la machine à vapeur a fait faire de grands progrès.* **2.** chose inventée : *le téléphone est une belle invention.*

invitation [ɛ̃vitasjɔ̃], n. f., action d'inviter : *j'ai accepté son invitation.*

inviter [ɛ̃vite], v. trans., **1.** demander à quelqu'un de faire quelque chose : *je vous invite à partir très vite.* **2.** demander à quelqu'un de venir : *il m'a invité à dîner; il a invité son frère à sa maison de campagne.* — **invité, ée,** n. m. et f., personne qu'on a invitée chez soi : *il reçoit très bien ses invités.*

islam [islam], n. m., la religion musulmane.

islamique [islamik] adj., musulman : *la religion islamique.*

israélite [israelit, ou izraelit], adj. et n. m. et f., qui est d'une des grandes religions : *la religion israélite; un Israélite, une Israélite.*

itinéraire [itinerɛr], n. m., le chemin que l'on fait dans un voyage : *en partant de Paris, notre itinéraire passera par Nantes, Bordeaux, Toulouse et Marseille.*

ivre [ivrə], adj., qui ne sait plus ce qu'il fait parce qu'il a bu trop de vin : *il était ivre à la fin du dîner; ivre mort,* qui est tellement ivre qu'il semble être mort.

J

jadis [ʒadi ou ʒadis], adv., autrefois : *je l'ai connu jadis.*

jaillir [ʒajir], v. intr., sortir avec force (en parlant d'un liquide) : *l'eau jaillit de la source; le sang jaillissait de la blessure.*

jalousie [ʒaluzi], n. f., sentiment de celui qui est jaloux : *ne vous laissez pas conduire par la jalousie.*

jaloux, ouse [ʒalu, uz], adj., qui voudrait avoir ce qui est à un autre : *il est très jaloux de son frère.*

jamais [ʒamɛ], adv., **1.** avec *ne* (ou seul dans les réponses), à aucun moment : *je ne l'ai jamais vu et ne le verrai jamais; l'avez-vous déjà rencontré? — jamais.* **2.** (sans *ne* après *si*) à n'importe quel moment : *si jamais je le vois, je lui dirai deux mots; à jamais. pour jamais,* pour toujours.

jambe [ʒɑ̃b], n. f., partie du corps qui sert à marcher : *nous avons deux jambes.* — Expressions : *il a couru à toutes jambes,* très vite; *il a pris ses jambes à son cou,* il est parti très vite.

jambon [ʒɑ̃bɔ̃], n. m., morceau de cuisse de porc : *vous avez mangé du jambon à votre déjeuner.*

janvier [ʒɑ̃vje], n. m., le premier mois de l'année : *janvier* (ou *le mois de janvier*) *a trente-et-un jours.*

jardin [ʒardɛ̃], n. m., terrain où on cultive des fleurs ou des légumes : *nous nous sommes promenés dans le jardin; jardin public,* jardin où tout le monde peut entrer; *outils de jardin,* outils qui servent à cultiver les jardins.

jardinier, ière [ʒardinje, jɛr], n. m. et f., celui qui cultive les jardins : *le jardinier vient tous les jours soigner ce jardin.*

jaune [ʒon], adj., de la couleur des feuilles qui sont tombées ou de l'herbe qui est brûlée par le soleil : *il a couvert le mur d'un papier jaune; fièvre jaune.* maladie des pays chauds; *il rit jaune,* il semble rire, mais il n'est pas content.

jaunir [ʒonir], v. intr., devenir jaune : *les feuilles des arbres jaunissent au début de l'automne.*

je [ʒə], pronom personnel sujet, 1re pers. du sing. : JE *viens.*

jeter [ʒəte] (prend *tt* devant un *e* muet : *je jette :* ʒə ʒɛt; *je jetterai :* ʒə ʒɛtre), v. trans., lancer, envoyer d'un coup au loin : *il a jeté une pierre; j'ai jeté un coup d'œil sur ce papier,* je l'ai lu très vite; *il m'a jeté à terre,* il m'a fait tomber en me poussant avec force; *il a jeté un cri,* il a crié; *on a jeté un pont sur la rivière,* on a fait un pont.

jeu, plur. **jeux** [ʒø], n. m., **1.** ce que l'on fait pour s'amuser : *cet enfant aime le jeu; jeu de mots,* façon de s'amuser avec les mots. **2.** *jeu de hasard* ou simplement *jeu,* jeu où l'on joue de l'argent : *il a gagné (perdu) au jeu; il joue gros jeu,* il joue beaucoup d'argent. **3.** ce qui sert à certains jeux : *un jeu de cartes.* **4.** façon de jouer, en parlant d'un acteur (qui joue des pièces de théâtre) ou de quelqu'un qui joue d'un instrument : *son jeu plaît beaucoup au public.* — Expressions : *il fait le jeu de cet homme,* il l'aide dans ce qu'il veut faire; *cela n'est pas de jeu,* ce n'est pas comme cela qu'il faut faire; *vous avez beau jeu,* vous pouvez faire comme vous voulez, cela vous est facile.

jeudi [ʒødi], n. m., le cinquième jour de la semaine : *en France les élèves ne vont pas en classe le jeudi; la semaine des quatre jeudis,* jamais (parce qu'il n'y a qu'un jeudi dans la semaine).

jeune [ʒœn], adj. (contraire : *vieux*), qui n'a pas encore beaucoup d'années : *il est trop jeune pour cette étude; il est jeune pour son âge,* il est encore un peu enfant. — *jeune homme,* *jeune fille,* qui n'est pas encore marié(e); *jeunes gens,* jeunes hommes et jeunes filles, ou seulement jeunes hommes. — *jeunes,* n. m. pl., jeunes gens : *on a ouvert une maison pour les jeunes.*

jeunesse [ʒœnɛs], n. f., **1.** âge où l'on est jeune : *il est encore dans sa jeunesse.* **2.** ensemble des jeunes gens et des jeunes filles : *toute la jeunesse du village dansait à la fête.*

joie [ʒwa], n. f., sentiment qui rend gai, que donne ce qui fait plaisir : *cette nouvelle m'a causé une grande joie; j'ai appris avec joie que vous aviez réussi.*

joindre [ʒwɛ̃drə] *(je joins, tu joins, il joint, nous joignons, vous joignez, ils joignent; je joignais; je joignis; je joindrai; que je joigne; joint),* v. trans., **1.** réunir une chose à une autre : *il faut joindre les deux bouts de la ficelle;* fig., *il ne joint pas les deux bouts,* il n'a pas assez avec ce qu'il gagne. **2.** ajouter, mettre en plus : *je joins une lettre à ce paquet; ci-joint* (toujours ainsi, sans *e* ni *s*), marque qu'on ajoute quelque chose à une lettre, à un paquet : *ci-joint des timbres pour la réponse.*

joli, ie [ʒɔli], adj., qui fait plaisir à voir : *quelle jolie petite maison!* (pour se moquer) : *c'est du joli,* ce n'est pas bien.

joue [ʒu], n. f., partie de la figure entre la bouche et les oreilles : *il a reçu un coup sur la joue.*

jouer [ʒue ou ʒwe], v. intr., **1.** s'amuser, prendre du plaisir : *cet enfant ne pense qu'à jouer; ils jouent aux cartes.* **2.** se servir d'un instrument de musique : *il joue du piano.* **3.** être acteur, avoir un rôle dans une pièce de théâtre ou dans un film : *il joue dans une pièce de Molière.* — v. trans., **1.** mettre de l'argent dans un jeu : *il a joué une grosse somme d'argent.* **2.** faire entendre de la musique : *j'ai joué ce morceau de musique.* **3.** représenter une pièce de théâtre : *on joue ce soir une pièce de Corneille.* **4.** tromper : *j'ai été joué par ce méchant homme.*

jouet [ʒuɛ ou ʒwɛ], n. m., objet qui sert à amuser les enfants : *les enfants ont sorti leurs jouets.*

jouir [ʒuir ou ʒwir], v. (avec *de*), avoir quelque chose qui fait plaisir : *nous avons joui d'un très beau temps pendant nos vacances.*

jour [ʒur], n. m., **1.** temps de vingt-quatre heures (de minuit à minuit) : *il est resté deux jours dans cette ville; il vit au jour le jour,* il ne s'occupe pas de ce qui arrivera le jour suivant; *d'un jour à l'autre,* tout d'un coup : *sa vie a changé d'un jour à l'autre* **2.** la partie de ces vingt-quatre heures où l'on voit clair : *nous travaillons le jour et nous nous reposons la nuit; les jours sont longs en été et courts en hiver; le jour se lève; le jour se couche; en plein jour,* quand il fait très clair; *nous voyageons de jour,* pendant le jour; *c'est comme le jour et la nuit,* ce sont deux choses très différentes. **3.** au pluriel, temps : *de nos jours,* maintenant, de notre temps : *de nos jours on ne voyage plus à cheval.* **4.** trou dans un mur ou un tissu : *un mouchoir à jours.*

journal, aux [ʒurnal, o], n. m., **1.** grande feuille de papier où on trouve les nouvelles du jour : *il achète son journal tous les matins; journal du matin (du soir),* journal qui paraît le matin (le soir). **2.** cahier (livre avec du papier blanc) où on écrit ce qu'on a fait dans la journée : *il tient un journal de sa vie; journal de bord,* cahier où l'on écrit tout ce qui arrive sur le bateau.

journaliste [ʒurnalist], n. m. et f., personne qui écrit dans un journal : *un journaliste est venu tout de suite après l'accident.*

journée [ʒurne], n. f., la partie du temps où il fait jour (du lever au coucher du soleil) : *il a travaillé toute la journée; on lui a payé sa journée.*

joyeux, euse [ʒwajø, øz], adj., qui est content et gai : *il est venu me voir tout joyeux.*

juge [ʒyʒ], n. m., **1.** celui qui rend la justice dans un tribunal : *il y a trois juges dans ce tribunal.* **2.** celui qui dit si une chose est juste ou bonne : *je vous prends pour juge.*

jugement [ʒyʒmɑ̃], n. m., **1.** ce que décide un tribunal : *le tribunal n'a pas encore rendu son jugement.* **2.** qualité des personnes qui savent penser de façon droite : *ce jeune homme a beaucoup de jugement.*

juger [ʒyʒe] (avec un *e* après le *g* devant un *a* ou un *o : je jugeais, nous jugeons*), v. trans., **1.** (en parlant d'un tribunal) s'occuper d'une affaire ou d'une personne et en décider : *le tribunal a jugé notre affaire; il va juger l'homme qui a volé une montre.* **2.** penser : *il a jugé bon de ne pas venir.*

juif, juive [ʒɥif, ʒɥiv] adj,, et n., m. et f., qui est d'une des grandes religions (même sens qu'*israélite*).

juillet [ʒɥijɛ], n. m., le 7ᵉ mois de l'année : *nous partons en vacances au mois de juillet; le* 14 *juillet,* la fête nationale de la France.

juin [ʒɥɛ̃], n. m., le 6ᵉ mois de l'année : *au mois de juin il fait clair très longtemps.*

jumeau, elle [ʒymo, ɛl], adj et n. m. etf., enfant qui naît en même temps qu'un frère ou une sœur : *ce petit garçon aime beaucoup son frère jumeau; ces deux petites jumelles sont très gentilles.*

jument [ʒymɑ̃], n. f., la femelle du cheval : *les juments sont restées dans la prairie.*

jupe [ʒyp], n. f., habit que les dames portent au-dessous de la blouse : *sa jupe bleue lui va très bien.*

jupon [ʒypɔ̃], n. m., sorte de jupe que les dames portent sous leur jupe.

jurer [ʒyre], v. trans., dire ou promettre en levant la main droite et en prenant Dieu comme témoin de la vérité de ce qu'on dit : *il jure qu'il a vu cet homme devant la maison de son père; il jure qu'il ne boira plus d'alcool.*

jus [ʒy], n. m., liquide tiré des fruits ou de la viande : *nous avons bu un jus de fruit.*

jusque [ʒysk], prép., marque l'endroit ou le moment où quelqu'un ou quelque chose s'arrête : *je suis allé jusqu'à Paris (jusqu'en France); je vous attendrai jusqu'à quatre heures.*

juste [ʒyst], adj., **1.** qui se conduit toujours de façon droite : *le bon chef doit être juste, il doit punir ceux qui font mal même si ce sont ses amis.* **2.** (en parlant des idées) qui sont vraies, qui ne sont pas des rêves : *il a des idées justes (des vues justes).* **3.** qui est assez grand et large : *cet habit est trop juste,* il me serre. — n. m., *un juste,* un homme qui se conduit toujours bien. — adv., **1.** *il chante juste,* il chante bien (contraire : *il chante faux*). **2.** *il est arrivé juste* ou *juste à l'heure,* au moment nécessaire, ni trop tôt ni trop tard ; *il est arrivé juste quand je partais,* au moment même où je partais. — **au juste** : *qu'est-ce qu'il a dit au juste?* expliquez-moi ce qu'il a dit.

justement [ʒystəmɑ̃], adv., **1.** de façon juste : *il a été puni justement.* **2.** au moment même : *il vient justement d'arriver.*

justice [ʒystis], n. f., **1.** qualité de celui qui est juste : *il a toujours agi avec justice.* **2.** les juges et les tribunaux : *on a envoyé cette affaire devant la justice; le ministre de la justice.* — EXPRESSIONS : *rendre la justice;* juger (en parlant d'un tribunal) : *les juges rendent la justice; rendre justice* (à quelqu'un), reconnaître qu'il s'est bien conduit, qu'il a eu raison.

justifier [ʒystifje], v. trans., montrer que quelqu'un a eu raison de faire ce qu'il a fait, qu'il s'est bien conduit : *il a justifié le voyage de son frère.* — **se justifier,** montrer qu'on a eu raison, qu'on s'est bien conduit : *il s'est justifié devant le tribunal.*

K

képi [kepi], n. m., coiffure que portent les officiers (les chefs militaires), les agents de police, les facteurs, etc. : *il a mis son képi.*

kilo [kilo], ou **kilogramme** [kilɔgram] (en abrégé kg), n. m., unité de poids (c'est le poids d'un litre d'eau) : *il a acheté deux kilos de pommes de terre.*

kilomètre [kilɔmɛtrə] (en abrégé km), n. m., 1 000 mètres : *l'auto va à 90 kilomètres à l'heure.*

L

1. l' [l], forme des articles *le* et *la* devant un mot commençant par une voyelle ou un *h* muet : *l'arbre, l'homme* (*l'* = le); *l'idée, l'huile* (*l'* = la).

2. l' [l], forme des pronoms personnels compléments *le* et *la* devant un mot commençant par une voyelle : *cet homme, je l'ai vu* (*l'* = le); *cette dame, je l'ai vue* (*l'* = la).

1. la [la], article défini féminin singulier : *la maison.*

2. la [la], pronom personnel complément, 3e personne, féminin singulier : *cette dame, je la vois.*

là [la], adv., dans cet endroit : *que faites-vous là?* — *là* sert à former des pronoms et des adjectifs (ou déterminatifs) démonstratifs : *celui-là, cet homme-là.* — **là-bas,** adv., se dit de ce qui est loin : *n'allez pas là-bas.* — **là-haut,** adv., se dit de ce qui est en haut : *cherchez là-haut.* — **là-dedans,** dans cela; **là-dessous,** sous cela; **là-dessus, 1.** sur cela. **2.** tout de suite après : *là-dessus il est parti.*

laboratoire [labɔratwar], n. m., endroit où les savants travaillent pour étudier des corps, des matières, des produits, etc. : *on fait dans ce laboratoire des expériences très importantes.*

labourer [labure], v. trans., ouvrir le sol avec la charrue : *le cultivateur a labouré son champ.*

lac [lak], n. m., étendue d'eau au milieu des terres : *le lac Léman est traversé par des bateaux.*

lâche [lɑʃ],, adj. et n., qui manque de courage : *ce soldat a été lâche devant l'ennemi.*

lâcher [lɑʃe], v. trans., laisser aller quelque chose qu'on tient : *il a lâché la ficelle.*

laid, e [lɛ, lɛd], adj. (contraire : *beau*), qui n'est pas agréable à voir, qui ne plaît pas : *cette maison est très laide.*

lainage [lɛnaʒ], n. m., vêtement fait avec de la laine tricotée : *il fait plus frais, couvrez-vous avec des lainages.*

laine [lɛn], n. f., **1.** poil long et épais de quelques animaux comme le mouton ou la chèvre : *on coupe la laine des moutons avec de grands ciseaux.* **2.** tissu fait avec ces poils : *il porte un manteau de laine.*

laisser [lɛse], v. trans., **1.** ne pas prendre avec soi : *il a laissé ses enfants à l'école.* **2.** (avec un infinitif) ne pas empêcher de faire une action : *il a laissé tomber un verre; il laisse tout le monde entrer; il se laisse aller,* il ne s'occupe de rien. — **laisser-aller,** n. m., le fait de manquer de soin : *il y a beaucoup de laisser-aller dans cette maison.*

lait [lɛ], n. m., liquide blanc que donnent les femelles des animaux (les vaches, par exemple) : *les petits enfants boivent beaucoup de lait.*

laiterie [lɛtri], n. f., maison où on vend du lait : *nous sommes allés chercher du lait à la laiterie.*

laitier, ière [lɛtje, jɛr], n. m. et f., celui (celle) qui vend du lait : *le laitier est passé avec sa voiture.* — **adj.,** *vache laitière,* vache qui produit beaucoup de lait.

lame [lam], n. f., partie d'un outil de métal ou d'une arme qui est plate et qui coupe : *une lame de couteau, de rasoir;* fig., *il a la figure en lame de rasoir,* la figure très mince.

lampe [lɑ̃p], n. f., appareil qui donne de la lumière : *une lampe à pétrole, une lampe à gaz, une lampe électrique.*

Lampes.

lancer [lɑ̃se], v. trans., jeter, envoyer au loin : *il a lancé une fleur.*

langage [lɑ̃gaʒ], n. m., **1.** le fait de parler : *les animaux ont peut-être un* *langage.* **2.** façon de parler : *je ne peux pas entendre ce langage.*

langue [lɑ̃g], n. f., **1.** organe qui sert à manger et à parler : *il a la langue sèche.* EXPRESSIONS : *il a la langue bien pendue,* il parle beaucoup; *je me suis mordu la langue,* j'ai compris, après avoir parlé, que je n'aurais pas dû parler ainsi; *une mauvaise langue,* une personne qui aime à dire du mal des gens; *langue de chat,* sorte de petit gâteau sec; *langue de terre,* partie de terre longue et étroite. **2.** façon de parler d'un pays ou d'un certain nombre de personnes : *la langue française.*

lapin [lapɛ̃], n. m., petit animal qu'on élève pour sa peau et pour sa viande, ou qu'on chasse : *il a mangé du lapin à son déjeuner.*

large [larʒ], adj., **1.** se dit du petit côté d'une surface (contraire : *long* ou *haut*) : *ce jardin est presque aussi large que long;* mesure de ce côté : *cette chambre a quatre mètres de long et trois de large.* **2.** qui occupe beaucoup de place en ce sens (contraire : *étroit*) : *cette rue est très large.* **3.** (en parlant des personnes) qui donne beaucoup : *il est très large avec ceux qui l'entourent.* **4.** *il est large d'esprit, il a des idées larges,* il permet qu'on ne pense pas comme lui. — n. m., **le large,** la mer loin des côtes : *le bateau est resté au large;* fig., *il a pris le large,* il s'est sauvé. — **au large, 1.** *passez au large,* restez loin, allez-vous-en. **2.** qui n'est pas gêné : *je suis au large dans cet habit; il a reçu son argent, il est maintenant au large.*

largeur [larʒœr], n. f., mesure du petit côté d'une surface : *ce tissu a une grande largeur.*

larme [larm], n. f., liquide qui coule des yeux quand on pleure : *ce film lui a tiré des larmes,* il l'a fait pleurer; *il est en larmes, il pleure toutes les larmes de son corps, il pleure à chaudes larmes,* il pleure beaucoup.

laver [lave], v. trans., nettoyer avec de l'eau : *on a lavé le plancher;* fig. et fam., *son père lui a lavé la tête,* il lui a dit qu'il ne faisait pas ce qu'il devait. — **se laver,** se nettoyer avec de l'eau : *il ne s'est pas lavé ce matin.*

1. le [lə], article défini masculin singulier : *le pain.*

2. le [lə], pronom personnel complément masculin singulier : *cet homme, je le connais.*

leçon [ləsɔ̃], n. f., **1.** ce qu'un maître apprend aux élèves : *les leçons de ce maître m'intéressent beaucoup.* EXPRESSIONS : *il lui a fait la leçon,* il lui a dit comment il devait faire, comment il devait se conduire; *cela me sera une bonne leçon,* cela m'a appris comment je devais me conduire; *la leçon n'a pas été perdue,* on sait maintenant comment on doit se conduire. **2.** ce que les élèves ont à apprendre, surtout à apprendre à la maison : *tu n'as pas encore appris ta leçon.*

lecteur, trice [lɛktœr, tris], n. m., et f., celui (celle) qui lit : *il faut intéresser vos lecteurs à ce que vous écrivez.*

lecture [lɛktyr], n. f., **1.** action de lire : *on fait la lecture à cet aveugle.* **2.** ce qu'on lit : *cet enfant a de bonnes lectures.*

léger, ère [leʒe, ɛr], adj., **1.** qui ne pèse pas beaucoup (contraire : *lourd*) : *ce papier est très léger.* **2.** (en parlant des aliments) qui ne peut pas faire de mal : *ce repas est très léger.* **3.** (en parlant de maladies ou de blessures) qui n'est pas dangereux (contraire : *grave*) : *il n'a eu qu'une légère blessure.* **4.** (en parlant des personnes) qui ne fait pas attention : *cet élève est très léger.* — **à la légère,** sans faire attention : *il fait tout à la légère.*

légèrement [leʒɛrmɑ̃], adv., de façon légère (avec les divers sens du mot *léger*) : **1.** *frapper légèrement sur la table.* **2.** *nous avons dîné légèrement.* **3.** *il a été légèrement blessé.* **4.** *il s'est conduit légèrement dans cette affaire.*

légume [legym], n. m., plante qui sert d'aliment : *il a mangé des légumes verts à son déjeuner.*

lendemain [lɑ̃dmɛ̃], n. m., *le lendemain,* le jour qui suit (qui vient après) un certain jour : *le 1er janvier il a pris froid, le lendemain il a dû rester dans son lit* (on dit *demain* pour le jour qui suit celui où l'on parle : *aujourd'hui il pleut, mais demain il fera beau*). — EXPRESSION : *du jour au lendemain,* tout à coup : *il est devenu pauvre du jour au lendemain.*

lent, lente [lɑ̃, lɑ̃t], adj., qui ne fait rien vite, qui ne va pas vite : *il marche d'un pas lent.*

lentement [lɑ̃tmɑ̃], adv., de façon lente : *marchez lentement.*

lenteur [lɑ̃tœr], n. f., le fait d'être lent : *il fait tout avec lenteur.*

1. lequel, laquelle, plur. **lesquels, lesquelles** [ləkɛl, lakɛl, lekɛl] (avec *à : auquel, à laquelle, auxquels, auxquelles :* okɛl, a lakɛl, okɛl; avec *de : duquel, de laquelle, desquels, desquelles :* dykɛl, də lakɛl, dekɛl), pron. relatif : *la table sur laquelle j'écris, les idées auxquelles je pense*).

2. lequel, laquelle, etc. (comme le mot précédent), pron. interrogatif : *laquelle de ces maisons aimeriez-vous habiter?*

1. les [le, le z devant un mot commençant par une voyelle : *les amis* : le z ami], art. masc. et fém. pluriel : *les arbres, les maisons.*

2. les [le, le z devant un mot commençant par une voyelle : *il les aime :* il le z ɛm], pron. pers. compl. masc. et fém. plur. : *ces hommes, je les vois; ces femmes, je les vois.*

lessive [lɛsiv], n. f., action de laver le linge : *elle fait la lessive,* elle lave le linge de la famille; *c'est le jour de la lessive,* c'est le jour où on lave le linge.

lettre [lɛtrə], n. f., **1.** signe qui sert à écrire : *cet enfant ne sait pas encore ses lettres; il a fait à la lettre ce qu'on lui a dit,* il a fait tout ce qu'on lui a dit. **2.** ce qu'on écrit à quelqu'un pour lui donner des nouvelles : *j'ai écrit une lettre à mon frère; il a mis sa lettre à la boîte (à la boîte aux lettres).* **3.** plur. *les lettres* (ou *les belles-lettres*), la culture (histoire, poésie, théâtre, etc.) : *il a des lettres,* il est cultivé; *homme de lettres,* écrivain (homme qui écrit des livres); *femme de lettres,* femme écrivain; *gens de lettres,* écrivains.

1. leur [lœr], pron. personnel complément indirect, 3e personne du plur.: *je leur ai donné des livres.*

2. leur, plur. **leurs** [lœr, au plur. lœr z devant un mot qui commence par une voyelle : *leurs amis :* lœr z ami], adj. ou déterminatif possessif, 3e pers. du plur. : *je n'ai pas écouté leur histoire; ils aiment leurs parents.*

3. leur, plur. **leurs** [comme le précédent], avec *le, la, les,* pron. possessif 3e pers. du plur. : *je leur ai prêté mes livres et ils m'ont prêté* LES LEURS.

lever [ləve] *(je lève, nous levons; je lèverai),* v. trans., **1.** faire aller vers le haut : *il a levé sa tête; il lève les bras au ciel,* il est très étonné. **2.** mettre quelqu'un debout : *on a levé cet enfant à sept heures.* **3.** appeler des soldats : *on a levé une armée.* **4.** *lever des impôts,* les faire payer. — v. intr., commencer à pousser : *le blé lève.* — **se lever, 1.** se mettre debout (quand on était assis ou couché) : *les élèves se sont levés quand le maître est entré; il se lève très tôt.* **2.** *le soleil se lève; le jour se lève,* il commence à faire clair. — **lever,** n. m., le moment où on se lève : *il était malade à son lever; j'ai vu le lever du soleil.*

lèvre [lɛvrə], n. f., le bord de la bouche : *il a de grosses lèvres, il s'est mordu la lèvre;* fig., *je m'en mords les lèvres,* je voudrais n'avoir pas fait cela.

liaison [ljɛzɔ̃], n. f., **1.** le fait d'être lié (attaché) ensemble (se dit surtout au figuré) : *il n'a pas de liaison entre ces événements.* **2.** (grammaire) le fait de prononcer devant un mot commençant par une voyelle la consonne qui finit un mot et qui d'habitude n'est pas prononcée :

il faut faire une liaison dans « mes amis », il ne faut pas prononcer me ami, mais me z ami.

libération [liberasjɔ̃], n. f., le fait de libérer (de rendre libre), se dit surtout de l'action de chasser l'ennemi des pays qu'il a occupés (en 1944 et 1945 par exemple): *nous avons fêté la libération.*

libérer [libere], v. trans., rendre libre : *en se levant il a libéré une chaise.*

liberté [libɛrte], n. f., qualité de celui qui est libre : *nous avons la liberté de faire connaître notre pensée; il a été mis en liberté,* il est sorti de prison; *on lui a rendu la liberté.*

libraire [librɛr], n. m. et f., celui (celle) qui vend des livres : *vous trouverez ce livre chez tous les libraires.*

librairie [librɛri], n. f., magasin où l'on vend des livres : *cette librairie reçoit tous les livres nouveaux.*

libre [librə], adj., **1.** qui peut faire ce qu'il veut : *vous êtes libre de partir ou de rester; il est libre comme l'air,* il est tout à fait libre. **2.** qu'on peut occuper : *cette place est-elle libre? un appartement libre,* un appartement où personne n'habite.

libre-service [librə sɛrvis], n. m., magasin ou restaurant où le client se sert lui-même : *nous avons déjeuné dans un libre-service.*

lier [lje], v. trans., attacher (se dit surtout au figuré) : *il lie mal ses idées; ils sont très liés,* ils sont très amis. — **se lier** *avec quelqu'un,* devenir son ami.

lieu, plur. **lieux** [ljø], n. m., endroit*; c'est ici le lieu de l'accident; je vous le dirai en temps et lieu,* au moment et à l'endroit qu'il faudra. — EXPRESSIONS : *avoir lieu,* arriver : *la fête aura lieu dimanche prochain; avoir lieu de,* avoir des raisons de : *j'ai lieu de ne pas être content; tenir lieu de,* remplacer : *sa grand-mère lui tient lieu de mère.* — **au lieu de,** à la place de : *il a mangé des gâteaux au lieu de pain; il est resté au lieu de partir comme il l'avait promis.*

lieutenant [ljœtnɑ̃], n. m., **1.** officier (chef militaire) au-dessous du capitaine : *le lieutenant le plus ancien a remplacé le capitaine.* **2.** celui qui aide : *il est le meilleur lieutenant du directeur.* — **lieutenant-colonel,** n. m., officier au-dessous du colonel.

lièvre [ljɛvrə], n. m., animal sauvage qui a souvent peur et qui court très vite : *il a tué un lièvre à la chasse; c'est un lièvre* (en parlant d'une personne), il manque de courage, il se sauve devant le danger. — PROVERBE: *Il ne faut pas courir deux lièvres à la fois,* il ne faut pas s'occuper de deux choses différentes en même temps (car on manque les deux).

ligne [liɲ], n. f., **1.** ce que dessinent sur le papier un crayon ou une plume quand on les conduit : *une ligne droite.* **2.** personnes ou choses les unes à côté des autres : *une ligne d'arbres; on a mis les élèves en ligne; il a lu le livre jusqu'à la dernière ligne.* **3.** *ligne de chemin de fer,* rails qui vont d'une gare à une autre : *j'ai pris la ligne Paris-Brest.* **4.** fil qui sert à pêcher : *il aime à pêcher à la ligne.*

lime [lim], n. f., outil de métal que l'on frotte sur le bois et sur le métal pour en enlever de petits morceaux : *il sait bien se servir d'une lime.*

limer [lime], v. trans., frotter avec une lime : *il a limé un morceau de métal qui était un peu trop long.*

limite [limit], n. f., ligne entre deux terrains, deux champs (entre deux pays on dit plutôt *frontière*) : *ne sortez pas de ces limites;* fig., *vos droits ont une limite.*

limiter [limite], v. trans., ne pas pousser plus loin (se dit surtout au figuré) : *il a limité ses dépenses.* — **se limiter,** ne pas aller plus loin (au figuré) : *cet homme se limite à être un bon père de famille.*

linge [lɛ̃ʒ], n. m., tissu de toile employé pour faire des chemises, des mouchoirs *(linge de corps)*, des draps de lit *(linge de maison) : elle a beaucoup de linge dans son armoire.* — PROVERBE : *Il faut laver son linge sale en famille,* il ne faut pas discuter des affaires de la famille devant des personnes étrangères à la famille (qui ne sont pas de la famille).

lion, lionne [ljɔ̃, ljɔn], n. m. et f., animal sauvage très fort, qui est dangereux pour les animaux et les hommes : *le lion ne vit plus que dans certaines régions d'Afrique; on appelle le lion le roi des animaux.* EXPRESSIONS : *il a pris la part du lion,* la plus grosse part; *il se bat comme un lion,* avec beaucoup de courage; *il a mangé du lion,* il a envie de se battre.

liquide [likid], adj., **1.** qui coule : *si on chauffe beaucoup les métaux, ils deviennent liquides.* **2.** *de l'argent liquide,* des pièces et des billets. — n. m., ce qui coule : *l'eau, le vin, le lait sont des liquides.*

lire [lir] *(je lis, nous lisons, ils lisent; je lisais; je lus; je lirai; que je lise; lu),* v. trans., savoir comprendre ce qui est écrit : *cet enfant sait lire; j'ai lu ce livre, ce journal.*

lisse [lis], adj,, très plat et très poli : *une surface de métal très lisse.*

liste [list], n. f., noms de personnes ou de choses écrits, en général l'un au-dessous de l'autre : *le maître a dressé* (a écrit) *la liste des élèves.*

lit [li], n. m., **1.** meuble qui sert à se coucher et à dormir : *il couche dans un grand lit.* **2.** terrain creux où coule une rivière : *le lit de la Loire n'est pas très profond.*

litre [litrə], n. m., unité de mesure pour les liquides : *il a acheté un litre de lait.*

littérature [literatyr], n. f., forme de culture donnée par les livres : *il a étudié la littérature française.*

1. livre [livrə], n. m., ensemble de feuilles de papier imprimé cousues ensemble : *il a' a beaucoup de livres.*

2. livre [livrə], n. f., **1.** la moitié du kilo : *il a acheté une livre de pain.* **2.** monnaie anglaise : *il a une livre anglaise dans son portefeuille.*

livrer [livre], v. trans., **1.** porter à la maison d'un client : *on lui a livré le pain qu'il avait commandé.* **2.** *il a livré la ville,* il l'a mise aux mains des ennemis. **3.** *il a livré bataille,* il a commencé la bataille (il s'est battu contre l'armée ennemie). — **se livrer à,** s'occuper à : *ces enfants se livrent à des jeux dangereux.*

local, ale, plur. **aux, ales** [lɔkal, o], adj., qui est particulier à un endroit : *je connais les habitudes locales.* — n. m., chambre, magasin : *ce local est très bien éclairé.*

locataire [lɔkatɛr], n. m. et f., celui qui loue (au sens 2 du 1er verbe *louer*) une maison, un appartement, une chambre : *plusieurs locataires habitent dans cette maison.*

locomotive [lɔkɔmɔtiv], n. f., machine à vapeur qui tire un train sur les rails : *les locomotives modernes roulent très vite.* EXPRESSION : *il fume comme une locomotive,* il fume beaucoup.

logement [lɔʒmɑ̃], n. m., endroit où on habite : *je cherche un logement dans cette ville.*

loger [lɔʒe] (*ge* devant *a* et *o : il logeait, nous logeons),* v. intr., habiter : *il loge dans un hôtel.* — v. trans., donner une chambre ou un appartement à quelqu'un dans une maison : *nous logeons des amis en ce moment.* — **se loger,** trouver un endroit où l'on peut habiter : *je me suis logé dans une maison près de mon travail.*

logique [lɔʒik], adj., qui est juste d'après la raison : *il n'est pas logique de répondre tantôt non, tantôt oui à la même question.* — n. f., science qui s'occupe de bien penser d'après la raison : *il étudie la logique.*

loi [lwa], n. f., ce que les assemblées du pays ont décidé : *plusieurs lois ont été changées.*

loin [lwɛ̃], adv. de lieu (contraire : *près*), marque un grand espace : *il habite loin de chez moi; je vous ai vu de loin; de loin en loin,* pas souvent : *je ne le rencontre que de loin en loin.* — PROVERBE : *Loin des yeux, loin du cœur,* quand on est loin, on est souvent oublié. — **loin de** (avec un infinitif) : *loin d'être en colère, je suis très content,* non seulement je ne suis pas en colère, mais je suis très content.

loisir [lwazir] n. m., temps libre où l'on peut faire ce qu'on veut : *il sait occuper ses loisirs; vous étudierez cette question à loisir,* en prenant tout le temps nécessaire.

lointain, aine [lwɛ̃tɛ̃, ɛn], adj., qui est loin : *il s'en va dans des pays lointains; dans le lointain,* au loin : *vous voyez des montagnes dans le lointain.*

long, longue [lɔ̃, lɔ̃g], adj., **1.** qui a un côté très grand : *cette chambre est plus longue que large.* **2.** mesure du plus grand côté : *elle a quatre mètres de long et trois de large.* **3.** (dans le temps) : *ce travail est très long; le temps m'a semblé long.* — **tout au long,** sans rien oublier : *je vous raconterai l'histoire tout au long.* — **à la longue,** peu à peu, avec le temps : *votre santé ira mieux à la longue.* — **le long de,** sur les bords : *nous nous sommes promenés le long de la rivière.*

longtemps [lɔ̃tɑ̃], adv. de temps, marque que le temps (d'une action ou entre deux actions) est long : *je vous ai attendu longtemps; je ne le verrai pas avant longtemps; il y a longtemps que je le connais.*

longueur [lɔ̃gœr], n. f., **1.** ce qu'un objet mesure d'un bout à l'autre : *la longueur d'un bâton.* **2.** (dans le temps) : *je n'aime pas la longueur des nuits d'hiver.* **3.** plur., *longueurs,* parties trop longues : *ce livre a des longueurs.*

lors de [lɔr də], prép., au temps de : *je n'étais pas à Paris lors de la mort de ce grand homme.*

lorsque [lɔrskə], conj., quand : *le bébé a ri lorsqu'il m'a vu.*

louche [luʃ], n. f., sorte de grande cuiller : *la mère donne de la soupe à chacun des enfants avec la louche.*

1. louer [lue ou lwe], v. trans., **1.** permettre à quelqu'un d'habiter une maison (un appartement, etc.) ou de se servir de quelque chose (une bicyclette, etc.) en se faisant payer de l'argent : *il m'a loué une chambre dans sa maison.* **2.** habiter une maison, se servir de quelque chose en payant de l'argent à celui qui le permet : *j'ai loué un appartement dans votre maison; j'ai loué une bicyclette pour me promener.*

2. louer [lue ou lwe], v. trans., dire beaucoup de bien de quelqu'un ou de quelque chose : *on a loué votre courage.* — **se louer de,** être très content de : *le directeur se loue de ses ouvriers.*

loup, louve [lu, luv], n. m. et f., animal sauvage qui ressemble au chien, mais qui est beaucoup plus fort et plus méchant : *il y avait autrefois des loups dans les forêts de France.* — EXPRESSIONS : *un loup de mer,* un vieux marin; *une tête de loup,* un balai avec un long manche pour nettoyer les coins du plafond; *entre chien et loup,* au moment où la nuit commence à tomber; *j'ai une faim de loup,* j'ai grand faim; *il fait un froid de loup,* il fait très froid; *il marche à pas de loup,* doucement, sans faire de bruit; *il est connu comme le loup blanc,* il est très connu. — PROVERBES : *Les loups ne se mangent pas entre eux,* les personnes méchantes ne se font pas de mal l'une à l'autre; *La* *faim fait sortir le loup du bois,* quand on a faim on fait des choses qu'on ne ferait pas autrement.

loupe [lup], n. f., instrument qui sert à voir plus gros : *il regarde ses timbres à la loupe.*

lourd, e [lur, lurd], adj., **1.** qui pèse beaucoup (contraire : *léger*) : *cette table est très lourde.* **2.** *le temps est lourd,* il fait si chaud qu'on a du mal à respirer. **3.** (en parlant d'une personne) gros et peu adroit : *ce garçon a l'air lourd.* **4.** *il a l'esprit lourd,* il ne comprend pas vite.

loyal, ale, plur., **aux, ales** [lwajal, plur. masc. lwajo], adj,, qui se conduit de façon droite : *il a toujours été loyal avec tout le monde.*

loyer [lwaje], n. m., ce qu'on paye tous les mois ou tous les trois mois ou tous les ans pour habiter une maison (un appartement, une chambre) qu'on a louée (voir 1 *louer* au sens 2) : *le loyer de cette maison est très gros.*

lueur [lɥœr ou lyœr], n. f., faible lumière : *je vois au loin la lueur d'une lampe.*

lui [lɥi], pron. personnel, 3e pers. du sing., **1.** tout de suite avant le verbe : pron. masc. ou fém. compl. indirect du verbe : *je lui ai parlé hier* (à cet homme ou à cette femme). **2.** en dehors du verbe, seulement masc. : *lui, il se tait et elle, elle parle; il est sorti sans lui* (au fém. : *sans elle*). — **lui-même,** lui en personne (et non un autre) : *il a fait cela lui-même.*

luire [lɥir] (*je luis, nous luisons; je luisais; je luirai; que je luise; luisant; lui;* pas de passé simple; pas d'imparfait du subjonctif), v. intr., donner (ou sembler donner) de la lumière, briller : *les armes luisaient dans la nuit.* — PROVERBE : *Le soleil luit pour tout le monde,* tout le monde peut être heureux. — **luisant, ante,** adj., qui donne (ou semble donner de la lumière), brillant (en général moins fort que « brillant ») : *ver luisant,* insecte qui brille la nuit.

lumière [lymjɛr], n. f., **1.** ce qui éclaire : *je vois une lumière au dernier étage de la maison; la lumière du soleil est plus forte que la lumière de la lune.* **2.** la vérité : *il faut faire la lumière sur cette question.* **3.** savoir, intelligence : *vous allez nous aider de vos lumières.*

lundi [lœdi], n. m., le second jour de la semaine, celui qui suit le dimanche : *il s'est promené dimanche, mais lundi il s'est remis au travail.*

lune [lyn], n. f., astre qui tourne autour de la terre et qui l'éclaire pendant la nuit : *la lumière de la lune est très blanche; la nouvelle lune,* le temps où on ne voit pas la lune dans le ciel; *la pleine lune,* le temps où on voit la lune toute ronde; *le clair de lune,* la lumière que la lune répand sur la terre. — EXPRESSIONS : *la lune de miel,* le premier mois après que le mari et la femme ont été mariés; *il promet (demande) la lune,* il promet (demande) des choses qui ne sont pas possibles; *il a l'air de tomber de la lune,* il est étonné de tout; il ne comprend rien à ce qui se passe; *il est dans la lune,* il ne s'occupe pas des choses, il vit dans un rêve.

lunette [lynɛt], n. f., **1.** au sing., instrument (avec des verres l'un der-

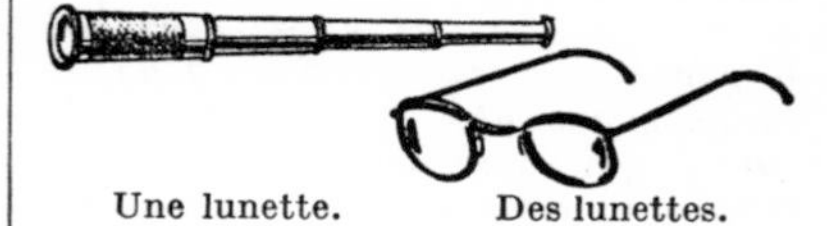

Une lunette. Des lunettes.

rière l'autre) qui permet de voir au loin : *du bateau on peut voir la côte avec une lunette.* **2.** au plur., instrument (avec deux verres à côté l'un de l'autre) qui permet de mieux voir : *j'ai mis mes lunettes sur la table;* on dit aussi *une paire de lunettes* (surtout pour compter) : *j'ai deux paires de lunettes, l'une pour voir de près, l'autre pour voir de loin.*

lutte [lyt], n. f., **1.** action de se battre avec les mains (non avec les poings) contre quelqu'un : *il a gagné à la lutte.* **2.** action de se battre, en général : *la lutte est partout dans le monde; il a enlevé ce résultat de haute lutte*, il a réussi en luttant, avec beaucoup d'efforts.

lutter [lyte], v. intr., **1.** se battre avec les mains (non avec les poings) : *ils ont lutté longtemps.* **2.** se battre, en général : *ces deux pays ont longtemps lutté l'un contre l'autre.*

luxe [lyks], n. m., le fait de dépenser beaucoup d'argent pour acheter des choses très belles : *il a installé sa nouvelle maison avec un très grand luxe.*

luxueux, euse [lyksyø ou lyksɥø, øz], adj., qui est très beau et qui coûte très cher : *il a une auto aussi luxueuse que son appartement.*

lycée [lise], n. m., école où vont des élèves de 11 à 18 ans : *le lycée de garçons de notre ville a beaucoup d'élèves, le lycée de jeunes filles aussi.*

M

m' [m], s'emploie pour *me* quand le mot qui suit commence par une voyelle : *il m'aperçoit; tu m'as dit un mot.*

ma [ma], adj. ou déterminatif possessif fém. sing. : *ma fille; ma table.*

mâcher [mɑʃe], v. trans., écraser avec les dents : *il faut bien mâcher les aliments.* — EXPRESSIONS : *il ne mâche pas ses mots,* il dit la vérité même quand elle est dure; *je lui ai mâché son travail,* je lui ai fait la moitié de son travail.

machine [maʃin], n. f., grand appareil : *une auto, une bicyclette sont des machines; il travaille comme une machine,* il travaille comme quelqu'un qui n'est pas intelligent; *machine à coudre,* machine qui sert à coudre; *machine à laver,* machine qui sert à laver le linge; *machine à écrire,* machine qui sert à écrire; *cette lettre est écrite à la machine,* elle est écrite avec une machine à écrire (et non à la main).

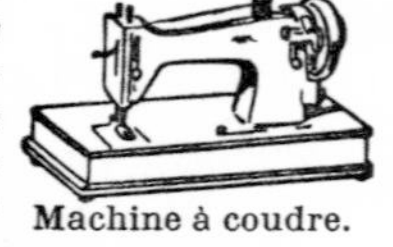
Machine à coudre.

Machine à écrire.

mâchoire [mɑʃwar], n. f., la partie de la tête qui porte les dents : *la mâchoire supérieure,* celle qui porte les dents du haut et ne remue pas; *la mâchoire inférieure,* celle qui porte les dents du bas et qui peut s'ouvrir; pop., *il joue des mâchoires,* il mâche.

maçon [masɔ̃], n. m., celui qui bâtit des maisons, des murs, etc. : *le maçon a fini le mur du jardin.*

madame, plur. **mesdames** [madam, medam], n. f., ce que l'on dit quand on parle à une femme mariée (ou quand on parle d'elles) : *bonjour, madame (mesdames); j'ai vu madame Durand; j'ai rencontré Madame votre mère.*

mademoiselle, plur. **mesdemoiselles** [madmwazɛl, medmwazɛl], n. f., ce que l'on dit quand on parle à une femme qui n'est pas mariée, à une jeune fille (ou quand on parle d'elle) : *au revoir, mademoiselle (mesdemoiselles); mademoiselle Dupont est venue; j'ai parlé à Mesdemoiselles vos sœurs.*

magistrat [maʒistra], n. m., juge : *les magistrats étudient l'affaire; ce jeune homme veut devenir magistrat.*

magasin [magazɛ̃], n. m., **1.** grande boutique : *il a ouvert un beau magasin de tissus dans notre ville; grand magasin,* magasin très important où l'on vend toute sorte d'objets (tissus, jouets, linge, etc.) **2.** endroit où on met des marchandises : *il y a des magasins importants à côté de la gare.*

magnifique [maɲifik], adj., très beau : *ce jardin est magnifique.*

mai [mɛ], n. m., le cinquième mois de l'année : *le mois de mai a été un peu frais; le premier mai,* la fête du travail.

maigre [mɛgrə], adj., **1.** qui est mince, qui n'a pas beaucoup de graisse (contraire : *gros, gras*) : *il est resté maigre toute sa vie.* **2.** *un maigre repas,* un repas où on n'a pas beaucoup à manger. **3.** *un repas maigre, une soupe maigre, des jours maigres,* sans viande.

maigrir [mɛgrir], v. intr., devenir maigre : *cet enfant a maigri l'été dernier.*

maille [maj], n. f., chacun des nœuds de fils d'un filet, d'un tricot, d'un bas, etc. : *j'ai déchiré une maille du filet.*

Mailles d'un filet.

maillet [majɛ], n. m., marteau en bois : *il a frappé sur la lame avec un maillet.*

main [mɛ̃], n. f., la partie du corps qui est au bout du bras : *nous avons cinq doigts à chaque main; cette lettre* *est écrite à la main,* elle n'est pas écrite à la machine. — EXPRESSIONS : *il a son métier en main,* il connaît bien son métier; *j'y ai mis la main,* j'y ai travaillé; *mettre la main sur une chose,* 1. la trouver : *je n'arrive pas à mettre la main sur mes lunettes.* 2. la prendre : *il a mis la main sur la maison; il a fait main basse sur l'argent,* il a pris l'argent; *vous n'y allez pas de main morte,* vous frappez fort; fig., vous êtes dur; *il a la haute main sur l'usine,* c'est lui qui commande à l'usine; *on m'a forcé la main,* je ne voulais pas, mais on m'a obligé; *j'ai préparé mon voyage de longue main,* je l'ai préparé depuis longtemps; *ils en sont venus aux mains,* ils se sont battus; *il a fait cela en un tour de main,* en très peu de temps; *il a demandé la main de ma fille,* il m'a dit qu'il voudrait se marier avec ma fille; *j'ai reçu une lettre de sa main,* une lettre écrite par lui. — **main-d'œuvre,** n. f., le travail des ouvriers, les ouvriers : *on manque de main-d'œuvre dans ce métier.*

maintenant [mɛ̃tnɑ̃], adv., au moment où nous sommes : *on ne vit plus maintenant comme autrefois.*

maintenir [mɛ̃tnir] (comme *tenir*), v. trans., **1.** faire rester dans un certain état : *maintenez l'échelle comme elle est; il maintient ses droits.* **2.** répéter avec force quelque chose qu'on a dit : *je maintiens que je ne suis jamais allé dans cette ville.*

maire [mɛr], n. m., celui qui est à la tête d'une commune (une ville ou un village) : *nous avons changé de maire.*

mairie [mɛri], n. f., maison où sont installés les bureaux de la commune (ville ou village) : *il vient de se marier à la mairie.*

mais [mɛ], conj., marque que ce qui suit est différent de ce qui vient avant : *il n'est pas venu hier, mais il viendra demain.*

maïs [mais], n. m., plante qui donne des aliments pour les hommes et les animaux domestiques : *on cultive le maïs dans le sud de la France.*

maison [mɛzɔ̃], n. f., 1. bâtiment (en pierres, en briques, en bois, etc.) où l'on habite : *il habite dans une maison neuve; il a un appartement au quatrième étage d'une grande maison.* **2.** *maison de commerce,* ou simplement *maison,* établissement commercial : *cette maison a perdu beaucoup de clients.*

maître, esse [mɛ:trə, trɛs], n. m. et f., **1.** celui (celle) qui commande : *il parle en maître,* comme quelqu'un qui commande; *le maître de maison,* celui qui commande dans la maison; *la maîtresse de maison,* la dame de la maison; fig., *il est maître de lui,* il sait bien ce qu'il fait, il ne se laisse pas conduire par la colère; *maître d'hôtel,* celui qui dans un restaurant commande aux garçons. **2.** celui (celle) qui apprend quelque chose aux autres : *il apprend la musique avec un bon maître; maître (maîtresse) d'école,* celui (celle) qui apprend aux enfants à lire, à écrire, etc. **3.** artisan de certains métiers : *un maître maçon; ce travail a été fait de main de maître,* très bien fait.

majeur, eure [maʒœr], adj. et n., qui a plus de 21 ans (contraire : *mineur*) : *cette jeune fille est majeure depuis un an.*

majorité [maʒɔrite], n. f., **1.** le fait d'être majeur (d'avoir plus de 21 ans) : *il a quitté le pays à sa majorité.* **2.** le plus grand nombre (dans un groupe, une assemblée, etc.) : *la majorité n'a pas pensé comme vous* (contraire, dans les deux sens : *minorité*).

1. mal, plur. **maux** [mal, mo], n. m., **1.** ce qui est mauvais moralement (contraire : *le bien*) : *il ne faut pas faire le mal; il fait le mal pour le mal,* il est méchant par plaisir. **2.** ce qui est mauvais pour les personnes et les choses : *l'orage a fait beaucoup de mal aux moissons; la guerre cause de grands maux.* **3.** ce qui est mauvais pour le corps : *le bras droit me fait mal = j'ai mal au bras droit; le mal a cessé; j'ai mal au cœur,* je ne puis garder ce que j'ai mangé; *mal de mer,* ce que beaucoup de personnes sentent en bateau sur la mer; fam., *vous allez prendre du mal,* vous allez tomber malade. **4.** peine, fatigue que l'on a pour faire quelque chose : *j'ai eu beaucoup de mal à comprendre ce qu'il disait; il faut se donner du mal pour réussir.*

2. mal [mal], adv. (contraire *bien*), autrement qu'il ne faut : *il a mal compris ce mot; il se conduit mal; il est mal avec son frère,* il n'est pas d'accord avec lui, il ne s'entend pas avec lui; *il a mal pris ce que je lui ai dit,* il n'a pas été content de ce que je lui ai dit; *il s'est trouvé mal,* il a cessé tout à coup de voir, d'entendre, etc.; *il est très mal, au plus mal,* il est très malade (même près de mourir).

malade [malad], adj. et n., qui n'est pas en bonne santé : *il est tombé malade; le malade va mieux.*

maladie [maladi], n. f., ce qui cause la mauvaise santé : *le médecin a bien soigné sa maladie.*

maladroit, oite [maladrwa, wat], adj. (contraire : *adroit*), qui ne sait pas se servir de ses mains : *les hommes sont souvent maladroits avec une aiguille;* fig., qui ne sait pas se conduire avec intelligence : *il est maladroit même avec ses amis.*

mâle [maːl], adj. et n., du sexe masculin (en parlant des animaux) (contraire : *femelle*) : *le coq est le mâle de la poule.*

malgré [malgre], prép., marque qu'une personne ou une chose n'ont pas empêché une action : *il s'est marié malgré son père; il est sorti malgré la pluie.*

malheur [malœr], n. m., ce qui arrive de mauvais : *il est arrivé un grand malheur à cette famille; ces enfants ont eu le malheur de perdre leur père; cela m'a porté malheur,* cela a été cause de mon malheur; *il joue de malheur,* il n'a pas de chance, tout tourne mal pour lui. — PROVERBES : *Un malheur ne vient jamais seul,* souvent les événements malheureux arrivent ensemble ou se suivent de près; *A quelque chose malheur est bon,* un malheur peut quelquefois avoir un résultat utile.

malheureusement [malœrøzmɑ̃], adv., de façon malheureuse; se dit quelquefois en parlant d'une chose qui n'est pas un vrai malheur : *je n'étais malheureusement pas chez moi quand vous êtes venu.*

malheureux, euse [malœrø, øz], adj. (contraire : *heureux*). **1.** qui a eu un malheur : *il a été malheureux dans son commerce.* **2.** qui cause un malheur : *un accident malheureux.* — n. m., **un malheureux, une malheureuse,** un homme, une femme très pauvre : *il faut aider les malheureux.*

malle [mal], n. f., sorte de grande valise qu'on emporte en voyage, mais qu'on ne garde pas avec soi dans le wagon : *il a emporté tant d'habits qu'il a eu besoin de trois malles; il fait ses malles,* il met ses habits, son linge, etc. dans des malles pour partir en voyage.

maman [mɑ̃mɑ̃ ou mamɑ̃], n. f., nom que les enfants donnent à leur mère : *le bébé pleure quand il ne voit plus sa maman.*

1. manche [mɑ̃ʃ], n. m., partie d'un outil, d'un instrument, d'un couteau, d'un balai, etc. que l'on tient pour se servir de l'outil, du couteau, etc. : *il faut bien serrer le manche de son couteau;* fig. et fam. : *il s'est mis du côté du manche,* du côté de ceux qui commandent, qui sont les plus forts.

Un manche.

2. manche [mɑ̃ʃ], n. f., partie d'un habit qui couvre les bras : *son manteau a des manches trop courtes.*

Une manche.

mandat [mɑ̃da], n. m., papier qui sert à envoyer de l'argent par la poste : *il a envoyé à sa mère un mandat de cent francs.*

manger [mɑ̃ʒe] (*ge* devant *a* et *o* : *mangeant, nous mangeons*), v. trans., **1.** faire entrer des aliments dans le corps : *il a mangé un gros morceau de pain;* fig., *il mange les gâteaux des yeux*, il regarde les gâteaux avec l'air de vouloir les manger. **2.** (sans complément) prendre un repas : *il mange le matin, à midi et à sept heures.*

manier [manje], v. trans., toucher et remuer avec la main : *il faut faire attention quand on manie des couteaux;* fig., *cet élève sait déjà manier la langue française*, il sait se servir des mots français.

manière [manjɛr], n. f., **1.** façon de se conduire ou de faire quelque chose : *chacun a sa manière de choisir un métier.* **2.** au plur., façon de se conduire avec les autres : *il a de bonnes (de mauvaises) manières :* il se tient bien (mal). — **de manière à,** de façon à : *rangez vos livres de manière à pouvoir les trouver facilement.* — **de manière que,** de façon que : *pensez bien à ce que vous avez à faire, de manière que vous n'oubliiez rien.*

manifestation [manifɛstasjɔ̃], n. f. **1.** action de montrer clairement ou d'apparaître clairement : *le juge cherche la manifestation de la vérité.* **2.** action de faire connaître ce qu'on pense, en se réunissant en grand nombre dans une rue, sur une place, etc. : *beaucoup de gens étaient allés à la manifestation.*

manifester [manifɛste], v. trans., montrer clairement : *il n'aime pas manifester ses sentiments.* — v. intr., se réunir en grand nombre dans une rue, une place, etc. pour faire connaître ce qu'on pense : *les ouvriers ont manifesté dans la rue.* — **se manifester,** apparaître clairement : *ces idées ne se sont jamais manifestées.* — **manifestant, ante,** celui (celle) qui manifeste dans la rue : *nous avons vu passer les manifestants.*

1. manœuvre [manœvrə], n. m., ouvrier d'usine qui fait des travaux qui demandent surtout de la force : *les manœuvres sont moins bien payés que les autres ouvriers.*

2. manœuvre [manœvrə], n. f., **1.** façon dont on fait marcher un appareil, un bateau : *la manœuvre de cette machine est difficile.* **2.** exercices (mouvements, travaux) que font les soldats dans la campagne : *l'armée fait ses grandes manœuvres.* **3.** façon d'arriver à un résultat, souvent en trompant : *j'ai bien compris sa manœuvre.*

manquer [mɑ̃ke], v. intr., **1.** ne pas être là : *deux élèves ont manqué hier; il manque un livre qui m'est nécessaire.* **2.** ne pas réussir : *l'affaire a manqué.* — v. trans., **1.** ne pas toucher ce qu'on voudrait toucher : *le chasseur a manqué l'oiseau.* **2.** arriver trop tard pour quelque chose : *j'ai manqué mon train.* **3.** faire mal quelque chose : *il a manqué son travail; un tableau manqué.* — avec *à*, **1.** se dit de choses utiles ou nécessaires qu'une personne ou une chose n'a pas : *les forces manquent à ce vieil homme; rien ne manque à son bonheur.* **2.** ne pas se conduire comme on doit avec quelqu'un : *il a manqué à son maître.* — avec *de*, ne pas avoir : *il manque de pain; Robinson manquait de tout dans son île*, il n'avait rien; (avec un infinitif) marque une action qui s'est presque faite : *j'ai manqué de tomber* (mais je ne suis pas tombé); *ne pas manquer de* (avec un infinitif), faire sûrement : *je ne manquerai pas d'aller vous voir.*

manteau, plur. **eaux** [mɑ̃to], n. m., vêtement qu'on porte par-dessus les autres habits, surtout quand il fait froid : *cette dame porte un gros manteau en hiver.*

marais [marɛ], n. m., terrain où l'eau reste sans couler : *les régions de marais sont très humides.*

marbre [marbrə], n. m., pierre très dure et très polie qui sert à faire de beaux édifices (de belles maisons) :

en Italie beaucoup de maisons sont construites en marbre.

marchand, ande [marʃɑ̃, ɑ̃d], n. m. et f., celui (celle) qui vend par métier, commerçant : *il y a beaucoup de marchands dans cette rue.* — *marchand, ande,* adj. : *la marine marchande,* voir **marine.**

marchandise [marʃɑ̃diz], n. f., chose qu'on vend : *cette boutique est pleine de marchandises; train de marchandises,* train qui transporte des marchandises (et non des voyageurs); *gare de marchandises,* gare faite pour les marchandises (et non pour les voyageurs).

1. marche [marʃ], n. f., action de marcher. **1.** en parlant des personnes : *nous avons fait une longue marche.* **2.** en parlant d'une machine : *il a mis son auto en marche.* **3.** en parlant de commerce, d'affaires, etc. : *il est content de la marche de son magasin.*

2. marche [marʃ], n. f., dans un escalier, endroit où l'on met les pieds pour monter : *les marches de cet escalier sont très hautes.*

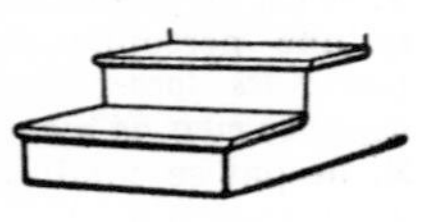

marché [marʃe], n. m., **1.** endroit où des marchands viennent vendre (surtout des légumes, des œufs, du poisson, etc.) : *beaucoup de monde va à ce marché; elle fait son marché,* elle va au marché acheter ce qui lui est nécessaire. **2.** *bon marché* (contraire : *cher*), qui ne coûte pas beaucoup : *ce livre est très bon marché.* **3.** *le marchand m'a donné une pomme par-dessus le marché,* en plus de ce qu'il devait me donner pour mon argent.

marcher [marʃe], v. intr., **1.** aller à pied : *nous marchons un peu tous les matins.* **2.** (en parlant d'une machine) être en bon état pour faire ce qu'elle doit faire : *ce moteur ne marche pas.* **3.** (en parlant d'une affaire, d'un commerce) : *ce magasin marche très bien.*

mardi [mardi], n. m., le troisième jour de la semaine : *il a voyagé dimanche et lundi et il est arrivé mardi matin.*

marée [mare], n. f., **1.** mouvement de la mer qui monte et qui baisse sur les côtes : *la marée montante, la marée descendante.* **2.** les poissons de mer quand ils ont été pêchés : *un marchand de marée.*

mari [mari], n. m., celui qui est marié avec une femme : *c'est un bon mari; il est le mari de ma sœur.*

mariage [marjaʒ], n. m., action de marier ou de se marier : *le mariage a eu lieu hier; il pense au mariage,* il pense à se marier.

marier [marje], v. trans., **1.** faire que deux personnes deviennent mari et femme : *ils ont été mariés dans cette ville.* **2.** trouver un mari pour une jeune fille ou une femme pour un jeune homme : *sa mère veut la* (ou *le*) *marier.* — **se marier. 1.** devenir mari et femme : *ils se sont mariés hier.* **2.** devenir le mari (ou la femme) : *Pierre s'est marié avec Louise; Henriette s'est mariée avec Jacques.*

marin [marɛ̃], n. m., celui qui par métier va sur les bateaux : *un marin a sauvé l'homme qui étaitmbé du bateau.* — **marin, ine,** adj., qui se rapporte à la mer : *un animal marin,* un animal qui vit dans la mer; *le sel marin,* le sel qu'on tire de la mer.

marine [marin], n. f., ensemble des bateaux : *la marine de guerre* (ou *marine militaire*), ensemble des bateaux de guerre; *la marine de commerce* (ou *marine marchande*), ensemble des bateaux qui transportent des voyageurs ou des marchandises. — *un tableau de marine* ou *une marine,* un tableau qui représente des bateaux.

maritime [maritim], **1.** qui est voisin de la mer : *les Alpes maritimes* (qui sont près de la Méditerranée). **2.** qui se rapporte aux voyages sur mer : *les lignes maritimes,* l'ensemble des bateaux qui font un service d'un port à un autre.

marmite [marmit], n. f., sorte de pot large et rond qui sert à faire cuire les aliments : *on a mis la soupe dans la marmite.*

marque [mark], n. f., signe que l'on fait sur un objet pour le reconnaître ou pour faire savoir quelque chose : *j'ai fait une marque sur mon livre; marque de fabrique,* signe que met celui qui a fait un objet; *marchandise de marque,* marchandise qui a une marque de fabrique.

marquer [marke], v. trans., **1.** mettre un signe sur un objet : *elle a marqué son linge.* **2.** servir de signe pour faire connaître quelque chose : *les mots « dans », « sur », « sous »,* etc., *marquent la place des personnes et des choses.*

marron [marõ], n. m., fruit dur et brun, qu'on peut manger, après avoir enlevé la grosse peau verte qui l'entoure : *l'hiver des marchands vendent des marrons chauds dans les rues de Paris.* — EXPRESSION : *tirer les marrons du feu,* faire pour un autre quelque chose de dangereux (dans une fable de La Fontaine, le chat tire du feu, en se brûlant, des marrons, mais le singe les mange). — *marron d'Inde,* fruit qui ressemble aux marrons, mais qu'on ne peut pas manger : *à l'automne les enfants ramassent les marrons d'Inde dans les jardins.* — *marron,* adj. (même forme pour le masculin et pour le féminin, pour le singulier et pour le pluriel), qui est de la couleur du marron (une sorte de brun) : *des robes marron.*

marronnier [marɔnje], n. m., arbre qui donne les marrons; *marronnier d'Inde,* arbre qui donne des marrons d'Inde : *on voit des marronniers (d'Inde) dans les jardins pnblics de Paris.*

mars [mars], n. m., le troisième mois de l'année : *le printemps commence en mars* (ou *au mois de mars*).

marteau, plur. **eaux** [marto], n. m., outil qui sert à frapper : *il a fait entrer le clou dans le mur en frappant avec un marteau.*

masculin, ine [maskylɛ̃, in], adj., (contraire : *féminin*), **1.** qui se rapporte aux hommes (non aux femmes) ou aux animaux mâles : *des habits masculins.* **2.** (grammaire) *le genre masculin* ou *le masculin : le mot « pied » est du genre masculin, le mot « main » du genre féminin.*

masse [mas], n. f., **1.** très gros morceau, qui pèse très lourd : *une masse de métal.* **2.** grande quantité, grand nombre : *une masse de gens étaient sortis.*

masser [mase], v. trans., frotter avec la main une partie du corps : *le médecin a dit de lui masser la jambe.*

mât [ma], n. m., pièce de bois longue et grosse qui porte la voile d'un bateau : *ce bateau a trois mâts, c'est un trois-mâts.*

matelas [matla], n. m., sorte de grand sac de toile rempli de laine ou d'autres matières que l'on met dans les lits : *mon matelas est trop dur (trop mou), je dors mal.*

matelot [matlo], n. m., marin (non chef) sur un bateau : *tous les matelots sont montés à bord.*

matériaux [materio], n. m. plur., ce qui sert à construire : *la pierre, la brique, le bois sont des matériaux.*

1. matériel, elle [materjɛl], adj., qui se rapporte à la matière, au corps (non à l'esprit) : *il ne s'intéresse qu'aux choses matérielles.*

2. matériel [materjɛl], n. m., l'ensemble des machines, des outils, etc. : *le directeur de l'usine a acheté du matériel neuf.*

maternel, elle [matɛrnɛl], adj., qui se rapporte à la mère : *l'amour maternel,* l'amour d'une mère pour ses enfants; *langue maternelle,* la langue qu'on a parlée quand on était enfant; *école maternelle,* école où vont les jeunes enfants (qui ont moins de six ans).

matière [matjɛr], n. f., **1.** les corps qui existent (qui sont) dans le monde, ce qu'on peut voir, toucher, sentir : *le bois, l'eau, l'air sont des matières; matière première,* matière qui sert à faire les choses : *le charbon, le pétrole, le coton sont des matières premières.* **2.** ce qui est dans un livre, dans un écrit : *la matière de ce livre est mince; entrer en matière,* commencer à écrire ou à parler de quelque chose; *table des matières,* tableau des parties d'un livre. **3.** ce qu'on étudie dans les classes : *il est très fort en cette matière* (par exemple, en histoire).

matin [matɛ̃], n. m., **1.** le temps qui va de minuit à midi : *il m'a réveillé à deux heures du matin.* **2.** le temps qui va du lever du soleil à midi : *il a bien travaillé ce matin.* EXPRESSIONS : *il se lève de bon matin,* tôt, de bonne heure; *il s'est levé de grand matin,* très tôt; *au petit matin,* avant le lever du soleil; *un beau matin,* n'importe quel matin : *il est parti un beau matin.*

matinée [matine], n. f., **1.** le temps qui va du lever du soleil jusqu'à midi : *il s'est amusé toute la matinée.* **2.** au théâtre ou au cinéma, ce qu'on joue l'après-midi : *nous avons pris des billets pour la matinée de dimanche.*

mauvais, aise [mɔvɛ, ɛz], adj. (contraire : *bon*), **1.** qui n'est pas gentil, qui n'a pas de cœur : *une mauvaise personne.* **2.** qui n'est pas comme il devrait être dans son métier : *un mauvais médecin, un mauvais élève.* **3.** qui n'est pas en bon état : *un mauvais lit, une mauvaise santé.* **4.** qui n'est pas agréable à manger ou à boire : *un mauvais gâteau, un mauvais vin.* **5.** qui peut faire du mal : *une mauvaise fièvre.*

mauve [mov], adj., violet très pâle : *le ciel est quelquefois mauve quand le soleil s'est couché.* — n. m., la couleur mauve : *le mauve va bien à cette dame.*

maximum [maksimɔm], n. m., le plus, le point le plus haut (contraire : *minimum*) : *il a fait le maximum d'efforts; au maximum,* au plus : *ce jeune homme a au maximum vingt ans.*

me [mə], pronom complément de la 1re personne du singulier : *tu me vois; il me parle; vous me donnerez ce livre.*

mécanicien [mekanisjɛ̃], n. m., **1.** celui qui répare les machines, les moteurs, etc. : *il y a un bon mécanicien dans ce garage.* **2.** celui qui conduit les locomotives (les machines qui tirent les trains) : *le mécanicien a arrêté le train.*

mécanique [mekanik], adj., qui se rapporte aux machines : *des jouets mécaniques,* des jouets qui marchent avec une petite machine. — n. f., sorte de petit moteur : *il a cassé la mécanique.*

mécanisme [mekanism], n. m., l'ensemble des parties : qui font marcher un machine : *ce mécanisme est très solide.*

méchant, ante [meʃɑ̃, ɑ̃t], adj., **1.** qui aime faire le mal : *ce chien est méchant, il mord les personnes qui passent.* **2.** (quelquefois, devant le nom) qui ne vaut rien : *une méchante robe.*

mécontent, ente [mekɔ̃tɑ̃], adj., qui n'est pas content : *ce maître est très mécontent de ses élèves.*

médecin [medsɛ̃], n. m., celui qui soigne les malades : *ce médecin a déjà guéri beaucoup de malades.*

médecine [medsin], n. f., art de soigner les malades : *avant d'être médecin il faut étudier la médecine.*

médical, ale, plur. **aux, ales** [medikal, plur. mediko], adj., qui se rapporte à la médecine : *les études médicales.*

médicament [medikamɑ̃], n. m., ce que e médecin fait manger ou boire au malade pour le soigner : *une boîte de médicaments; le malade a bu son médicament.*

meilleur, eure [mɛjœr], adj., se dit au lieu de « plus bon » (on ne dit jamais « plus bon ») : *cet enfant est meilleur que son frère.*

mélange [melɑ̃ʒ], n. m., **1.** action de mêler, de mettre ensemble : *il s'est trompé dans le mélange des médicaments.* **2.** les choses qu'on a mêlées :

il a mangé un mélange de plusieurs légumes; un bonheur sans mélange, un bonheur que rien ne dérange.

mélanger [melɑ̃ʒe], v. trans., faire un mélange, mettre ensemble : *ces enfants ont mélangé leurs jouets.*

mêler [mɛle], v. trans., mettre ensemble, de façon qu'on ne reconnaisse plus chaque chose : *il a mêlé les conseils qu'on lui donnait.* — fam., **se mêler** *de quelque chose,* s'occuper de quelque chose : *il s'est mêlé de ce qui ne le regardait pas; mêlez-vous de vos affaires; si je ne m'en étais pas mêlé, vous auriez perdu de l'argent.*

membre [mɑ̃brə], n. m., **1.** main et pied de l'homme, patte et aile de l'animal : *nous avons quatre membres; il a perdu un membre à la guerre.* **2.** celui qui fait partie d'un groupe : *un membre de ma famille; les membres du gouvernement; je suis devenu membre de cette société.*

même [mɛm], adj., avec un *s* au pluriel, **1.** (devant le nom, après l'article) marque que la personne ou la chose n'est pas différente ou n'a pas changé : *deux hommes sont venus à quatre heures, les mêmes hommes sont revenus à cinq heures; il a la même maladie que son frère; il est toujours le même,* il ne change pas. **2.** après le nom ou le pronom, marque que c'est bien la personne ou la chose : *les directeurs sont venus eux-mêmes,* ils n'ont envoyé personne à leur place; *ils n'y croient pas eux-mêmes :* d'autres peuvent y croire, mais pas eux. — adv. (toujours sans *s*), se place à n'importe quel endroit de la phrase, marque que c'est bien la personne ou la chose ou l'action : *ils sont même venus deux fois; même eux n'y croient pas.* — EXPRESSIONS : *à même,* sans rien entre : *il était couché à même le sol,* il n'y avait rien entre le sol et lui; *il boit à même la bouteille,* il boit en portant la bouteille à la bouche, sans prendre un verre; *être à même de,* pouvoir : *je ne suis pas à même de vous répondre; tout de même, quand même,* marquent que ce qu'on a dit avant n'empêche pas l'action : *son père lui a défendu de partir, il est parti quand même (tout de même); de même,* de la même façon : *il s'est bien conduit avec moi, je me conduirai de même avec lui.*

mémoire [memwar], n. f., **1.** qualité de l'esprit qui permet de se rappeler ce qui est arrivé, ce qu'on a lu, etc. : *il a beaucoup de mémoire; ce vieil homme a perdu la mémoire; il a raconté cette histoire de mémoire,* en se rappelant toute l'histoire; *on n'a jamais vu cela de mémoire d'homme,* depuis des temps très anciens. **2.** ce qu'une personne ou un événement laisse dans l'esprit des hommes : *il ne faut pas salir la mémoire de ceux qui sont morts; il a fait cela en mémoire de son père,* pour rappeler le nom de son père (qui est mort).

menace [mənas], n. f., action de menacer : *je n'ai pas peur de vos menaces.*

menacer [mənase] (*ç* devant *a* et *o* : *menaçant, nous menaçons*), v. trans., faire savoir à quelqu'un qu'on veut lui faire du mal : *il l'a menacé de le tuer.* — v. intr., (en parlant du temps) devenir mauvais : *le temps menace,* il va faire mauvais temps. — **menaçant, ante,** adj., qui menace, *il m'a parlé d'un air menaçant; le temps est menaçant.*

ménage [menaʒ], n. m., **1.** le fait de s'occuper de la maison : *cette dame est très occupée par son ménage; elle tient bien (mal) son ménage; faire le ménage,* nettoyer la maison, mettre de l'ordre dans la maison; *femme de ménage,* femme qui vient travailler dans la maison : *cette dame emploie une femme de ménage une heure tous les jours.* **2.** le mari et la femme : *un jeune ménage,* un mari et une femme qui ne sont pas mariés depuis longtemps; *un vieux ménage,* un mari et une femme qui sont mariés depuis longtemps; *un bon ménage,* un mari et une femme qui sont d'accord (contraire : *un mauvais ménage*); fig. : *ces deux amis font bon ménage,* ils sont bien d'accord.

1. ménager [menaʒe] (avec *ge* devant *a* et *o*), v. trans., **1.** faire attention à ne pas dépenser : *il ménage son argent ; ne ménagez pas votre peine.* **2.** ne pas faire trop de mal à quelqu'un quand on se bat contre lui : *il ménage ses ennemis.* EXPRESSION : *il ménage la chèvre et le chou,* il veut rester ami avec tout le monde (même avec des gens qui ne sont pas d'accord entre eux). **3.** preparer, faire : *le maçon a ménagé une fenêtre dans le mur.*

2. ménager, ère [menaʒe, ɛr], adj., **1.** qui se rapporte au ménage, à la maison : *les arts ménagers,* la cuisine, tout ce qui sert à avoir une maison bien tenue; *les appareils ménagers,* les appareils qui servent dans un ménage. **2.** qui ne dépense pas trop : *il est très ménager de son argent.*

ménagère [menaʒer], n. f., dame qui s'occupe de son ménage, de sa maison : *cette dame est bonne ménagère.*

mener [məne] *(je mène, nous menons, je mènerai),* v. trans., **1.** conduire : *la maman mène son enfant à l'école.* **2.** au fig., conduire une affaire : *il mène bien sa boutique ; mener quelque chose à bien,* le faire jusqu'au bout. — PROVERBE : *Tous les chemins mènent à Rome,* on peut arriver au même résultat de façons très différentes.

mensonge [mɑ̃sɔ̃ʒ], n. m., ce qui n'est pas vrai : *il dit des mensonges; je ne crois plus vos mensonges.*

mensuel, elle [mɑ̃sɥɛl ou mɑ̃syɛl], adj., **1.** qui a lieu chaque mois : *il me fait une visite mensuelle,* il vient me voir une fois par mois. **2.** qui se rapporte au temps d'un mois : *un traitement mensuel.*

menteur, euse [mɑ̃tœr, øz], adj. et n., celui (celle) qui ne dit pas la vérité : *un menteur n'est jamais cru, même quand il dit la vérité.*

mentir [mɑ̃tir] *(je mens, il ment, nous mentons; je mentais; je mentis; je mentirai; que je mente; menti),* v. intr., ne pas dire la vérité : *ne mentez pas.*

menton [mɑ̃tɔ̃], n. m., partie de la tête qui se trouve au dessous de la bouche : *il a reçu un coup de poing sous le menton.*

1. menu, ue [məny], adj., très petit : *il a coupé la viande en menus morceaux.*

2. menu [məny], n. m., ce que l'on sert à un repas : *le menu du dîner était très riche.*

menuisier [mənɥizje], n. m., celui qui travaille le bois pour faire des meubles, des portes, etc. : *le menuisier coupe le bois avec une scie.*

mépriser [meprize], v. trans., juger (penser) qu'une personne ou une chose ne vaut rien : *il méprise ceux qui n'ont pas les mêmes idées que lui; il méprise les dangers.*

mer [mɛr], n. f., grande surface d'eau qui couvre une grande partie de la terre : *il y a du sel dans l'eau de mer; pour aller en Angleterre il faut traverser la mer.* — PROVERBE : *Ce n'est pas la mer à boire,* ce n'est pas difficile.

mercerie [mɛrsəri], n. f., boutique où l'on vend du fil, des aiguilles, des épingles, etc. : *il y a deux merceries dans cette rue.*

merci [mɛrsi], **1.** se dit à quelqu'un qui vous donne quelque chose : *je vous donne ce livre. — Merci, monsieur.* **2.** se dit aussi, avec ou sans *non,* quand on ne prend pas ce qui est offert : *Voulez-vous encore du thé? — Non, merci* (ou seulement : *merci*). **3.** *Dieu merci,* pour dire qu'on est heureux d'un événement : *il est maintenant guéri, Dieu merci.*

mercier, ère [mɛrsje, ɛr], n. m. et f., celui (celle) qui vend du fil, des épingles, des aiguilles, etc. : *sa mère l'a envoyé acheter du fil chez le mercier.*

mercredi [mɛrkrədi], n. m., le 4e jour de la semaine : *revenez mercredi.*

mère [mɛr], n. f., femme qui a des enfants : *cette dame est mère de quatre enfants; il a écrit à sa mère.*

mérite [merit], n. m., qualités qui se montrent dans le travail et dans les résultats : *cette mère a beaucoup de mérite à élever ses enfants; c'est un homme de mérite.*

mériter [merite], v. trans., **1.** avoir droit à quelque chose à cause de son travail et de ses qualités : *il mérite une bonne place; il mérite qu'on parle bien de lui.* **2.** quelquefois en sens contraire : *il mérite d'être puni.* — **méritant, ante,** adj., qui a du mérite : *cet élève est très méritant.*

merveille [mɛrvɛj], n. f., chose très belle, qu'on ne voit pas souvent et qui étonne : *ce tableau est une merveille.* — EXPRESSIONS : *les sept merveilles du monde :* sept beaux édifices des temps anciens; fam., *c'est la huitième merveille du monde,* c'est quelque chose de très beau qu'on n'avait encore jamais vu; *il promet monts et merveilles,* il promet beaucoup de choses (mais ne les donnera peut-être pas); *à merveille,* très bien : *je me porte à merveille,* je suis en très bonne santé.

merveilleux, euse [mɛrvɛjø, øz], adj., très beau, très rare, et qui étonne : *il a un jardin merveilleux.*

mes [me, me z devant un mot commençant par une voyelle ou un *h* muet], pluriel m. et f. du possessif de la 1re personne du singulier : *mes livres, mes images.*

mesdames [medam], n. f. pl., plur. de **madame.**

mesdemoiselles [medmwazɛl], n. f. pl., plur. de **mademoiselle.**

mesure [məzyr], n. f., **1.** compte d'une surface, d'un poids, du temps, etc., *j'ai pris les mesures de cette chambre; un habit sur mesure,* un habit qui est fait pour le client et non pour une autre personne; fig., *il a donné sa mesure,* il a montré ce qu'il pouvait faire. **2.** unité qui sert à ce compte : *le kilo est une mesure de poids :* fig., *cela passe la mesure,* c'est trop. **3.** ce qu'on décide : *le gouvernement a pris des mesures.* **4.** (en musique) les temps de la musique : *il bat la mesure,* il marque ces temps avec le doigt ou avec un instrument. **5.** *être en mesure de* (avec un infinitif), pouvoir : *je ne suis pas en mesure de partir demain.*

mesurer [məzyre], v. trans., **1.** donner en chiffres la surface, le poids, etc. : *les montres servent à mesurer le temps.* **2.** avoir comme longueur, largeur, hauteur, surface : *cette chambre mesure quatre mètres sur cinq.* **3.** *il mesure ses mots,* il dit juste ce qu'il faut. — **se mesurer** *avec quelqu'un,* se battre contre quelqu'un (au sens propre ou au sens figuré) pour voir qui est le plus fort.

métal, plur. **aux** [metal, meto], n. m., matière qu'on trouve dans la terre, qui le plus souvent est dure et qu'on travaille pour faire des objets : *l'or, l'argent, le fer sont des métaux.*

métallurgie [metalyrʒi], n. f., travail des métaux : *la métallurgie occupe beaucoup d'ingénieurs et d'ouvriers.*

métallurgiste [metalyrʒist], n. m., celui qui travaille les métaux : *un ouvrier métallurgiste.*

méthode [metɔd], n. f., **1.** art de tout mettre en ordre pour arriver à un résultat : *il travaille avec beaucoup de méthode.* **2.** livre qui apprend aux élèves une langue, un art, etc., dans un bon ordre : *j'ai acheté une méthode de français.*

métier [metje], n. m., **1.** travail que l'on fait pour gagner sa vie : *il faut bien apprendre le métier qu'on a choisi.* **2.** machine qui sert à faire les tissus : *il y a beaucoup de métiers dans cette usine;* fig., *mettre sur le métier,* commencer à faire : *j'ai mis un livre sur le métier.*

mètre [mɛtrə], n. m., unité de longueur; on écrit souvent simplement *m.* : *il mesure* 1,60 *m.*

métro [metro], n. m., dans les très grandes villes (à Paris par exemple) sorte de chemin de fer (le plus souvent sous terre) dans la ville : *il prend le métro pour aller à l'école.*

metteur en scène [mɛtœr ɑ̃ sɛn], n. m., celui qui, au théâtre et au cinéma, s'occupe de faire jouer les acteurs : *ce film a eu un très bon metteur en scène.*

mettre [mɛtrə] *(je mets, tu mets, il met, nous mettons, vous mettez, ils mettent; je mettais; je mis; je mettrai; que je mette, que nous mettions; mis),* v. trans., **1.** *je mets le livre sur la table; je mets ma main sur la bouche; je mets mon manteau; mettre en scène,* faire jouer les acteurs dans une pièce ou un film : *on a mis en scène un nouveau film.* **2.** ajouter une chose à une autre : *il a mis un verre à mes lunettes.* **3.** employer (en parlant du temps) : *j'ai mis une heure à faire ce travail; le train met une demi-heure pour aller de Paris à Versailles.* — **se mettre à,** commencer : *il s'est mis trop tard à travailler.* — **bien mis, mal mis,** bien habillé, mal habillé : *elle est toujours très bien mise.*

Je mets le livre sur la table.

meuble [mœblə], n. m., les grands objets (chaise, table, lit, etc.) qui servent dans une maison : *mon ami aime les meubles anciens, d'autres ont des meubles modernes.*

meunier [mœnje], n. m., celui qui écrase les grains de blé pour faire de la farine : *il n'y a plus de meunier dans le village.*

midi [midi], n. m., **1.** le milieu du jour, la 12ᵉ heure du jour : *il déjeune à midi; le train arrive à midi dix* (12 heures 10 minutes). **2.** le sud : *cette fenêtre regarde le midi.* **3.** région du sud (se dit surtout du sud de la France; en ce sens prend un grand *M*) : *nous avons voyagé dans le Midi.*

miel [mjɛl], n. m., matière que produisent les abeilles avec les fleurs : *il mange du miel à son petit déjeuner;* fig., *lune de miel :* le premier mois que passent ensemble les personnes mariées; *il est tout sucre et tout miel,* il veut avoir l'air très gentil.

mien, mienne [mjɛ̃, mjɛn], avec *le, la, les,* pronom possessif de la 1ʳᵉ personne du singulier : *ce couteau n'est pas le mien.*

mieux [mjø], adv., se dit au lieu de « plus bien » (on ne dit jamais « plus bien ») : *il travaille mieux que l'an dernier; il va mieux.*

mignon, onne [miɲɔ̃,ɔn], adj., à la fois très gentil et très petit : *ce bébé est très mignon.*

mil [mil], n. de nombre, s'emploie à la place de *mille,* mais seulement lorsqu'on écrit une année : *en mil neuf cent dix* (1910).

milieu, plur. **eux** [miljø], n. m., **1.** *la table est au milieu de la chambre.* **2.** moment entre le commencement et la fin : *le milieu de la journée a été très chaud.* **3.** les personnes que l'on voit, les amis : *il vit dans un milieu agréable.*

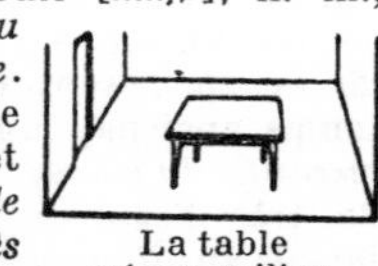
La table est au milieu de la chambre.

militaire [militɛr], adj., qui se rapporte à l'armée, aux soldats, à la guerre : *les questions militaires l'intéressent; l'art militaire,* l'art de conduire les soldats, de faire la guerre; *il est arrivé à l'heure militaire,* à l'heure juste (parce que dans l'armée on doit être toujours à l'heure). — **un militaire,** n. m., un soldat.

mille [mil], n. de nombre, **1.** 1 000 (10 fois cent) (*mille* ne prend jamais l'*s* du pluriel) : *il y avait deux mille personnes dans cette salle.* **2.** quelquefois, seulement « beaucoup » : *je vous l'ai répété mille fois* (on dit quelquefois *mille et mille fois*).

milliard [miljar], n. m., 1 000 millions (se dit pour *un milliard de francs) : le gouvernement a dépensé un milliard pour ces travaux.*

millième [miljɛm], n. de nombre ordinal, **1.** 1 000ᵉ, celui qui vient après 999 autres : *c'est la millième personne qui prend l'avion de Londres.* **2.** 1/1 000, une des mille parties d'un ensemble : *ne croyez pas la millième partie de ce qu'il dit.*

millier [milje], n. m., environ mille : *cette lampe coûte un millier de francs.*

millimètre [milimɛtrə], n. m., la millième partie d'un mètre : *cet insecte mesure trois millimètres.*

million [miljɔ̃], n. m., 1 000 fois 1 000 : *trois millions de personnes habitent à Paris;* se dit pour *un million de francs : cette maison vaut deux millions :*

mince [mɛ̃s], adj., **1.** contraire de *épais* et de *gros : ce livre est très*

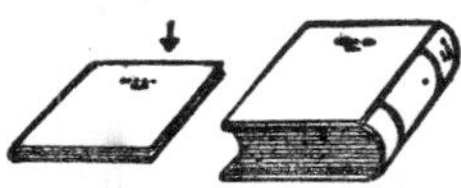

Ce livre est mince, l'autre est épais.

mince. **2.** qui n'est pas important : *cette pièce de théâtre n'offre qu'un mince intérêt.*

1. mine [min], n. f., trou creusé dans le sol ou sous le sol pour en tirer du charbon ou des métaux : *il y a des mines de charbon dans le nord de la France; le travail dans les mines est très dur.*

2. mine [min], n. f., l'air de quelqu'un (surtout de sa figure) : *vous avez bonne mine,* vous avez l'air en bonne santé; *il a fait mine de partir,* il a voulu faire croire qu'il allait partir. — PROVERBE : *Il ne faut pas juger les gens sur la mine,* il ne faut pas croire que les gens sont ce qu'ils paraissent.

minerai [minrɛ], n. m., le métal comme on le trouve dans la terre (dans la mine) : *du minerai de fer.*

minéral, ale, plur. **aux, ales** [mineral, minero], adj., se dit des pierres, de la terre, etc. : *eau minérale* eau qui sort du sol chargée de certaines matières : *nous buvons de l'eau minérale* (voir **eau**).

1. mineur [minœr], n. m., celui qui travaille dans une mine : *les mineurs sont descendus dans la mine.*

2. mineur, eure [minœr], adj. et n., **1.** qui a moins de 21 ans (contraire : *majeur*) : *cette jeune fille est encore mineure.* **2.** qui est moins important : *un travail mineur, un art mineur.*

minimum [minimɔm], n. m., le moins, le point le moins haut (contraire : *maximum*) : *il lui faut le minimum pour vivre; au minimum,* au moins : *ce train fait au minimum cent kilomètres à l'heure.*

ministère [ministɛr], n. m., **1.** service public important qui est sous les ordres d'un ministre : *il est employé au ministère des affaires étrangères.* **2.** aide, service que l'on rend à quelqu'un : *il m'a offert son ministère.*

ministre [ministrə], n. m., **1.** celui qui est à la tête d'un service public important et qui fait partie du gouvernement : *il a été nommé ministre des postes.* **2.** *ministre du culte,* prêtre : *les ministres du culte ont certains devoirs.*

minorité [minɔrite], n. f., **1.** le fait d'être mineur (d'avoir moins de 21 ans) : *son grand père s'est occupé de lui pendant sa minorité.* **2.** le plus petit nombre (dans un groupe, une assemblée, etc.) : *il a été mis en minorité,* le plus grand nombre n'ont pas été de son avis (contraire, dans les deux sens : *majorité*).

minuit [minɥi], n. m., le milieu de la nuit : *je me suis réveillé à minuit; le train arrive à minuit moins cinq* (23 h. 55) *et repart à minuit dix* (0 h. 10).

minute [minyt], n. f., la soixantième partie de l'heure : *il ne s'est arrêté que cinq minutes; vous n'avez pas une minute à perdre; il est parti à la minute,* il vient de partir.

miracle [miraklə], n. m., **1.** événement très rare fait par Dieu lui-même : *il a vu un miracle.* **2.** fait qu'on présente comme si c'était un vrai miracle : *c'est un miracle quand il arrive à l'heure.*

misérable [mizerablə], adj. et n., **1.** très pauvre : *il vit dans une maison misérable.* **2.** qui a fait une très grande faute (un crime) : *le misérable a tué un homme qui était bon pour lui.*

misère [mizɛr], n. f., **1.** le fait de manquer de tout, même de ce qui est le plus nécessaire à la vie : *ce vieil homme est tombé dans la misère; une misère noire,* une très grande misère. **2.** (au plur.) maux : *la guerre cause beaucoup de misères.* **3.** fam., chose peu importante : *il s'est mis en colère pour une misère.*

1. mode [mɔd], n. f., façon de

s'habiller, et quelquefois de parler et de penser, qui change souvent : *il est toujours habillé à la dernière mode;*

2. mode [mɔd], n. m., manière, façon : *mode d'emploi,* façon de se servir d'un produit : *vous lirez le mode d'emploi sur la boîte.*

modèle [mɔdɛl], n. m., **1.** chose que l'on représente : *ce tableau a servi de modèle à beaucoup d'images.* **2.** *cet élève est un modèle de travail,* il travaille très bien.

moderne [mɔdɛrn], adj. et n. m. et f., qui est de notre temps : *ces meubles ne sont pas modernes.*

moderniser [mɔdɛrnize], v. trans., rendre moderne : *nos amis ont modernisé leur maison.*

modeste [mɔdɛst], adj., **1.** qui ne dit pas de bien de lui-même : *cet homme ne laisse pas voir tout ce qu'il sait parce qu'il est très modeste.* **2.** (en parlant des choses) simple, qui ne coûte pas cher : *il habite une modeste maison à la campagne.*

modestie [modɛsti], n. f., qualité de la personne ou de la chose qui est modeste : *sa modestie l'a quelquefois gêné.*

modifier [mɔdifje], v. trans., changer un peu, rendre un peu différent : *il a modifié son visage.* — **se modifier,** changer (intransitif), devenir un peu autre : *la région s'est modifiée depuis que nous y sommes venus.*

modiste [mɔdist], n. f., celle qui fait les chapeaux des dames : *cette dame a bien choisi sa modiste.*

moi [mwa], pronom de la 1re personne du singulier : *il s'est promené avec moi; lui et moi, nous avons longtemps causé ensemble.* — **moi-même,** moi en personne (et non un autre) : *je l'ai vu moi-même.*

moindre [mwɛ̃drə], adj., plus petit, moins important (ne se dit pas pour la hauteur) : *je n'ai pas la moindre idée de cette nouvelle.*

moins [mwɛ̃, mwɛ̃ z devant voyelle], adv., **1.** marque qu'une qualité, une action, un nombre est plus faible : *ma maison est moins belle que la maison voisine; il travaille moins bien; je me suis moins amusé à ce théâtre que l'an dernier; il a moins d'argent que son frère.* **2.** marque qu'on enlève une quantité (un nombre) d'une autre (soustraction) : *six moins deux font quatre.* — **au moins,** adv., **1.** marque que la qualité, la quantité peut être plus forte, mais non moins forte : *il est au moins huit heures.* **2.** marque que c'est la chose la plus petite qu'on puisse demander, qu'on puisse faire : *est-il allé vous voir au moins pendant qu'il était dans votre ville?* — **du moins,** malgré ce qu'on veut de dire : *je ne le connais pas beaucoup, je l'ai du moins vu deux fois.* — **à moins que,** conjonction (avec le subjonctif), si... ne... pas : *je partirai demain, à moins que je ne reçoive une lettre de mon frère,* si je ne reçois pas...

mois [mwa], n. m., une des douze parties de l'année : *il est resté un mois à Paris; il est depuis un mois dans une autre école.*

moisson [mwasõ], n. f., action de couper le blé pour en prendre le grain : *il a fait très chaud pendant la moisson.*

moissonner [mwasɔne], v. trans., couper le blé : *on moissonne maintenant avec des machines.*

moissonneur, euse [mwasɔnœr, øz], n. m. et f., celui (celle) qui coupe le blé : *autrefois les moissonneurs travaillaient avec des faux.* — **moissonneuse,** n. f., machine qui sert à couper le blé.

moitié [mwatje], n. f., **1.** une des deux parties d'un nombre ou d'une chose coupée en deux : *six* (6) *est la moitié de douze* (12); *il a mangé seulement la moitié de son gâteau.* **2.** fam., la femme de quelqu'un : *il est allé au théâtre avec sa moitié.*

moment [mɔmã], n. m., petite partie du temps : *il est resté un moment chez vous; il s'est arrêté un bon moment,* pendant un temps assez long; *il se lève à tout moment,* il ne cesse pas de se lever; *je partirai dans un moment,* dans peu de temps, bientôt. — **au moment de,** sur le point de : *au moment de partir je l'ai aperçu.* — **au moment où,** quand : *je suis rentré chez moi au moment où la pluie commençait à tomber.* — **du moment que,** sert à expliquer : *du moment que vos parents vous envoient à l'école, vous devez travailler.*

mon [mõ], (fém. *ma,* plur. : *mes*), adj. ou déterminatif possessif masc. de la 1re personne du singulier : *où est mon frère? mon village est très beau; j'ai perdu mon crayon.* On emploie aussi *mon* devant les féminins qui commencent par une voyelle : *ce n'est pas mon idée.*

monde [mõd], n. m., **1.** tout ce qui existe (tout ce qui est) : *la terre, le soleil, les étoiles font partie du monde; l'autre monde,* le monde des morts; fig., *il habite au bout du monde,* très loin; *il est venu au monde,* il est né; fam, *depuis que le monde est monde,* depuis toujours. **2.** La terre seulement : *il a fait le tour du monde; les cinq parties du monde* (l'Afrique, l'Amérique, l'Asie, l'Europe, l'Océanie); *l'ancien monde* l'(Afrique, l'Asie, l'Europe); *le nouveau monde* (l'Amérique). **3.** les gens, les hommes : *ne vous moquez pas du monde; le dimanche il y a beaucoup de monde dans les rues; tout le monde,* tous. **4.** *le monde (le grand monde),* la haute société : *il va beaucoup dans le monde; un homme (une femme) du monde,* un homme (une femme) de cette société, de ce milieu.

monnaie [mɔnɛ], n. f., les pièces et les billets qui servent à payer : *certains peuples ne connaissent pas la monnaie.* — EXPRESSIONS : *je n'ai pas de monnaie,* je n'ai pas juste la somme qu'il faut pour payer (par exemple je veux acheter quelque chose qui coûte 100 francs et j'ai seulement un billet de 1 000 francs); *je vais faire de la monnaie,* je vais demander les pièces qui me sont nécessaires (par exemple je vais changer mon billet de 1 000 francs contre 10 pièces de 100 francs); *le marchand m'a rendu la monnaie* (si j'ai payé un objet de 100 francs avec un billet de 1 000 francs, il m'a rendu 900 francs); fig., *je lui ai rendu la monnaie de sa pièce,* je lui ai rendu le mal qu'il m'a fait. — *la Monnaie* (avec un grand M) ou *l'hôtel des monnaies,* la maison où l'Etat fait les pièces de monnaie.

monsieur, plur. **messieurs** [məsjø, mɛsjø], n. m., **1.** mot que l'on dit quand on parle à un homme : *bonjour, monsieur* (à plusieurs hommes on dit : *bonjour, messieurs*) ou quand on parle d'un homme : *j'ai vu monsieur Durand* (on écrit d'habitude *M. Durand*). **2.** homme : *ce monsieur,* cet homme.

mont [mõ], n. m., montagne : *les monts des Pyrénées; le mont Blanc.*

montagne [mõtañ], n. f., région très haute : *les Alpes sont les plus hautes montagnes d'Europe.*

monter [mõte], v. intr., **1.** (avec l'auxiliaire *être*) aller dans un endroit plus haut (contraire : *descendre*) : *je suis monté au troisième étage; je suis monté dans le train.* **2.** (avec l'auxiliaire *avoir*) devenir plus haut : *la rivière a monté cette nuit;* fig., *le prix du pain a monté,* le pain est devenu plus cher. — v. trans., **1.** prendre un chemin qui va vers le haut : *il a vite monté votre escalier.* **2.** porter vers le haut : *j'ai monté un paquet au premier étage;* fig., *il lui a monté la tête,* il lui a fait croire qu'il valait plus, qu'il pouvait faire plus. **3.** mettre en colère : *on l'a monté contre son frère.* **4.** aller sur un animal : *il monte un cheval très doux.* **5.** mettre ce qui est nécessaire : *il a monté sa maison,* il a acheté les meubles nécessaires à sa maison. **6.** mettre ensemble les parties d'une machine : *cet ouvrier a monté le moteur.* — **se monter,** acheter ce qui est nécessaire : *il s'est monté en meubles, en habits,* etc. — **montant, ante,** adj., qui monte : *un chemin montant; une robe montante,* une robe qui va jusqu'au cou. — **monté, ée,** adj., **1.** qui va à cheval : *ces soldats sont montés.* **2.** qui a ce qui est nécessaire : *je suis bien monté en meubles; cette* *maison est bien montée.* **3.** qui est en colère : *il est très monté contre vous.*

montre [mɔ̃trə], n. f., instrument qui marque l'heure : *il regarde souvent sa montre.*

Montre.

montrer [mɔ̃tre], v. trans., **1.** faire connaître (souvent en se servant d'un doigt) : *il m'a montré le chemin de la gare; il lui a montré la porte* (pour le faire partir). **2.** faire voir : *il a montré qu'il n'avait pas peur.* **3.** apprendre quelque chose à quelqu'un : *le maître nous montre le français.*

monument [mɔnymɑ̃], n. m., en général, édifice grand et beau : *nous irons voir les monuments de Paris.* Mais un monument n'est pas toujours un édifice (une maison), ce peut être une simple pierre élevée pour garder le souvenir de quelqu'un, ou une statue d'un grand homme.

moquer (se) [sə mɔke], v. (avec *de*), **1.** faire rire de quelqu'un : *il s'est moqué de son camarade.* **2.** ne pas s'intéresser à quelque chose : *je me moque de ce que vous dites.*

moral, ale, plur. **aux, ales** [mɔral, o], adj., **1.** qui montre le bien, les bonnes actions que l'on doit faire : *cette histoire est très morale.* **2.** qui se rapporte à ce qui n'est pas physique ou matériel dans l'homme (à ce qu'on ne peut voir ni toucher) : *il a beaucoup de force morale.* — **moral,** n. m., courage, force morale, tout ce qui fait espérer : *ce malade n'a pas un bon moral.* — **morale,** n. f., science qui apprend aux hommes à faire le bien : *la morale défend de faire du mal aux autres hommes.*

morceau, plur. **eaux** [mɔrso], n. m., partie de quelque chose : *il a mangé un morceau de pain; il va jouer un morceau de musique.*

mordre [mɔrdre] *(je mords, tu mords, il mord, nous mordons, vous mordez, ils mordent; je mordais; je mordis; je mordrai; que je morde; mordu)*, v. trans., prendre avec les dents : *le chien l'a mordu.* — EXPRESSIONS : *je m'en mords les doigts,* j'ai eu tort de faire cette chose et je voudrais ne pas l'avoir faite; *il mord au français,* il s'intéresse au français et réussit dans cette étude; *il a mordu la poussière,* il est tombé.

1. mort [mɔr], n. f., la fin de la vie : *personne ne connaît le moment de sa mort.*

2. mort, e [mɔr, mɔrtə], adj. et n., qui ne vit plus, qui a cessé de vivre : *un homme mort; un mort; une ville morte,* une ville qui n'est plus habitée; *une eau morte,* une eau qui ne coule pas (celle d'un lac par exemple); *une langue morte,* une langue qu'on ne parle plus (par exemple le latin).

mosquée [mɔske], n. f., édifice de la religion musulmane : *il y a une mosquée à Paris.*

mot [mo], n. m., **1.** ensemble des sons ou des lettres qui servent à exprimer (dire) une chose, une idée, une action : *il n'a pas dit un seul mot.* — EXPRESSIONS : *un bon mot,* un mot amusant; *ils se sont donné le mot,* ils se sont mis d'accord pour agir ensemble; *au bas mot,* au moins; *il se paye de mots,* il ne cherche pas à savoir la vérité qui est sous les mots. **2.** petite lettre : *j'ai reçu un mot de votre frère.*

moteur [mɔtœr], n. m., appareil qui fait marcher les autos, les motos des bateaux, des machines, etc. : *le moteur s'est arrêté; il faut mettre de l'essence dans le moteur.*

moto [mɔto] ou **motocyclette** [mɔtɔsiklɛt], n. f., véhicule à deux roues avec un moteur : *il allait très vite sur sa moto.*

mou, molle (masc. **mol** devant un nom commençant par une voyelle) [mu, mɔl], adj., **1.** qui n'est pas dur, qui est comme le sable sec ou les plumes d'oiseau : *ce terrain est très mou.* **2.** sans courage, sans force morale : *cet élève est très mou.*

mouche [muʃ], n. f., insecte noir (quelquefois bleu ou vert) qui vole avec des ailes et qui entre souvent dans les maisons en été : *les mouches volent autour de la lampe.* — EXPRESSIONS : *pattes de mouches,* très petites lettres difficiles à lire; *il a pris la mouche,* il s'est mis en colère.

moucher [muʃe], v. trans., essuyer le nez : *la maman a mouché son bébé.* — **se moucher,** s'essuyer le nez : *il fait du bruit en se mouchant.*

mouchoir [muʃwar], n. m., carré de toile ou de soie qui sert à se moucher : *il a mis son mouchoir dans sa poche.*

mouiller [muje], v. trans., mettre quelque chose dans l'eau ou faire tomber de l'eau sur quelque chose : *il est sorti pendant qu'il pleuvait et est rentré tout mouillé.* — v. intr., être arrêté (en parlant d'un bateau) : *le bateau mouille devant le port.*

moule [mul], n. m., objet creux qui sert à donner une forme à la matière qu'on met dedans : *elle a un moule pour faire ce gâteau.*

moulin [mulɛ̃], n. m., machine qui sert à écraser le grain pour faire de la farine ; *moulin à eau,* moulin qui tourne sous l'action de l'eau d'une rivière; *moulin à vent,* moulin qui tourne sous l'action du vent; *moulin à café,* instrument de ménage qui sert à écraser les grains de café; fig., *c'est un moulin à paroles,* il n'arrête pas de parler.

Moulin à eau.

Moulin à vent.

Moulin à café.

mourir [murir] *(je meurs, tu meurs, il meurt, nous mourons, vous mourez, ils meurent; je mourais; je mourus; je mourrai; que je meure, que nous mourions; mort),* v. intr. (conjugué avec *être* : *il est mort*), **1.** s'arrêter de vivre : *nous ne savons pas quand nous mourrons.* **2.** (en parlant du feu) s'arrêter de brûler, s'éteindre : *le feu va mourir.* — **se mourir,** être en train de mourir : *le malade se meurt.* — **mourant, ante,** adj. et n., qui va mourir : *on l'a portée mourante à l'hôpital.*

1. mousse [mus], n. m., très jeune marin : *vous voyez sur ce bateau de pêche le patron, un marin et un mousse.*

2. mousse [mus], n. f., très petites plantes, vertes et grises, molles et douces, qui poussent en ensembles très serrés au pied des arbres, sur les grosses pierres, sur les vieux toits : *il s'est assis sur la mousse; un toit couvert de mousse.*

moustache [mustaʃ], n. f., *(moustaches),* poils qui poussent sous le nez de l'homme : *il s'est fait couper la moustache.*

moustique [mustik], n. m., insecte volant, plus petit que les mouches, qui pique les hommes: *les moustiques répandent certaines maladies.*

mouton [mutɔ̃], n. m., animal à quatre pattes qu'on élève pour sa viande ou pour sa laine : *les moutons mangent l'herbe des collines.*

mouvement [muvmɑ̃], n. m., le fait de remuer, de changer de place : *il est toujours en mouvement; le mouvement de la terre autour du soleil se fait en un an.* — EXPRESSIONS : *il se donne du mouvement,* il remue beaucoup; *il a fait cela de son propre mouvement,* de lui-même, sans que personne lui en donne l'idée.

mouvoir [muvwar] *(je meus, tu meus, il meut, nous mouvons, vous mouvez, ils meuvent; je mouvais; je mus; je mouvrai; que je meuve, que nous mouvions; mû, mue, mus, mues),* v. trans., mettre en mouvement, faire remuer : *à cause de sa blessure il ne peut mouvoir le bras droit.*

1. moyen [mwajɛ̃], n. m., **1.** ce qui sert pour un résultat : *il n'a pas pris le meilleur moyen; il n'y a pas moyen de faire cela,* on ne peut pas le faire; *il faut employer les grands moyens.* **2.** au plur., ce que l'on gagne : *il vit au-dessus de ses moyens,* il dépense plus qu'il ne gagne. — **au moyen de,** en se servant de : *il a ouvert la porte au moyen d'une clef.*

moyenne [mwajen], n. f., nombre qui est juste au milieu entre deux autres : 8 *est la moyenne de* 6 *et de* 10; de même 10 *est la moyenne de* 6, 9 *et* 15. — **en moyenne,** d'une façon générale, quequefois un peu plus, quelquefois un peu moins : *il sort en moyenne deux fois par jour.*

2. moyen, enne [mwajɛ̃, ɛn], adj., qui n'est ni très grand ni très petit; ni très fort ni très faible, ni très intelligent ni très bête : *c'est un élève moyen; le Français moyen,* n'importe quel Français (l'homme de la rue).

muet, ette [myɛ, myɛt, ou mɥɛ, mɥɛt], adj., **1.** qui ne peut pas parler : *cet enfant est muet.* **2.** qui ne parle pas, qui ne fait pas de bruit : *le conseil resta muet.* **3.** (grammaire) *lettre muette,* lettre qu'on ne fait pas entendre : *l'h d'« homme » est muet* (on dit *l'homme,* etc.). — n. m. et f., personne qui ne peut pas parler.

multiplication [myltiplikasjɔ̃], n. f., action de multiplier : 4 × 5 (4 *multiplié par* 5) *est une multiplication.*

multiplier [myltiplije], v. trans., faire une des opérations du calcul : *je multiplie* 4 *par* 5 (4 × 5).

municipal, ale, plur. **aux, ales** [mynisipal, o], adj., qui se rapporte à la commune (ville ou village) : *le conseil municipal,* le conseil qui s'occupe des affaires de la commune.

munir [mynir], v. trans., **1.** donner à une personne des choses qui lui seront utiles : *ses parents l'ont muni de pain et de fromage pour son voyage; je me suis muni d'un manteau.* **2.** ajouter à une chose des parties utiles : *cette armoire est munie de deux portes.*

mur [myr], n. m., construction en pierre (quelquefois en bois) qui entoure un jardin, une maison, une chambre, une ville, etc. : *il est passé par-dessus le mur du jardin; il a mis des tableaux au mur de sa chambre.*

mûr, e [myr], adj., **1.** *un fruit mûr,* un fruit bon à manger : *cette pomme n'est pas encore mûre.* **2.** *l'âge mûr,* entre 30 et 70 ans; *un esprit mûr,* un esprit qui peut penser par lui-même, qui n'est plus l'esprit d'un enfant.

murmure [myrmyr], n. m., **1.** petit bruit : *on entend le murmure de la rivière.* **2.** ce que disent les gens qui ne sont pas contents : *il ne veut pas entendre les murmures des gens.*

murmurer [myrmyre], v. intr., **1.** faire entendre un petit bruit. **2.** parler comme quelqu'un qui n'est pas content : *les gens murmurent contre les impôts.* — v. trans., dire tout bas : *il m'a murmuré quelques mots à l'oreille.*

muscle [myskla], n. m., organe du corps qui sert à donner de la force aux mouvements : *les muscles de son bras sont très gros.*

museau, plur. **museaux** [myzo], n. m., partie avant de la tête des animaux : *il a touché le museau du cheval avec la main.*

musée [myze], n. m., édifice (grande maison) où l'on met des tableaux, des choses belles, anciennes et intéressantes, pour que le public les voie : *le musée du Louvre, à Paris, est un des plus beaux du monde.*

musicien, ienne [myzisjɛ̃, ɛn], n. m. et f., celui (celle) qui joue de la musique : *nous avons entendu de très bons musiciens.*

musique [myzik], n. f., art de faire entendre des sons agréables : *nous aimons la belle musique.*

musulman, ane [myzylmɑ̃, an], adj. et n. m. et f., qui est de l'une des grandes religions : *la religion musulmane; un musulman; une musulmane.*

mutiler [mytile], v. trans., **1.** couper à quelqu'un un bras ou une jambe : *cet homme a été mutilé dans un accident.* **2.** couper, démolir une partie d'une chose : *ce livre est mutilé,* il en manque une partie. — **mutilé, ée,** n. m. et f., celui (celle) qui a perdu un bras ou une jambe à la guerre ou dans un accident : *la guerre a fait beaucoup de mutilés.*

mystère [mistɛr], n. m. chose qu'on ne comprend pas : *ce moteur est pour moi un mystère.*

mystérieux, euse [misterjø, øz], adj., **1.** qui est entouré de mystère, qu'on ne comprend pas ou qu'on ne sait pas : *son départ est resté mystérieux.* **2.** (en parlant d'une personne) 1. qui aime le mystère, qui ne dit jamais rien : *il est mystérieux de la tête au pieds.* 2. qui vit sans être connu : *je n'ai rien pu savoir sur cet homme mystérieux.*

N

n' [n], s'emploie pour *ne* quand le mot suivant commence par une voyelle : *il n'a rien vu; il n'est pas là.*

nage [naʒ], n. f., action de nager : *la nage est un sport utile; à la nage,* en nageant : *il a traversé la rivière à la nage;* fig., *je suis en nage,* j'ai très chaud, l'eau me coule du front.

nager [naʒe] (*ge* devant *a* et *o* : *nous nageons*), v. intr., faire des mouvements qui permettent de se tenir et d'avancer sur l'eau : *il a nagé jusqu'à la petite île.*

nageur, euse [naʒœr, øz], n. m. et f., celui (celle) qui nage : *il est bon nageur,* il nage bien.

naïf, ive [naif, iv], adj., **1.** naturel, très simple : *il peint d'une façon naïve.* **2.** qui est facile à tromper parce qu'il croit tout ce qu'on lui dit.

nain, naine [nɛ̃, nɛn], adj. et n., qui est très petit : *c'est un nain; un arbre nain,* un très petit arbre.

naissance [nɛsɑ̃s], n. f., le fait de naître : *la date de naissance,* le jour où l'on est né : *il ne sait pas sa date de naissance.*

naître [nɛtrə] *(je nais, tu nais, il naît, nous naissons, vous naissez, ils naissent; je naissais; je naquis; je naîtrai; que je naisse; né),* v. intr. (se conjugue avec *être*), venir au monde : *il est né en* 1950.

nappe [nap], n. f., **1.** toile que l'on met sur la table pour les repas : *une nappe blanche.*

nation [nasjõ], n. f., l'ensemble des personnes qui habitent le même pays : *cette nation est très ancienne.*

national, ale, plur. **aux, ales** [nasjɔnal, o], adj., qui se rapporte à une nation, qui est à la nation : *la fête nationale; l'armée nationale; l'assemblée nationale* (voir *assemblée*).

nationalité [nasjɔnalite], n. f., la nation dont on fait partie : *il a la nationalité française.*

naturaliser [natyralize], v. trans., donner à un étranger les droits qu'ont les gens d'un pays, en le faisant citoyen de ce pays : *cet étranger a été naturalisé français.*

nature [natyr], n. f., **1.** tout ce qui existe dans le monde : *la nature est très belle dans cette région.* **2.** ce qu'est une personne ou une chose : *il a une bonne nature; quelle est la nature de cette maladie?* **3.** *il peint d'après nature,* il peint des choses vraies (et non d'après des images); *une nature morte,* un tableau qui représente des fleurs, des fruits, des objets (pas des personnes, ni des animaux, ni des vues d'un pays).

naturel, elle [natyrɛl], adj., **1.** qui est dans la nature, qui est vrai : *sa chambre est décorée de fleurs naturelles; il parle d'une façon naturelle,* sans chercher des mots difficiles. **2.** qui va de soi, d'après la raison : *il est naturel que vous aidiez vos parents.* — **naturel,** n. m., **1.** façon d'être de chacun des hommes : *il a un naturel paresseux; il est bon de son naturel.* **2.** art simple : *ce musicien joue avec beaucoup de naturel.*

naturellement [natyrɛlmɑ̃], adv., **1.** de façon naturelle : *cet enfant est naturellement bon; il parle naturellement.* **2.** marque que quelque chose va de soi, se comprend bien : *naturellement j'irai demain à l'école;* a quelquefois le sens de « oui » : *Vous partez demain?* — *Naturellement.*

naufrage [nofraʒ], n. m., **1.** accident qui détruit (met en morceaux) un bateau sur la mer : *ce bateau a fait naufrage près de la côte.* **2.** ce qui détruit ce qu'on espère, ce qu'on a commencé : *son affaire a fait naufrage.*

navet [navɛ], n. m., plante qui a une grosse racine (partie qui est dans la terre) blanche que l'on peut manger : *il a mangé des navets avec des pommes de terre.*

naviguer [navige], v. intr., aller sur l'eau : *ce bateau a longtemps navigué avant d'arriver au port.*

navire [navir], n. m., bateau important : *je ne suis jamais monté sur un navire; le navire a quitté le port.*

ne [nə], adv., devant un verbe (avec *pas* ou *point* après le verbe) marque que l'action ne se fait pas : *il ne viendra pas ;* avec quelques verbes on peut employer *ne* sans *pas* ni *point : il ne peut venir demain; je ne sais si c'est vrai; je ne saurais vous le dire,* je ne peux vous le dire; *il n'ose vous parler.* — **ne... que** (toujours avec un verbe entre *ne* et *que*), seulement, pas plus : *il n'a qu'une chaise dans sa chambre.*

né, née [ne], participe passé du verbe *naître.*

nécessaire [nesesɛr], adj., qu'il faut avoir ou faire, qu'on doit avoir ou faire : *ce livre m'est nécessaire pour mes études; il est nécessaire que je vous voie,* il faut que je vous voie. — n. m., **1.** les choses nécessaires à la vie : *ce pauvre homme manque du nécessaire.* **2.** boîte où on range les objets nécessaires : *il a acheté un nécessaire de voyage.*

nécessité [nesɛsite], n. f., **1.** qualité de ce qui est nécessaire : *cet élève a compris la nécessité du travail.* **2.** état de celui qui manque du nécessaire : *il a fini sa vie dans la plus grande nécessité,* très pauvre.

négligent, ente [negliʒɑ̃, ɑ̃t], adj., qui fait son travail sans soin, sans attention : *cet élève est négligent dans ses devoirs.*

négliger [negliʒe], v. trans., laisser de côté, ne pas s'occuper de : *cet élève néglige ses devoirs,* il fait mal ses devoirs; *cet homme néglige ses parents,* il ne va pas les voir. — **négligé, ée,** adj., qui ne soigne pas ses habits : *il est très négligé, il est toujours vêtu de façon négligée.* — **négligé,** n. m. habit du matin : *il m'a ouvert la porte en négligé.*

neige [nɛʒ], n. f., gros grains légers, blancs et mous, qui tombent du ciel en hiver : *la neige a commencé à tomber; la campagne est couverte de neige.*

neiger [nɛʒe], v. impersonnel, *il neige,* de la neige tombe du ciel : *il a neigé toute la nuit.*

nerf [nɛr], n. m., **1.** sorte de gros fil blanc qui part du cerveau (dans la tête) et va dans tous les membres pour commander les mouvements; fig., *il a ses nerfs,* il se met en colère facilement; *cela me donne sur les nerfs,* cela me met en colère. **2.** force : *il manque de nerf.* PROVERBE : *L'argent est le nerf de la guerre,* l'argent est nécessaire pour faire la guerre.

nerveux, euse [nɛrvø, øz], adj., **1.** qui se rapporte aux nerfs : *il a une maladie nerveuse.* **2.** qui se met en colère facilement : *il est très nerveux depuis la mort de son meilleur ami.*

n'est-ce pas [nɛspa], s'emploie pour demander à la personne à qui on parle si ce qu'on dit est bien vrai : *vous partez demain, n'est-ce pas?*

net, nette [nɛt], adj., **1.** propre, bien nettoyé : *cette chambre est très nette.* **2.** clair, qu'on voit bien, qu'on comprend bien : *il a des idées nettes.* **3.** *prix net,* ce qu'on a à payer, sans rien en plus ni en moins; *poids net,* le poids d'un objet sans y ajouter le poids du papier ou de la boîte; *je veux en avoir le cœur net,* je veux savoir la vérité sur cette affaire.

nettement [nɛtmɑ̃], adv., de façon nette, de façon claire : *je lui ai parlé nettement.*

nettoyage [nɛtwajaʒ], n. m., action de nettoyer, de rendre propre : *on a fait un grand nettoyage dans cette maison.*

nettoyer [nɛtwaje] (prend *i* au lieu d'*y* devant *e* muet : *je nettoie*), v. trans., rendre propre, enlever la poussière et tout ce qui est sale : *il a nettoyé ses habits.*

1. neuf [nœf; on dit quelquefois nœ devant une consonne : *neuf francs* : nœ frɑ̃; *mil neuf cent dix* : mil nœ sɑ̃ dis; on dit nœv dans *neuf ans* : nœv ɑ̃, et dans neuf heures : nœv œr], n. de nombre, 9 : *cet enfant vient d'avoir neuf ans.*

2. neuf, neuve [nœf, nœv], adj., **1.** qui n'a pas encore servi : *il porte des chaussures neuves; j'habite une* *maison neuve; remettre à neuf*, réparer de façon que la chose semble neuve : *il a remis son appartement à neuf; il est habillé de neuf*, il porte des habits neufs. **2.** (en parlant des personnes) qui ne connaît pas encore beaucoup de choses : *il est très neuf dans ce métier.*

neutre [nøtrə], adj. et n., qui n'est ni pour l'un ni pour l'autre dans une guerre : *l'Espagne est restée neutre pendant la guerre de* 1939-1945.

neuvième [nœvjɛm], n. de nombre ordinal, **1.** qui vient après huit autres : *il est entré dans sa neuvième année.* **2.** une des neuf parties d'un ensemble : *il a reçu le neuvième de ce qu'on lui avait promis.*

neveu, plur. **eux** [nəvø], n. m., fils du frère ou de la sœur : *il aime beaucoup ses neveux.*

nez [ne], n. m., partie de la figure, qui avance au-dessus de la bouche, qui sert à sentir et à respirer : *il a un petit nez.* — EXPRESSIONS : *je n'ai pas mis le nez dehors*, je ne suis pas sorti de la maison; *je n'ai pas mis le nez à la fenêtre*, je n'ai pas regardé par la fenêtre; *il met son nez partout*, il veut tout savoir, s'occuper de tout; *il a du nez, il a le nez fin*, il est très intelligent.

ni [ni], conjonction, et ne... pas (*ni* est souvent répété) : *il n'est ni beau ni intelligent.*

nickel [nikɛl], n. m., métal blanc, très propre : *il y a beaucoup de nickel à sa bicyclette.*

nid [ni], n. m., **1.** sorte de petite maison que les oiseaux construisent dans les arbres pour y élever leurs petits : *il ne faut pas enlever les nids des oiseaux.* **2.** quelquefois maison pour les hommes : *nous avons enfin trouvé un nid;* fig., *un nid à poussière*, un endroit où il y a beaucoup de poussière.

nièce [njɛs], n. f., fille du frère ou de la sœur : *il a offert des jouets à ses nièces.*

nier [nije], v. trans., dire qu'une chose n'est pas vraie (s'emploie avec le subjonctif) : *je nie que cet homme soit venu chez moi; je nie l'avoir déjà vu.*

n'importe comment [nɛ̃pɔrt kɔmɑ̃], adv., d'une façon ou de l'autre, cela n'a pas d'importance : *j'irai vous voir n'importe comment; il fait son travail n'importe comment*, sans y faire attention.

n'importe où [nɛ̃pɔrt u], adv., en un endroit ou en un autre, cela n'a pas d'importance : *nous irons en vacances n'importe où.*

n'importe quand [nɛ̃pɔrt kɑ̃], à un moment ou à un autre, cela n'a pas d'importance, *venez me voir n'importe quand.*

n'importe quel (quelle, quels, quelles) [nɛ̃pɔrt kɛl], adj., l'un ou l'autre, cela n'a pas d'importance : *il ne faut pas prendre n'importe quel médicament.*

n'importe qui [nɛ̃pɔrt ki], pron., un homme ou un autre, cela n'a pas d'importance : *vous demanderez le chemin à n'importe qui.*

n'importe quoi [nɛ̃pɔrt kwa], pron., une chose ou une autre, cela n'a pas d'importance : *faites n'importe quoi en attendant.*

niveau, plur. **eaux** [nivo], n. m., le fait d'être a une certaine hauteur : *ces deux maisons sont au même niveau;* fig., *ces deux élèves sont au même niveau,* ils savent autant de choses.

noble [nɔblə], adj., **1.** autrefois, qui était d'un rang élevé : *son père a été fait noble par le roi;* comme nom, *un noble : autrefois les nobles payaient moins d'impôts que les autres.* **2.** qui montre de beaux sentiments : *il s'est conduit de façon très noble.*

Noël [noɛl], n. m., **1.** fête de la religion chrétienne, le jour où le Christ est né (le 25 décembre) : *il a passé un bon Noël chez ses parents.* **2.** chanson que l'on chante à Noël : *les enfants ont chanté des noëls* (en ce sens s'écrit avec un petit *n*).

nœud [nø], n. m., ce que l'on fait avec une ficelle, un fil, une corde pour attacher : *il a mal fait le nœud de ses chaussures.*

Nœud.

noir, e [nwar], adj., **1.** couleur très sombre (la couleur de la nuit) : *il fait déjà noir; il écrit avec un crayon noir; c'est sa bête noire,* c'est la personne qu'il aime le moins. **2.** triste : *il a toujours des idées noires; il voit la vie en noir,* il pense que tout va mal dans la vie. — n. m., **1.** la couleur noire : *il est toujours habillé de noir,* d'habits noirs. **2.** homme qui a la peau noire (fém. *noire*) : *plusieurs noirs sont avec nous.*

noix [nwa], n. f., fruit qui a une enveloppe très dure : *il aime manger des noix avec du pain.*

Noix

nom [nɔ̃], n. m., mot qui nomme une personne ou une chose : « *homme* », « *arbre* » *sont des noms; nom commun,* nom qui nomme toutes les personnes ou toutes les choses qui se ressemblent : « *soldat* », « *cheval* », « *tableau* » *sont des noms communs; nom propre,* nom particulier d'une personne (*Jean* ou Jean *Lebrun*), d'un peuple *(les Français),* d'une ville *(Paris),* d'un pays *(la France),* d'une rivière *(la Seine),* d'une montagne *(les Alpes).* En français on met une grande lettre aux noms propres. — *petit nom : Pierre, Marie; nom de famille,* nom que portent toutes les personnes de la famille : *Lebrun.* — *de nom,* seulement par le nom, pas vraiment : *il n'est roi que de nom.* — *au nom de,* de la part de, sur l'ordre de : *je vous arrête au nom de la loi.*

nombre [nɔ̃brə], n. m., quantité : 100 000 *est un grand nombre; ils sont venus en nombre,* beaucoup; *un grand nombre d'hommes, bon nombre d'hommes,* beaucoup d'hommes; *un certain nombre,* un assez grand nombre.

nombreux, euse [nɔ̃brø, øz], adj., en grand nombre, beaucoup de : *de nombreux accidents sont arrivés sur cette route.*

nommer [nɔme], v. trans., **1.** donner un nom : *ses parents l'ont nommé Louis.* **2.** dire le nom d'une personne ou d'une chose : *j'ai déjà nommé cette personne.* **3.** choisir pour une fonction, une place : *on l'a nommé maître dans une école.*

non [nɔ̃], adv., **1.** sert à répondre que ce qui vient d'être dit ou demandé n'est pas (ne se fait pas, n'est pas vrai) : *venez-vous? — Non* (= je ne viens pas). **2.** devant un adjectif indique le contraire : *non content,* qui n'est pas content. — **non plus,** comme *aussi,* dans les phrases où il y a *ne... pas : il n'est pas venu. non plus.* lui aussi n'est pas venu.

nord [nɔr], n. m., un des quatre points cardinaux : *le bateau va vers le nord;* fig. et fam., *il a perdu le nord,* il ne sait plus où il est ni ce qu'il fait.

normal, ale, plur. **aux, ales** [nɔrmal, plur. m. nɔrmo], adj., **1.** qui est comme il doit être : *cet enfant est tout à fait normal; il n'est pas dans son état normal,* il est peut-être malade. **2.** *école normale,* école qui forme les maîtres (ou les maîtresses) des écoles.

nos [no no z devant une voyelle : *nos amis :* no z ami], adj. ou déterminatif possessif pluriel (masc. et fém.) de la 1re personne du pluriel : *nos amis sont venus nous voir.*

notamment [nɔtamɑ̃], adv., en particulier (au sens 1) : *j'ai vu plusieurs personnes dans le bureau, notamment le directeur.*

note [nɔt], n. f., **1.** ce que l'on écrit pour se rappeler quelque chose : *j'ai pris des notes sur ce que je devais faire; prendre note,* écrire : *j'ai pris note de ce que vous m'avez dit;* **2.** chiffre que met le maître pour faire connaître ce que vaut le travail d'un élève : *cet élève a toujours de bonnes notes.* **3.**

compte de ce qu'on doit payer : *j'ai reçu la note du restaurant.* **4.** signe de musique : *il sait bien ses notes.*

noter [nɔte], v. trans., **1.** écrire pour se rappeler, prendre note : *j'ai noté les points les plus importants de ce livre.* **2.** mettre une note (au sens 2) à un devoir, un travail, à une personne : *cet élève est mal noté.*

notre, plur. **nos** [nɔtrə, no], adj. ou déterminatif possessif (masc. et fém.) de la 1re personne du pluriel : *nous devons aller voir notre grand-père.*

nôtre, plur. **nôtres** [no:trə], avec *le, la, les,* pron. possessif de la 1re personne du pluriel : *le nôtre, la nôtre, les nôtres; vous avez perdu votre livre, prenez le nôtre.*

nouer [nue ou nwe], v. trans., attacher avec un nœud : *il a noué une ficelle autour du paquet.*

nourrir [nurir], v. trans., donner à manger : *ses parents le nourrissent bien.* — **se nourrir,** manger : *il s'est mal nourri pendant son voyage.*

nourriture [nurityr], n. f., ce que l'on mange : *il ne fait pas attention à sa nourriture.*

nous [nu; nu z devant une voyelle : *nous avons* : nuzavõ], pronom personnel de la 1re personne du pluriel : *nous lisons; il nous a vus; il est sorti avec nous.* — **nous-mêmes,** nous (et pas d'autres); *nous avons fait ce travail nous-mêmes.*

nouveau, elle (**nouvel** au masc. devant une voyelle : *le nouvel an*), plur. **nouveaux, elles** [nuvo, nuvɛl], adj., qui n'existait (qui n'était) pas jusqu'à présent : *on a construit de nouvelles maisons dans ce village; le nouveau monde,* l'Amérique. — **du nouveau,** des choses nouvelles : *il y a du nouveau dans la ville.* — **de nouveau,** encore une fois : *il s'est de nouveau trompé.* — **un nouveau-né,** un tout petit enfant, qui est né il n'y a pas longtemps.

nouvelle [nuvɛl], n. f., **1.** événement qu'on vient d'apprendre : *j'apporte une grande nouvelle de la ville.* **2.** au pluriel, ce que l'on apprend de quelqu'un : *j'ai reçu des nouvelles de mon frère.* **3.** histoire (non vraie) que l'on raconte (moins longue qu'un roman) : *il a écrit plusieurs nouvelles.*

novembre [nɔvãbrə], n. m., le 11e mois de l'année : *les jours deviennent courts en novembre;* — *le* 11 *novembre,* le jour de la fin de la guerre de 1914-1918.

1. noyer [nwaje] (avec *i* au lieu d'*y* devant *e* muet : *il noie*) : tuer en faisant entrer dans l'eau : *on a noyé le petit chat;* fig. : *il veut noyer le poisson,* il veut qu'on ne comprenne plus rien à l'affaire. — **se noyer,** mourir dans l'eau : *il s'est noyé en tombant dans la mer.*

2. noyer [nwaje], n. m., arbre qui produit des noix : *nous avons planté un noyer dans notre jardin.*

nu, nue [ny], adj., (ne s'accorde pas dans *nu-tête, nu-pieds*) **1.** qui n'a pas d'habits : *ce petit enfant est nu.* **2.** (en parlant des choses) qui n'est pas décoré : *les murs de cette chambre sont nus.* — **mettre à nu,** enlever ce qui couvre : *si vous enlevez de la terre, vous mettrez la pierre à nu.*

nuage [nyaʒ ou nɥaʒ], n. m., **1.** vapeurs dans le ciel, d'où tombe la pluie : *de gros nuages gris courent dans le ciel.* **2.** chose épaisse, qui empêche de voir : *un nuage de poussière.*

nuire [nɥir] *(je nuis, tu nuis, il nuit, nous nuisons, vous nuisez, ils nuisent; je nuisais; je nuisis; je nuirai; que je nuise; nui),* v. (avec *à*), faire du mal : *cet homme a nui à son pays.*

nuisible [nɥisiblə], adj., qui fait du mal : *il est permis de tuer les animaux nuisibles.*

nuit [nɥi], n. f., la partie du temps où l'on ne voit pas clair entre le coucher et le lever du soleil : *il a bien dormi cette nuit; il a pris le train de nuit.* EXPRESSIONS : *de nuit,* pendant la nuit : *il a voyagé de nuit; une nuit blanche,* une nuit où on ne dort pas : *il a passé une nuit blanche; c'est le jour* *et la nuit*, ce sont deux choses qui ne se ressemblent pas du tout.

nul, nulle [nyl], adj., **1.** aucun, pas un : *nul homme n'a traversé cette rivière; nulle part*, en aucun endroit : *je vous ai cherché et ne vous ai trouvé nulle part.* **2.** qui ne vaut rien, qui ne sait rien : *cet élève est nul.* — pronom, personne : *nul ne sait où il habite.*

numéro [nymero], n. m., **1.** chiffre qui sert à faire reconnaître une maison dans une rue, une chambre dans un hôtel, etc. : *j'ai oublié le numéro de votre maison.* **2.** journal d'un certain jour : *je n'ai pas reçu le dernier numéro de mon journal.*

nylon [nilõ], n. m., matière qui sert à faire du fil, des cordes, du linge, etc. : *cette dame porte des bas de nylon.*

O

obéir [ɔbeir], v. (avec *à*), faire ce que les parents, les maîtres, les chefs, etc. commandent : *cet enfant obéit à ses parents; il obéit au doigt et à l'œil,* il obéit très bien et très vite. — **obéissant, e,** adj., qui obéit : *un élève obéissant.*

objection [ɔbʒɛksjɔ̃], n. f., chose que l'on dit contre une idée : *mon frère a fait deux objections à mon voyage.*

objet [ɔbʒɛ], n. m., **1.** chose que l'on peut voir ou toucher : *j'ai vu beaucoup d'objets dans sa chambre.* **2.** but (résultat que l'on veut avoir) : *quel est l'objet de vos études?*

obligatoire [ɔbligatwar], adj., qu'on doit absolument faire : *le service militaire est obligatoire.*

obliger [ɔbliʒe] (*ge* devant *a* et *o : nous obligeons*), v. trans., **1.** forcer quelqu'un à faire quelque chose : *ses parents l'ont obligé à vous écrire.* **2.** rendre service : *il a obligé son ami en lui prêtant sa bicyclette.*

obscur, e [ɔpskyr], adj., **1.** où l'on ne voit pas, où il fait noir : *cette chambre est très obscure.* **2.** que l'on ne comprend pas : *ce livre est obscur.* **3.** que l'on ne connaît pas : *la vie de ce grand homme est restée obscure.*

obscurité [ɔpskyrite], n. f., le fait d'être obscur : **1.** au sens 1 : *l'obscurité est parfois bonne pour les personnes qui ont les yeux malades.* **2.** au sens 2 : *je n'aime pas l'obscurité de ces poésies.* **3.** au sens 3 : *sa vie est pleine d'obscurités,* on sait peu de chose; *il a vécu dans l'obscurité,* on n'a jamais parlé de lui dans les journaux.

observation [ɔpsɛrvasjɔ̃], n. f., **1.** action de regarder avec attention : *l'observation des étoiles.* **2.** action de bien faire ce qui est commandé : *l'observation des lois.* **3.** ce que l'on dit à quelqu'un qui n'a pas bien fait quelque chose ou qui ne s'est pas bien conduit : *le maître lui a fait une observation.*

observer [ɔpsɛrve], v. trans., **1.** regarder avec attention : *le maître observe les élèves qui parlent entre eux.* **2.** bien faire ce qui a été commandé : *j'ai observé vos ordres.*

obstacle [ɔpstaklə], n. m., ce qui empêche de passer ou de faire quelque chose : *ce mur est un obstacle; j'ai fait le tour de l'obstacle; il n'y a pas d'obstacle à ce que vous passiez vos vacances à la montagne; course d'obstacles,* course où il y a des obstacles qu'on est obligé de sauter.

obtenir [ɔptənir] (comme *tenir*), v. trans., réussir à avoir : *il a obtenu la première place.*

obus [ɔby ou ɔbys], n. m., projectile que lancent les canons : *l'ennemi a tiré plusieurs obus sur la ville.*

occasion [ɔkazjɔ̃], n. f., moment où l'on peut faire quelque chose : *venez me voir à la première occasion.* — *à l'occasion,* quand cela se présentera, quand cela sera possible : *venez me voir à l'occasion;* — *à l'occasion de,* pour (un certain fait) : *nous avons donné un jouet à notre fils à l'occasion de ses dix ans.* — Expressions : *il faut prendre l'occasion par les cheveux,* il ne faut pas manquer de faire une chose quand on en a l'occasion, quand on le peut; *c'est une occasion* ce n'est pas vendu cher; *livres d'occasion,* livre qu'on vend moins cher parce qu'il a déjà servi.

occident [ɔksidɑ̃], n. m., ouest, côté où le soleil se couche; les pays qui sont à l'ouest de l'Europe : *la France est un pays d'occident.*

occidental, ale; plur. **aux, ales** [ɔksidɑ̃tal, o], adj., qui se rapporte à l'ouest, en particulier aux pays qui sont à l'ouest de l'Europe : *l'industrie occidentale.*

occupation [ɔkypasjɔ̃], n. f., **1.** action d'habiter : *l'occupation d'un appartement.* **2.** (en parlant d'une armée) action de prendre une ville, une région et d'y rester : *l'occupation d'un pays par l'ennemi n'est jamais agréable.* **3.** action de faire quelque chose, de travailler : *il a de nombreuses occupations.*

occuper [ɔkype], v. trans., **1.** être dans un endroit, habiter : *la ville de Paris occupe les deux bords de la Seine; nos amis occupent un grand appartement.* **2.** (en parlant d'une armée) prendre une ville, une région et y rester : *l'ennemi a longtemps occupé cette ville.* **3.** faire quelque chose pendant un temps : *il a occupé ses vacances en voyageant.* **4.** employer des personnes : *cette usine occupe beaucoup d'ouvriers.* — **être occupé,** avoir du travail : *je suis toujours occupé.* — **s'occuper, 1.** faire quelque chose : *cet enfant sait toujours s'occuper.* **2.** *s'occuper de quelque chose,* étudier une chose, travailler à une chose, y penser beaucoup : *ce marchand s'occupe beaucoup de son magasin.*

océan [ɔseɑ̃], n. m., très grande mer : *il a traversé l'océan; l'Océan Atlantique; l'Océan Pacifique.*

octobre [ɔktɔbrə], n. m., le 10ᵉ mois de l'année : *en France les élèves rentrent en classe au début d'octobre.*

odeur [odœr], n. f., ce que l'on sent par le nez : *j'ai senti une mauvaise odeur en traversant ce chemin; ces fleurs ont une bonne odeur.*

odorat [ɔdɔra], n. m., sens qui permet de sentir les odeurs : *le chien a un très bon odorat.*

œil, plur. **yeux** [œj, jø], n. m., organe de la vue : *nous avons deux yeux.* — EXPRESSIONS : *le maître de la maison a l'œil à tout,* il fait attention à tout; *j'ai bon pied, bon œil,* je marche bien, je vois bien, je suis en bonne santé; *je l'ai à l'œil, je le tiens à l'œil,* je regarde s'il se conduit bien; *j'ai jeté un coup d'œil sur ce tableau,* je l'ai regardé en passant, sans m'arrêter; pop., *à l'œil,* sans avoir à payer : *il est allé au cinéma à l'œil.* — PROVERBE : *Il n'est pour voir que l'œil du maître* (La Fontaine) : le maître (le patron, le directeur) fait plus attention que les autres.

œuf, plur. **œufs** [œf, plur. ø], n. m. corps que pondent (produisent, font) les poules et les autres femelles d'oiseaux : *il y a dans un œuf le jaune et le blanc; il a mangé deux œufs à son dîner.*

œuvre [œvrə], n. f., travail, résultat du travail : *ce tableau est l'œuvre d'un grand artiste; j'ai acheté les œuvres de Victor Hugo,* les livres écrits par Victor Hugo. — EXPRESSIONS : *une œuvre d'art,* un tableau, une sculpture; *il a mis en œuvre tout ce qu'il savait,* il a employé tout ce qu'il savait; *il est à pied d'œuvre,* il a tout préparé pour commencer son travail. — PROVERBE : *A l'œuvre on connaît l'ouvrier,* on sait ce que quelqu'un vaut seulement quand on l'a vu travailler. — *chef-d'œuvre,* voir **chef.** — *main-d'œuvre,* voir **main.**

officiel, elle [ɔfisjɛl], adj., qui vient du gouvernement : *les services officiels; cette nouvelle est officielle.* — n. m., celui qui s'occupe de quelque chose de façon officielle : *on a reçu les officiels en premier.*

officier [ɔfisje], n. m., nom des chefs dans l'armée : *l'officier marche à la tête des soldats.*

offrir [ɔfrir] *(j'offre, tu offres, il offre, nous offrons, vous offrez, ils offrent; j'offrais; j'offris; j'offrirai; que j'offre; offert),* v. trans., **1.** présenter quelque chose qu'on donne : *mes amis m'ont offert du thé.* **2.** faire voir : *cette colline offre une belle vue sur la région.*

oh! [o], interjection qui sert à marquer qu'on est étonné, qu'on est en colère, etc.

oie [wa], n. f., gros oiseau de ferme qui peut aller dans l'eau : *on élève des oies dans cette région;* fig., personne bête : *cette oie-là ne comprend rien.*

Oie.

oiseau, plur. **eaux** [wazo], n. m., animal qui a deux pattes et deux ailes : *les oiseaux volent dans l'air* —.

EXPRESSIONS : *à vol d'oiseau,* en ligne droite (sans tenir compte des routes, des montagnes, etc.) : *il y a cent kilomètres à vol d'oiseau entre ces deux villes; un oiseau de malheur,* quelqu'un qui annonce un malheur; *un drôle d'oiseau,* un homme qui n'est pas comme les autres; *oiseau-mouche,* très petit oiseau qui vit dans les pays chauds.

olive [ɔliv], n. f., fruit assez petit, vert foncé ou noir : *il aime manger des olives à son déjeuner.*

Olives.

olivier [ɔlivje], n. m., arbre qui produit des olives : *l'olivier pousse sur les bords de la Méditerranée.*

Olivier.

ombre [ɔ̃brə], n. f., **1.** surface sombre produite par une chose qui se trouve devant la lumière (ou devant le soleil) : *nous nous sommes reposés à l'ombre d'un arbre; il a peur de son ombre,* il manque de courage. **2.** fig., *il n'est plus que l'ombre de lui-même,* il est si faible qu'il ne ressemble plus à ce qu'il était avant.

Ombre.

omnibus [ɔmnibys], n. m., **1.** autrefois grande voiture tirée par des chevaux qui transportait les personnes dans une ville : *les omnibus ont été remplacé par les autobus.* **2.** *train omnibus* ou seulement *omnibus,* train qui s'arrête à toutes les gare : *l'omnibus va beaucoup moins vite que l'ex' press.*

on [ɔ̃], pron. (on peut dire aussi *l'on*), **1.** quelqu'un, n'importe qui; les gens : *ne croyez pas tout ce qu'on raconte.* **2.** dans la langue populaire s'emploie au lieu de *nous* sujet du verbe : *hier on est allé au cinéma,* nous sommes allés au cinéma.

oncle [ɔ̃klə], n. m., frère du père ou de la mère : *il a passé ses vacances chez son oncle.*

ongle [ɔ̃glə], n. m., sorte de corne au bout des doigts : *il se coupe les ongles; il m'a fait mal avec ses ongles.*

Ongle.

onze [ɔ̃z, on dit **le** ɔ̃z, *les onze,* də ɔ̃z *de onze*], n. de nombre, 11 : *il est onze heures du matin.*

onzième [ɔ̃zjɛm, lə ɔ̃zjɛm, *le onzième*], n. de nombre ordinal, **1.** 11ᵉ, qui vient après le dixième : *novembre est le onzième mois de l'année.* **2.** une des onze parties d'un ensemble : 9 *est le onzième de* 99.

opéra [ɔpera], n. m., **1.** pièce de théâtre toute en chant et en musique : *nous avons vu un opéra.* **2.** théâtre où l'on joue cette sorte de pièces : *nous sommes allés hier soir à l'opéra.*

opération [ɔperasjɔ̃], n. f., **1.** action d'opérer un malade ou un blessé : *il n'a rien senti pendant l'opération.* **2.** *Opérations militaires,* mouvements d'une armée à la guerre. **3.** action de compter, calcul : *il sait bien faire ses opérations; les quatre opérations,* l'addition, la soustraction, la multiplication, la division.

opérer [ɔpere], v. trans., **1.** *opérer un malade (ou un blessé),* lui couper une partie d'un organe pour le guérir : *on a opéré le malade hier.* **2.** (sans complément), avoir un effet (un résultat) : *le médicament n'a pas encore opéré.*

opinion [ɔpinjɔ̃], n. f., ce que l'on pense, ce que l'on croit : *il a changé plusieurs fois d'opinion; j'ai bonne opinion de cet homme.*

opposer [ɔpoze], v. trans., mettre en face de, contre : *je lui ai opposé des raisons.* — **s'opposer,** être contre, chercher à empêcher : *je me suis opposé à son départ.* — **opposé,** adj., **1.** qui est en face : *les deux bords opposés de la rivière.* **2.** qui est contre : *son père est opposé à ce qu'il veut.* — **opposé,** n. m., qui est le contraire : *la nuit est l'opposé du jour; à l'opposé,* de façon contraire.

opposition [ɔpozisjɔ̃], n. f., **1.** action de s'opposer à quelque chose de chercher à empêcher : *il serait parti sans l'opposition de ses parents.* **2.** ceux qui sont contre le gouvernement : *l'opposition a été plus forte que le gouvernement.*

1. or [ɔr], conjonction : *je ne le voyais plus, or un jour je l'ai rencontré dans la rue.*

2. or [ɔr], n. m., **1.** métal jaune, très lourd, qui vaut très cher : *autrefois on payait avec des pièces d'or; une dent en or; il parle d'or,* tout ce qu'il dit est très bon.

orage [ɔraʒ], n. m., tonnerre et éclairs dans le ciel : *nous avons eu un orage dans la nuit.*

orange [ɔrɑ̃ʒ], n. f., gros fruit, d'une couleur entre le jaune et le rouge, qui pousse sur les bords de la Méditerranée : *nous avons mangé une orange après le déjeuner.* — n. m., couleur orange (entre le jaune et le rouge), s'emploie comme adjectif (mais sans prendre *s* au pluriel) : *des corsages orange.*

oranger [ɔrɑ̃ʒe], n. m., arbre qui produit des oranges : *il a des orangers dans son jardin.*

orchestre [ɔrkɛstrə], n. m., **1.** ensemble de musiciens (de personnes qui jouent de la musique) : *j'ai entendu un bon orchestre.* **2.** les places du bas dans un théâtre : *un fauteuil d'orchestre.*

ordinaire [ɔrdinɛr], adj., qu'on voit souvent, qui n'est pas rare : *c'est notre repas ordinaire.* — **d'ordinaire**, en général, presque toujours : *il arrive d'ordinaire à neuf heures.*

ordinal, aux [ɔrdinal, o], adj., (grammaire) qui marque l'ordre, le rang : HUITIÈME *est un nom de nombre ordinal.*

ordonnance [ɔrdɔnɑ̃s], n. f., **1.** façon d'arranger quelque chose : *nous avons changé l'ordonnance de notre jardin.* **2.** ordre du gouvernement : *le Président de la République a signé une nouvelle ordonnance.* **3.** papier où le médecin écrit les médicaments que le malade doit prendre : *nous avons porté l'ordonnance au pharmacien.*

ordonner [ɔrdɔne], v. trans., **1.** donner un ordre, commander (avec le subjonctif) : *le maître a ordonné que tout le monde soit à l'heure; il a ordonné d'apporter du papier.* **2.** mettre de l'ordre, ranger : *il a tout ordonné dans sa chambre.* — **ordonné, ée,** adj., qui a de l'ordre, qui range bien : *cet élève est très ordonné*

ordre [ɔrdrə], n. m., **1.** action de commander : *vous avez entendu mes ordres; le chef a donné l'ordre du départ.* **2.** action de ranger : *j'ai mis de l'ordre dans mes papiers; tout est en ordre dans la maison,* tout est bien rangé. **3.** qualité de celui qui range bien : *ce jeune homme a beaucoup d'ordre.* **4.** le fait que tout est tranquille dans un pays, dans une ville : *l'ordre public.* **5.** place, rang (d'après ce qu'on pense) : *c'est un homme de premier ordre,* qui vaut beaucoup.

oreille [ɔrɛj], n. f., organe qui sert à entendre : *nous avons deux oreilles, une de chaque côté de la tête.* — EXPRESSIONS : *il prête l'oreille, il dresse l'oreille,* il fait attention pour bien entendre; *il fait la sourde oreille,* il fait comme s'il n'entendait pas; *il a l'oreille juste,* il sent très bien la musique; *il n'a pas d'oreille,* il ne sent pas la musique; *il dort sur les deux oreilles,* il dort très bien; *il a l'oreille du directeur,* le directeur l'écoute et suit souvent ses conseils; *cela entre par une oreille et sort par l'autre,* cela est tout de suite oublié.

oreiller [ɔrɛje], n. m., sorte de sac rempli de plumes ou d'une autre matière molle, qu'on met dans le lit, sous la tête : *il a la tête sur l'oreiller.*

organe [ɔrgan], n. m., **1.** partie du corps d'un homme ou d'un animal qui sert à une fonction : *les yeux, les oreilles, le cœur sont des organes importants.* **2.** ce qui sert d'instrument (au figuré) : *ce journal est l'organe d'un groupe important de personnes.*

organisation [ɔrganizasjɔ̃], n. f.,

1. action d'organiser, de mettre en ordre les diverses parties d'un ensemble : *l'organisation des études a demandé beaucoup de temps.* **2.** résultat de cette action (comment les choses sont organisées) : l'*organisation de ce grand magasin est très bonne.*

organiser [ɔrganize], v. trans., arranger les diverses parties d'un ensemble : *ce commerçant a bien organisé son affaire.* — **s'organiser** : bien mettre en ordre ses affaires, son travail : *ce jeune élève ne sait pas encore s'organiser.*

orge [ɔrʒ], n. f., plante qui sert à faire de la bière : *il a semé de l'orge dans son champ.*

orgueil [ɔrgœj], n. m., sentiment qui fait croire qu'on vaut beaucoup, qu'on est au-dessus des autres : *il ne faut pas avoir trop d'orgueil.*

orgueilleux, euse [ɔrgœjø, øz], adj. et n., qui a de l'orgueil, qui croit qu'il vaut beaucoup : *les orgueilleux ne sont pas aimés.*

orient [ɔrjɑ̃], n. m., l'est : *le soleil se lève à l'orient; l'Orient,* les pays qui sont à l'est de la Méditerranée; *l'Extrême-Orient,* les pays qui sont à l'est de l'Asie (Chine, Japon).

oriental, ale, plur. **aux, ales** [ɔrjɑ̃tal, o], adj., qui se rapporte à l'est, en particulier à l'est de la Méditerranée : *la peinture orientale.* — n. m. et f., qui habite l'Orient : *il a beaucoup voyagé chez les Orientaux.*

original, ale, plur. **aux, ales** [ɔriʒinal, o], adj., **1.** qui est fait par une personne elle-même : *j'ai vu la lettre originale.* **2.** qui est nouveau, différent de ce qui a été jusqu'à présent : *il pense de façon originale.* — **original,** n. m., le travail même de quelqu'un : *l'original de ce tableau est à Londres.* — **original, ale,** n. m. et f., personne qui vit autrement que les autres : *c'est un original qui s'habille comme il y a cinquante ans.*

origine [ɔriʒin], n. f., **1.** la cause d'où une chose est venue, ses premiers débuts : *on discute de l'origine du monde; à l'origine,* d'abord : *à l'origine la France s'appelait la Gaule.* **2.** pays, région d'où vient une personne ou une chose : *ses parents sont d'origine anglaise; je demanderai l'origine de ce tissu.*

ornement [ɔrnəmɑ̃], n. m., ce qui sert à orner, à rendre plus beau : *cette belle rue est un ornement de notre ville.*

orner [ɔrne], v. trans., ajouter quelque chose pour rendre plus beau : *il a orné sa chambre de photos et de tableaux.*

orphelin, ine [ɔrfəlɛ̃, in], adj. et n. m. et f., celui (celle) qui n'a plus son père ou sa mère ou ses deux parents : *cette jeune fille est orpheline.*

orthographe [ɔrtɔgraf], n. f., la bonne façon d'écrire les mots : *cet élève ne fait plus de fautes d'orthographe; quelle est l'orthographe de ce mot?*

os [ɔs], plur. **os** [o], n. m., partie dure du corps de l'homme et des animaux : *nous avons un grand nombre d'os; il s'est cassé un os du bras.* — PROVERBE : *Aux tard venus les os,* ceux qui viennent tard à un repas ne trouvent plus que les os (parce que les autres ont mangé la viande).

oser [oze], v. trans., avoir le courage : *il a osé monter au haut de la montagne.* — On peut dire *je n'ose* au lieu de *je n'ose pas : je n'ose vous déranger si tôt.*

ôter [ote], v. trans., enlever une chose de sa place : *il a ôté le livre de la table; il a ôté son chapeau,* il l'a enlevé de sa tête.

ou [u], conj., **1.** *répondez oui ou non,* si ce n'est pas oui, c'est non. **2.** *allez avec Pierre ou avec Paul,* avec l'un des deux, cela n'a pas d'importance.

où [u], adv., **1.** en cet endroit : *j'habite toujours dans la maison où je suis né.* **2.** en quel endroit? *où habite votre frère? où irez-vous travailler?* — **d'où, 1.** de cet endroit : *je connais la ville d'où vous venez.* **2.** de quel endroit? *d'où venez-vous?*

oubli [ubli], n. m., action d'oublier, (de ne plus se rappeler) : *il a réparé son oubli,* il a fait ensuite ce qu'il avait oublié de faire; *le nom de cet homme est tombé dans l'oubli,* personne ne se rappelle ce nom.

oublier [ublije], v. trans., **1.** ne pas se rappeler : *j'ai oublié le nom de cet homme.* **2.** laisser quelque chose qu'on devait prendre avec soi : *j'ai oublié mon porte-monnaie; j'ai oublié mon livre dans ce magasin.* **3.** ne pas faire quelque chose parce qu'on ne s'est pas rappelé qu'on devait le faire : *j'ai oublié de mettre cette lettre à la boîte aux lettres.*

ouest [wɛst ou uɛst], n. m., **1.** qui est du côté où le soleil se couche : *le bateau va vers l'ouest.* **2.** la région ouest de la France : *nous avons passé nos vacances dans l'ouest.*

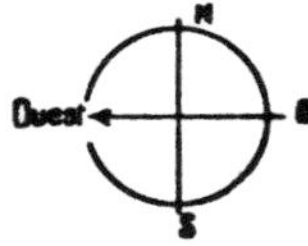

oui [wi], adv. contraire de *non,* quand on répond à une question : *êtes-vous déjà allé à Paris? Oui* (= je suis déjà allé à Paris). — EXPRESSIONS : *il ne dit ni oui ni non,* il ne répond pas d'une façon certaine; *il se met en colère pour un oui pour un non,* sans raison (sans cause) sérieuse.

ouïe [wi], n. f., **1.** sens qui permet d'entendre : *il a l'ouïe fine,* il entend très bien. **2.** ouverture que les poissons ont de chaque côté de la tête.

ours, ourse [urs], n. m. et f., **1.** grand animal très fort et méchant, blanc ou brun, qui vit dans les montagnes et dans les régions froides : *des ours sont descendus des montagnes et ont mangé des moutons.* **2.** fig., personne qui aime vivre seule : *c'est un ours, il ne dit bonjour à personne.*

outil [uti], n. m., objet, en général en fer, qui sert à travailler la terre, le bois, le métal, la pierre, le tissu, etc. : *un marteau, une pelle, une épingle sont des outils; les bons ouvriers ont de bons outils.*

ouverture [uvɛrtyr], n. f., **1.** action d'ouvrir : *je suis arrivé au théâtre avant l'ouverture des portes.* **2.** trou dans un mur : *on a fait deux ouvertures dans le mur.* **3.** *l'ouverture de la chasse (de la pêche),* le premier jour où il est permis de chasser (de pêcher). **4.** *faire des ouvertures,* commencer à causer pour arriver à un résultat : *l'ennemi a fait des ouvertures en vue de la paix.*

ouvrage [uvraʒ], n. m., **1.** travail : *je vais me mettre à l'ouvrage.* — EXPRESSIONS : *c'est l'ouvrage de mes mains,* c'est un travail que j'ai fait de mes mains; *il a du cœur à l'ouvrage,* il travaille avec courage; *ouvrages de dames,* travaux à l'aiguille que font les dames; *table à ouvrage,* petite table où les dames rangent leurs aiguilles, leurs épingles, leurs ciseaux. **2.** livre : *il a paru plusieurs ouvrages intéressants.*

ouvrier, ère [uvrije, ɛr], n. m. et f., **1.** celui (celle) qui travaille de ses mains : *cette usine emploie beaucoup d'ouvriers et d'ouvrières.* **2.** celui (celle) qui travaille à un résultat : *il a été l'ouvrier de la paix.* — adj., *la classe ouvrière,* l'ensemble des ouvriers.

ouvrir [uvrir] *(j'ouvre, nous ouvrons; j'ouvrais; j'ouvris; j'ouvrirai; que j'ouvre; ouvert),* v. trans., (contraire : *fermer*). **1.** permettre à l'air ou aux personnes d'entrer : *j'ai ouvert la porte, la fenêtre; j'ai ouvert mon armoire; ma maison est ouverte à mes amis; il tient table ouverte,* beaucoup d'amis viennent manger chez lui. **2.** *ouvrir une route,* faire une route dans une région qui n'en avait pas. **3.** commencer : *on a ouvert la danse.* — v. intr., **1.** permettre d'aller quelque part : *cette porte ouvre sur la rue, une autre ouvre sur le jardin.* **2.** être ouvert (en parlant d'une boutique, d'un magasin, etc.) : *ce magasin ouvre de bonne heure.* — **ouvert, e,** adj., **1.** (en parlant des personnes) qui dit ce qu'il pense : *il est très ouvert.* **2.** *ville ouverte,* ville qui n'a pas de murs, qui ne peut pas être défendue quand il y a la guerre.

P

page [paʒ], n. f., un des deux côtés d'une des feuilles d'un livre : *j'ai lu la page* 28; *je tourne vite les pages.* — Expressions : *j'ai tourné la page,* je ne pense plus à cette affaire; fam., *il est à la page,* il connaît la question, ou il est moderne.

paie, voir **paye.**

paiement, voir **payement.**

paille [paj], n. f., ce qui reste de la tige du blé quand on a enlevé le grain : *il a couché sur la paille dans une ferme.*

pain [pɛ̃], n. m., aliment fait avec de la farine de blé travaillée et cuite : *ce boulanger vend du bon pain.* — Expressions : *il est bon comme du bon pain,* il est très bon; *long comme un jour sans pain,* très long.

pair, e [pɛr], adj., *nombre pair,* 2, 4, 6, etc. en ajoutant chaque fois 2 : 24 *est un nombre pair; les numéros pairs de cette rue; les jours pairs,* le 2, le 4, le 6, etc. de chaque mois; *travailler au pair,* être payé du travail qu'on fait chez une personne en vivant chez cette personne, mais sans recevoir d'argent.

2 4 6 8
Nombres pairs.

1 3 5 7
Nombres impairs.

paire [pɛr], n. f., **1.** deux personnes ou deux choses qui forment un ensemble : *une paire d'amis; une paire de chaussures.* **2.** objet fait de deux parties : *une paire de lunettes; une paire de ciseaux.*

Une paire de ciseaux.

Une paire de chaussures.

paisible [pɛziblə], adj., qui aime être tranquille, qui aime avoir la paix autour de lui : *ce vieil homme est très paisible.*

paix [pɛ], n. f., **1.** état où se trouve un pays quand il n'y a pas la guerre : *tous les hommes doivent aimer la paix; ces deux pays se sont fait la guerre, ils sont maintenant en paix; ils ont fait la paix,* ils ne sont plus en guerre. **2.** état tranquille : *le soir, la paix descend sur les champs et sur les villes; il ne veut pas laisser ses camarades en paix,* il ne veut pas les laisser tranquilles.

1. palais [palɛ], n. m., très grande et très belle maison : *les rois habitent dans des palais; palais de justice* (ou quelquefois seulement *le palais*), maison où les juges rendent la justice.

2. palais [palɛ], n. m., partie de la bouche qui se trouve en haut, au-dessus de la langue : *quand on dit* l, *on élève la langue jusqu'au palais.*

pâle [pal], adj., qui a perdu ses couleurs, qui est d'un blanc un peu gris : *le malade est très pâle; la lumière de la lune est pâle.*

pâlir [palir], v. intr., devenir pâle (d'un blanc un peu gris) : *il a pâli en vous reconnaissant.*

palmier [palmje], n. m., arbre mince à longues feuilles qui pousse dans des régions assez chaudes : *on voit des palmiers sur les bords de la Méditerranée.*

panier [panje], n. m., récipient fait avec des tiges de bois minces : *il m'a apporté un panier plein de fruits; le dessus du panier,* ce qu'il y a de meilleur (parce que les marchands mettent souvent leurs meilleurs fruits au-dessus des autres dans les paniers).

panne [pan], n. f., *nous avons une panne, nous sommes en panne, l'auto est tombée en panne,* le moteur s'est arrêté; *panne d'essence,* panne qui arrive quand il n'y a plus d'essence dans le moteur.

pansement [pɑ̃smɑ̃], n. m., linge et médicaments qu'on met sur une blessure pour la soigner : *on a changé le pansement du blessé.*

panser [pɑ̃se], v. trans., **1.** mettre un pansement sur une blessure : *les blessés ont été pansés tout de suite après l'accident.* **2.** laver et nettoyer un cheval : *ce cheval est bien pansé.*

pantalon [pɑ̃talɔ̃], n. m., vêtement qui couvre les jambes : *il a déchiré son pantalon.*

pantoufle [pɑ̃tuflə], n. f., sorte de chaussure qu'on met à la maison : *je suis resté chez moi en pantoufles.*

Pantoufles.

papa [papa], n. m., façon de parler des enfants pour dire « père » : *le dimanche les enfants vont se promener avec leur papa.*

pape [pap], n. m., le chef de la religion catholique : *le pape vit dans un palais à Rome.*

papeterie [paptri], n. f., **1.** magasin où l'on vend du papier et tout ce qui est nécessaire pour écrire : *j'ai acheté du papier à lettres et des enveloppes à la papeterie.* **2.** usine où l'on fait du papier : *cette papeterie a acheté de nouvelles machines.*

papetier, ère [paptje, ɛr], n. m. et f., **1.** celui (celle) qui vend du papier et tout ce qui est nécessaire pour écrire : *j'achète toujours mes crayons chez le même papetier.* **2.** celui qui fait du papier : *ce papetier a une usine importante.*

papier [papje], n. m., **1.** matière mince faite avec du bois, des tiges de plantes, des chiffons, etc., qui sert à écrire, à envelopper, etc. : *une feuille de papier; ce papier n'est pas solide; papier à lettres,* papier qui sert à écrire des lettres; *papier de verre,* papier couvert de très petits grains de verre qui sert à rendre le bois poli, à nettoyer des objets en métal : *j'ai frotté les clefs avec du papier de verre.* **2.** (au pluriel) *les papiers,* écrits de toute sorte, en particulier ceux qui montrent qui on est : *il a perdu ses papiers.*

papillon [papijɔ̃], n. m., insecte qui a des ailes souvent très belles, blanches ou avec de belles couleurs : *il est allé chasser les papillons; les papillons tournent autour des lumières.*

paquebot [pakbo], n. m., grand bateau qui transporte des voyageurs à travers les mers : *il est allé en Amérique sur un paquebot français.*

Pâques [pɑ:k], n. m., fête de la religion chrétienne qui a lieu au commencement du printemps : *Pâques est toujours en mars ou en avril.*

paquet [pakɛ], n. m., choses enveloppées et attachées avec une ficelle : *il est parti avec de gros paquets.*

par [par], prép., marque le moyen : *il est venu par le train; il a été blessé par une balle;* le lieu : *en allant de Lille à Lyon je suis passé par Paris; il a couru par la ville,* à travers la ville; le temps : *il est venu par un gros froid.* — **par-ci par-là,** en plusieurs endroits.

parachute [paraʃyt], n. m., appareil qui sert à descendre du haut d'un avion : *il est descendu en parachute.*

paradis [paradi], n. m., **1.** (religion) beau jardin où a vécu le premier homme : *Adam a été chassé du paradis.* **2.** (religion) endroit où sont reçus après leur mort ceux qui ont été bons pendant leur vie : *il ira sûrement en paradis.* **3.** très belle région : *ce pays est un vrai paradis.*

paraître [parɛtrə] *(je parais, tu parais, il paraît, nous paraissons, vous paraissez, ils paraissent; je paraissais; je parus; je paraîtrai; que je paraisse; paru),* v. intr. (se conjugue avec *avoir*), **1.** sembler, avoir l'air : *cet enfant paraît intelligent.* **2.** se montrer : *le jour paraît,* il commence à faire clair. **3.** (en parlant d'un livre) pouvoir être acheté : *ce livre vient de paraître.* **4.** *il cherche à paraître,* il veut qu'on le voie. **5.** *il paraît que,* on dit que : *il paraît qu'il fait beau à deux cents kilomètres d'ici.*

parapluie [paraplɥi], n. m., instrument que l'on ouvre pour ne pas être mouillé par la pluie : *quand j'ai senti des gouttes sur ma main j'ai ouvert mon parapluie; j'ai fermé mon parapluie quand la pluie s'est arrêtée.*

parc [park], n. m., **1.** grand jardin entouré de murs : *il y a un beau parc autour de cette maison de campagne.* **2.** terrain entouré d'un mur en bois où l'on met les moutons : *un parc à moutons.*

parce que [parsə kə], conj., marque la cause : *il n'est pas allé à l'école parce qu'il est malade.*

par conséquent, voir **conséquent.**

parcourir [parkurir] (se conjugue comme *courir*), v. trans., **1.** aller partout dans une ville, une région : *j'ai parcouru la ville en tous sens.* **2.** *parcourir un livre,* regarder un peu ce qu'il y a dans un livre : *j'ai déjà parcouru la moitié de ce livre.*

parcours [parkur], n. m., le chemin que l'on fait : *nous sommes arrivés à la moitié du parcours.*

pardessus [pardəsy], n. m., sorte de manteau que portent les hommes : *il porte un pardessus gris.*

Pardessus.

pardon [pardõ], n. m., **1.** action de ne pas tenir compte d'une faute : *on lui a donné son pardon; je vous demande pardon* (ou seulement *pardon*), ce qu'on dit quand on dérange une personne. **2.** fête en Bretagne : *les pardons de la Bretagne sont beaux à voir.*

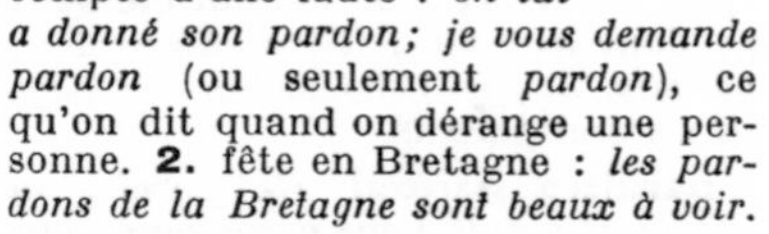

pardonner [pardɔne], v. trans., ne pas tenir compte d'une faute : *je pardonne cette faute.* — avec *à* (en parlant des personnes) ne pas tenir compte des fautes de quelqu'un : *il a pardonné à ses ennemis.*

pareil, eille [parɛj], adj., qui ressemble tout à fait : *ces deux maisons sont pareilles; je n'ai jamais vu un temps pareil; il lui a rendu la pareille,* il a fait à l'autre ce que celui-ci lui avait fait.

parent, ente [parɑ̃, ɑ̃t], n. m. et f., **1.** personne de la même famille : *il a déjeuné chez une parente.* **2.** seulement au plur. masc., *les parents,* le père et la mère : *il habite avec ses parents.*

paresse [parɛs], n. f., le fait de ne pas aimer le travail : *la paresse empêche d'arriver à un résultat.*

paresseux, euse [parɛsø, øz], adj. et n., qui n'aime pas le travail : *les paresseux sont souvent punis; cet élève est très paresseux.*

parfait, e [parfɛ, ɛt], adj., qui est le meilleur, le plus beau qu'il est possible : *ce travail est parfait.*

parfaitement [parfɛtmɑ̃], adv., **1.** de façon parfaite, très bien : *on voit parfaitement la ville du haut de cette colline.* **2.** s'emploie quelquefois pour *oui : Vous êtes déjà venu ici? Parfaitement.*

parfois [parfwa], adv., quelquefois, de temps en temps : *je me suis parfois trompé.*

parfum [parfœ̃], n. m., **1.** bonne odeur (ce qu'on sent avec le nez) : *le parfum des roses est très agréable.* **2.** liquide qui sent bon : *ce parfum sent très fort.*

parfumerie [parfymri], n. f., **1.** magasin où l'on vend des parfums et aussi des savons et des objets de toilette : *j'ai acheté une brosse à dents dans cette parfumerie.* **2.** usine qui produit des parfums : *cette parfumerie fait de très bons parfums.*

parfumeur, euse [parfymœr, øz], n. m. et f., **1.** celui (celle) qui vend des parfums et aussi du savon et des objets de toilette : *ce parfumeur vend plusieurs sortes de savon.* **2.** celui qui fait des parfums : *ce parfum est fait par un parfumeur très connu.*

Parisien, enne [parizjɛ̃, ɛn], adj. et n., qui est né à Paris ou qui habite Paris : *les Parisiennes savent bien s'habiller.*

parlement [parləmɑ̃], n. m., autrefois cour de justice (tribunal d'un rang élevé), maintenant assemblées qui font les lois : *le parlement a voté de nouvelles lois.*

parler [parle], v. intr., faire entendre des mots pour faire connaître ce qu'on pense : *je n'ai jamais parlé à cet homme; je lui ai parlé de votre ami ; nous avons parlé du mauvais temps.* — PROVERBE : *Il est bon de parler et meilleur de se taire* (La Fontaine). — v. trans., faire entendre des mots d'une langue : *il parle très bien le français* (ou *français,* sans *le*).

parmi [parmi], prép., au milieu de : *je n'ai pas trouvé parmi ces livres celui que je cherchais.*

parole [parɔl], n. f., **1.** mot que l'on dit (non que l'on écrit) : *il n'a pas dit une parole.* **2.** ce qu'on dit : *on lui a donné la parole* (dans une société), le président lui a permis de parler; *je demande la parole,* je demande à parler; *vous n'avez pas la parole,* vous n'avez pas le droit de parler; *il m'a coupé la parole,* il m'empêche de parler plus longtemps. PROVERBE : *La parole est d'argent et le silence est d'or :* il vaut souvent mieux ne rien dire. **3.** le fait de promettre : *il m'a donné sa parole,* il m'a promis; *je vous crois sur parole,* je suis sûr que vous dites la vérité; *un honnête homme n'a qu'une parole,* un honnête homme fait toujours ce qu'il a promis.

parquet [parkɛ], n. m., plancher fait de petites pièces de bois qui forment un dessin : *il a un beau parquet dans sa salle à manger.*

part [par], n. f., partie de quelque chose : *il veut sa part du gâteau; j'ai pris part à cet événement,* j'ai fait quelque chose dans cet événement; *d'une part... d'autre part...,* d'un côté... d'un autre côté...; *de part et d'autre,* des deux côtés : *nous nous sommes écrit de part et d'autre; de part en part,* en passant à travers : *la balle l'a traversé de part en part; faire part,* faire savoir : *j'ai fait part de cette bonne nouvelle à mon ami; lettre de faire part,* ou simplement *faire-part* (n. m.), lettre qui fait savoir qu'un enfant est né, que quelqu'un se marie, que quelqu'un est mort. — *à part,* excepté (si ce n'est) : *je ne connais pas cette famille, à part les deux fils.* — *pour ma part,* pour moi, en ce que me touche : *pour ma part, je ne pense pas comme vous.* — *de la part de quelqu'un,* en étant chargé par lui : *vous lui porterez ce crayon de la part de son frère (de ma part); — en bonne part,* dans un bon sens; *en mauvaise part,* dans un mauvais sens : *ne prenez pas cette lettre en mauvaise part.*

partage [partaʒ], n. m., action de couper en parts, en morceaux : *il faut faire le partage du gâteau; avoir en partage,* avoir comme part : *il a eu une maison en partage.*

partager [partaʒe], v. trans., couper en parts, en morceaux : *il a partagé son argent avec son frère; je partage vos idées (vos vues),* j'ai les mêmes idées que vous, je pense comme vous.

parti [parti], n. m., **1.** personnes qui se mettent ensemble parce qu'elles ont les mêmes idées, surtout en politique : *nous sommes du même parti.* **2.** *prendre un parti,* se décider pour quelque chose; *prendre parti,* se mettre du côté de quelqu'un : *les uns prennent parti pour le mari, les autres pour la femme; parti-pris,* idée que l'on a avant de savoir si quelque chose est vrai : *il faut juger sans parti pris; j'ai pris mon parti de ce qui est arrivé,* je vois qu'il n'y a plus rien à changer. **3.** *un parti,* un jeune homme ou une jeune fille qu'on veut marier : *c'est un beau parti,* il sera bon de l'avoir comme mari ou comme femme. **4.** *on lui a fait un mauvais parti,* on lui a donné des coups. **5.** *tirer parti de,* se servir de : *il sait tirer parti de tout ce qu'on lui donne.*

participe [partisip], n. m., forme du verbe : AIMANT *est le participe présent du verbe* AIMER, AIMÉ *est le participe passé.*

participer [partisipe], v. avec *à,* avoir une part dans quelque chose, prendre part à quelque chose : *nous avons tous participé à votre bonheur.*

particulier, ère [partikylje, ɛr], adj., **1** qui se rapporte seulement à une ou quelques personnes (ou choses) non à toutes (contraire : *général*) : *cette habitude lui est particulière.* **2.** qui n'est que pour une personne ou une famille : *une maison particulière* (c'est-à-dire pas un magasin ni des bureaux, etc.). — n. m. et f., personne qui n'occupe pas de place dans la vie publique : *après avoir été roi il a vécu comme un simple particulier.* — **en particulier : 1.** sert à marquer quelque chose d'important, qui doit être vu avec attention : *vous lirez ce livre, en particulier le commencement.* **2.** en dehors des autres personnes : *il lui a parlé en particulier.*

particulièrement [partikyljɛrmɑ̃], adv., de façon particulière, de façon importante : *j'ai été particulièrement heureux de vous savoir en bonne santé.*

partie [parti], n. f., **1.** morceau, part : *il habite une partie de la maison; il passe une grande partie de son temps à s'amuser; il a appris seulement la première partie de la leçon.* **2.** jeu : *faire une partie*, jouer : *ils ont fait une partie de cartes.* — **en partie,** pas tout à fait : *il a réussi en partie.*

partir [partir] *(je pars, tu pars, il part, nous partons, vous partez, ils partent; je partais; je partis; je partirai; que je parte; parti)*, v. intr. (se conjugue avec *être*), s'en aller d'un endroit : *il est parti de l'école à 4 heures; ce train part pour Paris; la balle est partie.* — **à partir de,** en commençant à (cette heure, ce jour, etc.) : *à partir du mois de juillet les jours deviennent plus courts.*

partout [partu], adv., dans tous les endroits, en tout lieu : *il me suit partout; on raconte cette nouvelle partout.*

parvenir [parvənir] (comme *venir*), v. intr. (se conjugue avec *être*), **1.** arriver à un endroit (souvent en prenant de la peine, en se donnant du mal) : *il est parvenu au haut de la montagne.* **2.** arriver à un résultat : *il est parvenu à avoir ce qu'il voulait.* — **parvenu, e,** n. m. et f., personne qui est partie de peu et est devenue riche, mais qui montre trop ce qu'elle était auparavant : *les parvenus font trop voir qu'ils sont devenus riches.*

1. pas [pa], n. m., **1.** mouvement que l'on fait avec les jambes pour marcher : *je n'ai pas fait un pas dehors,* je ne suis pas sorti; *ce bébé fait ses premiers pas,* il commence à marcher; fig., *il a fait les premiers pas,* il a cherché à être l'ami de quelqu'un; **2.** mesure d'un pas : *il habite à deux pas,* tout près d'ici. **3.** manière de marcher : *il marche d'un pas lent; il est venu au pas de course,* en courant; *les autos doivent aller au pas,* pas plus vite que l'homme marche; *les soldats marchent au pas,* en allant tous ensemble d'un même pas; *je vais chercher le médecin de ce pas,* tout de suite.

2. pas [pa], adv., avec *ne* : *il ne vous parle pas,* contraire de *il vous parle.* — **pas du tout,** est plus fort que *pas : je ne le connais pas du tout*; il s'emploie quelquefois au lieu de *non* : *êtes-vous allé en Italie? pas du tout.*

passage [pasaʒ], n. m., **1.** action de passer : *je l'ai attendu au passage du pont,* au moment où il passait le pont. **2.** endroit où l'on passe : *ce passage est dangereux.* **3.** endroit d'un livre : *ce passage de Victor Hugo est très beau.* **4.** ce qu'on paye pour un voyage sur mer : *son père lui a payé son passage.*

passager, ère [pasaʒe, ɛr], adj., qui passe vite : *ce mal est passager.* — n. m. et f., celui (celle) qui voyage sur la mer : *tous les passagers sont bien arrivés au port.*

passeport [paspɔr], n. m., pièce (papier) qui est nécessaire pour aller dans un autre pays : *j'ai demandé un passeport.*

passer [pase], v. intr. (avec *être* et *avoir*), **1.** aller d'un endroit dans un autre : *il est passé de la salle à manger dans sa chambre.* **2.** prendre comme route, avoir sur sa route : *il a passé par ce chemin; pour aller de Brest à Strasbourg il est passé par Paris.* **3.** ne pas rester, s'en aller : *le mauvais temps passera bientôt; cette couleur passe vite.* **4.** s'en aller dans d'autres mains : *le magasin passera à son fils.* — v. trans. (avec *avoir*), **1.** aller de l'autre côté : *nous avons passé la rivière.* **2.** ne pas lire un endroit d'un livre, ne pas parler de quelque chose : *il a passé la moitié du livre; il a passé une partie de l'histoire.* **3.** employer (en parlant du temps) : *il passe tout son temps à jouer; nous avons passé de bonnes vacances.* **4.** faire aller dans d'autres mains : *mon voisin m'a passé du sel.* **5.** *on passe tout à cet enfant,* on lui permet de tout faire. — **se passer, 1.** avoir lieu, arriver : *cette histoire se passe dans l'ancien temps.* **2.** *se passer de quelque chose,* ne pas en manger, en boire, ne pas en avoir en général : *il s'est passé de dîner; il a dû se passer de vacances.* — **passant, ante,** n. m. et f., celui (celle) qui passe : *le blessé a été trouvé par un passant.* — **passé, ée,** adj., **1.** qui est arrivé autrefois : *il m'a raconté des histoires du temps passé.* **2.** qu'on ne voit plus (en parlant des couleurs) : *une couleur passée.* — **passé,** n. m., **1.** le temps d'autrefois : *il ne faut pas trop penser au passé.* **2.** (grammaire) temps du verbe qui marque ce qui est arrivé : *passé simple : je chantai, tu vins; passé composé : j'ai chanté, tu es venu.*

passion [pasjõ], n. f., grand amour : *il a la passion des timbres.* — *la Passion du Christ* (dans la religion chrétienne), la mort du Christ.

passionné, ée [pasjɔne], adj., qui aime beaucoup : *cet élève est passionné d'histoire.*

pasteur [pastœr], n. m., **1.** celui qui garde les troupeaux (en poésie). **2.** ministre de la religion protestante : *ils ont été mariés par le pasteur.*

pâte [pɑ:t], n. f., **1.** farine mouillée que l'on peut travailler : *on travaille la pâte pour faire du pain ou des gâteaux.* **2.** *des pâtes,* aliments faits avec de la pâte. — EXPRESSIONS : *il met la main à la pâte,* il ne donne pas seulement des ordres, il travaille lui-même; *c'est une bonne pâte,* c'est un homme bon et doux; *il vit comme un coq en pâte,* il est très heureux et ne se donne pas beaucoup de peine.

pâté [pɑte], n. m., aliment fait avec de la viande ou du poisson : *du pâté de porc;* fig., *pâté de maisons,* groupe de maisons.

paternel, elle [patɛrnɛl], adj., qui se rapporte au père : *l'amour paternel,* l'amour du père pour ses enfants; *son grand-père paternel,* le père de son père; *son oncle paternel,* le frère de son père; *il lui a parlé d'une façon paternelle,* comme son père lui aurait parlé.

patience [pasjɑ̃s], n. f., qualité de celui qui est patient : *il a de la patience,* il est patient; *avec de la patience vous arriverez à un résultat.*

patient, ente [pasjɑ̃, ɑ̃t], adj., qui sait attendre, qui ne se met pas en colère quand quelque chose ne se fait pas vite : *il faut être patient avec les petits enfants.* — n. m. et f., celui (celle) qui est soigné par un médecin (surtout dans une opération) : *le patient a été vite guéri.*

pâtisserie [patisri], n. f., **1.** magasin où l'on fait et vend des gâteaux : *il s'est arrêté longtemps devant la pâtisserie.* **2.** gâteaux : *il aime beaucoup les pâtisseries.*

pâtissier, ère [patisje, ɛr], n. m. et f., celui (celle) qui fait et vend des gâteaux : *ce pâtissier sait faire de très bons gâteaux.*

patrie [patri], n. f., pays où on est né : *tous les hommes aiment leur patrie.*

patron, onne [patrõ, ɔn], n. m. et f., **1.** celui (celle) qui a des employés ou des ouvriers : *il est resté longtemps chez le même patron.* **2.** celui qui commande un petit bateau : *ce vieux patron connaît bien la côte.*

patte [pat], n. f., la jambe des animaux : *le chien a quatre pattes, le coq a deux pattes; des pattes de mouches,* des lettres trop petites, qu'on ne peut pas lire; *il lui a lancé un coup de patte,* il lui a dit quelque chose de méchant.

pâturage [patyraʒ], n. m., terrain où les animaux domestiques mangent de l'herbe : *on a conduit les bœufs au pâturage.*

pauvre [povre], adj., **1.** qui n'a pas d'argent (contraire : *riche*) : *il était très pauvre quand il était jeune.* **2.** qui ne produit pas beaucoup de choses : *cette région est très pauvre.* **3.** *un pauvre homme,* un homme malheureux : *ce pauvre homme a perdu son fils.* — n. m., celui qui n'a pas d'argent : *il faut aider les pauvres.*

pauvreté [povrete], n. f., état de celui qui est pauvre (contraire : *richesse*) : *plusieurs grands hommes sont morts dans la pauvreté.*

pavillon [pavijɔ̃], n. m., **1.** petite maison : *il habite un pavillon à la campagne.* **2.** drapeau (sur les bateaux) : *il a salué le pavillon*; fig., *il a baissé pavillon,* il a fini par dire oui.

paye (ou paie) [pɛj], n. f., ce qu'un ouvrier reçoit pour son travail : *il a reçu sa paye; c'est aujourd'hui jour de paye,* le jour où on reçoit sa paye.

payement ou **paiement** [pɛmɑ̃ ou pɛjmɑ̃], n. m., **1.** action de payer : *il a arrêté ses payements,* **2.** somme que l'on paye : *j'ai reçu mille francs en payement.*

payer [pɛje] *(je paie* ou *je paye, nous payons, vous payez; je payais, nous payions, vous payiez; je paierai* ou *je payerai; que je paie* ou *que je paye, que nous payons),* v. trans., donner l'argent qu'on doit pour un travail, pour un service, pour ce qu'on a acheté, etc. : *il paie (*ou *paye) ses ouvriers; il paiera (*ou *payera) sa chambre, ses impôts; nous avons payé un jouet à cet enfant.* — EXPRESSIONS : *il me le paiera (*ou *payera),* il m'a fait du mal, mais je le lui rendrai; *il paie (*ou *paye) de sa personne,* il travaille lui-même.

pays [pɛi], n. m., **1.** région qui a le même gouvernement et les mêmes lois : *la France et l'Angleterre sont des pays d'Europe.* **2.** région en général : *nous avons passé nos vacances dans un beau pays.* **3.** la région où l'on est né : *il a le mal du pays,* il voudrait rentrer dans la région où il est né.

paysage [pɛizaʒ], n. m., ce que l'on voit dans la campagne : *on voit un beau paysage de cette fenêtre; il a peint un paysage de montagne.*

paysan, anne [pɛizɑ̃, an], n. m. et f., celui (celle) qui vit à la campagne : *en été les paysans se lèvent très tôt.*

peau, plur. **peaux** [po], n. f., **1.** la partie extérieure (du dehors) du corps de l'homme et des animaux : *cet homme a la peau brune.* **2.** ce qui entoure des fruits : *il faut enlever la peau des fruits avant de manger.*

1. pêche [pɛʃ], n. f., fruit un peu plus petit que la pomme, et plus mou : *il a mangé une pêche avec du sucre.*

2. pêche [pɛʃ], n. f., **1.** action de prendre des poissons dans l'eau : *il est allé souvent à la pêche au bord de la rivière; bateau de pêche,* bateau qui sert à pêcher. **2.** les poissons qu'on a pris : *il est content de sa pêche; il a bien vendu sa pêche.*

péché [peʃe], n. m., faute au point de vue de la religion : *mentir est un péché.*

pécher [pɛʃe], *(je pèche, nous péchons; je pécherai),* v. intr., commettre (faire) un péché : *il a péché en se mettant en colère.*

1. pêcher [pɛʃe], n. m., arbre qui produit des pêches : *il y a de beaux pêchers dans ce jardin.*

2. pêcher [pɛʃe], v. trans., prendre des poissons dans l'eau (avec une ligne ou des filets) : *il a pêché beaucoup de poissons.*

pêcheur, euse [pɛʃœr, øz], n. m. et f., celui (celle) qui pêche : *les pêcheurs ont quitté le port.*

pédale [pedal], n. f., partie d'une machine qui est mise en mouvement au moyen du pied : *les pédales d'une bicyclette.*

peigne [pɛɲ], n. m., instrument avec des dents qui sert à mettre de l'ordre dans les cheveux : *il a nettoyé son peigne après s'en être servi;* fam., *sale comme un peigne,* très sale.

peigner [pɛɲe], v. trans., mettre de l'ordre dans les cheveux : *il s'est mal peigné ce matin.*

peindre [pɛ̃drə] *(je peins, tu peins, il peint, nous peignons, vous peignez, ils peignent; je peignais; je peignis; je peindrai; que je peigne; peint)*, v. trans., **1.** représenter avec des couleurs : *il a peint des animaux, il a peint un tableau;* fig., représenter avec des mots : *il a peint les hommes de son temps dans un beau livre.* **2.** mettre des couleurs : *il peint le mur de son jardin.*

peine [pɛ:n], n. f., **1.** travail qu'on fait avec effort : *j'ai eu beaucoup de peine à finir ce devoir; il s'est donné de la peine pour vous faire plaisir; donnez-vous la peine de vous asseoir, prenez la peine de vous asseoir,* façons polies de dire : « asseyez-vous ». **2.** sentiment qui rend triste : *la mort de son père lui a fait beaucoup de peine; j'ai eu de la peine quand j'ai su que vous étiez malade.* **3.** façon de punir (par exemple, un certain temps de prison) : *le tribunal a puni les voleurs de lourdes peines.* — **à peine, 1.** il n'y a pas longtemps : *je suis à peine arrivé.* **2.** presque pas : *je suis à peine fatigué.* — **à grand-peine,** avec beaucoup d'efforts; *j'ai monté la côte à grand-peine.*

peintre [pɛ̃trə], n. m., celui qui peint : *Raphaël a été un grand peintre; artiste peintre,* celui qui peint des tableaux; *peintre en bâtiments,* celui qui peint les maisons.

peinture [pɛ̃tyr], n. f., **1.** art de peindre : *cet artiste a appris la peinture en Italie.* **2.** tableau : *il y a de belles peintures dans cette église.* **3.** couleurs que l'on met pour peindre : *la peinture de cette auto est déjà partie.* **4.** action de peindre avec des mots : *il y a de belles peintures dans cette poésie.*

pelle [pɛl], n. f., outil avec un fer plat et un long manche qui sert surtout à enlever de la terre : *des ouvriers travaillent avec des pelles pour faire un chemin;* fig. et fam. : *il a ramassé une pelle,* il est tombé.

pencher [pɑ̃ʃe], v. trans., faire aller un peu de côté vers le bas : *il penche la tête; il a penché son verre.* — v. intr. : **1.** n'être pas droit, mais un peu de côté vers le bas : *la bouteille penche un peu.* **2.** être un peu d'un avis : *je penche vers cette idée.* — **se pencher,** baisser la tête ou le haut du corps : *ne pas se pencher au dehors* (dans les autobus et dans les trains).

Il se penche.

L'arbre penche.

pendant [pɑ̃dɑ̃], prép., marque le temps : *il a été malade pendant huit jours.* — **pendant que,** conj., *il est entré dans ma chambre pendant que je travaillais.*

pendre [pɑ̃drə] *(je pends, tu pends, il pend, nous pendons, vous pendez, ils pendent; je pendais; je pendis; je pendrai; que je pende; pendu)*, v. trans., **1.** mettre, attacher quelque chose par le haut : *il a pendu son manteau.* **2.** faire mourir en passant autour du cou une corde attachée à un arbre ou à un plafond : *dans plusieurs pays on pend ceux qui ont tué.* — v. intr., être attaché par le haut : *un linge pend à cette fenêtre.*

pendule [pɑ̃dyl], n. f., appareil qui marque les heures, plus grand qu'une montre : *il y a une pendule au mur de la salle à manger.*

pénétrer [penetre], v. intr., entrer : *il a pénétré dans la chambre.* — v. trans., comprendre les idées que quelqu'un cache : *j'ai bien pénétré ce qu'il voulait faire.*

pénible [peniblə], adj., **1.** qui cause de la fatigue : *il a fait cet été un travail pénible.* **2.** qui cause de la peine, qui rend triste : *cette nouvelle m'est très pénible.*

péniche [peniʃ], n. f., bateau qui porte des marchandises (surtout charbon, pierres, pétrole) sur les rivières :

les péniches sont lentes, mais peuvent porter des marchandises lourdes.

pensée [pɑ̃se], n. f., ce que quelqu'un pense : *il ne faut pas le déranger dans ses pensées; je cherche à connaître sa pensée; cette pensée est très belle.*

penser [pɑ̃se], v. trans., avoir dans l'esprit : *je pense beaucoup de bien de cet homme; je pense que vous travaillerez mieux demain.* — avec *à*, porter son esprit vers une personne, une chose ou une action : *je pense à votre frère; je pense à la maison que j'ai quittée; on pense à marier ce jeune homme.*

pension [pɑ̃sjɔ̃], n. f., **1.** ce qu'on paie pour habiter et pour manger dans un hôtel ou chez des personnes : *il paie une grosse pension.* **2.** *pension de famille,* hôtel un peu moins cher que les autres, où l'on habite pour un temps assez long : *il passe ses vacances dans une pension de famille.* **3.** maison où on reçoit des élèves qui y habitent : *il a envoyé sa fille en pension.* **4.** somme qu'on paie chaque année à une personne, en particulier pour les services qu'elle a rendus, quand elle ne travaille plus : *il reçoit une pension du gouvernement.*

pente [pɑ̃t], n. f., le côté d'une colline, d'une montagne : *il a descendu (monté) la pente; cette pente est dangereuse;* fig., *il est sur une mauvaise pente,* il se conduit mal.

Pentecôte [pɑ̃tkot], n. f., fête de la religion chrétienne, sept semaines après Pâques : *il a fait un petit voyage à la Pentecôte.*

percer [pɛrse] (*ç* devant *a* et *o*), v. trans., faire un trou dans quelque chose : *il a percé un trou dans le mur; il a percé le mur;* fig., *c'est un panier percé,* il dépense tout l'argent qu'il reçoit, il ne peut rien garder. **2.** *percer une rue,* faire une rue au milieu des maisons. — v. intr., se montrer, apparaître : *cet artiste commence à percer,* on commence à parler de lui. — **perçant, e,** adj., **1.** *des yeux perçants,* des yeux qui voient très loin; **2.** *des cris perçants,* des cris qui semblent faire des trous dans les oreilles : *il a poussé des cris perçants.*

perche [pɛrʃ], n. f., bâton très long et mince : *il a fait tomber des fruits avec une perche;* fig. et fam. : *c'est une perche,* c'est une personne très grande et très maigre.

perdre [pɛrdrə] *(je perds, tu perds, il perd, nous perdons, vous perdez, ils perdent; je perdais; je perdis; je perdrai; que je perde; perdu),* v. trans., **1.** oublier (ou laisser tomber) quelque chose et ne pas le trouver : *il a perdu son porte-monnaie;* fig. *il a perdu la tête, il a perdu le nord,* il n'a plus su ce qu'il faisait. **2.** (en parlant de l'argent) ne plus avoir l'argent qu'on a joué ou mis dans une affaire : *il a perdu mille francs au jeu; il a perdu beaucoup d'argent dans cette industrie.* **3.** *perdre de vue, a*) ne plus voir quelqu'un : *il était mon ami, mais il y a longtemps que je l'ai perdu de vue; b*) ne plus penser à quelque chose : *il a perdu de vue ce qu'il m'avait promis.* **4.** mal employer : *il perd son temps,* il passe son temps à ne rien faire d'utile; *il n'y a pas de temps à perdre,* c'est très pressé. **5.** *perdre la vie,* être tué : *cet homme a perdu la vie en sauvant un enfant.* **6.** *perdre une partie,* être battu (contraire : *gagner*) : *nous avons joué aux cartes, j'ai perdu deux parties.* **7.** *perdre quelqu'un, a*) ne plus avoir, parce que la personne est morte : *il a perdu son père; b*) faire beaucoup de mal à quelqu'un : *son ennemi à cherché à le perdre.* — **se perdre, 1.** ne plus trouver son chemin : *cet enfant s'est perdu dans la forêt.* **2.** ne plus comprendre : *je m'y perds,* je n'y comprends plus rien. **3.** disparaître (s'en aller) : *cette habitude se perd.*

père [pɛr], n. m., celui qui a des enfants : *son père l'élève bien.*

péril [peril], n. m., grand danger, danger de mort : *pendant l'orage les bateaux ont été en grand péril.*

période [perjɔd], n. f., temps : *nous serons bientôt dans la période des vacances.*

périodique [perjɔdik], adj., qui arrive toujours au même moment de l'année, du mois, etc. : *il fait des voyages périodiques.* — n. m., livre ou journal qui paraît toujours au même moment de l'année, du mois, etc. : *on paie moins cher à la poste pour les périodiques que pour les lettres.*

périr [perir], v. intr. (se conjugue avec *avoir*), **1.** mourir de blessures ou d'accident ou être tué (mais non mourir de maladie) : *il a péri à la guerre;* **2.** (en parlant d'un bateau) couler dans la mer : *le bateau a péri en mer.*

permanent, ent [pɛrmanɑ̃, ɑ̃t], adj., qui n'est pas pour un temps court, mais pour longtemps : *cet homme a trouvé un emploi permanent.*

permettre [pɛrmɛtrə] (se conjugue comme *mettre*), v. trans., laisser faire, donner la liberté : *son père lui a permis d'aller à bicyclette.* — **se permettre,** oser : *il s'est permis d'aller vous déranger.*

permis [pɛrmi], n. m., papier qui donne le droit de faire certaines choses: *le permis de chasse* permet de chasser, *le permis de conduire* permet de conduire une auto : *il a passè son permis,* on lui a donné son permis de conduire après qu'il a montré qu'il savait conduire une auto.

permission [pɛrmisjõ], n. f., **1.** action de permettre : *il m'a demandé la permission de sortir; il n'a pas voulu prendre ce livre sans votre permission.* **2.** sortes de vacances pour les soldats : *il a eu trois jours de permission* (ou *une permission de trois jours*).

perroquet [pɛrɔkɛ], n. m., gros oiseau des pays chauds qui a des plumes vertes et rouges et qui peut dire quelques mots quand on les lui a appris : *j'ai vu un perroquet qui savait dire bonjour;* fig., *c'est un vrai perroquet* ou *il parle comme un perroquet,* il parle sans comprendre ce qu'il dit.

personnage [pɛrsɔnaʒ], n. m., **1.** personne importante, *cet homme est un grand personnage dans son pays.* **2.** n'importe quelle personne (souvent dans un mauvais sens) : *c'est un drôle de personnage.* **3.** personne dans une pièce de théâtre, dans une histoire : *les personnages de cette pièce sont très amusants.*

1. personne [pɛrsɔn], n. f., **1.** homme ou femme : *j'ai rencontré plusieurs personnes dans la rue.* **2.** le corps de quelqu'un : *il est bien fait de sa personne.* **3.** (grammaire) *la première personne,* je, me, moi; nous; *la deuxième personne,* tu, te, toi; vous; *la troisième personne,* il, le, lui; elle, la. lui; ils, elles; les, leur; lui, elle, eux, elles. — **en personne,** moi-même, toi-même, lui-même : *il est venu en personne,* il n'a pas envoyé un autre à sa place.

2. personne [pɛrsɔn], pron. (toujours masc.), avec *ne* (ou seul dans les réponses), pas un homme, pas une femme : *personne ne me l'a dit; je n'ai trouvé personne à la gare; avez-vous vu quelqu'un? — personne.*

1. personnel, elle [pɛrsɔnɛl], adj., **1.** qui se rapporte à une personne : *il est parti avec ses affaires personnelles,* avec ce qui était à lui. **2.** (en parlant des personnes) qui pense seulement à soi, pas aux autres : *il n'est pas aimé, parce qu'il est trop personnel.* **3.** (grammaire) *pronoms personnels,* pronoms qui représentent des personnes ou des choses : *« je », « me », « moi » sont des pronoms personnels,*

2. personnel [pɛrsɔnɛl], n. m., les employés et les ouvriers d'une affaire, d'un magasin, d'une usine, d'un service : *le directeur est très content de son personnel.*

perte [pɛrt], n. f., le fait de perdre, de n'avoir plus : *il a fait de grosses pertes,* il a perdu beaucoup d'argent; *ce marchand vend à perte,* il vend moins cher qu'il n'a acheté, il perd de l'argent sur ce qu'il vend. — **à perte de vue,** aussi loin qu'on peut voir : *dans cette plaine il y a des champs à perte de vue* .

peser [pəze] *(je pèse, nous pesons; je pèserai)*, v. trans., mesurer le poids d'une chose : *l'épicier a pesé le sucre;* fig., *je pèse mes mots,* je dis bien ce que je veux dire. — v. intr., **1.** avoir comme poids : *ce paquet pèse trois kilos; ce sac pèse très lourd.* **2.** fig., *ce travail me pèse,* je suis fatigué de faire ce travail. — **pesant, ante,** adj., lourd : *l'or est un métal pesant; cela vaut son pesant d'or,* cela est vraiment très beau et très bon, on le paierait de son poids d'or.

petit, ite [pəti, pətit], adj., **1.** qui n'est pas grand, qui n'est pas haut : *il a une petite maison; cet homme est très petit; un petit enfant,* un jeune enfant. **2.** qui n'est pas important : *il habite une petite ville.* — n. m., **petit,** enfant d'un animal; *les oiseaux apportent à manger à leurs petits.* — **petit à petit,** adv., peu à peu, tout doucement.

petite-fille [pətit fij], n. f., la fille du fils ou de la fille : *la grand-mère apprend à coudre à sa petite-fille.*

petit-fils [pəti fis], n. m., le fils du fils ou de la fille : *le grand-père s'est promené avec son petit-fils.*

petits-enfants [pəti z ɑ̃fɑ̃], n. m., (toujours au plur.), les enfants du fils ou de la fille : *ce monsieur et cette dame ont trois petits-enfants : deux petit-fils et une petite-fille.*

pétrole [petrɔl], n. m., liquide qu'on trouve dans la terre et d'où on tire l'essence qui sert à faire marcher les autos : *on trouve du pétrole dans cette région; puits de pétrole,* trou qu'on creuse dans la terre pour chercher le pétrole : *on a creusé des puits de pétrole jusque sous la mer.*

peu [pø], adv., pas beaucoup, pas très : *il mange peu; il y a peu de monde dans les rues; il est peu intelligent* — **peu à peu**, pas vite : *l'eau coule peu à peu; peu de temps,* pas longtemps : *je me suis arrêté peu de temps.* — **à peu près, 1.** presque : *mon travail est à peu près fini.* **2.** un peu plus ou un peu moins : *il est à peu près dix heures.* — **un peu,** n. m., **1.** une petite quantité : *il a bu un peu d'eau.* **2.** un temps assez court : *je suis resté un peu à Paris;* fam., *un petit peu,* un peu : *donne-moi un petit peu de ce gâteau.*

peuple [pœplə], n. m., **1.** l'ensemble des personnes qui habitent un pays : *le peuple français.* **2.** l'ensemble des personnes qui ne sont pas riches : *le peuple n'a pas aimé ce film.*

peupler [pœple], v. trans., faire entrer des hommes dans un pays qui n'avait pas d'habitants (ou qui avait peu d'habitants) : *les Européens ont peuplé des pays loin de l'Europe.* — **peuplé, ée,** adj. **1.** qui a beaucoup d'habitants : *Paris est une ville très peuplée.* **2.** *peuplé de,* sert à dire le nombre d'habitants ou ce que sont les habitants : *la France est peuplée de 43 millions d'habitants; cette ville est peuplée de gens intelligents.*

peuplier [pœplije], n. m., grand arbre qui pousse souvent au bord des rivières : *les hauts peupliers sont très beaux à voir.*

Peuplier

peur [pœr], n. f., sentiment que produit l'idée d'un danger : *j'ai eu peur quand j'ai entendu ce grand bruit; j'ai peur de manquer le train; j'ai eu peur que vous ne veniez pas; faire peur,* causer de la peur : *le tonnerre lui fait peur; il est laid à faire peur,* il est très laid.

peureux, euse [pœrø, øz], adj. qui a peur facilement : *cet enfant est très peureux.*

peut-être [pœtɛtrə], adv., marque que quelque chose est possible : *il s'est peut-être trompé,* il est possible qu'il se soit trompé.

phare [far], n. m., **1.** tour qui porte une lumière pour aider les marins à trouver leur chemin la nuit sur la mer : *la lumière de ce phare est vue de très loin.* **2.** grosse lumière des autos : *il faut allumer les phares la nuit sur les routes.*

pharmacie [farmasi], n. f., **1.** magasin où on prépare et où on vend des médicaments : *dès que le médecin est sorti de chez nous, j'ai couru à la pharmacie acheter les médicaments.* **2.** art de préparer des médicaments : *il étudie la pharmacie.*

pharmacien, enne [farmasjɛ̃, ɛn], n. m. et f., celui (celle) qui prépare et qui vend des médicaments : *il y a deux pharmaciens dans cette petite ville.*

phono (fɔno), ou **phonographe** [fɔnɔgraf], n. m., appareil qui fait entendre les sons (la musique, les paroles) au moyen de disques : *il écoute son phono.*

photo [fɔto] ou **photographie** [fɔtɔgrafi], n. f., **1.** image d'une personne ou d'une chose que l'on fait avec un appareil : *cette photo est très réussie; j'ai pris une photographie de cette vieille maison.* **2.** art de faire ces images : *il a étudié la photographie.*

photographe [fɔtɔgraf], n. m. et f., celui (celle) qui fait des photos : *j'ai fait faire ma photo chez le photographe; il est bon photographe.*

photographier [fɔtɔgrafje], v. trans., faire une photo (ou des photos) : *il vient de photographier ses parents.*

photographique [fɔtɔgrafik], adj., qui se rapporte à la photographie : *un appareil photographique,* un appareil qui sert à faire des photos.

phrase [fraz], n. f., ensemble de mots qui ont un sens : *« mon ami est venu hier » est une phrase; il fait des phrases,* il dit de belles choses, mais rien de bon.

physique [fisik], adj., qui se rapporte au corps, aux choses : *le mal physique,* le mal du corps (non de l'esprit); — n. f., la science qui s'occupe des corps : *il a appris sa leçon de physique.* — n. m., ce qui se rapporte au corps de l'homme; *il n'a pas un beau physique; au physique* (contraire : *au moral*).

piano [pjano], n. m., instrument de musique : *il nous a joué un beau morceau de piano.*

pie [pi], n. f., oiseau noir et blanc; *bavard comme une pie,* très bavard (qui parle beaucoup).

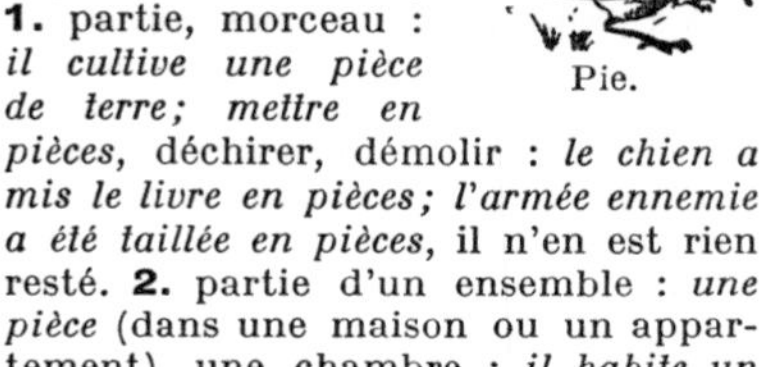

Pie.

pièce [pjɛs], n. f., **1.** partie, morceau : *il cultive une pièce de terre; mettre en pièces,* déchirer, démolir : *le chien a mis le livre en pièces; l'armée ennemie a été taillée en pièces,* il n'en est rien resté. **2.** partie d'un ensemble : *une pièce* (dans une maison ou un appartement), une chambre : *il habite un appartement de trois pièces.* **3.** monnaie : *une pièce d'argent, une pièce d'or.* **4.** unité : *une pièce de drap; une pièce de théâtre; il travaille aux pièces,* il est payé chaque fois qu'il fait quelque chose (et non à l'heure).

pied [pje], n. m., **1.** la partie du corps qui est au bout de la jambe : *il a mal au pied droit.* **2.** le bas de quelque chose : *cette table a quatre pieds; le pied d'un mur; le pied d'un arbre; le pied de la montagne.* **3.** ancienne mesure (environ 30 cm) : *un homme haut de six pieds.* — EXPRESSIONS : *je vais à pied* (pas en voiture, ni à bicyclette, ni à cheval); *je suis sur pied,* je suis levé, je suis debout; *le blé est sur pied,* il n'a pas encore été coupé; *ce pays a cent mille soldats sur pied de paix, deux cent mille sur pied de guerre,* il a 100.000 soldats en temps de paix, 200.000 en temps de guerre; *il vit sur un grand pied,* il dépense beaucoup d'argent; *je ne sais sur quel pied danser,* je ne sais ce que je dois faire; *il a pied* (dans l'eau), il sent le sol sous ses pieds; *il a perdu pied,* il ne sent plus le sol sous ses pieds, il est en danger; fig., ses affaires vont mal; *il a mis pied à terre,* il est descendu de cheval; *il défend le terrain pied à pied,* il recule en se battant; *on l'a mis au pied du mur,* on l'a obligé à dire oui ou non, ou à faire ce qu'il avait promis. —

Pied.

Pied de table.

Pied d'un arbre.

PROVERBE : *C'est au pied du mur qu'on voit le maçon,* on reconnaît ce que quelqu'un vaut à ce qu'il fait (non à ce qu'il dit).

piège [pjɛʒ], n. m., **1.** appareil qui sert à prendre les animaux : *on a pris cet oiseau dans un piège.* **2.** ce que l'on fait pour tromper quelqu'un : *on lui a tendu un piège,* on a cherché à le tromper; *il est tombé dans le piège,* il s'est laissé tromper.

pierre [pjɛr], n. f., matière dure qu'on trouve dans la terre : *il a ramassé une pierre; il est tombé sur un tas de pierres; cette maison est construite en pierres.* — EXPRESSIONS : *il a une pierre à la place du cœur,* il a le cœur très dur; *il ne faut pas lui jeter la pierre,* il ne faut pas être trop dur pour lui, même s'il a mal fait.

piété [pjete], n. f., amour de Dieu, de la religion : *c'est un homme d'une grande piété.*

piéton [pjetõ], n. m., celui qui va à pied : *les piétons doivent faire attention quand ils traversent les rues.*

pieu [pjø], n. m., sorte de bâton pointu : *on a planté des pieux autour de la prairie.*

pieux, pieuse [pjø, pjøz], adj., qui a l'amour de Dieu, de la religion : *c'est une personne très pieuse.*

pigeon [piʒõ], n. m., sorte d'oiseau : *dans cette ferme on élève des pigeons; pigeon voyageur,* sorte de pigeon qui sait revenir chez lui très vite et de très loin : *on s'est servi des pigeons voyageurs pour envoyer des nouvelles.*

pile [pil], n. f., **1.** objets mis les uns sur les autres : *une pile de pièces de monnaie.* **2.** sorte de gros mur qui sert à porter un pont : *les bateaux passent entre les piles du pont.* **3.** petit appareil qui produit un peu d'électricité : *les lampes électriques de poche marchent avec des piles.*

pilote [pilɔt], n. m., **1.** celui qui conduit un bateau : *un pilote est monté sur le bateau pour le faire entrer dans le port.* **2.** celui qui conduit un avion : *le pilote a fait monter l'avion au-dessus des montagnes.*

pin [pɛ̃], n. m., grand arbre droit, toujours vert. Ses feuilles, très minces, sont appelées *aiguilles;* son fruit, fait de petites pièces très dures, est appelé *pomme de pin : il y a des bois de pins au bord de la mer.*

pince [pɛ̃s], n. f., outil qui sert à serrer avec force : *il a serré le bouton de la porte avec une pince; pince à sucre,* instrument qui sert à prendre des morceaux de sucre.

pinceau [pɛ̃so], n. m., instrument qui est fait avec des poils au bout d'un manche et qui sert à peindre : *le peintre a passé son pinceau sur la toile.*

pincer [pɛ̃se] (ç devant *a* et *o*), v. trans., **1.** serrer très fort : *je me suis pincé le doigt dans la porte.* **2.** fam., prendre (quelqu'un), arrêter (quelqu'un) : *on a pincé le voleur.*

pincettes [pɛ̃sɛt], n. f. plur., sortes de longues pinces qui servent à prendre du bois ou du charbon dans le feu : *il arrange le feu avec des pincettes;* fig., *il n'est pas à prendre avec des pincettes,* il est très sale, ou il est très peu agréable.

pioche [pjɔʃ], n. f., outil fait avec un manche de bois et un long fer pointu, qui sert à creuser la terre : *il a creusé un fossé avec sa pioche.*

Pioche.

piocher [pjɔʃe], v. trans., **1.** creuser avec une pioche : *il a pioché le bas de la colline.* **2.** fig., fam., travailler, étudier : *cet élève a pioché son histoire.*

pipe [pip], n. f., petit appareil, en général en bois, qui sert à fumer : *il aime fumer sa pipe après le déjeuner.*

piquer [pike], v. trans., faire un trou avec un objet pointu : *sa sœur s'est* *piquée avec une épingle; un insecte m'a piqué cette nuit.* — **piquant, e,** adj., qui pique : *le froid est piquant.* — **piquant,** n. m., chose qui pique : *cette fleur a des piquants.* — **piqué, e,** adj., familier, un peu fou, *il a l'air piqué.* — **en piqué,** très vite de haut en bas : *l'avion est descendu en piqué.*

piquet [pikɛ], n. m., petit bâton pointu : *la tente est tenue au sol par des piquets.*

piqûre [pikyr], n. f., petit trou fait par quelque chose qui pique : *il a la main couverte de piqûres de moustiques; le médecin lui a fait une piqûre.*

pire [pir], adj., plus mauvais : *le temps est pire qu'hier.* — PROVERBES : *Il n'est pire eau que l'eau qui dort,* les gens qui se cachent pour mal faire sont les plus dangereux; *Il n'est pires sourds que ceux qui ne veulent pas entendre,* on ne peut faire comprendre ses idées à ceux qui ne veulent pas les comprendre.

pis [pi], adv., plus mal : *il a fait pis que son frère.* — EXPRESSIONS : *il dit pis que pendre de vous,* il dit beaucoup de mal de vous; *tout va de mal en pis,* de plus en plus mal; *tant pis,* cela ne va pas, mais on n'y peut rien changer,

pistolet [pistɔlɛ], n. m., petite arme à feu : *il a été blessé d'un coup de pistolet.*

pitié [pitje], n. f., sentiment qui pousse à aider ceux qui sont faibles ou malheureux : *il faut avoir pitié de ceux qui sont pauvres et malheureux; cet âge* (les enfants) *est sans pitié* (La Fontaine), les enfants n'ont pitié de personne.

placard [plakar], n. m., sorte d'armoire creusée dans un mur : *j'ai rangé mon manteau dans le placard.*

place [plas], n. f., **1.** espace libre : *il y a beaucoup de place dans cette chambre; je n'ai plus de place dans ma valise.* **2.** grand espace libre dans une ville : *la place de la Concorde, à Paris, est très grande.* **3.** espace pour mettre quelqu'un ou quelque chose : *il y a quatre places dans cette voiture; toutes les places ont été prises pour ce film; il faut mettre chaque chose à sa place.* **4.** le fait d'être employé (en parlant des personnes) : *il a trouvé une bonne place; il a changé de place; il a perdu sa place.* **5.** le rang qu'a un élève dans sa classe : *cet enfant a toujours de bonnes places.* **6.** *place forte,* ville avec des murs : *la place forte a été bien défendue.*

placer [plase] (ç devant *a* et *o*), v. trans., **1.** mettre dans un endroit : *j'ai placé la table devant la fenêtre; je n'ai pas été bien placé au cinéma.* **2.** trouver à quelqu'un une place (où il pourra être employé) : *il a bien placé tous ses enfants.* **3.** chercher à vendre en allant voir les personnes qui peuvent acheter : *il a du mal à placer ses appareils.* **4.** *placer de l'argent,* mettre de l'argent dans une banque, dans des affaires, etc.

plafond [plafõ], n. m., surface plate qui couvre le haut d'une chambre : *le plafond de cette chambre est trop bas.*

plage [plaʒ], n. f., la partie du bord de la mer qui est tout près de l'eau : *les enfants s'amusent beaucoup sur les plages de sable.*

plaie [plɛ], n. f., l'endroit d'une blessure : *on a mis un pansement sur sa plaie.*

plaindre [plɛ̃drə] *(je plains, tu plains, il plaint, nous plaignons, vous plaignez, ils plaignent; je plaignais; je plaignis; je plaindrai; que je plaigne; plaint),* v. trans., **1.** dire le sentiment qu'on a pour quelqu'un qui est malheureux : *il ne faut pas seulement plaindre les malheureux, mais les aider.* **2.** juger malheureux : *je vous plains d'avoir de mauvaises places.* — **se plaindre,** dire qu'on est malheureux ou qu'on n'est pas content : *il se plaint d'avoir froid; je me plains de n'avoir pas été écouté.*

plaine [plɛn], n. f., très grand terrain plat : *une rivière traverse cette grande plaine.*

plainte [plɛ̃t], n. f., **1.** ce que dit

quelqu'un qui a mal : *j'ai entendu les plaintes des blessés.* **2.** ce que vient dire à la justice quelqu'un à qui on a fait du tort : *le juge étudie les plaintes qu'il a reçues; porter plainte,* apporter sa plainte aux juges : *il a porté plainte contre celui qui l'a volé.*

plaire [plɛr] *(je plais, tu plais, il plaît, nous plaisons, vous plaisez, ils plaisent; je plaisais; je plus; je plairai; que je plaise; plu)*, v. (avec *à*), être agréable : *cette ville lui plaît beaucoup; il me plaît de partir demain; s'il vous plaît,* si cela vous plaît. — **se plaire, 1.** se trouver bien en un endroit : *il se plaît beaucoup à Paris.* **2.** avoir du plaisir à faire quelque chose : *je me plais à rappeler le bien que vous avez fait.*

plaisanter [plɛzɑ̃te], v. intr., dire des choses drôles pour s'amuser : *il aime à plaisanter avec ses amis.*

plaisir [plɛzir], n. m., sentiment que produit quelque chose d'agréable : *ce film m'a fait plaisir; j'ai eu du plaisir à lui écrire; nous aurons le plaisir de vous revoir bientôt; au plaisir (de vous revoir),* au revoir, à bientôt.

plan [plɑ̃], n. m., **1.** sorte de carte d'une ville ou d'une maison : *j'ai acheté un plan de Paris; il m'a dessiné le plan de sa maison.* **2.** moyens qu'on veut employer pour arriver à un résultat : *il m'a dit son plan pour passer de bonnes vacances.* **3.** *le premier plan,* les personnes et les choses qui sont sur le devant d'un tableau ou d'une photo; *le second plan,* ce qui est derrière; fig., *un homme de premier plan,* un homme très important. **4.** *laisser en plan,* ne plus s'occuper d'une personne ou d'une chose : *il a laissé son travail en plan.*

planche [plɑ̃ʃ], n. f., morceau de bois long et plat : *on a fait un mur de planches;* fig., *il est monté sur les planches,* il a joué dans un théâtre.

plancher [plɑ̃ʃe], n. m., ensemble des planches qui font le sol d'une maison ou d'un appartement : *il a sali le plancher en rentrant.*

plante [plɑ̃t], n. f., ce qui pousse dans le sol : *les arbres, les légumes, etc., sont des plantes.*

planter [plɑ̃te], v. trans., **1.** mettre une plante dans la terre pour qu'elle y pousse : *on a planté des arbres dans la cour.* **2.** enfoncer (faire entrer) dans la terre : *il a planté un bâton.* **3.** fam., *planter là,* ne plus s'en occuper : *il a planté là ses livres et est parti se promener.*

plaque [plak], n. f., morceau de métal (ou d'autre matière) mince et plat : *il a son nom sur une plaque de métal à sa porte.*

plastique [plastik], adj., qui peut recevoir toute sorte de formes; *arts plastiques,* la peinture, la sculpture (pas la musique); *matières plastiques,* matières tirées du charbon ou d'autres matières produites dans des usines, qui permettent de faire des objets utiles et bon marché : *ce verre est en matière plastique;* — **plastique,** n. m., matière plastique : *il a acheté un plat en plastique.*

1. plat, e [pla, plat], adj., **1.** se dit d'une surface où aucune partie n'est plus haute qu'une autre : *ce pays est très plat.* EXPRESSIONS : *à plat ventre,* couché sur le ventre; *mettre à plat, a*) mettre une chose de façon qu'elle soit bien plate; *b*) fam., fatiguer : *ce voyage m'a mis à plat; rouler à plat* (avec une bicyclette), rouler avec un pneu crevé (un pneu vide d'air). **2.** fig., peu intéressant : *cette histoire est très plate.*

2. plat [pla], n. m., **1.** récipient plat, plus grand qu'une assiette : *on a mis le plat au milieu de la table.* **2.** les aliments qui sont dans le plat : *nous avons mangé un bon plat de légumes.*

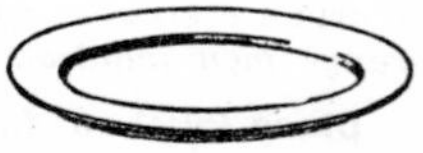

platane [platan], n. m., grand arbre gris qui vit surtout dans les pays assez chauds : *les enfants jouent à l'ombre des platanes.*

plateau [plato], n. m., **1.** grand plat rond : *on a fait passer les verres sur un plateau.* **2.** plaine élevée : *je vois un plateau au milieu des montagnes.*

plâtre [plɑtrə], n. m., matière blanche qui sert à couvrir les pierres des maisons ou à faire des sculptures : *les objets en plâtre se cassent quand ils tombent.* — EXPRESSION : *il a essuyé les plâtres,* il a été le premier à habiter dans une maison.

plein, pleine [plɛ̃, plɛn], adj., qui est rempli, où il n'y a pas de vide : *son verre est plein d'eau; la maison est pleine de gens; il ne faut pas parler la bouche pleine; je vous donne pleins pouvoirs,* vous pouvez faire ce que vous voulez; *il a la figure pleine,* bien ronde. — EXPRESSIONS : *en plein jour,* dans le jour; *en pleine nuit,* dans la nuit; *en pleine rue,* dans la rue; *en pleine campagne,* dans la campagne; *en pleine mer,* sur la mer, loin des côtes; *il a de l'argent plein les poches,* il a les poches remplies d'argent; fam., *plein de,* beaucoup de : *il y a plein de monde dans la rue; tout plein,* beaucoup, très : *il est gentil tout plein.*

pleurer [plœre], v. intr., répandre des larmes (liquide qui coule des yeux quand on est triste ou qu'on a mal) : *les enfants pleurent quand ils tombent.* — v. trans., *pleurer quelqu'un,* être triste parce que quelqu'un est mort : *il pleure son frère qu'il aimait beaucoup.*

pleuvoir [plœvwar] *(il pleut; il pleuvait; il plut; il pleuvra; qu'il pleuve; plu),* v. impers., *il pleut,* il tombe de l'eau du ciel : *il a plu beaucoup cet été; il pleut très fort;* fig., *il pleut des balles,* beaucoup de balles tombent.

pli [pli], n. m., **1.** résultat de l'action de plier : *il a fait un pli à son livre.* **2.** habitude : *cet enfant a pris de mauvais plis.* **3.** lettre : *j'ai envoyé plusieurs plis par la poste.*

plier [plije], v. trans., mettre une partie d'une chose (papier, linge) à plat sur l'autre : *il a plié sa chemise; il a plié ce papier en quatre.* — v. intr., **1.** se baisser : *l'arbre plie sous le vent.* **2.** faire ce que d'autres veulent : *il se plie à tout ce qu'on lui demande.*

plomb [plɔ̃], n. m., métal gris, assez mou et lourd : *soldat de plomb,* soldat (jouet) en plomb; *il nage comme un poisson de plomb,* il nage très mal; *plomb de chasse,* très petite balle ronde en plomb qu'on tire à la chasse; *fil à plomb,* poids en plomb (ou en autre métal) au bout d'un fil, qui sert à voir si un mur (un pied de table, etc.) est bien droit.

plombier [plɔ̃bje], n. m., ouvrier ou artisan qui s'occupe de l'eau et des appareils de chauffage : *nous avons appelé le plombier pour réparer notre appareil de chauffage.*

plonger [plɔ̃ʒe] (*ge* devant *a* et *o*), v. intr., se jeter dans l'eau d'un endroit plus ou moins élevé : *il a plongé de haut.* — v. trans., faire entrer : *il a plongé une arme dans le corps de la bête.* — **se plonger,** se donner à quelque chose dont on s'occupe : *il s'est plongé dans son travail.*

pluie [plɥi], n. f., eau qui tombe du ciel : *je regarde la pluie tomber.*

plume [plym], n. f., **1.** ce qui couvre le corps des oiseaux : *les plumes sont légères et chaudes.* **2.** petit outil en métal qui sert à écrire (parce qu'autrefois on écrivait avec des plumes d'oiseau, surtout des plumes d'oie) : *il a fait un trait à la plume.*

Plume d'oiseau. Plume à écrire.

plupart (la) [la plypar], n., le plus grand nombre, la plus grande partie. Avec *la plupart* le verbe se met au pluriel : *la plupart des enfants aiment jouer;* l'attribut de *la plupart* se met au masculin pluriel : *la plupart sont restés; la plupart du temps,* le plus souvent : *il travaille chez lui la plupart du temps.*

pluriel [plyrjɛl], n. m., (grammaire) ce qui marque qu'il y a plusieurs personnes ou plusieurs choses (contraire : *singulier*) : *« chevaux » est le pluriel de « cheval ».*

1. plus [ply; ply z devant voyelle : *plus intelligent :* ply z ɛ̃tɛliʒɑ̃; plys en fin de phrase : *il mange plus* : il mɑ̃ʒ plys], adv. (contraire : *moins*), **1.** marque une qualité, une action, un nombre, etc., supérieur (plus fort) : *il est plus intelligent que son frère; il s'est levé plus tôt que d'habitude; il marche plus que vous; tu as plus de livres que moi.* **2.** [prononcé toujours plys], marque qu'on ajoute un nombre à un autre (addition) : *trois plus deux font cinq.* — EXPRESSIONS : *tant et plus,* beaucoup, souvent : *je l'ai appelé tant et plus; de plus,* marque qu'on ajoute quelque chose : *je l'ai vu, et de plus je lui ai parlé; au plus, tout au plus,* marque qu'il est impossible que ce soit plus : *cet enfant a dix ans au plus (tout au plus); de plus en plus,* marque que quelque chose devient plus grand, plus important : *il travaille de plus en plus.*

2. plus [ply] ply z devant une voyelle : *je n'ai plus un franc :* ply z œ̃ frɑ̃], adv. (avec *ne*), marque que quelque chose a fini d'être : *j'avais des livres, je les ai donnés et maintenant je n'en ai plus; je n'ai plus vingt ans; il ne mange presque plus.*

plusieurs [plyzjœr, z devant voyelle : *plusieurs amis :* plyzjœrzami], pron. et adj. plur., quelques-uns, quelques : *nous avons passé plusieurs jours à la campagne.*

plus-que-parfait [plyskəparfɛ], n. m. (grammaire), temps du verbe qui marque qu'une action a été faite avant une autre action passée : J'AVAIS LU *le journal quand vous êtes entré.*

plutôt [plyto], adv., marque qu'on préfère, qu'on aime mieux : *venez plutôt demain qu'aujourd'hui* (faire attention : *plutôt* pour dire qu'on préfère et *plus tôt,* « de meilleure heure »).

pneu [pnø], ou **pneumatique** [pnømatik], n. m., **1.** sorte d'enveloppe en caoutchouc qu'on met autour des roues des autos, des motos, des bicyclettes, etc. : *nous avons dû changer les pneus.* **2.** à Paris, sorte de lettre qui est portée très vite à l'intérieur de la ville : *il m'a envoyé un pneu pour me prévenir.*

poche [pɔʃ], n. f., sorte de petit sac cousu dans les habits : *j'ai mis mon mouchoir dans ma poche; j'ai vidé mes poches; une lampe de poche,* une petite lampe électrique qu'on peut porter; dans sa poche; fig. et fam., *je le connais comme ma poche,* je le connais très bien (parce qu'on sait ce qu'on a dans sa poche).

Un poêle.

1. poêle [pwal], n. m., appareil de chauffage : *il se chauffe avec un poêle à bois (à charbon).*

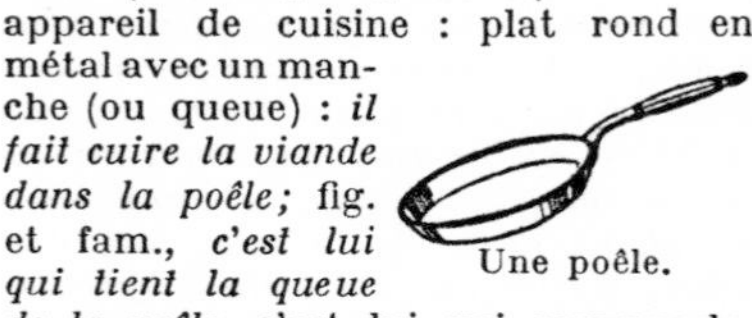
Une poêle.

2. poêle [pwal], n. f., appareil de cuisine : plat rond en métal avec un manche (ou queue) : *il fait cuire la viande dans la poêle;* fig. et fam., *c'est lui qui tient la queue de la poêle,* c'est lui qui commande.

poème [poɛm], n. m., morceau de poésie : *Victor Hugo a écrit de beaux poèmes.*

poésie [poezi], n. f., **1.** art de faire des vers (suites de mots écrits sur une ligne et agréables à l'oreille) : *j'aime la poésie.* **2.** ensemble de vers : *nous avons appris quelques poésies.* **3.** ce qui est beau et fait rêver : *cette petite ville est pleine de poésie.*

poète [poɛt], n. m., celui qui écrit en vers (qui fait des poésies) : *tous les pays ont eu de grands poètes.*

poids [pwa], n. m., **1.** ce que quelque chose pèse : *quel est le poids de ce paquet?* **2.** morceau de métal qui sert à peser : *j'ai laissé tomber plusieurs poids.* **3.** fig., qualité de ce qui est important : *c'est un homme d'un grand poids.* — *poids lourd,* grosse auto (auto-car, camion) : *il n'a pas le droit de conduire des poids lourds.*

poignée [pwaɲe], n. f., **1.** partie d'un objet qu'on tient dans la main :

la poignée de la porte; la poignée d'une arme. **2.** ce que la main peut tenir : *une poignée de grains.* **3.** (en parlant d'hommes), un petit nombre : *il a défendu la ville avec une poignée de soldats.* **4.** *donner une poignée de main,* serrer la main de quelqu'un, en lui disant « bonjour » ou « au revoir ».

poignet [pwaɲɛ], n. m., partie du corps où la main s'attache au bras : *il l'a pris par le poignet.*

poil [pwal], n. m., sorte de fil qui pousse sur la peau des hommes et des animaux : *ce chien a les poils très longs;* fam., *je n'ai pas un poil de sec,* je suis tout mouillé.

poing [pwɛ̃], n. m., la main fermée : *il m'a donné un coup de poing,* il m'a frappé avec la main fermée.

1. point [pwɛ̃], n. m., **1.** signe très petit : *je fais un point sur le tableau* (on met un point au-dessus des *i* et à la fin des phrases); fig., *je lui ai mis les points sur les i,* je lui ai tout expliqué. **2.** endroit où on pique l'aiguille dans un tissu : *je vais faire quelques points à cette blouse,* je vais coudre le tissu de cette blouse. **3.** note pour les élèves : *je vous ajoute un point,* je vous mets, par exemple, 7 au lieu de 6; *un bon point; un mauvais point.* — EXPRESSIONS : *point de départ,* endroit d'où l'on part, *point d'arrivée,* endroit où l'on arrive; *mettre quelque chose au point,* bien préparer : *j'ai mis mon idée au point; point du jour,* moment où le soleil se lève; *point de vue, a*) endroit élevé d'où l'on voit au loin, ce qu'on voit ainsi : *on a un beau point de vue du haut de cette colline. b*) ce que l'on pense : *je vais vous dire mon point de vue; à tout point de vue,* en tout : *cet élève est très bon à tout point de vue; au point de vue de,* en ce qui touche : *son maître est content de lui au point de vue de son travail; à point,* juste comme il faut : *la viande est cuite à point; vous arrivez à point,* au bon moment; *de point en point,* sans rien oublier; *je vais vous dire de point en point tout ce qui est arrivé; c'est un grand point,* c'est une chose importante.

2. point [pwɛ̃], adv., comme *pas* (adv.), mais moins employé : *je ne vous ai point vu depuis longtemps.*

pointe [pwɛ̃t], n.f., **1.** bout d'un outil, d'une arme, etc., qui pique : *je me suis piqué avec la pointe de l'aiguille.* **2.** petit clou : *il a fait tenir le tableau au mur avec une pointe.*

pointu, ue [pwɛ̃tu], adj., qui pique, qui a une pointe : *ce crayon est très pointu.*

poire [pwar], n. f., **1.** fruit assez mou et sucré : *nous vous apportons un panier de poires.* **2.** fam., personne qu'on trompe facilement : *cette bonne poire s'est laissé voler.*

poireau [pwaro], n. m., plante qu'on peut manger en soupe ou en légume : *une soupe aux poireaux.*

Poireau.

poirier [pwarje], n. m., arbre qui produit des poires : *il a planté un poirier dans son jardin.*

pois [pwa], n. m., sorte de légume petit et rond : *des pois cassés, des pois secs; un tissu à pois, une cravate à pois,* avec de petits ronds de couleur. — *petit pois,* n. m., sorte de pois verts, un peu plus gros que les autres : *nous avons mangé des petits pois avec du sucre.*

poison [pwazɔ̃], n. m., **1.** matière qui peut rendre malade ou tuer : *certaines plantes sont des poisons.* **2.** fam., chose peu agréable : *ce voyage est un poison.*

poisson [pwasɔ̃], n. m., animal qui vit toujours dans l'eau : *nous avons mangé du poisson à notre déjeuner; poisson de mer,* poisson qui vit dans la mer; *poisson de ri-*

vière, poisson qui vit dans les rivières, les lacs, etc.; *il nage comme un poisson,* il nage très bien. — PROVERBE : *Petit poisson deviendra grand,* une personne ou une chose peu importante peut devenir importante.

poitrine [pwatrin], n. f., partie du corps qui va du cou jusqu'au ventre : *il a une large poitrine.*

poivre [pwavrə], n. m., grains très petits, de couleur brune, qu'on met quelquefois dans les aliments : *il met trop de poivre dans sa soupe.*

poli, ie [pɔli], adj., **1.** qui est doux quand on le touche : *du bois poli.* **2.** qui sait bien se conduire avec les gens, qui salue, qui dit bonjour, merci, etc. : *cet enfant est très poli.*

police [pɔlis], n. f., ensemble des gens qui sont chargés de l'ordre (au sens 4) dans la rue, qui arrêtent les voleurs, etc. : *il a été arrêté par la police; agent de police,* homme qui fait partie de la police.

policier [pɔlisje], n. m., celui qui fait partie de la police, agent de police : *des policiers vont sur les routes avec des motos.*

politesse [pɔlitɛs], n. f., qualité d'être poli (de bien se conduire avec les gens) : *il m'a salué avec beaucoup de politesse; il m'a brûlé la politesse,* il est parti très vite, sans me dire au revoir.

1. politique [pɔlitik], n. f., tout l'ensemble des affaires du pays : *il s'occupe de politique; nous avons discuté de la politique du gouvernement; politique intérieure,* les affaires publiques de l'intérieur du pays; *politique extérieure,* les affaires qui se rapportent aux pays étrangers.

2. politique [pɔlitik], adj., qui se rapporte à la politique : *un homme politique,* un homme qui prend part à la vie du pays; *la science politique,* la science qui s'occupe du gouvernement des pays.

pommade [pɔmad], n. f., matière grasse qu'on met sur la peau pour certains soins ou sur les cheveux : *il a mis de la pommade sur les boutons qu'il avait aux mains;* fig. et fam., *passer de la pommade,* dire à quelqu'un beaucoup de bien de lui : *il lui passe de la pommade, mais il ne l'aime pas.*

pomme [pɔm], n. f., fruit assez gros et dur : *il a partagé une pomme avec sa sœur.* — **pomme de terre,** racine (partie de la plante qui est dans la terre) qui sert d'aliment : *nous avons mangé des pommes de terre avec la viande.*

pommier [pɔmje], n. m., arbre qui produit des pommes : *ces pommiers sont chargés de pommes.*

pompe [pɔ̃p], n. f., machine qui sert à faire monter l'eau : *il est allé chercher de l'eau à la pompe.*

Pompe.

pompier [pɔ̃pje], n. m., celui qui est employé pour éteindre le feu dans les maisons qui brûlent : *dès qu'on a vu le feu, on a appelé les pompiers; un pompier a été blessé en sauvant un enfant dans la maison qui brûlait.*

pondre [pɔ̃drə] (se conjugue comme *fondre*), v. trans., faire des œufs (en parlant des poules et des autres oiseaux) : *la poule a pondu deux gros œufs; les poules ne pondent pas beaucoup en hiver.*

pont [pɔ̃], n. m., **1.** construction (en bois, en pierres, en fer) qui permet de passer d'un bord à l'autre d'une rivière : *le nouveau pont est plus large que l'ancien; on a jeté un pont sur la rivière; pont de bateaux,* pont fait avec des bateaux mis à côté l'un de l'autre; *pont tournant,* pont qui tourne de façon que les bateaux puissent passer.

2. plancher qui couvre un bateau : *je me suis promené sur le pont.* **3.** jour où on ne travaille pas entre un dimanche et un jour de fête : *le 14 juillet était un mardi, nous avons fait le pont,* nous n'avons pas travaillé le lundi.

populaire [pɔpylɛr], adj., **1.** qui se rapporte au peuple (au sens 2) : *les plaisirs populaires,* les plaisirs qui sont aimés du peuple; *mot populaire,* mot qui est employé par le peuple. **2.** (en parlant des personnes) qui est aimé du peuple (au sens 1) : *ce gouvernement est très populaire.*

population [pɔpylasjɔ̃], n. f., ensemble des personnes qui habitent une ville, une région, un pays : *la population de notre ville est deux fois plus grande qu'il y a trente ans.*

porc [pɔr], n. m., animal de ferme (appelé aussi *cochon*) : *il est sale comme un porc,* il est très sale.

port [pɔr], n. m., **1.** *port de mer,* endroit sur la côte de la mer où les bateaux entrent pour laisser et pour prendre des personnes ou des marchandises : *le bateau est entré au port (est sorti du port)*; fig., *nous sommes arrivés à bon port,* nous sommes bien arrivés; — on appelle aussi *port* la ville où se trouve le port : *j'ai longtemps vécu dans un port.* **2.** *port de rivière,* endroit au bord de la rivière où les bateaux s'arrêtent : *on a déchargé du charbon au port près de la ville.*

porte [pɔrt], n. f., ouverture dans un mur qui permet d'entrer et de sortir : *la porte de la ville; la porte de la maison; j'ai ouvert (fermé) la porte; mettre à la porte,* faire partir, chasser : *on l'a mis à la porte du magasin où il travaillait.*

portefeuille [pɔrtəfœj], n. m., sorte d'enveloppe en cuir plié et cousu, où l'on range des papiers et des billets et que l'on met dans sa poche : *il a tiré un billet de cent francs de son portefeuille.*

porte-monnaie [pɔrtə mɔnɛ], n. m. (ne change pas au plur.), sorte de petit sac en cuir où on range de l'argent et qu'on porte dans sa poche : *il a ouvert son porte-monnaie pour payer le journal.*

porter [pɔrte], v. trans., **1.** avoir dans ses bras ou sur le dos quelque chose de lourd : *la maman porte le bébé dans ses bras; le soldat porte un sac sur le dos.* **2.** avoir sur soi (un habit, un chapeau, etc.) : *il porte un manteau gris.* **3.** *porter ses pas,* aller; *j'ai porté mes pas jusque chez vous; porter les yeux,* regarder : *j'ai porté les yeux sur la fenêtre; porter la main, a*) frapper, donner un coup : *il a porté la main sur son ami. b*) toucher : *ne portez pas la main sur ce tableau.* **4.** *porter malheur,* être cause de malheurs : *beaucoup de gens croient que le vendredi porte malheur.* — v. intr., **1.** atteindre (pouvoir toucher), aller jusqu'à : *ma vue porte très loin.* **2.** *porter sur,* être soutenu (être porté) par : *le poids de la table porte sur ses quatre pieds.* — **se porter, 1.** aller : *beaucoup de gens se sont portés à la gare pour le voir arriver.* **2.** être porté par plus ou moins de gens (en parlant d'un habit, d'une couleur, etc.) : *le bleu se porte beaucoup cette année.* **3.** être en bonne (ou en mauvaise) santé : *je me suis bien porté cette année.* — **bien portant, e,** adj., qui est en bonne santé : *il est bien portant.* — **mal portant, e,** adj., qui est en mauvaise santé, qui est malade : *elle est mal portante depuis quelques jours.*

porteur, euse [pɔrtœr, øz], n. m. et f., celui qui porte : *j'ai fait porter ma valise par un porteur; une porteuse de pain,* une femme qui porte le pain de la boulangerie aux clients.

portrait [pɔrtrɛ], n. m., image qui représente une personne : *il a au mur les portraits de son père et de sa mère; il a fait faire son portrait;* fig., *il est le portrait de son père,* il ressemble beaucoup à son père.

poser [poze], v. trans., mettre dans un endroit : *j'ai posé mes lunettes sur* *la table; poser une question,* demander quelque chose : *je ne peux pas répondre à la question que vous me posez.*

position [pozisjɔ̃], n. f., **1.** place qu'occupe une personne ou une chose : *ne prenez pas de mauvaises positions.* **2.** rang qu'on occupe dans la vie : *il n'a pas de position,* pas de métier. **3.** terrain qu'occupent des soldats : *cette colline est une position très forte.*

posséder [pɔsede] *(je possède, nous possédons; je posséderai),* v. trans., **1.** avoir à soi : *il possède deux maisons.* **2.** bien savoir, bien connaître : *il possède bien l'anglais.*

possessif [pɔsɛsif], adj. et n. m., (grammaire) : *dans « mon livre », « mon » est un possessif (un adjectif possessif* ou *un déterminatif possessif).*

possibilité [pɔsibilite], n. f., ce qui est possible, ce qui peut être fait, ce qui peut arriver : *il n'y a aucune possibilité de faire ce que vous demandez; cet enfant a beaucoup de possibilités,* il peut faire beaucoup de choses.

possible [pɔsiblə], adj., qui peut être fait, qui peut arriver : *il ne faut demander que ce qui est possible; il est possible de faire mieux; je ferai mon possible,* je ferai ce que je pourrai.

postal, ale, plur. **aux, ales** [pɔstal, o], adj., qui se rapporte à la poste : *le service postal; une carte postale,* une carte, avec ou sans image, qu'on envoie par la poste.

1. poste [pɔst], n. m., **1.** *poste de radio, a*) appareil d'où la radio se répand : *ce poste est très puissant, on l'entend de très loin; b*) appareil qui permet d'entendre la radio : *avec mon nouveau poste j'entends très bien la radio.* **2.** place dans un service : *il a un poste très important.* **3.** (militaire) endroit où un soldat est placé par ses chefs : *il est défendu de quitter son poste.* **4.** *poste de* police maison où sont des agents de police.

2. poste [pɔst], n. f., **1.** service public qui porte les lettres : *je vous écrirai par la poste.* **2.** bureau de poste : *je vais à la poste; je mets une lettre à la poste,* je mets une lettre dans une boîte aux lettres (même en dehors du bureau de poste). **3.** fig., *il court la poste,* il va très vite.

postier, ère [pɔstje, ɛr], n. m. et f., employé (employée) de la poste : *le postier fait bien son service.*

pot [po], n. m., récipient en terre, en métal, etc., où l'on met des fleurs ou des aliments : *un pot de fleurs, un pot de beurre; c'est le pot de terre contre le pot de fer,* il est moins fort que son ennemi (parce qu'un pot en terre est moins solide qu'un pot en fer).

Pot de fleurs.

potage [pɔtaʒ], n. m., soupe peu épaisse : *son assiette est pleine de potage;* fig., *pour tout potage,* sans rien d'autre : *on lui a donné cent francs pour tout potage.*

potager, ère [pɔtaʒe, ɛr], adj., *plante potagère,* légume; *jardin potager,* jardin où l'on fait pousser des légumes. — **potager,** n. m., jardin potager : *nous mangeons les légumes de notre potager.*

pouce [pus], n. m., le plus gros des doigts de la main : *il s'est blessé au pouce droit.* — EXPRESSIONS : *je m'en suis mordu les pouces,* j'aurais voulu ne pas avoir fait (ou dit) ce que j'ai fait (ou dit); *il a mis les pouces,* il a fini par faire ce qu'il ne voulait pas faire; *nous avons mangé sur le pouce,* très vite et sans faire de cuisine.

poudre [pudrə], n. f., **1.** matière écrasée en grains très petits : *du sucre en poudre, du chocolat en poudre.* **2.** matière en grains très petits qu'on met dans les armes à feu : *de la poudre de chasse.* EXPRESSION : *il jette de la poudre aux yeux,* il veut paraître plus qu'il n'est.

poule [pul], n. f., femelle du coq : *les poules courent dans la cour de la ferme;* fig., *c'est une poule mouillée,* il (ou elle) a peur de tout.

poulet [pulɛ], n. m., jeune coq ou jeune poule : *nous avons mangé du poulet à notre déjeuner.*

poumon [pumɔ̃], n. m., organe dans la poitrine qui sert à respirer : *il a été blessé au poumon droit;* fam., *il a de bons poumons,* il crie très fort.

poupée [pupe], n. f., jouet qui représente un enfant : *les petites filles jouent avec leurs poupées.*

Poupée.

pour [pur], prép., **1.** marque le but (ce qu'on veut faire), *il travaille pour vivre.* **2.** marque l'endroit où l'on veut aller : *il est parti pour Lyon; j'ai pris un billet pour Marseille.* **3.** marque le temps qu'on veut passer : *je suis ici pour huit jours.* **4.** au lieu de, *je vous ai pris pour mon frère,* j'ai cru que vous étiez mon frère. — **pour que,** conj. (avec le subjonctif), marque ce qu'on veut faire, le but : *je vous ai écrit pour que vous sachiez les nouvelles.*

pourboire [purbwar], n. m., argent qu'on donne à quelqu'un qui vous a servi, en plus de ce qu'on lui doit : *j'ai donné un pourboire au chauffeur du taxi.*

pour cent [pur sɑ̃], voir **pour.**

pourcentage [pursɑ̃taʒ], n. m., le rapport calculé sur 100 : *Quel est le pourcentage des habitants qui travaillent dans les champs?* — 15 % *(quinze pour cent).*

pourquoi [purkwa], adv. interrogatif, sert à demander la raison, la cause : *pourquoi êtes-vous parti si tôt?*

pourrir [purir], v. intr., devenir mauvais : *les fruits pourrissent à terre.*

poursuivre [pursɥivrə] (se conjugue comme *suivre*), v. trans., **1.** courir derrière quelqu'un pour le prendre : *on l'a poursuivi dans la rue.* **2.** continuer : *il a poursuivi sa route.* **3.** faire aller quelqu'un devant un tribunal pour qu'il soit jugé : *on a poursuivi le voleur devant le tribunal.*

pourtant [purtɑ̃], adv., tout de même, quand même : *il était malade, il s'est pourtant levé.*

pousser [puse], v. trans., **1.** faire aller en avant en faisant effort par derrière sur l'objet ou sur la personne (contraire : *tirer*) : *il a poussé la voiture sur quelques mètres;* fig., *il a poussé un cri,* il a crié. **2.** dire à quelqu'un de faire quelque chose : *il a poussé son frère à choisir ce métier.* **3.** continuer : *il a poussé son travail jusqu'au bout.* — v. intr., devenir grand (se dit surtout des plantes) : *l'herbe pousse vite.*

Il pousse la voiture.

poussière [pusjɛr], n. f., terre en grains très fins : *l'été il y a de la poussière sur les routes.* — Expressions : *la maison tombe en poussière,* il n'en reste plus rien; *il a mordu la poussière,* il a été tué (en se battant).

poussin [pusɛ̃], n. m., très jeune coq (ou poule), tout jaune, qui est sorti de l'œuf il n'y a pas longtemps : *la poule donne à manger à ses poussins.*

Poussin.

poutre [putrə], n. f., pièce de bois grosse et longue : *on voit les poutres du toit.*

pouvoir [puvwar] *(je peux ou je puis, tu peux, il peut, nous pouvons, vous pouvez, ils peuvent; je pouvais; je pus; je pourrai; que je puisse; pu),* v. trans., **1.** avoir le moyen de : *je peux partir demain si je veux.* **2.** il est possible que : *faites attention! vous pouvez tomber sur ce chemin.* — **il se peut,** il est possible : *il se peut que je n'arrive pas à l'heure.* — **pouvoir,** n. m., **1.** ce qu'on peut faire : *il a un grand pouvoir; il a peu de pouvoir; je n'ai pas le pouvoir de faire ce que vous me demandez; cela n'est pas en mon pouvoir.* **2.** *le pouvoir,* le gouvernement : *il est arrivé au pouvoir; les pouvoirs publics,* le gouvernement.

prairie [prɛri], n. f., grand terrain

avec de l'herbe : *les vaches sont dans la prairie.*

pratique [pratik], adj., **1.** qui est facile à employer (en parlant d'un meuble, d'un outil, etc.) : *ce nouvel appareil est très pratique.* **2.** (en parlant des personnes) qui sait faire quelque chose dans la vie : *il est très pratique.* — **pratique,** n. f., **1.** le fait de faire quelque chose (et non pas seulement de savoir comment cela se fait) (contraire : *théorie*) : *il a été formé dans son métier par la pratique.* **2.** façon de faire : *cette pratique n'est pas bonne.*

pratiquement [pratikmã], adv., en fait : *ce travail est pratiquement fini,* on peut dire qu'il est fini (même s'il ne l'est pas tout à fait).

pratiquer [pratike], v. trans., *pratiquer un métier, un art,* l'exercer (travailler dans ce métier, ou cet art) : *je pratique ce métier depuis longtemps.* — **se pratiquer,** se faire, être pratiqué : *ce sport se pratique beaucoup dans notre pays.*

pré [pre], n. m., petite prairie : *les enfants s'amusent dans le pré, à côté de la maison.*

précaution [prekosjõ], n. f., ce qu'on fait pour se défendre contre un danger qui peut venir : *prenez vos précautions contre le froid.*

précédent, ente [presedã, ãt], adj., qui est avant : *la semaine précédente.* — **précédent,** n. m., chose qui est déjà arrivée : *il n'y a jamais eu de précédent,* on n'a jamais vu une chose pareille.

précéder [presede] *(je précède, nous précédons; je précéderai),* v. trans., **1.** marcher devant, arriver avant : *il m'a précédé de quelques minutes.* **2.** être avant : *la Révolution a précédé Napoléon.*

précieux, euse [presjø, øz], adj., **1.** qui vaut très cher : *l'or est un métal précieux; pierre précieuse,* pierre qui a un grand prix et qui sert à faire des bijoux. **2.** qui est très utile : *ce livre m'est très précieux.*

précipiter [presipite], v. trans., rendre plus rapide : *il a précipité son départ.* — **se précipiter, 1.** se jeter de haut : *il s'est précipité par la fenêtre.* **2.** courir vers quelqu'un : *il s'est précipité dans mes bras.* **3.** faire quelque chose très vite : *ne vous précipitez pas.*

précis, ise [presi, iz], adj., où tout est clair, où rien d'important n'est oublié : *ses comptes sont très précis.* — n. m., petit livre où on met les choses les plus importantes : *un précis d'histoire de France.*

précisément [presizemã], adv., **1.** de façon précise, sans rien oublier : *il m'a raconté précisément ce qu'il a vu.* **2.** au moment même : *je voulais précisément vous écrire quand je vous ai rencontré.*

préciser [presize], v. trans., dire de façon précise (très claire et très complète) : *il a précisé le jour où il arrivera.*

précision [presizjõ], n. f., ce qui rend précis (clair et complet) : *il m'a apporté des précisions sur son voyage.*

préférence [preferãs], n. f., action de préférer : *cette couleur a ma préférence; je donne ma préférence à cette fleur,* je la préfère. — **de préférence,** plutôt : *venez de préférence le vendredi.*

préférer [prefere] *(je préfère, nous préférons; je préférerai),* v. trans., aimer mieux (on dit *aimer mieux que,* mais *préférer à*) : *je préfère le bleu au vert.*

préfet [prefɛ], n. m., celui qui est à la tête d'un département : *le gouvernement a nommé de nouveaux préfets.*

premier, ère [prəmje, ɛr], adj. et nom, qui est avant les autres : *vous vous arrêterez à la première maison du village; il est le premier de sa classe; matières premières,* matières importantes qu'on trouve dans la nature (blé, fer, pétrole, etc.); *le premier,* le premier étage : *nous habitons au premier.* — **première,** n. f., **1.** la première fois qu'on représente une pièce de théâtre : *je suis allé à la première de cette nouvelle pièce.* **2.** la première classe d'une école : *c'est un élève de première.* **3.** la première classe (train, métro) : *il voyage en première.* **4.** un billet de première classe : *donnez-moi deux premières pour Lyon.*

prendre [prɑ̃drə] *(je prends, tu prends, il prend, nous prenons, vous prenez, ils prennent; je prenais; je pris; je prendrai; que je prenne; prenant; pris)*, v. trans., **1.** fermer la main sur quelque chose, le mettre dans ses bras : *vous prendrez un crayon d'une main et un livre de l'autre; la mère prend son bébé dans ses bras;* fig., *j'ai pris l'affaire en main*, je m'en occupe. **2.** occuper de force : *l'ennemi a pris la ville.* **3.** arrêter : *le voleur a été pris.* **4.** aller chercher quelqu'un : *j'irai vous prendre chez vous.* **5.** *prendre un repas*, le manger; *prendre un billet*, le payer; *prendre le train, un bateau*, aller dans le train (sur le bateau). **6.** *prendre bien quelque chose*, ne pas en être triste, ne pas se mettre en colère à cause de cela : *il a bien pris le départ de son frère* (contraire : *prendre mal quelque chose*). **7.** *prendre pour*, choisir comme : *je vous prends pour juge.* **8.** *prendre une personne pour une autre*, se tromper en croyant qu'on a affaire à une personne (car c'est quelqu'un d'autre). **9.** *prendre quelque chose à quelqu'un*, le lui enlever : *on m'a pris ma place; un voleur m'a pris mon porte-monnaie.* **10.** *prendre peur*, commencer à avoir peur; *prendre froid*, être malade à cause du froid. — v. intr., **1.** s'allumer : *le poêle ne veut pas prendre; le feu a pris à une maison.* **2.** devenir solide par le froid : *la rivière a pris.* **3.** réussir : *son idée a pris.* **4.** commencer à être : *qu'est-ce qui lui prend?* quelle idée a-t-il? — **s'y prendre,** se servir de quelque chose : *comment vous y prenez-vous? il s'y prend bien (mal).* — **s'en prendre à quelqu'un,** dire à quelqu'un qu'il est cause du mal qui est arrivé : *il s'en est pris à moi de son accident.*

prénom [prenɔ̃], nom, nom que le père et la mère donnent à chacun de leurs enfants (si un homme s'appelle *Louis Dupont*, *Louis* est son prénom, *Dupont* son nom de famille) : *Jean et Henri sont des prénoms d'hommes (des prénoms masculins), Jeanne et Marie sont des prénoms de femmes (des prénoms féminins).*

préparation [preparasjɔ̃], n f., action de préparer (de faire ce qui est nécessaire) : *la préparation de son voyage lui a pris beaucoup de temps.*

préparer [prepare], v. trans., **1.** faire tout ce qui est nécessaire avant de commencer quelque chose : *j'ai préparé ce voyage depuis longtemps.* **2.** faire ce qui est nécessaire pour qu'une chose soit bien : *nous avons préparé un bon repas, une bonne chambre.*

préposition [prepozisjɔ̃], n. f., petit mot qu'on met devant un complément : *il va* À *Paris; le livre* DE *cet élève; il travaille* POUR *vivre*, etc.

près [prɛ], adv., marque qu'une chose ou une personne est voisine : *j'habite tout près.* — **près de,** prép. : *Versailles est près de Paris.*

présence [prezɑ̃s], n. f., le fait d'être là (contraire : *absence*) : *on n'a pas fait attention à sa présence; présence d'esprit*, qualité qui fait qu'on sait parler et faire vite et bien. — **en présence de,** devant (quand une personne est présente) : *il n'a pas osé parler en présence de son père (en votre présence).*

présent, e [prezɑ̃, ɑ̃t], adj., qui est là, dans cet endroit : *j'étais présent quand il est entré; une des personnes présentes s'est levée.* — n. m., **1.** le temps où l'on est : *il ne s'occupe que du présent.* **2.** (grammaire) temps du verbe qui se rapporte au moment où l'on parle : *« je chante » est un présent.* — **à présent,** maintenant, en ce moment : *il a plu tout à l'heure, à présent il fait beau.*

présenter [prezɑ̃te], v. trans., **1.** offrir, tendre avec la main quelque chose qu'on veut donner : *il m'a présenté une assiette de gâteaux.* **2.** faire connaître une personne à une autre : *il a présenté son frère à mes parents.* **3.** mettre en avant pour le montrer :

les soldats présentent les armes (pour saluer). — **se présenter, 1.** venir se montrer à quelqu'un : *il s'est présenté devant le tribunal.* **2.** avoir l'air, paraître : *ce devoir se présente bien.*

présidence [prezidɑ̃s], n. f., le fait d'être président : *sa présidence n'a pas été longue; ils ont discuté sous la présidence du directeur.*

président [prezidɑ̃], n. m., celui qui est à la tête d'une assemblée, d'une société : *on a voulu le nommer président de la République.*

présider [prezide], v. trans., être président : *il a longtemps présidé notre groupe.*

presque [prɛsk], adv., pas tout à fait : *ce verre est presque plein; nous sommes presque arrivés.*

presse [prɛs], n. f., **1.** machine qui sert à presser : *on met les habits sous la presse.* **2.** machine qui sert à imprimer : *ce journal a acheté de nouvelles presses; ce livre est sous presse,* on l'imprime en ce moment; *la liberté de la presse,* le droit de faire paraître des livres et des journaux. **3.** l'ensemble des journaux : *j'ai appris cette nouvelle par la presse.* **4.** le fait d'aller vite : *il n'y a pas de presse,* on n'a pas besoin d'aller vite.

presser [prɛse], v. trans., **1.** serrer avec force : *on a pressé ces fruits.* **2.** dire de faire vite : *mon père m'a pressé d'aller à la gare.* — v. intr., devoir être fait vite : *mon départ presse.* — **se presser,** faire vite : *je me suis trop pressé de faire ce travail.* — **pressé, ée,** adj., qui doit faire vite : *je suis pressé, je ne peux m'arrêter.* — **pressant, ante,** adj., qui oblige à faire vite : *une affaire pressante me force à prendre le train.*

pression [prɛsjɔ̃], n. f., action de presser (de serrer très fort) : *la pression de l'eau est très forte.*

pressoir [prɛswar], n. m., machine qui sert à écraser les fruits, surtout les raisins (pour faire du vin) : *on a porté les raisins au pressoir.*

prêt, e [prɛ, prɛt], adj., **1.** qui peut faire tout de suite quelque chose, qui a tout préparé pour faire quelque chose : *je suis prêt à faire ce voyage; ma femme n'est pas encore prête.* **2.** qui est préparé : *ma valise est prête.*

prétendre [pretɑ̃drə] (se conjugue comme *tendre*), v. trans., **1.** (avec un infinitif ou un subjonctif) vouloir : *il prétend partir demain; il prétend qu'on fasse tout ce qu'il veut.* **2.** (avec un infinitif ou un indicatif) dire avec force : *il prétend qu'on veut lui faire du mal.* — (avec *à*) vouloir arriver à quelque chose : *il prétend au gouvernement de son pays.*

prêter [prɛte], v. trans., **1.** donner à quelqu'un quelque chose qu'il devra rendre : *je vous prête ce livre pour quinze jours.* **2.** *prêter l'oreille,* écouter : *ne prêtez pas l'oreille à ce qu'il raconte.* — **se prêter,** bien vouloir : *il s'est prêté à tout ce qu'on a voulu.*

prétexte [pretɛkst], n. m., raison, cause, qui n'est pas vraie : *il a trouvé un prétexte pour nous quitter.* — **sous prétexte de, sous prétexte que,** en donnant une cause qui n'est peut-être pas vraie : *il est parti sous prétexte d'aller chercher son frère; il n'est pas allé au bureau sous prétexte que sa sœur était malade.*

prêtre [prɛtrə], n. m., celui qui sert une religion : *plusieurs prêtres habitent dans cette maison près de l'église.*

preuve [prœv], n. f., ce qui montre que quelque chose est vrai : *il a apporté la preuve de ce qu'il disait.* — Expressions : *faire preuve de,* montrer une qualité : *il a fait preuve de courage; faire ses preuves :* montrer ses qualités : *ce jeune médecin n'a pas encore fait ses preuves.*

prévenir [prevnir] (se conjugue comme *venir*), **1.** dire à quelqu'un une chose avant qu'elle arrive : *il m'a prévenu qu'il arriverait demain; il n'a pas prévenu ses amis de son départ.* **2.** aller plus vite que quelqu'un : *j'allais l'aider, mais vous m'avez prévenu; il a prévenu ce malheur,* il a fait en sorte que ce malheur n'arrive pas. — **prévenu, ue,** adj., **1.** qui a par avance des idées pour ou contre quelqu'un : *il est prévenu contre vous.* **2.** qui est accusé, *il est prévenu d'avoir volé* (également nom en ce sens, comme *accusé : le juge a fait entrer le prévenu*).

prévoir [prevwar] (se conjugue comme *voir*, mais le futur est *je prévoirai* et le conditionnel *je prévoirais*), v. trans., avoir l'idée que quelque chose arrivera : *je prévois du mauvais temps; je prévois que vous réussirez.*

prier [prije], v. trans., **1.** dire à Dieu ce qu'on lui demande : *il a longtemps prié.* **2.** (avec *de* et l'infinitif) demander à quelqu'un de faire quelque chose : *il l'a prié de s'asseoir;* fig., *il se fait prier,* il ne donne pas tout de suite ce qu'on lui demande.

prière [prijɛr], n. f., **1.** ce qu'on dit à Dieu : *il a fait une prière.* **2.** ce qu'on dit à une personne quand on lui demande quelque chose : *il n'a pas écouté ma prière.* **3.** *prière de ne pas fumer,* façon polie de dire qu'il est défendu de fumer.

prince, esse [prɛ̃s, prɛ̃sɛs], n. m. et f., personne de très haut rang (surtout fils ou fille d'un roi) : *le prince de Galles est le fils du roi d'Angleterre.* — EXPRESSIONS : *il est bon prince,* il commande, mais il n'est pas méchant; *il est habillé (mis) comme un prince,* il est très bien habillé.

principal, ale; plur. **aux, ales** [prɛ̃sipal, prɛ̃sipo], adj., **1.** le plus important : *il faut apprendre les villes principales des grands pays.* **2.** (grammaire) *proposition principale* (contraire : *proposition subordonnée*) : *dans la phrase « je pense qu'il viendra », « je pense » est la proposition principale.* — **le principal,** n. m., ce qui est le plus important : *vous avez oublié le principal.*

principe [prɛ̃sip], n. m., **1.** ce qui est le plus important pour quelque chose : *le mouvement est le principe de la vie.* **2.** idée sur la façon de se conduire : *il a pour principe de se lever de bonne heure; il a de bons principes.* — **en principe,** d'une façon générale : *en principe je suis chez moi à huit heures.*

printemps [prɛ̃tã], n. m., la saison qui suit l'hiver, du 21 mars au 21 juin : *les fleurs poussent au printemps; le printemps de la vie,* le temps où l'on est jeune.

prison [prizõ], n. f., maison où on met les gens qui ont été punis par les tribunaux : *on a envoyé le voleur en prison; il a fait deux ans de prison.*

prisonnier, ère [prizɔnje, jɛr], n. m. et f., celui (celle) qui est en prison : *on a permis au prisonnier de sortir; prisonnier de guerre,* soldat qui a été pris par l'ennemi.

privé, ée [prive], adj., qui se rapporte à la vie des hommes (comme maris, comme pères, etc.), en dehors de la vie publique (la vie du citoyen) : *ne vous occupez pas de ma vie privée; propriété privée,* maison, terre, etc. qui est à une personne et non à une commune ou à l'État.

priver [prive], v. trans., *priver quelqu'un de quelque chose,* le lui enlever ou ne pas le lui donner : *on l'a privé de gâteaux.* — **être privé de,** ne pas avoir, manquer de : *nous sommes privés d'eau depuis deux jours.* — **se priver de** *quelque chose,* ne pas prendre un plaisir, ne pas se servir de quelque chose : *ce jeune homme s'est privé de cinéma pour rester avec ses parents.*

prix [pri], n. m., **1.** ce que coûte quelque chose : *il a demandé le prix de cette auto.* EXPRESSIONS : *un objet de prix* (ou *de grand prix*), un objet qui vaut très cher; *cela est sans prix, cela n'a pas de prix,* cela vaut si cher qu'on ne peut pas le dire; *je viendrai à tout prix,* je viendrai de toute façon (même si cela devait me coûter très cher). **2.** ce qu'on donne à quelqu'un qui a réussi, en particulier les livres qu'on donne aux élèves qui ont bien travaillé : *le meilleur élève a reçu de beaux prix.*

probable [prɔbablə], adj., qui est plus que possible, qui a des chances d'arriver : *le beau temps est probable;*

il est probable que nous irons à la mer cet été.

problème [prɔblɛm], n. m., **1.** question sur des nombres : *le problème que le maître nous a donné n'est pas facile.* **2.** chose difficile : *pour certaines personnes la vie est un problème.*

procédé [prɔsede], n. m., **1.** façon de faire quelque chose : *on a maintenant de nouveaux procédés pour nettoyer.* **2.** façon de se conduire avec d'autres personnes : *il a eu de bons (de mauvais) procédés avec son frère.*

procès [prɔsɛ], n. m., affaire que l'on porte devant un tribunal : *son voisin lui a fait un procès; il a gagné son procès,* les juges ont dit qu'il avait raison; *il a perdu son procès,* les juges ont dit qu'il avait tort.

prochain, aine [prɔʃɛ̃, ɛn], adj., **1.** voisin, qui n'est pas loin : *je vous verrai le mois prochain,* le mois qui vient après celui où nous sommes (de même : *l'année prochaine, l'an prochain, la semaine prochaine, dimanche prochain,* etc.) (contraire : *le mois dernier, l'année dernière,* etc.). **2.** (grammaire) *futur prochain* : JE VAIS PARLER *est le futur prochain du verbe « parler ».* — **le prochain,** n. m. (toujours au sing.), les autres hommes : *il faut aimer son prochain.*

proche [prɔʃ], adj., (contraire : *éloigné*), qui est près, qui n'est pas loin : *nous nous arrêterons à la gare la plus proche.*

procurer [prɔkyre], v. trans., faire avoir : *cet ami a procuré une place à mon frère.* — **se procurer,** faire ce qui est nécessaire pour avoir (en achetant ou autrement) : *je me suis procuré ce livre.*

producteur, trice [prɔdyktœr, tris], adj. et n., qui produit : *un pays producteur de fruits; une région productrice.*

production [prɔdyksjɔ̃], n. f., **1.** action de produire : *la production de ce pays est plus grande qu'il y a dix ans.* **2.** ensemble de ce qui est produit : *les productions du sol.*

produire [prɔdɥir] (se conjugue comme *conduire*), v. trans., faire quelque chose : *cet arbre produit de bons fruits; cette usine produit des chaussures.* — **produit,** n. m., la chose qui est produite : *ce marchand ne vend que de bons produits.*

professeur [prɔfɛsœr], n. m., celui qui apprend quelque chose aux élèves (on dit *un professeur,* même si on parle d'une femme) : *il faut écouter ce que dit votre professeur; cette dame est un bon professeur; un professeur de français, de musique,* etc.

profession [prɔfɛsjɔ̃], n. f., métier : *il a quitté sa profession pour en prendre une nouvelle.*

professionnel, elle [prɔfɛsjɔnɛl], adj., **1.** qui fait quelque chose par métier : *un musicien professionnel.* **2.** qui se rapporte à une profession (à un métier) : *école professionnelle,* école qui prépare à un métier. — n. m., et f. celui (celle) qui fait un sport par métier, pour gagner de l'argent, (contraire : *amateur*).

profit [prɔfi], n. m., ce que l'on gagne à faire quelque chose : *il tire un grand profit de ce magasin;* fig. (en parlant d'autre chose que de l'argent) : *j'ai tiré un grand profit de ce voyage.*

profiter [prɔfite], v., **1.** (avec *de*) gagner, tirer profit : *cet enfant a bien profité du temps qu'il passe à la campagne; il a profité de votre départ pour s'amuser,* quand vous êtes parti, il s'est amusé. **2.** (avec *à*) être utile, faire du bien : *la campagne lui a profité.*

profond, e [prɔfɔ̃, ɔ̃d], adj., **1.** qui est loin de la surface (en allant de haut en bas) : *cette rivière est très profonde.* **2.** qui voit, par l'esprit, plus loin que les autres : *il a des idées profondes.*

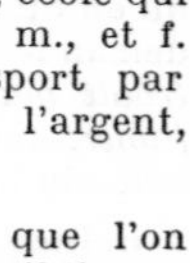

Ce puits est profond.

profondeur [prɔfɔ̃dœr], n. f., **1.** qualité de ce qui est profond : *la profondeur de la rivière; la profondeur de ses idées.* **2.** mesure de ce qui est profond : *le lac a trois mètres de profondeur.*

programme [prɔgram], n. m., **1.** ce qu'on va jouer dans un théâtre, un cinéma, etc., ce qu'on veut faire : *ce cinéma a un beau programme; quel est votre programme pour ce soir?* **2.** papier où on peut lire ce qui va être joué dans un théâtre, un cinéma, une fête : *j'ai acheté le programme en entrant au théâtre.*

progrès [prɔgrɛ], n. m. (souvent au pluriel), tout ce qui est mieux qu'autrefois : *nous avons fait des progrès depuis cent ans; le chemin de fer et l'auto ont apporté des progrès dans la façon de voyager; cet élève a fait des progrès,* il a de meilleurs résultats.

projectile [prɔʒɛktil], n. m., chose qu'on lance avec la main ou avec une arme : *une pierre peut servir de projectile.*

projet [prɔʒɛ], n. m., **1.** ce qu'on veut faire : *j'ai fait des projets pour les vacances.* **2.** idées et dessins pour une nouvelle machine : *l'ingénieur a fait un projet de machine électrique.*

prolonger [prɔlɔ̃ʒe] (avec *ge* devant *a* et *o* : *il prolongeait*), v. trans., rendre plus long dans le temps : *nous avons prolongé nos vacances.*

promenade [prɔmnad], n. f., **1.** action de se promener : *nous avons fait une belle promenade au bord de la rivière.* **2.** *promenade (publique),* endroit d'une ville, en général planté d'arbres, où les gens vont se promener: *je l'ai rencontré sur la promenade.*

promener [prɔmne] *(je promène, nous promenons; je promènerai),* v. trans., conduire quelqu'un dans les rues ou à la campagne, en dehors du travail : *la maman promène son petit enfant.* — **se promener,** aller dans les rues, sur les routes, dans les bois, etc., sans avoir aucun travail à faire, seulement pour prendre l'air et regarder : *nous nous sommes promenés dans les rues importantes de votre ville.*

promesse [prɔmɛs], n. f., action de promettre : *il m'a fait de grandes promesses; tenir sa promesse,* faire ce qu'on a promis : *il m'a promis de venir, mais il n'a pas tenu sa promesse.*

promettre [prɔmɛtrə] (se conjugue comme *mettre*), v. trans., dire qu'on fera (ou qu'on donnera) quelque chose : *j'ai promis un livre à mon neveu s'il travaillait bien; le médecin lui a promis de le guérir.* — **se promettre,** décider que l'on fera quelque chose : *il s'est promis de faire attention.*

prompt, e [prɔ̃, prɔ̃t], adj., rapide : *son départ a été très prompt.*

pronom [prɔnɔ̃], n. m., (grammaire) mot qui remplace un nom : *votre frère vient,* IL *arrive demain* (*il* est un pronom parce qu'il remplace *votre frère*). Exemples de pronoms : *je, me, il, nous; celui-ci; le mien; chacun; qui.*

prononcer [prɔnɔ̃se] (avec *ç* devant *a* et *o* : *je prononçais*), v. trans., **1.** dire (au point de vue de la façon de parler) : *il prononce mal les s.* **2.** (en parlant d'un tribunal) faire savoir ce qui a été décidé : *le tribunal a prononcé une peine.* — **se prononcer,** faire connaître ce qu'on pense (si on est pour ou contre une personne ou une chose) : *il s'est prononcé contre vous.*

prononciation [prɔnɔ̃sjasjɔ̃], n. f., façon dont on prononce, dont on dit les mots : *cet élève n'a pas une bonne prononciation.*

propagande [prɔpagɑ̃d], n. f., action de répandre des idées : *il fait beaucoup de propagande pour ses idées.*

propos [prɔpo], n. m., ce que quelqu'un dit : *je n'ai pas écouté ses propos.* — EXPRESSIONS : *vous arrivez à propos,* au bon moment, quand il faut; *il parle toujours mal à propos,* au mauvais moment, quand il ne faut pas; *il rit à tout propos,* à chaque instant. — **à propos de,** relie ce qu'on va dire à ce que quelqu'un dit : (quelqu'un vient de dire qu'il a été en Italie) *A propos de l'Italie, j'ai reçu une lettre de Rome.*

proposer [prɔpoze], v. trans., présenter une personne, une chose, une idée : *je vous propose mon ami pour remplacer l'employé qui vous a quitté; il lui a proposé de faire un voyage avec lui.* — **se proposer, 1.** se présenter pour quelque chose : *je me propose pour vous aider.* **2.** *se proposer de,* vouloir, avoir dans l'esprit : *je me propose de rester longtemps dans cette ville.*

proposition [prɔpozisjɔ̃], n. f., **1.** ce qu'on propose : *je n'ai pas écouté ses propositions; l'ennemi a fait des propositions de paix.* **2.** (grammaire) partie de phrase (avec un verbe) : dans *je crois qu'il fera beau,* il y a deux propositions : *je crois* et *qu'il fera beau.*

propre [prɔprə], adj., **1.** qui est bien nettoyé, qui n'est pas sale : *ses habits sont toujours très propres.* **2.** qui est bien à quelqu'un : *je l'ai vu de mes propres yeux* (de mes yeux et non par les yeux d'une autre personne); *j'ai remis cette lettre en mains propres,* à la personne même qui devait la recevoir; *il a cette maison en propre,* elle est bien à lui. **3.** (grammaire) *sens propre,* le premier sens d'un mot (contraire : *sens figuré*); *mot propre,* le mot qu'il faut (et pas un autre qui serait moins bon). **4.** (grammaire) *noms propres,* noms des personnes, des villes, des rivières, des montagnes, des pays, etc. : *Jean, Paris, la Seine, les Alpes, la France sont des noms propres* (contraire : *noms communs*). **5.** qui peut faire une chose : *tout le monde n'est pas propre à cette sorte de travail.* — **le propre,** n. m., ce qui est propre à quelqu'un et que les autres n'ont pas : *rire est le propre de l'homme :* l'homme seul rit (les animaux ne rient pas).

proprement [prɔprəmɑ̃], adv., **1.** de façon propre (au sens 1, contraire de *sale*) : *ce jeune enfant ne mange pas encore proprement.* **2.** (grammaire) en employant le mot propre (le mot qu'il faut) : *à proprement parler, je ne l'aime pas*; *proprement dit,* au sens le plus étroit du mot : *la grammaire proprement dite,* la grammaire, sans qu'on y ajoute d'autres sciences (par exemple l'histoire des mots).

propreté [prɔprəte], n. f., qualité de ce qui est propre (au 1er sens) : *il y a beaucoup de propreté dans cette maison.*

propriétaire [prɔprijetɛr], n. m. et f., **1.** celui (celle) qui a quelque chose : *ce paysan est propriétaire de sa ferme.* **2.** en particulier, celui qui a une maison qu'il loue : *il a parlé au propriétaire avant de louer.*

propriété [prɔprijete], n. f., **1.** ce que quelqu'un a bien à lui : *ces livres sont ma propriété.* **2.** maison avec jardin à la campagne : *il a acheté une belle propriété au bord de la mer.* **3.** ce qui est particulier à quelque chose : *chaque métal a ses propriétés.* **4.** (grammaire) qualité qui fait qu'un mot est bien choisi : *il écrit avec beaucoup de propriété.*

protection [prɔtɛksjɔ̃], n. f., **1.** action de protéger, de défendre contre un danger : *cet enfant s'est placé sous ma protection.* **2.** ce qui protège, ce qui défend contre un danger : *des murs épais sont une protection contre le froid.*

protéger [prɔteʒe] *(je protège, nous protégeons; je protégerai),* v. trans., **1.** couvrir, défendre contre un danger : *ce manteau vous protégera du froid.* **2.** aider quelqu'un et empêcher qu'on lui fasse du mal : *il faut protéger ceux qui travaillent pour les autres.*

protestant, ante [prɔtɛstɑ̃ ɑ̃t], adj. et n., qui est d'une des grandes religions : *la religion protestante; un protestant, une protestante.*

protestation [prɔtɛstasjɔ̃] n. f., **1.** action de protester (au sens 1), de parler ou d'écrire contre quelque chose : *on l'a arrêté sans écouter ses protestations.* **2.** action de protester (au sens 2), de dire que des sentiments sont vrais : *il m'a fait de grandes protestations d'amitié.*

protester [prɔtɛste], v. intr., **1.** (sans complément ou avec *contre*) parler ou écrire contre quelque chose qu'on pense n'être pas juste ou pas vrai : *je proteste contre ce que vous avez dit de mon ami.* **2.** (avec *de*) dire que des sentiments sont vrais : *il proteste de ses bons sentiments pour vous.*

prouver [pruve], v. trans., montrer de façon certaine la vérité de quelque chose : *il a prouvé son courage; je vous prouverai que j'ai raison.*

provenir [prɔvnir] (se conjugue

comme *venir*), v. intr., venir d'un endroit : *ces fruits proviennent du midi.*

proverbe [prɔvɛrb], n. m., phrase que tout le monde emploie pour faire connaître une vérité : « *mieux vaut tard que jamais* » *est un proverbe; il parle par proverbes,* il aime à dire des proverbes.

province [prɔvɛ̃s], n. f., **1.** partie d'un pays, région : *la Bretagne est une province française.* **2.** en France, tout ce qui est en dehors de Paris : *il a longtemps habité la province.*

provision [prɔvizjɔ̃], n. f., **1.** choses utiles que l'on a chez soi pour le moment où on en aura besoin : *j'ai une provision de papier.* **2.** *faire ses provisions, aller aux provisions,* aller acheter les aliments qui sont nécessaires pour la vie de tous les jours.

provoquer [prɔvɔke], v. trans., **1.** faire savoir à quelqu'un qu'on veut se battre contre lui : *il a provoqué ses ennemis.* **2.** être cause de quelque chose : *il a provoqué des rires.*

prudence [prydɑ̃s], n. f., qualité de celui qui est prudent ; *il s'est conduit avec beaucoup de prudence.*

prudent, ente [prudɑ̃, ɑ̃t], adj., qui fait attention aux dangers : *soyez prudent si vous allez dans les montagnes.*

prune [pryn], n. f., fruit vert ou noir : *nous avons mangé chacun trois prunes;* fig. et fam., *j'ai travaillé pour des prunes,* pour rien.

prunier [prynje], n. m., arbre qui produit des prunes : *un prunier en fleurs.*

psychologie [psikɔlɔʒi], n. f., **1.** science qui étudie ce qui se passe dans l'esprit : *un étudiant en psychologie.* **2.** l'esprit d'un homme, étudié de près : *la psychologie des grands hommes est souvent intéressante.*

psychologique [psikɔlɔʒik], adj., qui se rapporte à la psychologie (science) : *des idées psychologiques;* fig. *moment psychologique,* un moment bien choisi pour faire (ou dire) quelque chose à quelqu'un.

public, ique [pyblik], adj., qui est pour tout le monde : *un danger public,* un danger pour tout le monde; *un jardin public,* un jardin où tout le monde peut aller; *travaux publics,* travaux qui servent à tout le monde (ponts, routes, etc.). — **public,** n. m., les personnes qui voient une pièce de théâtre, un film, etc., *ce film a beaucoup plu au public; le grand public,* tout le monde : *ce livre n'a pas été lu par le grand public; en public,* devant beaucoup de monde : *il n'aime pas parler en public.*

publicité [pyblisite], n. f., **1.** action de faire connaître : *il n'a pas voulu donner de publicité à son voyage,* il n'a pas voulu le faire connaître. **2.** en particulier, action de faire connaître ce qu'on vend : *ce magasin fait beaucoup de publicité.*

publier [pyblije], v. trans., **1.** faire paraître un livre, un journal, etc. : *il vient de publier un nouveau livre.* **2.** faire connaître : *on vient de publier une grande nouvelle.*

puis [pɥi], adv., ensuite, après (se met toujours au commencement d'une phrase ou d'une partie de phrase) : *il est resté quelques minutes, puis il est sorti; il a pris son livre, puis son crayon.*

puisque [pɥisk], conj., marque une cause qu'on connaît ou que tout le monde peut voir : *puisque vous avez appris le français, vous devez commencer à lire des livres français.*

puissance [pɥisɑ̃s], n. f., **1.** grande force : *il a une grande puissance de travail.* **2.** pays : *une grande puissance,* un pays très important.

puissant, e [pɥisɑ̃, ɑ̃t], adj., qui est très fort, qui peut faire beaucoup de choses : *ce pays est très puissant.* — *le Tout-puissant,* Dieu.

puits [pɥi], n. m., **1.** trou profond dans la terre d'où l'on tire de l'eau : *on tire de l'eau du puits avec un seau;* fig. et fam., *c'est un puits de science,* c'est un savant (il sait beaucoup de choses). **2.** *puits de mine,* trou dans la terre pour chercher du charbon ou des métaux : *l'ingénieur est descendu dans le puits; puits de pétrole,* trou profond d'où sort le pétrole.

pull-over [pylɔvɛr], n. m., vêtement de tricot qu'on met en passant la tête dans le haut de ce vêtement : *il a un pull-over rouge.*

punir [pynir], v. trans., faire quelque chose à celui qui a mal fait : *le maître a puni le mauvais élève.*

punition [pynisjɔ̃], n. f., ce qui sert à punir : *l'élève a fait sa punition.*

pur, e [pyr], adj., qui n'est pas mêlé avec autre chose : *il a bu du vin pur,* sans eau; *il est allé à la campagne pour respirer de l'air pur; le ciel est pur,* tout bleu.

purée [pyre], n. f., légumes écrasés : *il a mangé de la purée de pommes de terre.*

pureté [pyrte], n. f., qualité de ce qui est pur : *dans les montagnes la pureté de l'air est très grande.*

pyjama [piʒama] n. m., vêtement léger qu'on porte la nuit et en se levant et qui a deux parties : une veste et un pantalon : *il était encore en pyjama quand il a reçu cette nouvelle.*

Q

qu' [k] s'emploie pour *que*, pron., conj. ou adv., quand le mot suivant commence par une voyelle : *l'homme qu'il a vu; qu'a-t-on dit? je crois qu'elle viendra; qu'il est jeune!*

quai [kɛ], n. m., **1.** dans un port, endroit où les bateaux s'arrêtent pour charger ou décharger des personnes ou des marchandises : *le bateau est arrêté au quai.* **2.** les bords d'une rivière dans une ville : *il s'est promené, à Paris, sur les quais de la Seine.* **3.** dans une gare, endroit où les trains s'arrêtent : *vous monterez dans le train au premier quai.*

qualité [kalite], **1.** ce qu'est naturellement quelque chose : *ce tissu est de bonne (de mauvaise) qualité; la première qualité,* ce qui est le meilleur. **2.** ce que quelqu'un a naturellement de bon : *le courage est une qualité; cet enfant a beaucoup de qualités,* il y a beaucoup de bon en lui.

quand [kɑ̃, kɑ̃ t devant un mot qui commence par une voyelle : quand il vient : kɑ̃ t il vjɛ̃], conj., **1.** au moment où, au temps où : *je l'ai connu quand il était jeune.* **2.** (avec le conditionnel) même si : *quand vous me le diriez cent fois, je ne vous croirais pas.* — adv. interrogatif, à quel moment? *quand viendrez-vous me voir?*

quand même [kɑ̃ mɛm], adv., marque qu'on ne s'occupe pas d'une chose qui pourrait empêcher ce qu'on fait : *il fait mauvais temps, je sortirai quand même.* — conj. (avec le conditionnel), comme *quand* avec le conditionnel.

quant à [kɑ̃ta], prép., marque un rapport avec quelqu'un ou quelque chose : *quant à moi, je ne suis pas de cet avis; quant à votre maison, je m'en occuperai.* Expression : *être sur son quant à soi :* rester un peu de côté, ne pas causer avec d'autres personnes : *cette dame est toujours sur son quant à soi.*

quantité [kɑ̃tite], n. f., nombre : *il y a la quantité, il n'y a pas la qualité,* il y a beaucoup de choses, mais ce n'est pas bon; *une quantité de gens,* beaucoup de gens; *en quantité,* en grand nombre.

quarante [karɑ̃t], n. de nombre, 40 (quatre fois dix); *il y a quarante élèves dans la cour.*

quarantième [karɑ̃tjɛm], n. de nombre ordinal, **1.** qui vient après trente-neuf autres, **2.** une des quarante parties d'un ensemble.

quart [kar], n. m., **1.** 1/4, une des quatre parties de quelque chose : *il a mangé le quart du gâteau; un quart d'heure,* le quart d'une heure (15 minutes) : *il n'est resté qu'un quart d'heure;* fam., *pour le quart d'heure,* pour le moment; *midi (une heure,* etc.) *un quart,* midi quinze (une heure quinze, etc.); *midi (une heure,* etc.) *moins le quart,* 11 h 45 (12 h 45, etc.). **2.** sorte de récipient de métal qui sert de verre aux soldats et qui contient un quart de litre : *il a perdu son quart.* **3.** temps pendant lequel les marins (chacun à son tour) regardent ce qui se passe sur la mer : *il a pris le quart,* il a commencé son temps de service.

quartier [kartje], n. m., partie d'une ville : *nous habitons le même quartier.*

quatorze [katɔrz], n. de nombre, 14 : *nous étions quatorze personnes à table.*

quatorzième [katɔrzjɛm], n. de nombre ordinal, **1.** qui vient après le treizième. **2.** une des quatorze parties d'un ensemble.

quatre [katrə], n. de nombre, 4 : *il y a quatre saisons dans l'année.* — Expressions : *il s'est mis en quatre pour vous faire plaisir,* il a fait tout ce qu'il a pu pour vous faire plaisir; *il s'est tenu à quatre pour ne pas rire (pour ne pas pleurer,* etc.), il a fait effort pour ne pas rire (pour ne pas pleurer, etc.); *il a descendu (monté) les marches quatre à quatre,* très vite;

il n'y va pas par quatre chemins, il dit ce qu'il a à dire.

quatre-vingts [katrə vɛ̃] *(quatre-vingt* quand il est suivi d'un autre nom de nombre : *quatre-vingt mille, quatre-vingt-deux)*, n. de nombre, 80 : *son grand-père a quatre-vingts ans.*

quatre-vingt-dix [katrə vɛ̃ dis, voir *dix*], n. de nombre, 90.

quatre-vingtième [katrə vɛ̃tjɛm], n. de nombre ordinal, **1.** qui vient après soixante-dix-neuf autres. **2.** une des quatre-vingts parties d'un ensemble.

quatre-vingt-dixième [katrəvɛ̃ dizjɛm], n. de nombre ordinal, **1.** qui vient après quatre-vingt-neuf autres. **2.** une des quatre-vingt-dix parties d'un ensemble.

quatrième [katrijɛm], n. de nombre ordinal, qui vient après trois autres : *nous avons fait notre quatrième voyage; le quatrième*, le quatrième étage : *nous habitons au quatrième; la quatrième*, la quatrième classe d'une école : *mon fils est en quatrième.* — On ne dit pas « le quatrième », mais *le quart* pour une des quatre parties d'un ensemble.

1. que [kə], (*qu'* devant un mot commençant par une voyelle), pron. relatif : *j'ai lu le livre que tu m'as donné.*

2. que [kə] (*qu'* devant un mot commençant par une voyelle), pron. interrogatif (toujours en parlant des choses et comme objet) : *que voyez-vous dans cette chambre?*

3. que [kə] (*qu'* devant un mot commençant par une voyelle), conj. **1.** entre deux parties d'une phrase : *je crois que vous avez raison.* **2.** au début d'une phrase avec un subjonctif : *qu'il vienne tout de suite!*

4. que [kə] (*qu'* devant un mot commençant par une voyelle), adv. : *que vous êtes joli! que vous me semblez beau!* (La Fontaine) (= vous êtes très joli...).

quel, quelle, plur. **quels, quelles** [kɛl], adj. interrogatif : *quel est ce livre? quels camarades as-tu vus?* — *quel qu'il soit, quelle qu'elle soit*, etc., il (elle) peut être n'importe qui : *quel que vous soyez, je ne vous écouterai pas.*

quelconque [kɛlkɔ̃k], adj., **1.** n'importe quel, l'un ou l'autre : *prenez un livre quelconque sur ma table.* **2.** qui n'est pas bon : *ce livre est quelconque.*

quelque chose [kɛlkə ʃoz], pron. (se dit seulement des choses), une chose : *j'ai perdu quelque chose dans le train.*

quelquefois [kɛlkəfwa], adj., plusieurs fois : *j'ai joué quelquefois à ce jeu.*

quelques [kɛlkə], adj., plusieurs, plus d'un : *j'ai quelques amis dans cette ville.*

quelqu'un, une [kɛlkœ̃, yn], pron., une personne : *quelqu'un est venu pendant que je n'étais pas là;* fig. : *il se croit quelqu'un*, il croit qu'il est une personne importante. — *quelques-uns, quelques-unes* [kɛlkəz œ̃, yn], plusieurs : *j'ai rencontré quelques-uns de vos amis.*

qu'est-ce que [kɛskə], pron. interrogatif (ne s'emploie que comme objet et en parlant des choses) : *qu'est-ce que vous dites?*

qu'est-ce qui [kɛski], pron. interrogatif (ne s'emploie que comme sujet et en parlant des choses) : *qu'est-ce qui est tombé?*

question [kɛstjɔ̃], n. f., **1.** ce qu'on demande (au sens 5) : *je ne peux pas répondre à votre question.* **2.** chose qu'on étudie ou qu'on discute : *nous étudions une question difficile; il est question de*, on parle de : *il est question de votre départ; en question*, dont on parle : *la personne en question voudrait vous connaître.*

queue, n. f. [kø], **1.** ce que beaucoup d'animaux ont derrière leur corps : *la vache remue la queue; j'ai pris le poisson par la queue.* **2.** le manche d'une casserole : *prenez la casserole par la queue.* **3.** personnes qui attendent l'une derrière l'autre : *il y* *a une queue à la porte du cinéma; nous avons fait queue,* nous avons attendu l'un derrière l'autre; *mettez-vous à la queue,* mettez-vous derrière les personnes qui attendent.

1. qui [ki], pron. relatif, **1.** sujet, en parlant des personnes et des choses, *je connais l'élève qui est entré; je n'ai pas vu la table qui était devant moi.* **2.** après préposition, seulement en parlant des personnes : *vous ne connaissez pas l'homme à qui vous avez parlé.*

2. qui [ki], pron. interrogatif, toujours en parlant des personnes, **1.** sujet : *qui est venu?* quelle personne est venue? **2.** après préposition : *de qui parlez-vous?* de quelle personne parlez-vous?

qui est-ce qui [kiɛski], pron. interrogatif sujet, en parlant des personnes : *qui est-ce qui manque aujourd'hui?*

qui est-ce que [kiɛskə], pron. interrogatif, se dit seulement des personnes, **1.** objet : *qui est-ce que vous connaissez ici?* **2.** après préposition : *à qui est-ce que vous parliez hier?*

quinzaine [kɛ̃zɛn], n. f., **1.** environ quinze : *une quinzaine d'élèves.* **2.** deux semaines : *revenez dans une quinzaine.*

quinze [kɛ̃z], n. de nombre, 15 : *je vous ai attendu quinze minutes; quinze jours,* deux semaines : *vous viendrez dans quinze jours; aujourd'hui en quinze,* le même jour dans deux semaines.

quinzième [kɛ̃zjɛm], n. de nombre ordinal, **1.** qui vient après le quatorzième : *le quinzième jour du voyage.* **2.** une des quinze parties d'un ensemble.

quitter [kite], v. trans., s'en aller de, partir de : *il quitte sa famille pour la première fois; le train a quitté la gare.*

1. quoi [kwa], pron. relatif, ne s'emploie que dans quelques expressions : *après quoi,* après cela; *sans quoi,* sans cela : *il a acheté un journal dans la gare, après quoi il est monté dans le train.*

2. quoi [kwa], pron. interrogatif (s'emploie seulement en parlant des choses). **1.** après préposition : *de quoi parlez-vous?* **2.** (sans verbe) *quoi?* quelle chose? **3.** marque qu'on est étonné : *quoi! vous n'êtes pas parti?*

quoique [kwak], conj. (avec le subjonctif) : *quoiqu'il soit malade, il a voulu sortir,* il est malade et il a quand même voulu sortir.

quotidien, enne [kɔtidjɛ̃, ɛn], adj., de chaque jour : *il gagne son pain quotidien,* il gagne sa vie; *un journal quotidien* (ou *un quotidien*), un journal qui paraît tous les jours.

R

rabbin [rabɛ̃], n. m., ministre de la religion israélite.

raccommoder [rakɔmɔde], v. trans., **1.** réparer un habit ou du linge qui a été déchiré : *sa mère lui a raccommodé ses chaussettes.* **2.** rendre de nouveau amies des personnes qui ne l'étaient plus : *nous avons raccommodé ces deux vieux amis.*

raccourcir [rakursir], v. trans., rendre plus court : *il faut raccourcir cette robe.* — v. intr., devenir plus court : *dès le mois de juillet les jours raccourcissent.* — **raccourci,** n. m., chemin plus court : *prenez le raccourci.*

race [ras], n. f., personnes ou animaux qui descendent d'une même famille ou qui se ressemblent : *une race d'hommes ; une race de chiens; un chien de race,* un beau chien. — PROVERBE : *Bon chien chasse de race,* on n'a pas besoin de lui apprendre à chasser; se dit des hommes qui ont les qualités de leurs parents.

Racines.

racine [rasin], n. f., **1.** partie de la plante qui est sous la terre : *certaines racines sont bonnes à manger.* **2.** *racine des dents,* partie des dents qu'on ne voit pas. **3.** fig., première cause : *la racine du mal.*

raconter [rakɔ̃te], v. trans., dire ou écrire ce qui est arrivé, dire ou écrire une histoire : *il m'a raconté son voyage; la grand-mère raconte des histoires à ses petits-enfants.*

radiateur [radjatœr], n. m., **1.** appareil de chauffage : *les radiateurs du chauffage central; un radiateur à gaz; un radiateur électrique.* **2.** partie du moteur d'une auto.

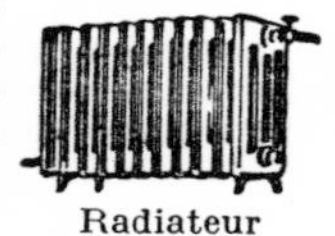

Radiateur de chauffage central.

radio [radjo], n. f., **1.** la T. S. F. : *j'écoute la musique à la radio, un appareil de radio,* un appareil de T. S. F. **2.** appareil qui permet de voir et de photographier l'intérieur (le dedans) du corps : *il a passé à la radio.* **3.** la photo de l'intérieur du corps : *le médecin a étudié sa radio.*

rafraîchir [rafrɛʃir], v. trans., rendre plus frais, réparer : *on a rafraîchi cet appartement; il s'est fait rafraîchir,* il s'est fait couper un peu les cheveux; fig., *je vais vous rafraîchir la mémoire,* je vais vous dire ce que vous avez oublié. — v. intr., devenir plus frais : *j'ai mis le vin à rafraîchir.* — **se rafraîchir,** boire quelque chose de frais quand on a chaud.

raide [rɛd], adj., **1.** qui n'est pas facile à plier : *cette branche est très raide.* **2.** qui n'est pas facile à monter : *cet escalier (cette côte) est raide.* **3.** (en parlant des personnes) qui ne plie pas (au figuré), qui ne fait pas ce qu'on lui demande : *ce directeur est très raide.* — adv., *il est tombé raide mort,* il est tombé mort d'un seul coup.

raie [rɛ], n. f., trait fait avec une plume, un crayon, etc. : *on a peint une raie jaune au milieu de la route.*

rail, pl. **rails** [raj], n. m., une des deux barres d'acier qui forment le chemin de fer : *le train roule sur les rails.*

railler [raje], v. trans., se moquer de quelqu'un : *cet élève aime à railler ses camarades.*

raisin [rɛzɛ̃], n. m., fruit de la vigne, qui sert à faire le vin : *des raisins verts; des raisins mûrs.*

Raisins.

raison [rɛzɔ̃], n. f., **1.** qualité de l'esprit qui permet de juger des choses et des actions : *il faut mettre la raison partout.* EXPRESSIONS : *il a raison,* ce qu'il pense ou fait est bien; *il a perdu la raison,* il est devenu fou; *il a bu plus que de raison,* il a trop bu; *on l'a mis à la raison,* on lui a fait comprendre qu'il devait faire ce qu'on lui disait; *l'âge de raison*, l'âge où on peut juger des choses, voir ce qui est bien et ce qui est mal. **2.** ce qu'on trouve à dire pour défendre ce qu'on pense ou ce qu'on fait : *il trouve toujours de bonnes raisons.* PROVERBE : *La raison du plus fort est toujours la meilleure* (La Fontaine), celui qui est le plus fort gagne toujours : ses raisons paraissent bonnes. **3.** cause : *il ne m'a pas dit la raison de son départ.* — **en raison de,** à cause de : *je suis resté chez moi en raison du mauvais temps.*

raisonnable [rɛzɔnablə], adj., **1.** (en parlant des personnes) qui a de la raison, qui sait juger des choses : *l'homme est un animal raisonnable; cet enfant est déjà raisonnable.* **2.** (en parlant des choses) qui est fait de façon intelligente : *cette loi est très raisonnable; ce prix est raisonnable,* il n'est pas trop élevé.

raisonner [rɛzɔne], v. intr., se servir de sa raison, de son intelligence : *il raisonne de façon juste.*

ralentir [ralɑ̃tir], v. trans., v. trans., rendre plus lent : *ralentissez vos mouvements.* — v. intr., devenir plus lent, aller plus lentement : *le train ralentit en entrant dans la gare.*

ramasser [ramase], v. trans., prendre ce qui est par terre : *il a ramassé le livre qui était tombé.*

rame [ram], n. f., longue pièce de bois, mince et ronde du côté que l'on tient avec la main, large et plate à l'autre bout, qui sert à faire marcher un bateau : *ce petit bateau marche à la rame; nous avons fait force de rames,* nous avons fait marcher, avec les rames, le bateau le plus vite que nous pouvions.

ramener [ramne], *(je ramène, nous ramenons, je ramènerai),* v. trans., faire revenir une personne avec soi : *il a ramené son frère d'Italie.*

ramer [rame], v. intr., faire marcher un bateau avec des rames : *nous avons ramé sur la rivière.*

ramper [rɑ̃pe], v. intr., se traîner sur le sol : *les serpents rampent sur la terre.*

rang [rɑ̃], n. m., **1.** choses ou personnes en ligne à côté les unes des autres : *un rang de soldats; marcher en rangs; au cinéma j'ai pris une place au premier rang.* **2.** la place que quelqu'un occupe dans le monde : *c'est un homme d'un rang élevé.*

ranger [rɑ̃ʒe] (avec *ge* devant *a* ou *o* : *nous rangeons*), v. trans., **1.** mettre en rangs : *le maître a rangé les élèves.* **2.** mettre des choses en ordre, chaque chose à sa place : *j'ai rangé mes livres ; sa chambre est toujours mal rangée.* **3.** *ranger une auto, une voiture,* la mettre sur le bord de la rue ou de la route, pour qu'elle n'empêche pas de passer. — **se ranger, 1.** se mettre de côté pour ne pas empêcher de passer : *je me suis rangé quand l'auto est arrivée.* **2.** être pour une personne contre une autre : *je me range de votre côté.* **3.** devenir plus sérieux, se conduire mieux dans la vie : *ce jeune homme s'est rangé.* — **rangé, ée,** adj., (en parlant des personnes) sérieux, qui se conduit bien dans la vie : *ce jeune homme est très rangé.*

rapide [rapid], adj., **1.** qui va vite : *cette auto est très rapide.* **2.** qui est difficile à monter : *cette côte est très rapide.* — n. m., train qui va très vite : *j'ai pris le rapide pour arriver plus tôt à Lyon.*

rapidement [rapidmɑ̃], adv., de façon rapide, vite : *j'ai traversé rapidement la rue.*

rappeler [raple] (prend *ll* devant un *e* muet : *je rappelle*), v. trans., appeler quelqu'un qui s'en va : *il était déjà sorti quand je l'ai rappelé; rappeler à l'ordre,* dire à quelqu'un qu'il doit se conduire mieux; *on l'a rappelé à la vie,* on l'a fait respirer de nouveau. — **se rappeler,** avoir gardé ou remettre dans son esprit (on dit *se rappeler quelqu'un* ou *quelque chose* et non *se rappeler de quelqu'un* ou *de quelque chose*) : *je me rappelle mes dernières vacances; je me rappelle vous avoir déjà rencontré.*

rapport [rapɔr], n. m., **1.** ce que quelqu'un raconte (par exemple à ses chefs) sur ce qu'il a fait, sur ce qu'il a vu, etc. : *il a fait un rapport sur son voyage.* **2.** ce qui fait que des personnes ou des choses se ressemblent : *il n'y a aucun rapport entre ces deux tableaux.* **3.** au pluriel, en parlant des personnes, le fait de se voir, d'être d'accord, d'être amis : *je n'ai jamais eu de rapports avec cet homme; nous sommes en bons rapports; il est en mauvais rapports avec son voisin.* **4.** ce que produit une terre : *cette terre est d'un bon rapport; une maison de rapport,* une maison qui est faite pour être louée. — **sous le rapport de,** au point de vue de : *cet élève est très bon sous le rapport du travail; sous tous les rapports,* à tout point de vue. — **par rapport ,** en comparant avec : *la Loire est large par rapport à la Seine.*

rapporter [rapɔrte], v. trans., **1.** apporter quelque chose qu'on a enlevé : *il m'a rapporté le livre que je lui avais prêté.* **2.** apporter d'un voyage : *il m'a rapporté des photographies d'Italie.* **3.** faire gagner de l'argent : *ce commerce rapporte beaucoup.* **4.** raconter : *on m'a rapporté ce que vous avez dit.* — **se rapporter,** être en rapport (au sens 2) avec : *cette histoire se rapporte à mon dernier voyage.*

rapprocher [raprɔʃe], v. trans., **1.** mettre plus près : *j'ai rapproché la table du lit.* **2.** rendre ami quelqu'un qui ne l'était pas ou qui ne l'était plus : *le malheur l'a rapproché de son frère.* — **se rapprocher,** aller plus près, *les nuages s'approchent de nous.*

rapprochement [raprɔʃmɑ̃], n. m., action de rapprocher (surtout au sens 2) : *j'ai essayé un rapprochement entre eux.*

rare [rar], adj., **1.** qu'on ne trouve pas souvent : *un timbre rare; un ami rare,* un ami comme on en voit peu, un très bon ami. **2.** qui est en petit nombre : *il n'y a que quelques rares arbres dans la plaine.*

rarement [rarmɑ̃], adv., de façon rare (contraire : *souvent*) : *j'ai rarement vu un arbre aussi gros.*

raser [raze], v. trans., **1.** couper de très près : *on lui a rasé la barbe.* **2.** passer très près : *l'avion a rasé le sol; il marche en rasant les murs.* **3.** démolir tout à fait : *on a rasé des maisons pour que la route soit plus large.* — **se raser,** se couper de très près la barbe : *il se rase tous les matins.*

rasoir [razwar], n. m., instrument ou appareil qui sert à raser (à se raser) : *son rasoir coupe mal; un rasoir électrique.*

rassemblement [rasɑ̃bləmɑ̃], n. m., personnes qui se sont rassemblées : *il y a un grand rassemblement autour de l'auto qui a eu un accident.*

rassembler [rasɑ̃ble], v. trans., mettre ensemble : *j'ai rassemblé mes livres en un tas; il a rassemblé ses amis.* — **se rassembler,** se mettre ensemble : *beaucoup de gens se sont rassemblés dans cette salle.*

rassurer [rasyre], v. trans., faire que quelqu'un ait moins peur, soit plus tranquille : *j'ai rassuré la mère de cet enfant en lui disant que j'avais vu son fils en bonne santé.*

rat [ra], n. m., animal qui vit dans les caves, les greniers, etc., et qui mange tout ce qu'il trouve : *on emploie des chiens et des chats pour tuer les rats; rat d'hôtel,* voleur qui vole dans les chambres des hôtels.

rateau [rato], n. m., outil à grandes dents de bois ou de fer qu'on emploie dans les jardins et les prairies : *il a rassemblé les herbes avec son rateau.*

rater [rate], v. trans., ne pas réussir à toucher (avec une arme), à prendre (un train), etc. (= *manquer*) ;

le chasseur a raté l'animal qu'il voulait tuer; j'ai raté mon train. — v. intr., ne pas réussir : *tout a raté.* — n. m., **un raté,** un homme qui n'a pas réussi dans la vie.

ravager [ravaʒe] (*ge* devant *a* et *o*), v. trans., causer de grands dommages (démolir beaucoup de choses) : *l'orage a ravagé les campagnes.*

1. rayon [rɛjɔ̃], n. m., **1.** ligne de lumière qui semble venir du soleil : *en été les rayons du soleil sont très chauds.* **2.** sorte de bâton qui va du milieu d'une roue à ses bords : *les rayons d'une roue.*

Rayons du soleil. Rayons d'une roue.

2. rayon [rɛjɔ̃], n. m., **1.** planches qui servent à mettre des livres, du linge, etc. : *il y a quatre rayons dans cette armoire.* **2.** partie d'un magasin où l'on vend certaines marchandises : *je suis allé au rayon de l'épicerie, puis au rayon des chaussures.*

réaction [reaksjɔ̃], n. f., **1.** action qui répond à une autre action : *il n'a pas eu de réaction quand je lui ai parlé de vous.* **2.** moyen moderne pour faire voler très vite les avions : *un avion à réaction.*

réalisation [realizasjɔ̃], n. f., action de réaliser (de faire) : *je verrai vos réalisations (ce que vous avez fait).*

réaliser [realize], v. trans., faire de façon vraie : *il a réalisé tout ce qu'il avait voulu faire.*

réalité [realite], n. f., ce qui existe (ce qui est) de façon vraie (et non pas seulement dans les idées) : *la réalité est souvent moins belle que le rêve.* — **en réalité,** en fait : *il dit qu'il travaille, en réalité il s'amuse.*

récemment [resamɑ̃], adv., il n'y a pas longtemps : *il est arrivé récemment dans notre ville.*

récent, ente [resɑ̃, ɑ̃t], adj., qui a eu lieu il n'y a pas longtemps : *son départ est récent.*

réception [resɛpsjɔ̃], n. f., **1.** action de recevoir quelque chose : *vous m'écrirez à la réception de mon paquet; accuser réception,* voir **accuser. 2.** action de recevoir chez soi une ou plusieurs personnes : *il a donné une réception.*

recette [rəsɛt], n. f., **1.** l'argent qu'on reçoit : *ce cinéma fait de belles recettes.* **2.** conseils pour faire bien quelque chose : *ma mère m'a donné de bonnes recettes de cuisine.*

recevoir [rəsəvwar] *(je reçois, tu reçois, il reçoit, nous recevons, vous recevez, ils reçoivent; je recevais; je reçus; je recevrai; que je reçoive; reçu),* v. trans., **1.** prendre ce qui est offert, ce qui est donné ou envoyé : *j'ai reçu une lettre de mon père, il a reçu l'argent qu'on lui devait.* **2.** faire entrer une personne dans sa maison : *votre père m'a très bien reçu.*

réchaud [reʃo], n. m., petit appareil qui permet de faire chauffer des aliments : *il a fait chauffer du lait sur son réchaud électrique.*

réchauffer [reʃofe], v. trans., chauffer de nouveau: *j'ai réchauffé les légumes que nous n'avions pas mangés ce matin; la chambre est maintenant réchauffée.*

recherche [rəʃɛrʃ], n. f., action de rechercher : *je suis à la recherche d'un appartement.*

rechercher [rəʃɛrʃe], v. trans., chercher de façon à avoir : *on recherche un voleur; je recherche un livre ancien.*

récipient [resipjɑ̃], n. m., *un seau, une bouteille, un verre, sont des récipients.*

récit [resi], n. m., ce que quelqu'un raconte : *j'ai écouté son récit.*

réclame [reklam], n. f., tout ce qu'un industriel ou un commerçant fait pour connaître ce qu'il vend : *ce commerçant fait de la réclame dans les journaux.*

réclamer [reklame], v. trans., **1.** demander comme un droit : *il réclame d'être payé.* **2.** fig., avoir besoin : *ce devoir réclame beaucoup de travail.*

récolte [rekɔlt], n. f., **1.** action de récolter les produits de la terre : *c'est le moment des récoltes.* **2.** les produits de la terre récoltés : *la récolte a été belle cette année.*

récolter [rekɔlte], v. trans., cueillir (prendre à l'arbre), couper ou ramasser les produits de la terre : *nous avons récolté des pommes.* — PROVERBE : *On récolte ce qu'on a semé,* ce qui arrive vient de ce qu'on a fait.

recommander [rəkɔmɑ̃de], v. trans., **1.** dire à quelqu'un de faire quelque chose : *je lui ai recommandé de bien s'habiller.* **2.** dire à quelqu'un qu'une personne ou une chose est très bonne ou très utile : *je lui ai recommandé ce médecin; il m'a recommandé ce livre.* **3.** dire à quelqu'un de faire attention à une personne : *je vous recommande ce jeune homme.* **4.** *recommander une lettre,* payer plus cher à la poste pour être tout à fait sûr qu'une lettre arrive.

recommencer [rəkɔmɑ̃se] (*ç* devant *a* et *o* : *recommençons*), v. trans., commencer de nouveau : *ce travail était mauvais, je l'ai recommencé.*

récompense [rekɔ̃pɑ̃se], n. f., ce qu'on donne à quelqu'un qui a bien fait quelque chose : *le maître a donné une récompense aux bons élèves.*

récompenser [rekɔ̃pɑ̃s], v. trans., donner une récompense : *on a récompensé ces soldats pour leur courage.*

reconnaître [rəkɔnɛtrə] (se conjugue comme *connaître*), **1.** se rappeler qu'on a déjà vu une personne : *j'ai reconnu mon ami que je n'avais pas vu depuis dix ans.* **2.** dire une faute qu'on a faite : *je reconnais que je me suis trompé.* **3.** (militaire) voir ce qui se passe dans une région avant d'y entrer : *on a envoyé des soldats reconnaître le village.*

record [rekɔr], n. m., dans les sports, action de faire mieux qu'on n'avait fait avant : *il a battu tous les records,* il a couru plus vite (ou sauté plus haut) que tous ceux qui avaient couru (ou sauté) avant lui.

recouvrir [rəkuvrir] (se conjugue comme *couvrir*), v. trans., couvrir tout à fait : *ce terrain est recouvert d'eau.*

récréation [rekreasjɔ̃], n. f., **1.** action de s'amuser après un travail : *nous prenons un peu de récréation.* **2.** temps entre les classes où les élèves s'amusent : *les élèves sont en récréation; cour de récréation,* cour (d'une école) où les èlèves s'amusent.

rectangle [rɛktɑ̃glə], n. m., figure qui a quatre côtés se coupant à angle droit : *cette chambre a la forme d'un rectangle.*

recueillir [rəkœjir] (se conjugue comme *cueillir*), v. trans., **1.** ramasser des produits de la terre : *on a recueilli les pommes qui étaient tombées.* **2.** mettre ensemble ce qu'on a reçu : *il a recueilli beaucoup d'argent.*

reculer [rəkyle], v. intr., aller en arrière : *j'ai reculé quand je l'ai vu courir vers moi;* fig., *il recule pour mieux sauter,* il n'empêchera pas d'arriver ce qui doit arriver. — v. trans., mettre en arrière : *il a reculé sa chaise.*

redire [rədir] (se conjugue comme *dire*), v. trans., **1.** dire de nouveau : *je vous l'ai déjà dit et veux bien le redire* (Racine). **2.** *avoir à redire, trouver à redire,* remarquer quelque chose de mal : *il trouve à redire à tout ce que nous faisons; il n'y a rien à redire,* tout est bien.

redoutable [rədutablə], adj., qui fait peur : *il est redoutable par sa force.*

redouter [rədute], v. trans., avoir peur : *les vieilles personnes redoutent l'hiver.*

réduction [redyksjɔ̃], n. f., action de réduire, de faire plus petit : *le marchand m'a fait une réduction,* il m'a fait payer moins cher.

réduire [redɥir] (*je réduis, tu réduis, il réduit, nous réduisons, ils réduisent; je réduisais; je réduisis; je réduirai; que je réduise; réduit*), v. trans., **1.** rendre plus petit, ou moins élevé : *on a réduit les heures de travail,* il y a moins d'heures de travail; *on va réduire les impôts.* **2.** obliger à, forcer à : *il est réduit à demander du pain.*

réel, elle [reɛl], adj., qui existe (qui est) vraiment : *il m'a dit sa vie réelle.*

refaire [rəfɛr] (se conjugue comme *faire*), v. trans., faire de nouveau : *on a refait le mur du jardin; ce n'est ni à faire ni à refaire*, c'est très mauvais.

réfléchir [refleʃir], v. tr., faire repartir la lumière qui a été reçue : *les glaces réfléchissent la lumière.* — (avec *à*) penser longtemps : *j'ai longtemps réfléchi à votre idée.* — **réfléchi, ie,** adj., **1.** (en parlant des personnes) qui pense à ce qu'il doit faire : *un homme réfléchi.* **2.** (en parlant des choses) que l'on fait après y avoir pensé : *son départ est bien réfléchi.*

réforme [refɔrm], n. f., **1.** action de changer une chose pour qu'elle soit meilleure : *on a réformé cette loi.* **2.** action de ne pas garder dans l'armée un soldat malade ou blessé : *ce soldat a été mis en réforme.*

réformer [refɔrme], v. trans., **1.** changer une chose pour qu'elle soit meilleure : *il y a beaucoup de choses à réformer dans ce magasin.* **2.** ne pas garder dans l'armée un soldat malade ou blessé : *il a été réformé après sa blessure.*

réfrigérateur [refriʒeratœr], n. m., appareil qui sert à garder frais les aliments : *cette dame a un réfrigérateur dans sa cuisine.*

refroidir [rəfrwadir], v. intr., devenir froid : *le temps refroidit; la soupe refroidit.* — **se refroidir, 1.** devenir froid : *le temps s'est refroidi.* **2.** (en parlant des personnes) prendre froid : *je me suis refroidie en sortant sous la pluie.*

refuge [rəfyʒ], n. m., **1.** endroit où l'on se réfugie : *il cherche un refuge.* **2.** dans les hautes montagnes, petite maison où l'on peut passer la nuit : *ils ont du mal à arriver au refuge.*

réfugier (se) [se refyʒje], v. intr., aller dans un autre endroit pour ne plus être en danger : *je me suis réfugié sous une porte pendant l'orage.* — **réfugié, ée,** n. m. et f., celui (celle) qui est allé dans un autre endroit pour ne plus être en danger : *pendant la guerre notre ville a reçu beaucoup de réfugiés.*

refus [rəfy], n. m., action de refuser, de répondre « non » : *il n'a pas voulu revenir sur son refus*, il n'a pas voulu dire « oui » après avoir dit « non »; *j'ai essuyé un refus*, on m'a refusé ce que je demandais.

refuser [rəfyze], v. trans., ne pas vouloir; répondre « non » à quelqu'un qui offre ou qui demande : *il a refusé de s'en aller; il refusera ce que vous voulez lui offrir; il m'a refusé de l'eau.* — **se refuser** (avec *à*), ne pas vouloir (plus fort que *refuser*) : *il s'est refusé à partir.*

regard [rəgar], n. m., action de regarder : *il n'a pas jeté un regard sur moi.*

regarder [rəgarde], v. trans., tourner les yeux vers une personne ou une chose : *il a longtemps regardé ce tableau;* — avec *à*, faire attention à ne pas dépenser : *il regarde à un franc; il y regarde à deux fois*, il fait bien attention avant de faire quelque chose. — **se regarder,** être en face l'un de l'autre : *ces deux maisons se regardent.*

régime [reʒim], n. m., **1.** façon de gouverner un pays : *le régime de la France est la République.* **2.** ce qu'on doit manger pour sa santé : *je suis au régime*, je dois manger certaines choses et ne pas manger certaines autres; *il ne suit pas son régime*, il mange des choses qui ne lui sont pas permises par le médecin.

régiment [reʒimɑ̃], n. m., ensemble important de soldats (commandé par un colonel) : *j'ai vu passer un régiment; le soldat est reparti pour son régiment.*

région [reʒjɔ̃], n. f., partie importante d'un pays : *j'ai déjà voyagé dans cette région.*

règle [rɛglə], n. f., **1.** instrument (en général en bois) qui sert à faire des lignes droites sur le papier : *la règle a fait du bruit en tombant.* **2.** ensemble de ce qu'on doit faire : *il n'a pas de* *bonne règle pour se conduire dans la vie.* **3.** *règle de grammaire,* ce qu'on doit savoir pour bien parler : *il n'a pas appris ses règles.* **4.** *être en règle,* être en ordre, comme le veut la loi : *toutes mes affaires sont en règle; se mettre en règle,* mettre ses affaires en ordre. **5.** *en règle générale,* le plus souvent : *en règle générale les méchants sont punis.*

règlement [rɛgləmɑ̃], n. m., **1.** écrit où l'on trouve tout ce qui doit être fait dans un service public, une école, etc. : *le règlement de l'école.* **2.** action de payer ce qu'on doit : *j'ai longtemps attendu ce règlement.*

règne [rɛɲ], n. m., gouvernement d'un roi : *le règne de Louis XIV a été très long.*

régler [regle], *(je règle, nous réglons, je réglerai),* v. trans., **1.** faire des lignes droites sur le papier : *il a réglé la page avant d'écrire.* **2.** mettre en ordre : *je réglerai mes vacances d'après le temps que j'aurai.* **3.** payer ce qu'on doit : *j'ai réglé l'hôtel.*

régner [reɲe], *(je règne, nous régnons; je régnerai),* v. intr., être roi : *ce roi règne depuis longtemps;* fig., *le beau temps règne en cette saison.* — **régnant, ante,** adj., qui règne : *la reine régnante;* fig., *les idées régnantes.*

regret [rəgrɛ], n. m., **1.** sentiment qui fait qu'on est triste qu'une chose soit arrivée : *il a du regret de n'avoir pas été poli.* **2.** sentiment que laisse après sa mort une personne qui était aimée : *en mourant il a laissé bien des regrets.* **3.** *faire quelque chose à regret,* faire une chose qu'on voudrait ne pas faire : *il l'a salué à regret.*

regretter [rəgrɛte], v. trans., **1.** être triste que quelque chose soit arrivé : *il regrette de vous avoir mal parlé; je regrette que vous n'ayez pas pu venir.* **2.** être triste de perdre quelqu'un ou de n'avoir plus quelque chose : *ses amis l'ont beaucoup regretté après sa mort; je regrette mon ancienne maison.*

régulier, ère [regylje, jɛr], adj., **1.** qui n'est pas contraire au devoir, aux lois : *ses affaires sont régulières.* **2.** qui est toujours à l'heure : *cet employé est régulier dans son service; ces autobus sont très réguliers.* **3.** qui n'est pas plus gros d'un côté que de l'autre : *une figure régulière.*

rein [rɛ̃], n. m., **1.** organe qu'on a de chaque côté du corps : *il a une maladie de reins.* **2.** fam., *tour de reins,* mal qu'on a dans le bas du dos : *il a un tour de reins.*

Reins.

reine [rɛ:n], n. f., **1.** femme d'un roi : *il était une fois un roi et une reine* (début d'histoires). **2.** femme qui est à la tête d'un pays : *Victoria a été une grande reine d'Angleterre.*

rejoindre [rəʒwɛ̃drə] (se conjugue comme *joindre*), v. trans., aller jusqu'à : *ce chemin rejoint la grande route.*

relatif, ive [rəlatif, iv], adj., **1.** qui est en relation avec (qui se rapporte à) : *une question relative au gouvernement d'un pays.* **2.** (grammaire) *pronom relatif,* pronom qui relie (qui attache) une partie de phrase à un nom : *« qui » est un pronom relatif dans « vous connaissez l'homme qui parle en ce moment ? »*

relation [rəlasjɔ̃], n. f., **1.** *être en relation avec,* être en rapport avec, se rapporter à : *son départ est en relation avec la maladie de son père.* **2.** (au pluriel) le fait d'avoir souvent affaire à quelqu'un : *j'ai eu longtemps des relations avec cette personne.* **3.** personne qu'on connaît (pas tout à fait ami) : *il a beaucoup de relations dans les bureaux.* **4.** action de raconter : *il m'a fait la relation de son malheur.*

relever [rəlve] *(je relève, nous relevons; je relèverai),* v. trans., remettre debout une personne ou une chose qui est tombée : *on a eu du mal à le relever quand il est tombé dans la rue.* — **se relever, 1.** se remettre debout : *il s'est relevé sans être aidé.* **2.** devenir fort de nouveau : *le pays s'est relevé après la guerre.*

relier [rəlje], v. trans., **1.** établir

un lien, une communication (au sens 2) entre des villes, des idées, etc. : *ces deux villages sont reliés par une ligne d'autobus.* **2.** coudre ensemble sous une couverture de cuir (ou d'autre matière) les feuilles d'un livre : *j'ai fait relier les livres que j'aime le plus.*

religieux, euse [rəliʒjø, øz], adj., **1.** qui se rapporte à la religion : *des livres religieux; les devoirs religieux,* ce que la religion commande de faire. **2.** (en parlant des personnes) qui suit sa religion : *c'est un homme très religieux.* — n. m. et f., personne qui habite avec d'autres dans une maison et qui vit comme le lui commande sa religion : *il y a une maison de religieux dans cette ville; il a été soigné à l'hôpital par des religieuses.*

religion [rəliʒjɔ̃], n. f., le fait de croire à Dieu (ou à plusieurs dieux), tout ce qu'on croit commandé par Dieu : *il y a plusieurs grandes religions sur la terre; il a de la religion.*

relire [rəlir] (se conjugue comme *lire*), v. trans., lire de nouveau : *j'ai relu plusieurs fois les livres que j'aime le mieux.*

remarquable [rəmarkablə], adj., que l'on doit remarquer (en général parce que c'est bien) : *ce livre est remarquable.*

remarque [rəmark], n. f., action de remarquer : *votre remarque est très juste; j'ai écrit mes remarques sur ce papier.*

remarquer [rəmarke], v. trans., apercevoir quelque chose et y faire attention : *j'ai remarqué que ce train arrive toujours à l'heure.*

rembourser [rɑ̃burse], v. trans., rendre une somme d'argent qu'on avait d'abord reçue : *on m'a remboursé mon voyage.*

remède [rəmɛd], n. m., **1.** médicament pour soigner une maladie : *j'ai acheté de nouveaux remèdes.* **2.** ce qu'on peut faire pour que quelque chose aille mieux : *je ne vois pas de remède à votre affaire.*

remerciement [rəmɛrsimɑ̃], n. m., **1.** action de remercier : *pour tout remerciement il m'a fermé sa porte.* **2.** au pluriel, ce qu'on dit ou écrit pour remercier : *recevez mes remerciements.*

remercier [rəmɛrsje], v. trans., **1.** dire « merci » : *il a remercié ses parents de la bicyclette qu'ils lui ont donnée.* **2.** dire « non » de façon polie (à quelqu'un qui offre quelque chose) : *il m'a offert de venir avec moi, je l'ai remercié.*

remettre [rəmɛtrə] (se conjugue comme *mettre*), v. trans., **1.** mettre de nouveau, mettre à sa place une chose qu'on en avait enlevée : *il a remis son chapeau après avoir salué.* **2.** mettre dans les mains de quelqu'un : *je lui ai remis une lettre; je lui ai remis de l'argent.* **3.** mettre de nouveau en bonne santé : *ce médicament m'a remis.* **4.** vouloir faire plus tard : *il remet son voyage de jour en jour.* — PROVERBE : *Ne remettez pas à demain ce que vous pouvez faire aujourd'hui.* — **se remettre. 1.** aller mieux, être en meilleure santé : *je me suis remis de ma maladie.* **2.** *se remettre avec quelqu'un,* être de nouveau ami : *ces deux vieux amis se sont remis ensemble.*

remonter [rəmɔ̃te], v. intr., **1.** (avec *être*) monter en un endroit d'où on était descendu : *je suis remonté au quatrième étage.* **2.** (avec *avoir*) devenir plus cher après avoir baissé de prix : *le prix des légumes a remonté.* — v. trans., **1.** porter de nouveau en haut : *il a remonté ce paquet.* **2.** faire marcher de nouveau : *il a remonté sa montre.*

remplacer [rɑ̃plase] (avec *ç* devant *a* et *o : nous remplaçons*), v. trans., **1.** mettre à la place de quelqu'un ou de quelque chose : *j'ai remplacé ma vieille montre par une montre neuve.* **2.** prendre la place de quelqu'un ou de quelque chose : *j'ai remplacé mon ami pendant sa maladie.*

remplir [rɑ̃plir], v. trans., **1.** mettre des choses dans un récipient jusqu'à ce qu'il soit plein : *j'ai rempli mon panier de pommes.* **2.** bien faire ce qu'on a à faire : *il a rempli tous ses devoirs de père de famille.*

remuer [rəmye ou ɥe], v. trans.,

mettre en mouvement quelque chose : *il remue son assiette; il ne remue pas le petit doigt,* il ne fait rien du tout. — v. intr., être en mouvement : *cet enfant remue tout le temps.*

renard [rənar], n. m., animal sauvage qui vit dans les campagnes et les

forêts et qui mange les poules et d'autres animaux : *le paysan a tué le renard qui avait mangé ses poules.*

rencontre [rãkõtrə], n. f., **1.** action de rencontrer : *la rencontre des deux amis a eu lieu hier; aller à la rencontre de quelqu'un,* aller au-devant de lui pour le rencontrer. **2.** action de se rencontrer et de se battre, entre soldats de pays en guerre (petit combat) : *il a été blessé dans cette rencontre.*

rencontrer [rãkõtre], v. trans., se trouver, en marchant, devant quelqu'un ou quelque chose : *j'ai rencontré votre père dans la rue.* — **se rencontrer,** venir en sens contraire : *ces deux autos se sont rencontrées.*

rendement [rãdmã], n. m., ce qu'une terre, une machine, une usine ,etc., peut produire : *cette terre a un bon rendement.*

rendez-vous [rãdevu], n. m., le fait d'être d'accord avec une autre personne pour être en un endroit à une certaine heure : *je lui ai donné rendez-vous place de la Concorde; nous avons pris rendez-vous; il est venu à notre rendez-vous; ce médecin reçoit sur rendez-vous,* il faut se mettre d'accord avec lui (par téléphone, par exemple) sur l'heure où on ira le voir.

rendre [rãdrə] *(je rends, tu rends, il rend, nous rendons, ils rendent; je rendais, je rendis; je rendrai; que je rende; rendu),* v. trans., **1.** remettre à quelqu'un quelque chose qu'il avait prêté : *je lui ai rendu les outils qu'il m'avait prêtés; il rend le bien pour le mal,* il fait du bien à ceux qui lui ont fait du mal. **2.** ne pas garder dans le corps ce qu'on a mangé ou bu. **3.** (avec un adj.) faire devenir : *son métier l'a rendu heureux.* **4.** suivi d'un nom, *rendre* sert à faire quelques expressions : *rendre justice,* donner à quelqu'un la justice qui lui est due : *on a rendu justice à son travail; rendre courage,* donner du courage à quelqu'un qui n'en avait plus; *rendre service,* faire quelque chose d'utile à quelqu'un. — **se rendre, 1.** aller : *je me suis rendu à la ville.* **2.** remettre ses armes et sa personne à l'ennemi : *cette ville s'est rendue.* — **rendu, ue, 1.** adj., arrivé : *nous sommes rendus au bout du village.* **2.** très fatigué : *les chevaux étaient rendus à la fin de la journée.*

renoncer [rənõse], (*je renonçais, nous renonçons*), v. avec *à,* ne plus vouloir faire quelque chose ou avoir quelque chose : *il a renoncé à jouer à la balle; elle veut renoncer à ses biens.*

renouveler [rənuvle] (s'écrit avec deux *l* devant un *e* muet : *il renouvelle, il renouvellera*), v. trans., faire de nouveau : *il a renouvelé son effort.*

renseignement [rãsɛɲmã], n. m., ce que l'on dit à quelqu'un pour l'aider à faire quelque chose : *pourriez-vous me donner quelques renseignements sur la ville où je vais? — bureau des renseignements* (dans une gare), endroit où des employés disent aux voyageurs ce qu'ils ont besoin de savoir sur les trains.

renseigner [rãsɛɲe], v. trans., dire à quelqu'un ce qu'il a besoin de savoir pour faire quelque chose : *il m'a renseigné sur les prix des hôtels.*

rentrée [rãtre], n. f., **1.** action de rentrer : *la rentrée de classes aura lieu au mois de septembre.* **2.** argent qu'on reçoit : *nous avons eu d'importantes rentrées le mois dernier.*

rentrer [rãtre], v. intr., entrer dans un endroit d'où on est sorti : *il est sorti de sa maison et il est rentré cinq minutes après; après les vacances les élèves rentreront en classe.* — v. trans., faire entrer, mettre dans un endroit : *on a rentré la voiture dans le garage.*

renverser [rɑ̃vɛrse], v. trans., faire tomber : *il a renversé son verre;* fig., étonner beaucoup : *cette nouvelle m'a renversé.*

renvoyer [rɑ̃vwaje] (prend *i* au lieu d'*y* devant *e* muet : *je renvoie;* — futur : *je renverrai;* conditionnel : *je renverrais*), v. trans., **1.** envoyer une chose à celui qui l'avait envoyée : *j'ai renvoyé cette lettre à celui qui me l'avait écrite.* **2.** dire à quelqu'un qui est employé dans une maison de ne plus revenir : *le patron a renvoyé un de ses ouvriers.* **3.** remettre à plus tard : *le juge a renvoyé l'affaire au 1er mars.*

répandre [repɑ̃drə] *(je répands, tu répands, il répand, nous répandons, vous répandez, ils répandent; je répandais; je répandis; je répandrai; que je répande; répandu*), v. trans., **1.** faire tomber (de l'eau, du vin, des grains, etc.) : *il a répandu de l'eau sur la table.* **2.** faire connaître partout : *il cherche à répandre ses idées; la nouvelle s'est vite répandue.*

réparation [reparasjɔ̃], n. f., action de réparer : *les réparations de sa maison ont coûté très cher.*

réparer [repare], v. trans., arranger une chose de façon qu'on puisse de nouveau s'en servir : *il a fait réparer son moteur; il a réparé ses forces,* il a mangé et s'est reposé de façon à n'être plus fatigué.

repartir [rəpartir] (se conjugue comme *partir*), v. intr. (avec *être*), partir d'un endroit où on est arrivé : *il est reparti le lendemain du jour où il est arrivé.*

repas [rəpa], n. m., le petit déjeuner, le déjeuner, le dîner : *il a fait un bon repas.*

repasser [rəpase], v. intr., passer de nouveau dans un endroit : *il ne vous a pas trouvé chez vous, il repassera demain.* — v. trans., **1.** passer (traverser) de nouveau : *il a repassé la Seine après l'avoir traversée.* **2.** revoir quelque chose dans un livre pour le savoir mieux : *les élèves ont repassé leur leçon.* **3.** *repasser du linge,* le rendre bien plat avec un fer chaud : *cette chemise est bien repassée; un fer à repasser* (voir **fer**). **4.** *repasser un couteau, des ciseaux,* etc., les frotter sur une pierre pour qu'ils coupent bien de nouveau.

repentir (se) [sə rəpɑ̃tir], v., avoir le sentiment qu'on n'aurait pas dû faire ce qu'on a fait : *il s'est repenti de sa faute.* — **repentir,** n. m., ce sentiment : *il a un grand repentir de ses fautes.*

répéter [repete] *(je répète, nous répétons, je répéterai),* v. trans., **1.** dire plusieurs fois : *vous répétez toujours les mêmes mots.* **2.** faire plusieurs fois : *il a répété les mêmes fautes.* **3.** jouer une pièce de théâtre sans public avant de la jouer devant le public : *on a longtemps répété cette pièce.*

répondre [repɔ̃drə] *(je réponds, tu réponds, il répond, nous répondons, vous répondez, ils répondent; je répondais; je répondis; je répondrai; que je réponde; répondu*), v. trans., dire (ou écrire) quelque chose à quelqu'un qui vous a parlé (ou écrit) : *il m'a répondu « non »; il n'a pas répondu à la lettre de son père.*

réponse [repɔ̃s,] n. f., ce qu'on dit (ou écrit) à quelqu'un qui vous a parlé (ou écrit) : *je n'ai pas reçu de réponse à ma lettre.*

repos [rəpo], n. m., le fait de s'arrêter de travailler ou de marcher, d'être tranquille : *il a pris un peu de repos,* il s'est reposé.

reposer [rəpoze], v. trans., **1.** remettre quelque chose qu'on avait enlevé : *il a reposé ce livre là où il l'avait pris.* **2.** mettre ses jambes, ses bras, sa tête, de façon qu'ils ne soient plus fatigués : *il a reposé ses jambes; j'étudierai cette question à tête reposée,* en prenant le temps d'y penser. — v. intr., dormir : *le malade repose, ne le réveillez pas.* — **se reposer,** s'arrêter de travailler, de marcher, etc., pour reprendre des forces quand on est fatigué : *il s'est reposé un jour après ce long voyage.*

repousser [rəpuse], v. trans., **1.** faire reculer un ennemi : *nous avons repoussé les ennemis.* **2.** ne pas vouloir recevoir : *il a repoussé ce qu'on lui offrait.* — v. intr., pousser de nouveau : *sa barbe a repoussé.*

reprendre [rəprɑ̃drə] (se conjugue comme *prendre*), v. trans., **1.** prendre de nouveau quelque chose : *il a repris sa fourchette qu'il avait mise sur la table.* **2.** prendre quelque chose qu'on avait avant et qu'on a perdu : *nous avons repris la ville à l'ennemi; il a repris des forces.* **3.** recommencer : *il a repris son travail après sa maladie.* **4.** dire à quelqu'un qu'il fait quelque chose de mal : *cet élève a été souvent repris par ses maîtres et ses parents.* — v. intr., se produire de nouveau : *le feu a repris; son mal a repris.*

représentation [rəprezɑ̃tasjɔ̃], n. f., action de représenter : *je suis allé à la première représentation de cette pièce.*

représenter [rəprezɑ̃te], v. trans., **1.** jouer une pièce de théâtre : *on a souvent représenté cette pièce.* **2.** faire voir en dessinant, en peignant, en sculptant : *ce dessin représente un cheval.* **3.** venir à la place de quelqu'un : *un maître a représenté à la fête le directeur qui n'avait pas pu venir.* — **représentant, ante,** n. m. et f., celui (celle) qui représente (au sens 3) : *représentant de commerce,* celui qui va chez les clients pour leur présenter des marchandises.

reproche [rəprɔʃ], n. m., ce qu'on dit à quelqu'un pour lui faire savoir qu'on n'est pas content de lui : *le juge lui a fait des reproches; un homme sans reproche,* un homme qui ne doit recevoir aucun reproche parce qu'il se conduit très bien.

reprocher [rəprɔʃe], v. trans., dire à quelqu'un que ce qu'il a fait n'est pas bien : *on lui a reproché ses fautes; je vous reproche de mal vous conduire.*

républicain, aine [repyblikɛ̃, ɛn], adj., qui se rapporte à la république : *le gouvernement républicain;* — **un républicain, une républicaine,** n. m. et f., celui (celle) qui aime la république.

république [repyblik], n. f., sorte d'Etat où le peuple a le gouvernement (où il n'y a pas de roi) : *la France est une république.*

réseau, plur. **eaux** [rezo], n. m., ensemble de routes, de lignes de chemin de fer, de lignes de téléphone *on a installé un réseau téléphonique.*

réserve [rezɛrv], n. f., **1.** ce qu'on a gardé pour s'en servir plus tard : *il vit sur ses réserves,* il vit sur ce qu'il a gardé; *mettre en réserve,* réserver, garder pour plus tard. **2.** les soldats qui ont fini leur service militaire, mais qui peuvent être de nouveau appelés à l'armée : *il est maintenant dans la réserve.* **3.** *faire des réserves,* dire que tout n'est pas bien : *je fais quelques réserves sur ce que vous venez de dire.*

réserver [rezɛrve], v. trans., garder pour s'en servir plus tard : *je réserve ma part.* — **se réserver, 1.** ne pas dire tout de suite son avis : *je me réserve.* **2.** *je me réserve de lui dire ce que j'en pense,* je le lui dirai quand le moment sera venu.

résistance [rezistɑ̃s], n. f., **1.** action de se défendre contre l'ennemi : *l'ennemi a été étonné de notre résistance.* **2.** qualité de celui qui n'est pas vite fatigué : *il n'a plus beaucoup de résistance.* **3.** *morceau (pièce) de résistance,* la principale partie d'un repas; fig., la principale partie de quelque chose.

résister [reziste], v. (avec *à*), **1.** se défendre contre les ennemis : *la ville a résisté à ceux qui voulaient la prendre.* **2.** ne pas être vite fatigué : *il n'a pas résisté à une nuit sans sommeil.* — **résistant, e,** adj., qui résiste : *il est très résistant à la fatigue;* n. m. et f., celui (celle) qui défend son pays contre les ennemis : *il y a eu beaucoup de résistants pendant la guerre.*

résoudre [rezudrə] (s'emploie surtout à l'infinitif et aux temps composés, faits avec le participe *résolu*), v. trans. **1.** *résoudre un problème,* arriver à un résultat de façon que le problème n'existe plus : *le problème que posait votre départ est résolu.* **2.** décider, choisir entre plusieurs actions celle que l'on fera : *j'ai résolu de ne pas vous quitter.* — **se résoudre,** se décider, choisir l'action que l'on fera après y avoir bien pensé : *il s'est résolu à vous laisser avec votre famille.* — **résolu, ue,** adj., qui sait bien ce qu'il fera : *il marche avec un air résolu.*

respect [rɛspɛ], n. m., **1.** sentiment qu'on doit avoir pour ses parents, pour les vieilles personnes, etc. : *cet enfant a manqué de respect à son père.* **2.** *je vous présente mes respects; présentez mes respects à Madame votre mère,* façons polies de saluer. **3.** *tenir en respect,* empêcher de s'approcher : *les soldats ont tenu l'ennemi en respect.*

respecter [rɛspɛkte], v. trans., **1.** avoir pour quelqu'un le sentiment qu'on doit avoir pour ses parents, pour les vieilles personnes, etc. : *nous devons respecter nos parents et nos maîtres.* **2.** faire attention à quelque chose, ne pas toucher à quelque chose : *il faut respecter les fleurs du jardin.*

responsabilité [rɛspõsabilite], n. f., le fait de devoir rendre compte du résultat : *je n'ai pas de responsabilité dans cette affaire.*

responsable [rɛspõsablə], adj., qui doit rendre compte d'un résultat et qui peut être récompensé ou puni : *le chauffeur de cette auto est responsable de l'accident.*

respirer [rɛspire], v. intr., faire entrer de l'air dans les poumons par le nez : *on ne peut pas vivre sans respirer.* — v. trans. : *nous allons respirer le bon air de la campagne;* fig., *il respire la santé,* il a l'air d'être en très bonne santé.

ressemblance [rəsãblãs], n. f., le fait de ressembler, d'être presque pareil : *la ressemblance de ces deux frères étonne tout le monde.*

ressembler [rəsãble], v. (avec *à*), être presque pareil : *il ressemble beaucoup à son grand-père.* — **ressemblant, ante,** adj., qui ressemble (se dit surtout d'un tableau, d'une photo, etc.) : *cette photo est très ressemblante.*

ressources [rəsurs], n. f. plur., produits, argent, etc., qui peuvent aider : *ce pays a de grandes ressources.* — au singulier dans quelques expressions : *un homme de ressource,* un homme adroit et intelligent; *être sans ressource (*ou *ressources),* être sans argent et sans moyens de vivre.

restaurant [rɛstɔrã], n. m., maison où l'on sert à déjeuner et à dîner : *nous avons déjeuné hier au restaurant.*

reste [rɛst], n. m., **1.** ce qui reste, ce qu'on n'a pas pris, pas dit, pas fait, pas mangé, etc. : *je vous raconterai demain le reste de l'histoire;* fig., *il est parti* (ou *il s'est sauvé*) *sans demander son reste,* sans attendre une minute. **2.** *les restes,* la partie d'un repas qu'on n'a pas mangée : *nous avons mangé à dîner les restes du déjeuner.* **3.** *les restes,* le corps d'un mort : *on a porté ses restes au cimetière.* — **au reste, du reste,** d'ailleurs.

rester [rɛste], v. intr. (avec *être*), **1.** être dans la partie de quelque chose qui n'a pas été prise, dite, faite, mangée, etc. : *il reste des légumes du déjeuner.* **2.** être un certain temps au même endroit : *je suis resté deux ans à Paris.* **3.** continuer à être ce qu'on était : *il est resté mon ami; il est resté fort.* — **restant, ante,** adj., qui reste : *poste restante,* ce qu'on écrit sur une lettre qui sera demandée au bureau de poste : *les voyageurs se servent souvent de la poste restante.* — **restant,** n. m., ce qui reste : *le restant de mes jours,* tout le temps qui me reste à vivre : *il est allé à la campagne pour le restant de ses jours.*

résultat [rezylta], n. m., ce qui est produit par un travail, par un effort, etc. : *il a vu les résultats de son travail.*

résumer [rezyme], v. trans., dire (écrire, raconter) de façon courte une chose assez longue, en ne gardant que ce qui est important : *je vais vous résumer notre voyage.* — **résumé,** n. m., ce qui est dit (écrit, raconté) de façon courte, quand on ne garde que le plus important : *il m'a fait un résumé de sa vie; en résumé,* en peu de mots.

retard [rətar], n. m., le fait de n'être pas à l'heure, d'arriver trop tard : *le train a eu du retard; nous sommes arrivés en retard; il m'a mis en retard.*

retarder [rətarde], v. trans., faire arriver plus tard : *il a retardé son départ de deux jours.* — v. intr., (en parlant d'une montre) marcher trop lentement (contraire : *avancer*) : *ma montre retarde de cinq minutes par jour.*

retenir [rətənir] (se conjugue comme *tenir*), v. trans., **1.** empêcher de partir, faire rester : *il m'a retenu longtemps chez lui.* **2.** empêcher de faire quelque chose : *il voulait se jeter sur son voisin, mais on l'a retenu.* **3.** garder dans sa mémoire : *j'ai retenu les noms de quelques grands hommes;* fam., *je le retiens,* je ne suis pas content de lui. **4.** faire garder pour soi : *j'ai retenu une place dans le train et une chambre à l'hôtel.* — **se retenir,** faire des efforts pour ne pas faire quelque chose : *je me suis retenu de me mettre en colère.*

retentir [rətɑ̃tir], v. intr., se faire entendre : *la musique a retenti tout à coup.*

retirer [rətire], v. trans., **1.** enlever quelque chose qu'on a avancé : *j'ai retiré ma main du poêle.* **2.** faire sortir quelqu'un ou quelque chose qui est entré : *on a retiré une arme de sa blessure.* — **se retirer,** s'en aller pour rentrer chez soi : *les ennemis se sont retirés.*

retomber [rətɔ̃be], v. intr., **1.** tomber de nouveau : *il est retombé après avoir été relevé.* **2.** tomber après avoir été lancé en l'air : *j'ai vu retomber la balle qu'il a lancée;* fig., *cela retombera sur lui,* il aura lui-même le mal qu'il a voulu faire à d'autres.

retour [rətur], n. m., le fait de revenir à l'endroit d'où on est parti : *j'étais là au moment de son retour; il est parti sans esprit de retour* (ou *sans retour*), pour toujours; *donner en retour,* donner à celui qui vous a donné quelque chose : *je lui ai rendu service, il ne m'a rien donné en retour; payer de retour,* même sens (mais sans dire ce qu'on donne) : *il m'a payé de retour.*

retourner [rəturne], v. intr. (avec *être*), revenir à l'endroit d'où on est parti : *après un long voyage je suis retourné dans mon pays.* — v. trans., tourner tout à fait, en mettant dessus ce qui était dessous : *il a fait retourner son habit;* fig. et fam., *il a retourné sa veste,* il a changé tout à fait d'idée. — **se retourner,** regarder en arrière : *je me suis retourné quand j'ai entendu mon nom.* — **s'en retourner,** s'en aller pour rentrer chez soi : *il s'en est retourné content.*

retraite [rətrɛt], n. f., **1.** action de s'en aller (se dit surtout des soldats) : *on a donné l'ordre de la retraite; l'ennemi bat en retraite,* il s'en va. **2.** situation où est une personne quand elle n'est plus en service et reçoit une pension (une certaine somme d'argent chaque année) : *il est en retraite* (ou *à la retraite*). **3.** l'argent que reçoit cette personne : *il a une petite retraite.*

retrouver [rətruve], v. trans., **1.** trouver quelque chose qu'on croyait avoir perdu : *j'ai retrouvé le crayon que j'avais laissé tomber.* **2.** aller près de quelqu'un : *il a retrouvé son camarade après l'école.* **3.** fam., *je m'y retrouve,* je comprends; *je ne me retrouve plus dans ces comptes,* je n'arrive pas à comprendre ces comptes.

réunion [reynjɔ̃], n. f., **1.** action de réunir, de mettre ensemble. **2.** le fait d'être ensemble : *nous avons une réunion le mois prochain.*

réunir [reynir], v. trans., mettre ensemble : *toute la famille est réunie dans la salle à manger.* — **se réunir,** se mettre ensemble : *nous nous réunissons tous les dimanches.*

réussir [reysir], v. intr., arriver à un résultat : *il réussit dans ses études; il a réussi à payer ce qu'il devait; tout lui réussit.* — v. trans., bien faire : *cet artiste réussit très bien les fleurs*

revanche [rəvɑ̃ʃ], n. f., **1.** action de gagner après avoir perdu (par exemple, de battre quelqu'un après avoir été battu par lui) : *il s'est moqué de moi, mais j'ai pris ma revanche* (je me suis moqué de lui). **2.** partie que l'on joue pour permettre à celui qui a perdu de gagner à son tour. — EXPRESSIONS : *à charge de revanche: je vous prête ce livre, à charge de revanche,* mais vous me prêterez vous aussi un livre quand j'en aurai besoin; *en revanche,* marque qu'une action, ou une qualité répare l'absence d'une autre action, ou d'une autre qualité : *il n'est pas fort, en revanche il est très gentil.*

rêve [rɛv], n. m., **1.** ce qu'on voit pendant qu'on dort : *j'ai fait un beau rêve la nuit dernière.* **2.** idées qui sont loin de ce qui est : *nous faisons des rêves de bonheur.*

réveil [revɛj], n. m., **1.** moment où l'on se réveille : *c'est l'heure du réveil.* **2.** (ou **réveille-matin**) petite pendule (grosse montre) qu'on peut faire sonner à une certaine heure pour être réveillé : *le réveil a sonné trop tôt.*

réveiller [revɛje], v. trans., faire sortir du sommeil : *le bruit des autos m'a réveillé.* — **se réveiller,** sortir du sommeil : *je me suis réveillé de bonne heure.*

révéler [revele] *(je révèle, nous révélons; je révélerai),* v. trans., faire connaître quelque chose qui était caché : *je lui ai révélé ce qu'on disait de lui.*

revendication [rəvɑ̃dikasjɔ̃], n. f., ce qu'on demande avec force, comme un droit : *le directeur a reçu les revendications des ouvriers.*

revenir [rəvənir] (se conjugue comme *venir*), v. intr. (avec *être*), **1.** venir de nouveau : *il reviendra vous voir.* **2.** aller à l'endroit d'où on est parti : *je suis revenu chez moi; revenir sur ses pas,* refaire en sens contraire le chemin qu'on a déjà fait; *revenir à la vie,* remuer de nouveau après avoir été comme mort; fig., *ce mot ne me revient pas,* je ne me le rappelle pas; fam., *sa figure me revient (ne me revient pas),* elle me plaît (ne me plaît pas). **3.** *revenir de,* quitter un endroit pour aller à l'endroit d'où on est parti : *je reviens de Londres;* fig., laisser des idées qu'on avait : *il est revenu de ses anciennes idées; j'en suis revenu,* je n'y crois plus; fig. et fam., *je n'en reviens pas,* je suis très étonné. **4.** *revenir sur,* fig., changer quelque chose qu'on a dit : *il est revenu sur ce qu'il avait promis.* **5.** *il m'est revenu que,* j'ai entendu dire que : *il m'est revenu que vous voulez partir.* **6.** coûter : *ce voyage lui reviendra très cher; prix de revient,* ce qu'une chose coûte à faire : *ce marchand ne vend pas beaucoup au-dessus du prix de revient.* — **revenant,** n. m., mort qu'on croit voir revenir sur la terre : *il a peur des revenants.*

revenu [rəvəny], n. m., l'argent qu'on gagne dans l'année : *il a de gros revenus,* il gagne beaucoup d'argent; *il paie l'impôt sur le revenu.*

rêver [rɛve], v. intr., **1.** voir des choses pendant qu'on dort : *j'ai encore rêvé cette nuit.* **2.** espérer quelque chose de très beau qui n'est peut-être que dans les rêves : *il rêve du bonheur de tous les hommes; il rêve de faire un voyage en Italie.*

revoir [rəvwar] (se conjugue comme *voir*), v. trans., voir de nouveau : *j'ai revu hier un ami que j'avais quitté il y a deux ans.* — **au revoir,** se dit quand on quitte quelqu'un.

révolution [revɔlysjɔ̃], n. f., action de changer de façon violente (par la force) le gouvernement d'un pays : *la Révolution française* (en 1789).

revue [rəvy], n. f., **1.** action de voir des personnes ou des choses l'une après l'autre : *l'armée a été passée en revue.* **2.** sorte de livre qui paraît tous les mois ou tous les trois mois : *il reçoit chaque mois plusieurs revues.*

rez-de-chaussée [re d ʃose], n. f., partie d'une maison où l'on entre sans avoir à monter un escalier : *nous habitons au rez-de-chaussée; cette maison n'a qu'un rez-de-chaussée,* elle n'a pas d'étage.

rhume [rym], n. m., maladie où l'on tousse beaucoup : *il a eu un rhume cet hiver; rhume de cerveau,* petite maladie où l'on se mouche beaucoup : *il a un rhume de cerveau chaque printemps.*

riche [riʃ], adj., (contraire : *pauvre*), **1.** qui a beaucoup d'argent : *il était pauvre, il est devenu riche.* **2.** *un sol riche,* un sol qui produit beaucoup.

richesse [riʃɛs], n. f., **1.** le fait d'être riche (contraire : *pauvreté*). PROVERBE : *La richesse ne fait pas le bonheur,* on peut être heureux sans être riche. **2.** *les richesses,* l'argent, les terres, les choses qui valent beaucoup : *ce pays a de grandes richesses.*

rideau, plur. **eaux** [rido], n. m., **1.** grande pièce de tissu qu'on met devant une fenêtre : *j'ai ouvert les rideaux, j'ai fermé* (ou *tiré*) *les rideaux.* **2.** (dans un théâtre) grande pièce de tissu qu'on lève avant de représenter une pièce et qu'on baisse quand elle est finie : *on a levé le rideau à 9 heures.*

Rideaux.

ridicule [ridikyl], adj., qui fait rire sans le vouloir : *il porte un chapeau ridicule.* — n. m., façon d'être (manière) qui fait rire : *cet homme a beaucoup de ridicules.*

rien [rjɛ̃], pron., aucune chose (avec *ne* devant le verbe) : *je n'ai rien vu; cela ne fait rien,* cela n'a pas d'importance; *comme si de rien n'était,* comme si rien n'était arrivé; *je ne le donnerais pour rien au monde,* même si on m'offrait beaucoup d'argent. Sans *ne* dans les réponses : *qu'avez-vous vu? — rien.* — n. m., très petite chose, chose très peu importante : *il pleure pour un rien; il s'amuse avec des riens.*

rime [rim], n. f., les mêmes sons qui reviennent à la fin des vers (en poésie) : *main et chemin font une rime.* — EXPRESSIONS : *cela n'a ni rime ni raison,* cela n'a pas de sens.

1. rire [rir] *(je ris, tu ris, il rit nous rions, vous riez, ils rient; je riais; je ris; je rirai; que je rie; ri),* v. intr., faire un mouvement de la bouche et des joues (en découvrant un peu les dents) qui montre qu'on s'amuse : *ce film m'a fait rire.* — **riant, e,** adj., agréable à voir : *cette campagne est riante.*

2. rire [rir], n. m., action de rire : *j'ai entendu vos rires.*

risque [risk], n. m., danger : *il court de grands risques; vous ferez cela à vos risques et périls,* vous devez savoir quel est le danger de ce que vous voulez faire; *au risque de,* en courant le danger de : *il a traversé la rivière sur une corde au risque de tomber dans l'eau.*

risquer [riske], v. trans., **1.** mettre en danger : *il risque sa vie; il a risqué beaucoup d'argent dans cette affaire.* **2.** être en un certain danger : *il risque la mort; vous risquez de vous tromper.*

rivage [rivaʒ], n. m., l'ensemble des rives (se dit aussi du bord de la mer) : *le bateau a quitté le rivage.*

rive [riv], n. f., le bord d'une rivière, d'un lac : *nous nous sommes promenés sur la rive.*

rivière [rivjɛr], n. f., eau qui coule : *on a construit un pont sur la rivière.*

riz [ri], n. m., plante qu'on cultive sur des sols très humides et qui remplace le pain dans beaucoup de pays chauds (surtout en Asie) : *nous avons mangé du riz.*

rizière [rizjɛr], n. f., terrain où on cultive le riz : *les rizières ont besoin de beaucoup d'eau.*

robe [rɔb], n. f., **1.** habit très long que portent les dames (et aussi les juges et les avocats au tribunal) : *cette dame a une robe bleue.* **2.** couleur de la peau d'un animal (surtout d'un cheval) : *ce cheval a une belle robe.*

robinet [rɔbinɛ], n. m., appareil qui permet de faire couler l'eau quand on veut : *il a ouvert (fermé) le robinet.*

Robinet.

robuste [rɔbyst], adj., fort, solide : *il a une santé robuste,* il n'est pas souvent malade.

rocher [rɔʃe], n. m., très grosse pierre : *il y a des rocherssur cette côte.*

roi [rwa], n. m., homme qui est à la tête d'un pays après son père et pour toute sa vie : *le roi d'Angleterre;* fig., *le roi des animaux,* le lion.

rôle [rol], n. m., **1.** ce que dit chaque acteur, chaque personne qui joue dans une pièce de théâtre : *il ne sait pas son rôle.* **2.** part que l'on a dans un événement, dans une affaire : *cet homme a joué un grand rôle dans son pays.* **3.** *à tour de rôle,* l'un après l'autre : *ils sont entrés à tour de rôle.*

roman [rɔmɑ̃], n. m., **1.** livre qui raconte une histoire inventée (qui n'est pas vraie) : *cette dame lit beaucoup de romans.* **2.** ce qui ressemble à ce genre d'histoires : *sa vie est tout un roman.*

rompre [rɔ̃prə] *(je romps, tu romps, il rompt, nous rompons, vous rompez, ils rompent; je rompais; je rompis; je romprai, que je rompe; rompu),* v. trans., casser : *il a rompu une branche.* EXPRESSIONS : *vous me rompez la tête,* ce que vous dites me cause de la fatigue; *il a rompu la glace,* il a parlé le premier quand tout le monde se taisait; *un bruit à tout rompre,* un bruit très fort. — v. intr., **1.** se casser : *la branche a rompu.* **2.** ne plus être ami : *il a rompu avec son plus vieil ami.* — **rompu, ue,** adj., **1.** qui a une grande habitude de quelque chose : *il est rompu aux comptes les plus difficiles.* **2.** très fatigué : *j'étais rompu après ce long voyage.*

rond, e [rɔ̃, rɔ̃d], adj., *cette table est ronde.* — adv. : *le moteur tourne rond,* il marche bien. — n. m., chose ronde : *il a dessiné un rond au tableau noir; un rond de serviette* (où l'on passe sa serviette de table). — **en rond,** en forme de rond : *ils étaient assis en rond autour de lui.*

ronger [rɔ̃ʒe] (*ge* devant *a* et *o* : *nous rongeons*), v. trans., couper doucement avec les dents : *les rats rongent le bois.*

1. rose [roz], n. f., très belle fleur : *il cultive de belles roses dans son jardin; frais comme une rose,* très frais; *rose des vents,* dessin qui montre la direction des vents (les points cardinaux).

Rose.

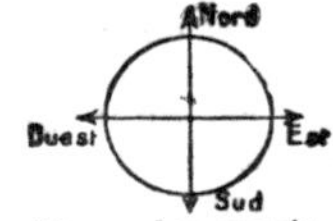

Rose des vents.

2. rose [roz], adj., d'un rouge très clair, comme est la couleur des roses : *des papiers roses; il voit la vie en rose,* il pense que tout dans la vie est bien.

roseau, plur. **eaux** [rozo], n. m., plante longue et mince qui vit dans l'eau : *des roseaux poussent au bord de la rivière.*

Roseau.

rossignol [rɔsiɲɔl], n. m., oiseau qui chante très bien : *j'entends les rossignols qui chantent dans le bois.*

Rossignol.

rôtir [rɔtir ou rotir], v. trans., faire cuire sans eau et près des flammes : *ma femme rôtit un morceau de veau.* — v. intr. **1.** cuire sans eau, près des flammes : *le bœuf rôtit à la cuisine.* **2.** fig., avoir très chaud : *nous avons rôti cet été à la campagne.* — **rôti,** n. m., viande rôtie : *on servi un rôti de bœuf.*

roue [ru], n. f., pièce ronde qui, en tournant, sert à faire marcher les voitures : *une voiture à deux roues, à quatre roues; une roue de bicyclette.*

Roue.

rouge [ruʒ], adj., qui est de la couleur du sang : *une blouse rouge; un crayon rouge; son nez est rouge de froid.*

rougir [ruʒir], v. trans., rendre rouge : *de l'eau rougie,* de l'eau où on a mis un peu de vin. — v. intr., devenir rouge : *le ciel rougit à l'ouest quand le soleil se couche; il rougit de son mensonge.*

rouleau, plur. **eaux** [rulo], n. m., objet qui a la forme d'une chose roulée : *un rouleau de papier, de métal;* fig. *il est au bout de son rouleau,* il a dit (fait) tout ce qu'il avait à dire (à faire) ou il n'a plus longtemps à vivre.

Rouleau de papier.

rouler [rule], v. intr., **1.** avancer avec des roues : *l'auto a commencé à rouler;* fig., *il roule sur l'or,* il est riche. **2.** aller en tournant comme une roue : *il a roulé au bas de l'escalier.* — v. trans., **1.** mettre en rond comme une roue : *il roule une feuille de papier.* **2.** fam., tromper : *ce marchand a roulé ses clients.*

Il roule une feuille de papier.

roulette [rulɛt], n. f., petite roue : *ce jouet est monté sur des roulettes;* fig., *cela marche (cela va) comme sur des roulettes,* très bien, très facilement.

route [rut], n. f., chemin très large dans la campagne : *cette route est très droite; grande route,* route très importante; *sur ma route,* sur mon chemin : *ce magasin est sur votre route.*

roux, rousse [ru, rus], adj., couleur des cheveux d'une couleur entre le jaune et le rouge : *des cheveux roux; une femme rousse.*

ruche [ryʃ], n. f., sorte de petite maison que l'on fait pour les abeilles : *les abeilles volent autour de la ruche;* fig., *cette maison est une vraie ruche,* beaucoup de personnes y entrent et en sortent, ou y travaillent.

rude [ryd], adj., **1.** (en parlant des choses) qui n'est pas doux : *un chemin rude.* **2.** fig., difficile, qui demande de la peine : *un travail rude.* **3.** (en parlant des personnes) dur, peu agréable : *un homme rude.*

rue [ry], n. f., chemin à l'intérieur d'une ville : *il s'est promené dans les rues de Paris; dans quelle rue habitez-vous? cette nouvelle court les rues,* tout le monde la connaît; *c'est vieux comme les rues,* c'est très vieux.

ruine [rɥin], n. f., **1.** le fait de perdre tout ce qu'on a : *il est près de la ruine.* **2.** action de tomber en morceaux : *cette maison tombe en ruine.* **3.** *ruines* au plur., ce qui reste d'une ancienne maison : *cette belle maison n'est plus que ruines.*

ruiner [rɥine], v. trans., **1.** faire perdre à quelqu'un tout ce qu'il a : *ses voyages l'ont ruiné.* **2.** faire tomber (souvent au figuré) : *il a ruiné sa santé.* — **se ruiner,** perdre tout ce qu'on a : *cet homme s'est ruiné au jeu.*

ruisseau, plur. **eaux** [rɥiso], n. m., **1.** très petite rivière : *une planche sert de pont sur le ruisseau.* PROVERBE : *Les petits ruisseaux font les grandes rivières,* en faisant un peu chaque jour, on arrive à faire beaucoup. — **2.** sorte de petit fossé de chaque côté d'une rue : *l'eau de la pluie coule dans le ruisseau.*

rural, ale, plur. **aux, ales** [ryral, plur. m. ryro], adj., qui se rapporte à la campagne : *il a vendu ses biens ruraux.* — n. m. et f., celui (celle) qui vit à la campagne; paysan : *les ruraux vivent de la terre qu'ils cultivent.*

ruse [ryz], n. f., moyen dont on se sert pour tromper : *il aime mieux la ruse que la force.*

rusé [ryze], n. m., qui sait se servir de la ruse : *certains animaux sont très rusés.*

rythme [ritm], n. m., le fait que des sons forts ou faibles reviennent d'après certaines règles : *le rythme de la musique.*

S

1. s' [s], s'emploie pour *se* quand le mot suivant commence par une voyelle : *il s'est trompé.*

2. s' [s], s'emploie pour *si* (conjonction et interrogatif) devant les pronoms *il* et *ils* : *s'il vient, je partirai; je demande s'ils viennent.*

sa [sa], adj. ou déterminatif possessif fém. sing. de la 3e pers. du sing. : *il est rentré dans sa chambre.*

sable [sablə], n. m., petits grains, qui se trouvent en grande quantité au bord de la mer, dans les rivières, etc. : *les enfants jouent dans le sable;* fig. et fam., *je suis sur le sable,* je n'ai plus d'argent ni de travail.

sabot [sabo], n. m., **1.** sorte de chaussure en bois : *les paysans portent souvent des sabots pour les travaux de la ferme; les sabots sont lourds, mais rendent service en hiver.* — EXPRESSIONS : *je vous entends venir avec vos gros sabots,* je vois bien ce que vous avez dans l'esprit; *il a du foin dans ses sabots,* il est riche; *il travaille comme un sabot,* il travaille très mal. **2.** sorte de corne aux pieds de certains animaux (cheval, âne, bœuf, etc.).

sac [sak], n. m., récipient en papier, en toile, etc., ouvert par le haut : *sac de blé; un sac de voyage,* sorte de valise; *sac de dame* ou *sac à main;* petit sac en cuir ou en étoffe que les dames portent à la main et où elles mettent des mouchoirs, de l'argent, etc. — EXPRESSIONS : *il a plus d'un tour dans son sac,* il sait se débrouiller; *je vais vider mon sac,* je vais dire tout ce que j'ai à dire; *c'est un homme de sac et de corde,* c'est un homme qui se conduit très mal, un voleur, etc. (un homme qu'on devrait pendre); *on a pris ce voleur la main dans le sac,* on l'a pris en train de voler.

Sac de blé.

Sac de dame.

sage [saʒ], adj., **1.** qui se conduit de façon intelligente et juste : *un homme sage; de sages conseils; il est sage de revenir avant l'orage.* **2.** (en parlant des enfants) tranquille, qui ne fait pas de bruit : *les enfants ont été sages aujourd'hui.* — n. m., **un sage,** un homme sage : *il vit à la campagne comme un sage.*

sagesse [saʒɛs], n. f., qualité de celui qui est sage (aux deux sens de l'adjectif) : *vous avez parlé avec sagesse; ces enfants ont été d'une grande sagesse.*

saigner [sɛɲe], v. intr., perdre du sang : *il saigne du nez.* — V. trans., **1.** faire couler un peu de sang du bras d'un malade : *le médecin a saigné le malade.* **2.** tuer en faisant couler le sang : *on a saigné le cochon à la ferme.* — **se saigner,** fig., dépenser beaucoup d'argent; *ce père s'est saigné pour ses enfants.* — **saignant, ante,** adj., où il y a du sang : *de la viande saignante,* de la viande qui n'est pas très cuite.

sain, e [sɛ̃, sɛn], adj., **1.** qui n'est pas touché par la maladie : *il est sain de corps et d'esprit.* **2.** qui est bon pour la santé : *l'air de cette région est très sain.*

saint, e [sɛ̃, sɛ̃t], adj. et n., **1.** qui a reçu après sa mort une place près de Dieu (dans la religion catholique) : *saint Louis; sainte Thérèse; un grand saint.* **2.** qui se conduit de façon juste et bonne : *une sainte femme; une vie sainte; c'est un vrai saint.* **3.** *vendredi saint,* le vendredi avant Pâques; *la semaine sainte,* la semaine avant Pâques.

saisir [sɛzir], v. trans., **1.** prendre en main avec force : *il a saisi son couteau.* **2.** comprendre : *je ne saisis pas ce que vous voulez dire.* **3.** prendre pour les vendre les biens d'une personne qui ne paye pas l'argent qu'elle doit : *on a saisi sa maison.* **4.** *saisir le tribunal d'une affaire,* la porter devant le tribunal. — **se saisir** (*de*), prendre avec force : *il s'est saisi d'une arme pour frapper.*

saison [sɛzõ], n. f., une des quatre parties de l'année (printemps, été, automne, hiver) : *le printemps est la saison la plus agréable; la belle saison,* le printemps et l'été; *il fait une saison dans une ville d'eaux,* il passe dans la ville d'eaux le temps nécessaire pour se soigner; *la morte saison,* le moment de l'année où il n'y a pas de travail dans certains métiers.

salade [salad], n. f., herbe ou légume qu'on mange avec du sel, de l'huile, du vinaigre : *de la salade de pommes de terre; il a mangé de la salade à son déjeuner.*

salaire [salɛr], n. m., ce qu'on paye à un ouvrier pour son travail : *il n'a pas encore reçu son salaire.*

salarié, ée [salarje], adj. et n. m. et f., qui reçoit un salaire (comme employé ou ouvrier) : *le patron doit payer un impôt pour les salariés qu'il emploie.*

sale [sal], adj., qui est couvert de poussière, de terre, etc. (contraire : *propre*) : *vos chaussures sont très sales.*

saler [sale], v. trans., mettre du sel dans les aliments : *ces légumes ne sont pas assez salés.*

saleté [salte], n. f., **1.** état de ce qui est sale : *j'ai été étonné de la saleté de sa chambre.* **2.** la terre, la poussière, etc., qui couvrent des objets : *il faut enlever la saleté.*

salière [saljɛr], n. f., petit récipient où l'on met le sel pour le repas : *voulez-vous me passer la salière?*

salir [salir], v. trans., **1.** rendre sale : *cet enfant a sali ses habits.* **2.** dire du mal de quelqu'un pour lui faire du tort : *on l'a sali par des mensonges.* — **salissant, ante,** adj., **1.** qui salit : *la poussière est très salissante.* **2.** qui est facilement sali : *cette robe est très salissante.*

salle [sal], n. f., **1.** grande pièce dans une maison : *une salle d'hôpital; garçon (fille) de salle,* employé (employée) qui nettoie une salle d'hôpital. **2.** théâtre : *on a joué cette pièce devant une salle pleine.* — **salle à manger,** pièce (de la maison ou de l'appartement) où l'on prend ses repas : *nous allons passer dans la salle à manger.* — **salle de bains,** pièce où l'on peut prendre des bains.

salon [salõ], n. m., **1.** pièce d'un appartement où l'on reçoit les personnes qui viennent : *il a fait entrer ses amis au salon.* **2.** endroit où l'on présente chaque année au public des tableaux, des sculptures, des autos : *le salon de l'auto.*

saluer [salɥe ou ye], v. trans., dire bonjour en enlevant son chapeau ou d'une autre façon : *il a salué son directeur.*

salut [saly], n. m., **1.** action de saluer : *il lui a fait un salut de loin.* **2.** ce qui sauve quelqu'un de la mort ou d'un danger : *il a dû son salut à son chien,* il a été sauvé par son chien.

samedi [samdi], n. m., le septième jour de la semaine : *ce magasin est fermé le samedi.*

sandwich [sɑ̃dviʃ], n. m., morceau de viande ou de charcuterie entre deux morceaux de pain : *il a mangé deux sandwichs dans le train.*

sang [sɑ̃], n. m., liquide rouge, nécessaire à la vie, qui est dans le corps : *le blessé a perdu beaucoup de sang; le soldat donne son sang pour son pays.* — EXPRESSIONS : *ils sont du même sang,* ils sont parents; *il se fait du bon sang,* il passe bien son temps, il s'amuse; *je me suis fait du mauvais sang,* je n'ai pas été tranquille parce que j'avais peur pour une personne ou pour une chose; *on a mis le pays à feu et à sang,* on a brûlé beaucoup de maisons et tué beaucoup de personnes.

sanglier [sɑ̃glije], n. m., cochon (porc) sauvage qui vit dans les forêts d'Europe : *les chasseurs ont tué un sanglier.*

sans [sɑ̃; sɑ̃ z devant un mot qui commence par une voyelle : *sans un mot* : sɑ̃ z œ̃ mo], prép., marque que quelqu'un ou quelque chose n'est pas là : *il est venu sans ses parents; il est mort sans avoir rien dit; sans doute,* voir *doute.* — **sans que,** conj. (avec le subj.), marque que quelque chose n'a pas lieu : *il est parti sans qu'on le voie.*

santé [sɑ̃te], n. f., **1.** façon dont on se porte : *il a une bonne (une mauvaise) santé,* il se porte bien (mal). **2.** *santé* veut dire aussi « bonne santé » : *la santé est un grand bien; je bois à votre santé,* j'espère (en buvant) que vous vous porterez bien.

sapin [sapɛ̃], n. m., grand arbre, toujours vert, qui vit surtout dans les montagnes : *on fait du papier avec le bois des sapins.*

satisfaction [satisfaksjɔ̃], n. f., état de celui qui est content : *cet enfant donne beaucoup de satisfaction à ses parents.*

satisfaire [satisfɛr] (comme *faire*), v. trans., rendre content : *cette nouvelle a satisfait tout le monde.* — **se satisfaire,** être content : *il se satisfait de peu.* — **satisfait, aite,** adj., content : *il était satisfait du travail des ouvriers.*

sauce [so:s], n, f., liquide souvent épais, que l'on mange avec les aliments : *on nous a servi de la viande avec une bonne sauce.*

sauf [sof], prép., en ne comprenant pas dans le compte : *tout le monde est sorti sauf lui.*

saut [so], n. m., action de sauter : *il a fait un grand saut; je l'ai pris au saut du lit,* au moment où il sortait du lit.

sauter [sote], v. intr., **1.** aller d'un endroit à un autre en s'élevant rapidement au-dessus du sol : *il a sauté par-dessus le mur;* fig., *cela saute aux yeux,* c'est très clair. **2.** s'en aller tout d'un coup en morceaux : *l'ennemi a fait sauter le pont.* — v. trans., **1.** passer en sautant : *il a sauté le mur.* **2.** oublier de lire ou d'écrire : *il a sauté un mot.*

Il saute par-dessus le mur.

sauvage [sovaʒ], adj., **1.** qui vit loin des hommes et des maisons : *des animaux sauvages.* **2.** (en parlant de plantes) qu'on ne cultive pas : *des plantes sauvages.* **3.** (en parlant de lieux) où il n'y a pas de culture, pas de maisons : *cette côte est très sauvage.*

sauver [sove], v. trans., tirer d'un danger : *on a pu sauver un enfant dans la maison en feu; il lui a sauvé la vie.* — **se sauver,** s'en aller en courant : *il s'est sauvé dès qu'il nous a vus.* — **sauve qui peut!** que celui qui peut se sauver se sauve!

savant, e [savɑ̃, ɑ̃t], adj. et n., celui qui sait beaucoup de choses : *Pasteur était un grand savant; les Femmes savantes* (pièce de Molière); *un animal savant,* un animal qui a appris à faire quelque chose d'intelligent (à compter par exemple); fig., *un âne savant,* un homme qui sait beaucoup de choses, mais qui n'est pas intelligent.

savoir [savwar] *(je sais, tu sais, il sait, nous savons, vous savez, ils savent; je savais; je sus; je saurai; que je sache; sache; sachant; su)*, **1.** connaître, avoir appris quelque chose : *il sait sa leçon; il sait l'anglais; il sait nager; votre père sait que vous avez manqué la classe.* **2.** *je ne saurais,* je ne peux : *je ne saurais vous dire ce que j'ai fait hier.* — **savoir,** n. m., ensemble de ce qu'on sait : *il a un grand savoir.*

savon [savɔ̃], n. m., matière qui sert à nettoyer : *il s'est lavé les mains avec du savon; le savon fond dans l'eau;* fig. et fam., *il lui a passé un savon,* il lui a dit qu'il avait mal fait; *il a reçu un savon,* on lui a dit qu'il avait mal fait.

scène [sɛn], n. f., **1.** partie d'un théâtre où jouent les acteurs (les artistes) : *la scène de ce théâtre est très grande; la scène représente une forêt.* **2.** dans une pièce de théâtre, partie d'un acte : *je suis arrivé au théâtre à la seconde scène du premier acte.* **3.** fig. et fam., *faire une scène à quelqu'un,* lui dire des choses très peu agréables.

scie [si], n. f., outil qui sert à couper du bois (c'est une lame avec des dents) : *ne vous blessez pas avec la scie.*

science [sjɑ̃s], n. f., **1.** ensemble de ce qu'on peut savoir sur la nature et sur les hommes : *les sciences physiques; les sciences humaines,* celles qui s'occupent des hommes (par exemple l'histoire). **2.** se dit quelquefois seulement des sciences de la nature : *cet élève réussit mieux en sciences qu'en lettres.*

scientifique [sjɑ̃tifik], adj., qui concerne la science : *j'ai lu plusieurs travaux scientifiques sur cette question.*

scier [sje], v. trans., couper avec une scie : *ce matin nous avons scié du bois.*

scierie [siri], n. f., atelier où l'on scie du bois : *vous trouverez une scierie au bord de la rivière.*

scolaire [skɔlɛr], adj., qui se rapporte à l'école : *l'année scolaire.*

sculpter [skylte], v. trans., représenter quelque chose dans la pierre ou le bois : *cet artiste a sculpté des chiens qui courent.*

sculpteur [skyltœr], n. m., artiste qui sculpte dans la pierre ou dans le bois : *ce sculpteur a fait de très belles œuvres (de très belles sculptures, de très belles choses).*

sculpture [skyltyr], **1.** art du sculpteur : *la sculpture demande beaucoup d'études.* **2.** ce que fait un sculpteur : *ce mur est décoré de belles sculptures.*

se [sə], pron. pers. complément de la 3e personne (sing. et plur.) qui se rapporte au sujet : *il se blesse, ils se blessent.*

séance [seɑ̃s], n. f., temps où des personnes sont réunies (sont ensemble) : *la société a tenu une longue séance avant de se décider.* — EXPRESSION : *séance tenante,* aussitôt, tout de suite.

seau, plur. **seaux** [so], n. m., récipient, en général en fer, qui sert à porter de l'eau, du charbon, etc. : *il a pris de l'eau dans le puits avec un seau.*

sec, sèche [sɛk, sɛʃ], adj., **1.** où il n'y a pas d'eau (contraires : *humide, mouillé*) : *ce terrain est très sec; du bois sec; une saison sèche; des légumes secs* (qu'on a fait sécher pour les garder). **2.** (en parlant des personnes) maigre : *un corps sec.* **3.** qui s'arrête tout d'un coup : *un coup sec; un mot sec.* **4.** *un cœur sec,* un cœur dur, qui ne sait pas aimer les autres. — EXPRESSIONS : *se mettre au sec,* se mettre dans un endroit sec; *il boit sec,* il ne met pas d'eau dans son vin; *à sec, a*) sans eau : *la rivière est à sec. b*) fig. et fam., sans argent : *je suis à sec.*

sécher [seʃe] *(je sèche, nous séchons; je sécherai),* v. trans., rendre sec : *il a séché ses habits après la pluie.* — v. intr., devenir sec : *le linge a séché.*

second, e [səgɔ̃, ɔ̃d], deuxième, qui vient après le premier : *il est arrivé second.* — n. m., **1.** celui qui commande en second sur un bateau (après le capitaine, chef du bateau) : *le second remplace le capitaine.* **2.** celui qui aide : *il a pris un second avec lui.* **3.** le second étage d'une maison : *son appartement est au second.* — n. f., la seconde classe : *il voyage en seconde; cet élève est entré en seconde.*

1. seconde, fém. de **second.**

2. seconde [səgɔ̃d], n. f., **1.** la soixantième partie d'une minute : *le train est arrivé quinze secondes avant l'heure; il n'est resté ici que deux secondes,* très peu de temps.

secouer [səkwe ou səkue], v. trans., **1.** remuer avec force : *il a secoué l'arbre pour faire tomber des fruits.* **2.** fig., *la maladie l'a secoué,* l'a beaucoup changé; *le maître l'a secoué,* lui a parlé avec force. — **se secouer,** reprendre courage : *il faut vous secouer.*

secourir [səkurir] (se conjugue comme *courir*), v. trans., aider : *il faut secourir les malheureux.*

secours [səkur], n. m., action de secourir, d'aider : *en tombant à l'eau il a crié : au secours; les secours sont arrivés trop tard; cette vieille dame reçoit des secours de ses enfants; on lui a prêté secours,* on l'a aidé.

secret, ète [səkrɛ, ɛt], adj., **1.** que

l'on cache, que l'on ne montre pas : *il a caché son argent dans un endroit secret.* **2.** (en parlant des personnes) qui ne dit rien de ses affaires : *c'est un homme très secret.* — n. m., **1.** ce qu'on cache, ce qu'on ne dit pas, ce qu'on ne montre pas : *il ne m'a pas dit ses secrets; n'ayez pas de secrets pour vos parents.* **2.** *garder le secret,* ne pas répéter un secret qu'on vous a dit.

secrétaire [səkretɛr], n. m. et f., **1.** celui (celle) qui est chargé d'écrire (en particulier des lettres) : *le directeur a une bonne secrétaire; secrétaire général,* celui qui aide le directeur ou le président; *secrétaire d'Etat,* ministre. **2.** meuble qui sert à écrire, sorte de bureau : *il a acheté un secrétaire ancien.*

secteur [sɛktœr], n. m., **1.** partie du front (au sens militaire) : *on s'est beaucoup battu dans ce secteur.* **2.** partie d'un ensemble : *on a fait des progrès dans ce secteur de l'électricité.*

section [sɛksjõ], n. f., **1.** partie d'une assemblée, d'une classe, d'un livre, etc. **2.** dans l'armée, partie d'une compagnie.

sécurité [sekyrite], n. f., le fait de ne pas être en danger : *vous n'êtes pas en sécurité au milieu de la route; sécurité sociale,* administration de l'Etat qui s'occupe des droits des personnes qui sont malades ou qui ne peuvent plus travailler.

seigneur [sɛñœr], n. m., autrefois celui qui avait des terres et commandait aux autres; *un grand seigneur,* celui qui avait beaucoup de terres; fig., *il vit en grand seigneur,* il vit comme un homme très riche.

sein [sɛ̃], n. m., partie de la poitrine : *la maman donne le sein à son bébé,* elle lui fait boire son lait. — **au sein de,** au milieu de : *il a toujours vécu au sein de sa famille.*

seize [sɛ:z], n. de nombre, 16.

seizième [sɛzjɛm], n. de nombre ordinal, **1.** qui vient après le quinzième. **2.** une des seize parties d'un ensemble.

séjour [seʒur], n. m., **1.** temps que l'on passe dans un endroit : *nous avons fait un long séjour à la campagne.* **2.** endroit où l'on reste un certain temps : *ce séjour est très agréable pendant les vacances.*

sel [sɛl], n. m., petits grains blancs qu'on met dans les aliments pour leur donner du goût : *il ne faut pas mettre trop de sel dans la soupe; gros sel,* sel qui sert à la cuisine; *sel fin,* sel qu'on met sur la table de la salle à manger.

selle [sɛl], n. f., ce qu'on met pour s'asseoir sur un cheval, sur une bicyclette : *faites attention que votre selle ne tourne pas.*

selon [səlõ], prép., marque qu'une chose se fait d'après une autre : *il tourne selon le vent.*

semailles [səmaj], n. f. plur., action de semer : *c'est le temps des semailles.*

semaine [səmɛn], n. f., **1.** les sept jours qui vont du dimanche au samedi : *il a été malade au commencement de la semaine.* **2.** sept jours qui se suivent : *je resterai une semaine à Paris.* **3.** *un jour de semaine,* un jour où on travaille (ni dimanche ni jour de fête); *en semaine,* même sens : *ce train ne marche qu'en semaine.*

semblable [sɑ̃blablə], adj., qui ressemble, qui est à peu près pareil : *j'ai chez moi une table semblable à la vôtre.* — n. m., **les semblables,** les autres hommes : *il faut être bon avec ses semblables.*

sembler [sɑ̃ble], v. intr., avoir l'air, être d'après ce qu'on voit : *cet élève semble travailleur.* — *il semble que* (d'ordinaire avec le subjonctif), on peut croire que : *il semble que le jour vienne plus tôt; il me semble que* (toujours avec l'indicatif), je crois que : *il me semble que vous venez plus tôt.*

semelle [səmɛl], n. f., **1.** partie de la chaussure qui touche le sol : *il a fait remettre une semelle par le cordonnier; battre la semelle,* marcher sur place pour avoir moins froid. **2.** morceau de tissu en forme de semelle qu'on met dans la chaussure pour avoir plus chaud : *il a mis des semelles dans ses chaussures.*

semence [səmɑ̃s], n. f., **1.** ce qu'on met dans la terre pour faire pousser les plantes : *il a acheté des semences.* **2.** petit clou à tête plate : *il a mis des semences dans le mur.*

semer [səme] *(je sème, nous semons; je sèmerai),* v. trans., mettre dans la terre des semences pour faire pousser des plantes : *il a semé du blé;* fig. : *il récolte ce qu'il a semé,* il a préparé lui-même ce qui lui arrive maintenant (en bien ou en mal).

sénat [sena], n, m., assemblée politique (le Sénat fait les lois avec l'Assemblée Nationale, il a moins de membres que l'Assemblée Nationale) : *le Sénat a voté cette loi.*

sénateur [senatœr], n. m., membre du Sénat : *il a été élu sénateur.*

sens [sɑ̃s], n. m., **1.** ce qui permet à l'homme et aux animaux de connaître ce qui se passe en dehors d'eux : *l'homme a cinq sens (la vue, l'ouïe, l'odorat, le goût, le toucher); le sens de la vue nous permet de voir.* **2.** le fait de bien juger les choses et les gens : *il a du bon sens,* il juge bien; *à mon sens,* à mon avis; *il a perdu le sens,* il est devenu fou. **3.** ce qu'un mot veut dire : *vous n'avez pas compris le sens de ce mot.* **4.** direction où l'on va : *il sont partis dans tous les sens.*

sensible [sɑ̃siblə], adj., **1.** qui sent facilement (par le cœur) : *cette dame a le cœur sensible; il est sensible à la pitié,* il a facilement pitié. **2.** qui peut être connu par les sens (au sens 1 de ce mot) : *ce mouvement est à peine sensible.* **3.** qui peut être remarqué facilement : *les progrès de cet élève sont très sensibles.*

sentier [sɑ̃tje], n. m., chemin étroit : *il s'est promené dans les sentiers de la forêt.*

sentiment [sɑ̃timɑ̃], n. m., **1.** ce qu'on sent (par le cœur) : *il a de bons sentiments pour ses parents.* **2.** ce qu'on pense : *quel est votre sentiment?* quel est votre avis?

sentir [sɑ̃tir] *(je sens, tu sens, il sent, nous sentons, vous sentez, ils sentent; je sentais; je sentis; je sentirai; que je sente; senti),* v. trans., **1.** avoir l'idée de quelque chose par les sens : *j'ai senti qu'on me touchait;* se dit surtout du nez : *je sens ces fleurs;* fig. et fam., *je ne peux pas sentir cet homme,* je ne l'aime pas du tout. **2.** répandre une odeur : *cela sent le brûlé cela sent bon (mauvais).* — **se sentir,** *je me sens bien,* je crois que je suis en bonne santé.

séparer [separe], v. trans., faire que des personnes ou des choses qui étaient ensemble ne le soient plus : *il faut séparer le travail du jeu; cette ville est séparée en deux par la rivière.* — **se séparer,** s'en aller chacun de son côté : *ces deux amis se sont séparés.*

sept [sɛt], n. de nombre, 7 : *il y a sept jours dans la semaine.*

septembre [sɛptɑ̃brə], n. m., le 9e mois de l'année : *l'automne commence le 21 septembre.*

septième [sɛtjɛm], n. de nombre ordinal, **1.** 7e, qui vient après six autres : *nous sommes arrivés ici le septième jour des vacances.* **2.** *un septième,* une des 7 parties d'un ensemble.

sergent [sɛrʒɑ̃], n. m. (dans l'armée) sous-officier (qui est au-dessus du soldat et du caporal) : *il a été nommé sergent.*

série [seri], n. f., choses semblables l'une à côté de l'autre ou l'une après l'autre : *une série d'accidents; ces autos sont fabriquées* (faites) *en série,* toutes pareilles, de façon que le travail soit plus rapide et qu'elles coûtent moins cher.

sérieux, euse [serjø, øz], adj., **1.** qui ne rit pas, *il a la figure sérieuse; il ne sait pas garder son sérieux,* il ne peut pas s'empêcher de rire. **2.** qui fait bien ce qu'il a à faire : *cet employé est très sérieux.* **3.** assez grave (contraire : *léger*) *cette maladie est très sérieuse.*

serpent [sɛrpɑ̃], n. m., animal qui a le corps très long et rond et pas de pattes : *certains serpents sont très dangereux.*

serrer [sere], v. trans., **1.** presser en tenant : *je lui ai serré la main,* *cette ceinture me serre,* elle est trop étroite; fig., *cela me serre le cœur,* cela me fait de la peine; fig. et fam., *je me suis serré le ventre,* je n'ai pas mangé autant que j'avais faim. **2.** rendre moins large : *il faut serrer les rangs.* **3.** ranger dans une armoire : *vous n'avez pas serré vos papiers.* — **se serrer,** se presser contre son voisin de façon qu'un plus grand nombre de personnes entrent dans une salle, dans un wagon, etc. : *nous nous serrerons pour que vous ayez un peu de place.*

serrure [seryr], n. f., appareil qui sert à fermer une porte avec une clef : *cette clef n'entre pas dans la serrure.*

serrurier [seryrje], n. m., celui qui fait et répare les serrures : *le serrurier a mis une nouvelle serrure à notre porte.*

serveur, euse [servœr, øz], n. m. et f., celui (celle) qui sert les clients dans un restaurant (au masculin on dit plutôt *garçon* que *serveur*) : *la serveuse va nous apporter du pain.*

service [servis], n. m., **1.** ensemble de ce qu'il y a à faire dans un magasin, des bureaux, etc. : *cet employé fait bien son service; il a pris son service hier; il est de service aujourd'hui; il est depuis dix ans au service de cette maison,* il travaille depuis dix ans pour cette maison; fig., *je suis à votre service,* je veux bien vous aider, faire quelque chose pour vous; *cet homme m'a rendu service (il m'a rendu de grands services),* il m'a été très utile; *le service militaire,* le temps où chacun doit être soldat : *mon fils fait son service en ce moment.* **2.** ensemble de bureaux, administration : *il est entré dans un nouveau service; service public,* service qui sert à tout le monde : *la poste est un service public.*

serviette [servjet], n. f., **1.** *serviette de table,* carré de toile que l'on met devant soi quand on mange pour ne pas salir ses habits : *il a fait tomber sa serviette.* **2.** *serviette de toilette,* carré de toile qui sert à s'essuyer quand on s'est lavé : *il faut changer ces serviettes.* **3.** sorte de sac plat en cuir qui sert à porter des papiers ou des livres : *il a rangé ses livres dans sa serviette.*

servir [servir] *(je sers, tu sers, il sert, nous servons, vous servez, ils servent; je servais; je servis; je servirai, que je serve; servi),* v. trans., **1.** être au service de quelqu'un : *on ne peut servir deux maîtres à la fois.* **2.** donner à quelqu'un ce qu'il demande : *il faut servir ce client.* **3.** mettre sur la table ce qui va être mangé : *on sert la soupe au début du repas.* — *servir à,* être utile : *ce livre a beaucoup servi à mes parents.* — *servir de,* remplacer : *une planche lui servait de table.* — *servir* (seul), être soldat : *mon fils sert dans l'armée.* — **se servir,** prendre (acheter) ce que l'on veut avoir : *il se sert toujours dans le même magasin.* — **se servir de,** employer (une chose) : *je me sers de ce stylo depuis un an.*

ses [se; se z quand le mot qui suit commence par une voyelle : *ses amis :* se z ami], adj. ou déterminatif possessif plur. m. et f. de la 3e personne du singulier : *il* (ou *elle*) *est allé voir ses parents.*

seuil [sœj], **1.** n. m., morceau de pierre ou de bois au bas d'une porte : *il a souvent passé le seuil de ma maison.* **2.** ce qui est un peu avant quelque chose : *nous sommes au seuil de la nouvelle année.*

seul, e [sœl], adj., sans personne, sans être avec quelqu'un, sans être aidé par quelqu'un : *il s'est promené seul dans la ville; cet élève fait ses devoirs seul.*

seulement [sœlmã], adv., **1.** sans rien (ou personne) d'autre : *j'ai seulement deux frères.* **2.** *il vient seulement d'arriver,* il est tout juste arrivé. **3.** *pas seulement,* pas même : *il n'a pas seulement ouvert la bouche.*

sève [sev], n. f., liquide qu'on trouve dans les plantes : *cet arbre est plein de sève.*

sévère [sever], adj., **1.** très sérieux, qui ne donne pas envie de rire : *il a une figure sévère.* **2.** qui ne laisse pas passer de faute : *ce maître est très sévère pour ses élèves.*

sexe [sɛks], n. m., *le sexe masculin,* les hommes; *le sexe féminin,* les femmes. On dit quelquefois pour le sexe masculin : *le sexe fort* et pour le sexe féminin : *le sexe faible* ou *le beau exe.*

1. si [si], conj., marque une condition : *si vous parlez, je vais avec vous.*

2. si [si], interrogatif, marque une question après un verbe : *je vous demande si vous allez mieux.*

3. si [si], adv., **1.** marque la force d'un adj., ou d'un adv : *il est si grand que sa tête touche le plafond; vous êtes si gentil! il travaille si bien!* **2.** aussi (seulement avec *ne... pas*) : *il n'est pas si adroit que vous.* **3.** oui (après une question où il y a *ne... pas*) : *N'êtes-vous pas venu hier? — Si (= je suis venu hier).*

siècle [sjɛklə], n. m., cent ans; *il a vécu presque un siècle; le* XIXe *siècle,* de 1801 à 1900; fig., *il y a des siècles qu'on ne vous a vu,* il y a très longtemps qu'on ne vous a vu.

siège [sjɛʒ], n. m., **1.** meuble qui sert à s'asseoir : *les chaises et les bancs sont des sièges.* **2.** *faire le siège d'une ville,* entourer la ville avec une armée pour la prendre; *lever le siège,* s'en aller avec son armée parce qu'on n'a pas pu prendre la ville : *les ennemis ont levé le siège.*

sien, sienne [sjɛ̃, sjɛn] (avec *le, la, les*), pron. poss. de la 3e pers. du sing. : *je lui ai laissé mon livre et il m'a donné le sien.* — n. m. : *il est près du sien,* il n'aime pas donner ce qui est à lui; *il y met du sien,* il aide; *il aime les siens,* sa famille; *il a fait des siennes,* il a fait des choses qu'il ne devait pas faire.

sifflement [sifləmɑ̃], n. m., bruit que l'on fait en sifflant : *j'entends les sifflements du vent dans la forêt.*

siffler [sifle], v. intr., **1.** produire un bruit (qui ressemble à un *i*) avec la bouche presque fermée ou avec un instrument : *le maître siffle pour appeler les élèves.* **2.** se dit aussi du vent dans les arbres ou d'une balle d'une arme à feu : *une balle a sifflé à son oreille.* — v. trans., **1.** *siffler une chanson,* faire entendre la musique de la chanson en sifflant. **2.** appeler en sifflant : *il a sifflé son chien.* **3.** faire connaître, en sifflant, qu'on juge qu'une pièce de théâtre n'est pas bonne : *le public a sifflé cette pièce.*

sifflet [siflɛ], n. m., instrument qui sert à siffler : *il a donné un coup de sifflet,* il a sifflé avec son sifflet.

signal, plur. **aux** [siɲal, siɲo], n. m., signe qui doit prévenir quelqu'un : *on a fait des signaux sur la colline;* fig., *il donne le signal du travail,* il commence à travailler pour que les autres travaillent.

signaler [siɲale], v. trans., faire connaître : *on lui a signalé un restaurant près de votre maison.* — **se signaler,** se faire connaître, se faire remarquer : *cet élève s'est signalé par son travail.*

signature [siɲatyr], n. f., **1.** le nom que celui qui écrit une lettre met à la fin de sa lettre : *je n'ai pas réussi à lire sa signature; donner sa signature,* signer. **2.** action de signer : *cela ne sera fait qu'après la signature.*

signe [siɲ], n. m., **1.** tout ce qui représente quelque chose : *il a dessiné des signes sur un papier.* **2.** ce que l'on fait avec les mains, avec la tête, etc., pour faire savoir quelque chose : *il m'a fait un signe de la main.*

signer [siɲe], v. trans., écrire son nom à la fin d'une lettre ou d'un autre papier : *cette lettre n'est pas signée; il ne sait pas signer son nom.*

signifier [siɲifje], v. trans., **1.** vouloir dire, avoir comme sens : *je ne sais pas ce que signifie ce mot.* **2.** faire connaître : *il m'a signifié qu'il s'en allait.*

silence [silɑ̃s], n. m., le fait de se taire, de ne pas parler : *il a gardé le silence; il a passé sous silence ce qu'il avait fait,* il n'en a rien dit.

silencieux, euse [silɑ̃sjø, øz], adj., **1.** (en parlant des personnes) qui ne parle pas, qui ne fait pas de bruit : *il est resté silencieux toute la* *journée.* **2.** (en parlant des choses) qui ne fait pas de bruit : *ce moteur est presque silencieux.* **3.** où il n'y a pas de bruit : *nous habitons une rue silencieuse.*

simple [sɛ̃plə], adj., **1.** que l'on comprend facilement : *cette question est très simple.* **2.** qui vit comme tout le monde, sans faire parler de lui : *c'est un homme très simple.* **3.** seul : *une feuille simple.* **4.** (grammaire) *temps simples* : *j'aime, je viendrai* (contraire : *temps composés*).

simplement [sɛ̃pləmɑ̃], adv., **1.** de façon simple : *il est habillé simplement.* **2.** seulement : *j'ai simplement lu le commencement du livre.*

sincère [sɛ̃sɛr], adj., qui dit la vérité, qui ne ment pas : *j'aime que mes amis soient sincères avec moi.*

singe [sɛ̃ʒ], n. m., **1.** animal sauvage qui ressemble un peu à l'homme : *les singes vivent dans les arbres en Afrique et en Asie;* fig., *il m'a payé en monnaie de singe,* il m'a dit de belles choses, mais ne m'a pas donné d'argent. **2.** celui qui imite (qui fait ce que les autres ont fait) : *il est le singe de son père.*

singulier, ère [sɛ̃gylje, jɛr], **1.** adj., qui n'est pas comme tout le monde, qui étonne : *c'est un homme singulier.* **2.** adj. et n., (grammaire) qui se rapporte à une seule personne ou à une seule chose (contraire : *pluriel*) : CHEVAL *est un singulier,* CHEVAUX *est un pluriel.*

sinon [sinɔ̃], adv., si cela n'est pas: *j'irai en Angleterre si je peux, sinon j'irai en Suisse.*

sirop [siro], n. m., liquide avec beaucoup de sucre qu'on boit par plaisir ou comme médicament : *le médecin lui a dit de prendre du sirop.*

situation [sitɥasjɔ̃ ou sityasjɔ̃], n. f., **1.** endroit où se trouve une ville, une maison, etc. **2.** place ou rang qu'une personne a dans la société : *ce jeune homme a une belle situation.*

situer [sitɥe ou sitye], v. trans., trouver la place de quelque chose : *j'ai réussi à situer votre ville sur la carte.* — **situé, ée,** adj., qui a une certaine place : *cette maison est située au bord de la rivière.*

six [sis; si devant une consonne : *six francs* : si frɑ̃; si z devant une voyelle : *six hommes* : si z ɔm; sis à la fin d'une phrase; j'en ai six : ʒ ɑ̃ n e sis], n. de nombre, 6 : *je l'ai rencontré il y a six mois.*

sixième [sizjɛm], n. de nombre ordinal, **1.** 6ᵉ, qui vient après cinq autres : *vendredi est le sixième jour de la semaine.* **2.** une des six parties d'un ensemble : *4 est le sixième de 24.*

sobre [sɔbrə], adj., **1.** qui ne mange pas trop, et surtout qui ne boit pas trop : *cet homme est sobre,* il boit très peu de vin et d'alcool (ou même pas du tout); *le chameau est un animal très sobre,* il peut rester longtemps sans boire. **2.** simple (en parlant d'un art, d'une décoration) : *l'art de ces tableaux est très sobre.*

social, e, plur. **sociaux, ales** [sɔsjal, sɔsjo], adj., qui se rapporte à la société : *des idées sociales; les sciences sociales; la sécurité sociale,* voir **sécurité**.

socialisme [sɔsjalism], n. m., idées politiques qui donnent à la société beaucoup des moyens de production.

socialiste [sɔsjalist], n. m. et f. et adj., qui est pour le socialisme : *un gouvernement socialiste.*

société [sɔsjete], n. f., **1.** groupe de personnes qui ont les mêmes intérêts ou qui s'occupent d'une même chose : *une société savante; il travaille dans les bureaux d'une société de grands travaux.* **2.** des personnes ensemble : *la bonne société,* les gens bien élevés; *il aime la société,* il aime être avec d'autres hommes; *votre société est agréable,* on est heureux d'être avec vous.

sœur [sœr], n. f., **1.** fille du même père et de la même mère : *il a un frère et deux sœurs.* **2.** religieuse : *il a été soigné par des sœurs à l'hôpital.*

soi [swa], pron. personnel de

3e pers. (sing. et plur.) qui se rapporte au sujet : *chacun aime à être chez soi.* — **soi-même,** soi en personne (et non un autre) : *il faut savoir faire ses affaires soi-même.*

soie [swa], n. f., tissu très doux fait avec un fil produit par un insecte (le ver à soie) : *une robe de soie.*

soif [swaf], n. f., besoin de boire : *j'ai soif; j'ai grand soif;* fig., *j'ai soif de vos nouvelles,* je voudrais avoir de vos nouvelles.

soigner [swaɲe], v. trans., **1.** faire quelque chose avec attention : *cet élève soigne toujours ses devoirs.* **2.** faire ce qu'il faut pour qu'un malade ou un blessé guérisse : *il a été bien soigné à l'hôpital.* — **se soigner,** se donner à soi-même des soins pour guérir : *il s'est soigné avec les médicaments du médecin.*

soin [swɛ̃], n. m., **1.** attention qu'on apporte à ce qu'on fait : *il travaille avec soin; cet élève prend soin de ses livres; j'aurai soin que vous soyez content.* **2.** *soins* (au plur.), moyens qu'on emploie pour soigner un malade ou un blessé : *le médecin a donné les premiers soins au blessé.*

soir [swar], n. m., la dernière partie du jour (en général après le dîner) : *il est sorti hier soir; le soir tombe,* il va faire nuit.

soirée [sware], n. f., la dernière partie du jour : *les soirées sont fraîches au printemps; j'ai passé une bonne soirée chez mes amis.*

soit [swat], interjection, je veux bien, je l'accorde : *vous vous êtes trompés, soit, mais ne vous trompez pas une nouvelle fois.*

soit... soit... [swa... swa... ; swa t devant un mot qui commence par une voyelle], adv., ou : *prenez soit un crayon soit un stylo.* — **soit que... soit que...** conjonction (avec le subjonctif), marque deux causes possibles : *il n'est pas venu, soit qu'il ait oublié, soit qu'il ait été malade.*

soixante [swasɑ̃t], n. de nombre, 60.

soixante-dix [swasɑ̃t dis (voir *dix*)], n. de nombre, 70.

soixante-dixième [swasɑ̃t dizjɛm], n. de nombre ordinal, **1.** qui vient après soixante-neuf autres. **2.** une des soixante-dix parties d'un ensemble.

soixantième [swasɑ̃tjɛm], n. de nombre ordinal, **1.** qui vient après cinquante-neuf autres. **2.** une des soixante parties d'un ensemble.

sol [sɔl], n. m., terrain, partie de terre (à la surface) : *ce sol est très bon pour le blé.*

soldat [sɔlda], n. m., celui qui fait partie de l'armée : *ce soldat s'est bien battu pendant la guerre.*

soleil [sɔlɛj], n. m., astre qui éclaire la terre pendant le jour : *on ne peut pas regarder le soleil en face; avoir un coup de soleil,* avoir la peau brûlée par le soleil.

solidarité [sɔlidarite], n. f., le fait que plusieurs personnes ont les mêmes intérêts; le sentiment qu'elles ont de ces intérêts : *la solidarité donne beaucoup de force.*

solide [sɔlid], adj., **1.** qui ne se casse pas, qui ne se déchire pas : *ce tissu est très solide.* **2.** (en parlant des personnes) fort, en bonne santé : *ce vieil homme est encore solide.*

solitude [sɔlityd], n. f., le fait d'être seul : *je n'aime pas la solitude,* je n'aime pas être seul.

solution [sɔlysjɔ̃], n. f., ce qui permet de finir un problème : *nous avons trouvé la solution de ce problème.*

sombre [sɔ̃brə], adj., **1.** mal éclairé, presque noir : *cette chambre est très sombre; il fait sombre; une couleur sombre.* **2.** (en parlant des personnes) qui n'est pas gai, qui a des idées tristes : *cet homme est toujours sombre.*

1. somme [sɔm], n. m., moment de sommeil, sommeil court : *il a fait un somme après le déjeuner.*

2. somme [sɔm], n. f., **1.** quantité d'argent : *il a dépensé une grosse somme.* **2.** résultat d'une addition (plusieurs nombres ajoutés) l'un à l'autre : *quatre est la somme de* 2 + 2;

en somme, somme toute, sert à marquer un résultat.

sommeil [sɔmɛj], n. m., **1.** temps où l'on dort : *il a eu un sommeil très doux.* **2.** *avoir sommeil,* avoir envie de dormir : *il a eu sommeil de bonne heure.*

sommet [sɔmɛ], n. m., le point le plus haut d'un arbre, d'une montagne, etc. : *le sommet du mont Blanc est le plus haut d'Europe.*

1. son [sɔ̃ ; sɔ̃ n devant une voyelle ; sɔ̃ n ami], adj. ou déterminatif possessif masc. (et fém. devant voyelle) de la 3e pers. du sing. : *il a perdu son livre; il a rangé son armoire.*

2. son [sɔ̃], n. m., bruit : *il y a des avions qui vont plus vite que le son* (on dit alors qu'ils passent *le mur du son*).

songer [sɔ̃ʒe], v. (avec *à*), penser à quelque chose : *il songe à ses parents.*

sonner [sɔne], v. intr., produire un son (un bruit) : *l'heure sonne.*

sort [sɔr], n. m., ce qui arrive à une personne : *il a eu un triste sort; il est content de son sort.*

sorte [sɔrt], n. f., **1.** ensemble de personnes ou de choses qui se ressemblent : *je n'aime pas cette sorte de gens; il a lu toute sorte de livres.* **2.** *une sorte de,* quelque chose qui ressemble à : *il avait une sorte de manteau sur le dos.* — **de sorte que, en sorte que,** conj. (avec l'indicatif ou le subjonctif), de façon que : *il est arrivé de bonne heure dans la ville, de sorte qu'il a pu se promener longtemps dans les rues; faites en sorte que vous alliez au bord de la mer.*

sortie [sɔrti], n. f., **1.** action de sortir : *c'est l'heure de la sortie.* **2.** endroit par où l'on sort : *ne vous trompez pas de sortie.*

sortir [sɔrtir] *(je sors, tu sors, il sort, nous sortons, vous sortez, ils sortent; je sortais; je sortis; je sortirai; que je sorte; sorti)* (se conjugue avec *être* : *il est sorti*), v. intr., aller au dehors : *il est sorti de sa maison; je l'ai rencontré au sortir de chez moi,* au moment où je sortais. — EXPRESSIONS : *les yeux lui sortent de la tête,* il est très en colère; *je ne sors pas de là,* je garde mon point de vue, je ne change pas d'idée. — v. trans., tirer au dehors : *il a sorti du linge de l'armoire.*

sot, sotte [so, sɔt], adj. et n., qui n'est pas intelligent : *cet enfant est très sot; laissez parler les sots.*

sou, pl. **sous** [su], n. m., ancienne pièce de monnaie : *il y avait vingt sous dans un franc.* — EXPRESSIONS : *cela ne vaut pas un sou,* cela ne vaut rien; *propre comme un sou,* très propre.

souci [susi], n. m., idée qui empêche qu'on ait l'esprit tranquille : *il s'est fait beaucoup de soucis pour ses enfants.*

soudain, aine [sudɛ̃, ɛn], adj., qui arrive tout à coup : *une pluie soudaine.* — adv., tout d'un coup, sans être attendu : *il s'est mis soudain à frapper.*

souffle [suflə], n. m., air qui sort de la bouche : *il a le souffle brûlant; il a perdu le souffle,* il respire mal (par exemple après avoir couru); *le dernier souffle,* le dernier moment de la vie : *il s'est battu jusqu'au dernier souffle ; il n'a plus qu'un souffle de vie,* il est presque mort; *il a du souffle,* il respire bien, il crie bien.

souffler [sufle], v. intr., faire sortir de l'air de la bouche : *il a éteint l'allumette en soufflant;* — v. trans., **1.** *souffler le feu,* l'éteindre. **2.** *souffler à un camarade ce qu'il doit répondre,* le lui dire tout bas.

souffrir [sufrir] *(je souffre, tu souffres, il souffre, nous souffrons, vous souffrez, ils souffrent; je souffrais; je souffris; je souffrirai; que je souffre; souffert),* v. intr., avoir mal : *il souffre des yeux.* — v. trans. (avec *que* et le subjonctif), permettre : *on souffre qu'il fasse ce qu'il veut.*

souhaiter [swɛte], v. trans., espérer qu'on aura ce qu'on voudra (ou que quelqu'un aura ce qu'il voudra) : *je souhaite de réussir; je vous souhaite un bon voyage; je souhaite que vous passiez de bonnes vacances.*

soulever [sulve] *(je soulève, nous soulevons; je soulèverai),* v. trans., **1.** lever quelque chose du sol : *j'ai du* *mal à soulever cette grosse pierre.* **2.** mettre en colère : *le peuple s'est soulevé contre le gouvernement.*

soulier [sulje], n. m., chaussure en cuir qui couvre seulement le pied : *on ne peut travailler dans les champs avec des souliers.*

souligner [suliñe], v. trans., **1.** faire un trait (une ligne droite) sous un mot : *le maître a dit aux élèves de souligner les verbes.* **2.** faire remarquer comme important : *j'ai souligné l'intérêt de ce livre.*

soumettre [sumɛtrə] (se conjugue comme *mettre*), v. trans., **1.** obliger à obéir (à faire ce qu'on commande) : *certains rois ont soumis des pays étrangers.* **2.** présenter pour être étudié : *je vous soumets mes idées.* — **se soumettre,** accepter d'obéir : *beaucoup de peuples se sont soumis autrefois aux Romains.*

soupçonner [supsɔne], v. trans., **1.** penser qu'on a trouvé la vérité, sans en être tout à fait sûr : *je soupçonne que vous allez prendre le train.* **2.** *soupçonner quelqu'un de quelque chose :* penser que quelqu'un a fait quelque chose de mal, sans en être tout à fait sûr : *beaucoup de personnes soupçonnent ce jeune homme d'avoir volé une bicyclette.*

soupe [sup], n. f., aliment liquide ou presque liquide qu'on mange avec une cuiller au début des repas : *il a mangé une grande assiette de soupe.*

soupière [supjɛr], n. f., récipient où l'on met la soupe pour l'apporter sur la table : *la soupière est pleine.*

souple [suplə], adj., **1.** (en parlant des choses) qu'on peut facilement plier sans casser : *cette branche est souple.* **2.** (en parlant des personnes) qui fait ce que d'autres veulent : *c'est un homme très souple.*

source [surs], n. f., eau qui sort de la terre : *cette source donne une eau bonne à boire;* fig. : *quelle est la source de ce qu'on raconte?* d'où vient ce qu'on raconte? *je vous le dis de bonne source,* je suis sûr de ce que je vous dis; *une source de lumière,* ce qui donne de la lumière.

sourcil [sursi], n. m., poils qui poussent au bas du front au dessus des yeux : *il a des sourcils très noirs.*

sourd, e [sur, surd], adj. et n., **1.** qui n'entend pas : *il est devenu sourd avec l'âge.* **2.** (en parlant des choses) qu'on entend mal : *un bruit sourd.*

sourd-muet, sourde-muette [sur mɥɛ, surd mɥɛt], adj. et n. m. et f., qui n'entend pas et ne parle pas : *une école de sourds-muets.*

sourire [surir] (se conjugue comme *rire*), v. intr., rire légèrement (un petit peu) : *il a souri quand je lui ai parlé des vacances;* fig. : *tout lui sourit,* il réussit en tout. — n. m., action de rire légèrement : *cette dame a un joli sourire.*

souris [suri], n. f., petit animal à quatre pattes qui vit dans les maisons et qui a les chats comme ennemis : *il y a des souris dans notre grenier; un trou de souris,* trou où les souris entrent dans une pièce. — EXPRESSION : *je voudrais me cacher dans un trou de souris,* je voudrais que personne ne s'aperçoive que je suis là.

Le chat est sous la table.

sous [su; su z devant une voyelle *sous un arbre* : su z œ̃ n arbrə], prép., marque qu'une chose est au-dessous d'une autre (contraire *sur*) : *j'ai mis un papier sous le livre; il a servi sous mes ordres; sous Louis XIV,* quand Louis XIV était roi de France.

sous-lieutenant [su ljœtnɑ̃], n. m., premier grade d'officier : *ce sous-officier a été nommé sous-lieutenant.*

sous-marin, ine [sumarɛ̃, in], adj., qui se trouve sous la surface de la mer : *des plantes sous-marines, la pêche sous-marine.* — **sous-marin,** n. m., bateau qui peut aller sous l'eau : *les sous-marins peuvent maintenant faire de longs voyages sans revenir à la surface.*

sous-officier [su z ɔfisje], n. m., celui qui a dans l'armée un grade (un rang) entre les soldats et les officiers : *les sous-officiers commandent les soldats.*

sous-sol [susɔl], n. m., **1.** ce qui est au dessous du sol, sous la terre : *le sous-sol de ce pays est riche en fer.* **2.** partie d'une maison qui est en partie dans la terre (au dessous du rez-de-chaussée) : *ce commerçant a des marchandises dans le sous-sol de son magasin.*

soustraction [sustraksjõ], n. f., une des quatre opérations de calcul : 6 — 2 = 4 *est une soustraction.*

soutenir [sutnir] (comme *tenir*), v. trans., **1.** empêcher de tomber, faire tenir droit : *ce mur soutient le toit.* **2.** aider à vivre : *les enfants doivent soutenir leurs parents quand ils sont vieux.* **3.** dire avec force : *je soutiens que vous vous trompez.* — **se soutenir, 1.** se tenir debout : *le blessé a pu se soutenir.* **2.** *se soutenir sur l'eau,* ne pas aller au fond.

souterrain, aine [sutɛrɛ̃, ɛn], adj., qui est sous la terre : *une rivière souterraine; passage souterrain,* passage (au sens 2) qui permet de traverser sous la terre les voies du chemin de fer ou une rue. — **souterrain,** n. m., sorte de route sous la terre : *le souterrain du métro.*

1. souvenir (se) [suvnir] (se conjugue comme *venir*), v. (avec *de*) : se rappeler, garder dans son esprit, faire revenir dans son esprit : *je me souviens de l'ancien temps; je me souviens de vous avoir déjà rencontré.*

2. souvenir [suvnir], n. m., **1.** le fait de se rappeler, de garder dans son esprit : *je n'ai pas de souvenir de ce temps.* **2.** objet qui doit rappeler une personne, un voyage, etc. : *j'ai envoyé à mes amis des souvenirs d'Italie.*

souvent [suvɑ̃], adv., se dit d'une action qui ne se fait pas tout le temps, mais qui n'est pas non plus rare : *il est souvent allé au bord de la mer.*

speaker, speakerine [spikœr, spikœrin], n. m. et f., celui (celle) qui parle à la radio : *nous aimons entendre ce speaker.*

spécial, ale, plur. **aux, ales** [spesjal, o], adj., qui ne se rapporte pas à toutes les personnes ou à toutes les choses, mais seulement à certaines (contraire : *général*) : *je n'ai rien de spécial à vous dire; il faut des chaussures spéciales pour aller dans la neige.*

spécialement [spesjalmɑ̃], adv., de façon spéciale : *je connais spécialement le bord droit de la rivière.*

spécialiste [spesjalist], n. m., **1.** celui qui a une occupation particulière : *il est spécialiste des machines à coudre.* **2.** médecin qui soigne certaines maladies : *ce médecin est un spécialiste des yeux.*

spécialité [spesjalite], n. f., occupation ou production particulière à une personne, à une ville, à un pays : *chaque ville a ses spécialités.*

spectacle [spɛktaklə], n. m., **1.** représentation de théâtre, de cinéma, etc. : *nous sommes allés hier au spectacle.* **2.** ce qu'on voit : *ces malheureux dans la rue sont un triste spectacle.*

spectateur, trice [spɛktatœr, tris], n. m. et f., celui (celle) qui regarde un spectacle : *les spectateurs se sont bien amusés à ce film.*

sport [spɔr], n. m., exercices (mouvements du corps) (courir, nager, faire de la bicyclette, aller à cheval, etc.) : *il fait du sport tous les dimanches.*

sportif, ive [spɔrtif, iv], adj., qui se rapporte aux sports : *des jeux sportifs; il est sportif :* il aime les sports. — n. m. et f., celui (celle) qui fait du sport, qui aime le sport : *beaucoup de sportifs viennent au bord de la rivière.*

stade [stad], n. m., **1.** grand terrain pour les sports : *beaucoup de monde était venu au stade voir la course de bicyclettes.* **2.** partie d'un temps où quelque chose se développe : *il en est encore au stade des débuts.*

stage [staʒ], n. m., temps où l'on étudie un métier, une profession : *il a fait un stage de trois semaines dans une usine.*

station [stasjõ], n. f., endroit où un véhicule public s'arrête pour que les voyageurs descendent ou montent :

vous descendrez du métro à la deuxième station (on dit *station* et non *gare* pour le métro) ; *station de taxis,* endroit où l'on trouve des taxis.

stationnement [stasjɔnmɑ̃], n. m., endroit où il est permis aux autos de rester arrêtées plus ou moins longtemps : *le stationnement n'est pas permis devant cette porte.*

statue [staty], n. f., sculpture qui représente une personne : *on élève des statues aux grands hommes.*

structure [stryktyr], n. f., façon dont une chose ou un ensemble est fait : *je vais vous dessiner la structure de mon appartement.*

style [stil], n. m., **1.** façon d'écrire : *ce livre est écrit dans un style difficile.* **2.** façon de construire des maisons, de faire des meubles, etc., à une époque : *le style Louis XIV.*

stylo [stilo], n. m., instrument qu'on remplit d'encre et qui sert à écrire : *il a tiré un stylo de sa poche.* — *stylo-bille,* n. m., sorte de stylo qu'on n'a pas besoin de remplir d'encre.

subir [sybir], v. trans., être obligé de faire quelque chose : *il a subi une peine de prison.*

subjonctif [sybʒɔ̃ktif], n. m., forme du verbe : « *que je fasse* » *est le subjonctf du verbe* « *faire* ».

subordonné, ée [sybɔrdɔne], adj. et n., **1.** qui est sous les ordres de quelqu'un : *ce directeur est bon avec ses subordonnés.* **2.** (grammaire) *proposition subordonnée* (contraire : *proposition principale) : dans la phrase* « *je pense qu'il viendra* », « *qu'il viendra* » *est une proposition subordonnée.*

substance [sypstɑ̃s], n. f., matière (chose qui existe dans le monde) : *le sucre est une substance nécessaire à l'homme.*

succéder [syksede] *(je succède, nous succédons; je succéderai),* v. (avec *à*), venir après : *le beau temps a succédé au mauvais temps; le fils succédera à son père.* — **se succéder,** venir l'un après l'autre : *ces rois se sont succédé de père en fils,* le fils a toujours été roi après le père.

succès [syksɛ], n. m., le fait de réussir : *cette pièce de théâtre a eu un grand succès.*

sucre [sykrə], n. m., matière (en général blanche) qu'on met dans le lait, le café, etc. : *il a mis deux morceaux de sucre dans sa tasse de café; du sucre en morceaux ; du sucre en poudre,* en tout petits grains*;* fig. : *il a cassé du sucre sur ses amis,* il a dit du mal de ses amis.

sucrer [sykre], v. mettre trans., du sucre : *nous avons sucré le thé.* — **sucré, ée,** adj., très doux comme le sucre : *ces fruits sont sucrés.*

N
O E
Sud

sud [syd], n. m., point cardinal.

suer [sye **ou** sɥe], v. intr., avoir le corps mouillé quand on a très chaud : *il suait au bout de sa course; il sue à grosses gouttes,* il sue beaucoup; *j'ai sué sang et eau,* je me suis donné beaucoup de peine; fig. et fam., *cela me fait suer,* j'en suis fatigué.

suffire [syfir] *(je suffis, tu suffis, il suffit, nous suffisons, vous suffisez, ils suffisent; je suffisais; je suffis; je suffirai; que je suffise; suffi),* v. intr., être assez : *cette somme d'argent lui suffit; pour réussir il ne suffit pas d'être intelligent, il faut aussi travailler.*

suffisant, e [syfizɑ̃, ɑ̃t], adj., **1.** qui suffit, qui est assez : *ce petit appartement n'est pas suffisant pour une famille de cinq enfants.* **2.** (en parlant des personnes) qui se donne l'air d'être au-dessus des autres : *cette dame est très suffisante.*

suite [sɥit], n. f., **1.** ce qui vient après : *nous attendons la suite de l'histoire.* **2.** personnes qui suivent quelqu'un : *le roi est venu avec sa suite.* **3.** événements qui arrivent les uns après les autres : *une longue suite de guerres.* — **de suite,** sans s'arrêter, *il a parlé trois heures de suite* (ne dites pas *de suite* au sens de « tout de suite »). — **par suite,** à cause de cela. — **par la suite,** plus tard : *il a été blessé, il s'est guéri* *par la suite.* — **à la suite de,** après et à cause de : *il est mort à la suite de ses blessures.*

suivre [sɥivrə] *(je suis, tu suis, il suit, nous suivons, vous suivez, ils suivent; je suivais; je suivis; je suivrai; que je suive; suivi),* v. trans., **1.** aller derrière quelqu'un : *les soldats suivent leur chef.* **2.** arriver après : *sa mort a suivi celle de son fils.* **3.** *suivre une route* (*un chemin,* etc.), aller sur cette route. **4.** *suivre la classe,* faire ce qu'il y a à faire dans cette classe. **5.** écouter avec attention : *cet élève ne suit pas.* — **suivant, ante,** adj., qui suit : *la semaine suivante.*

1. sujet [syʒɛ], n. m., **1.** la chose qu'on étudie, qui est en question : *il a choisi un beau sujet de devoir; le sujet de cette pièce est très intéressant;* **au sujet de,** sur, en parlant de : *ils ont discuté au sujet de ce qui arrivera.*

2. sujet, ette [syʒɛ, ɛt], adj., (avec *à*), qui est obligé de faire, de recevoir, de payer : *l'homme est sujet à toute sorte de maladies.* — n. m. ou f., celui (celle) qui est sous le gouvernement d'un roi : *des sujets anglais.*

supérieur, e [syperjœr], adj., **1.** qui est en haut : *la partie supérieure de la maison.* **2.** avec *à,* qui est au-dessus : *cet élève est supérieur à ses camarades; il a un air supérieur,* il veut faire croire qu'il est au-dessus des autres. — n. m. et f., celui (celle) qui commande : *il a salué ses supérieurs.*

supplément [syplemɑ̃], n. m., quelque chose qu'on ajoute : *j'ai lu le supplément du journal; en supplément,* en plus : *le cinéma a donné un film en supplément.*

supplémentaire [syplemɑ̃tɛr], adj., qui est en supplément, qui est ajouté : *au début des vacances il y a des trains supplémentaires.*

supplier [syplije], v. trans., demander (souvent en pleurant) : *il a supplié son père de lui donner une bicyclette.*

supporter [sypɔrte], v. trans., **1.** porter au-dessus de soi : *les murs supportent le toit.* **2.** permettre : *il supporte tout de son fils.*

supposer [sypoze], v. trans., penser que quelque chose est peut-être vrai : *je suppose que vous êtes ici depuis quelques jours.*

supposition [sypozisjɔ̃], n. f., ce qu'on suppose : *on a fait toute sorte de suppositions sur son voyage.*

supprimer [syprime], v. trans., faire que quelque chose ne soit plus : *il a supprimé une des portes de sa maison.*

suprême [syprɛm], adj., qui est au-dessus des autres : *un plaisir suprême.*

1. sur [syr], prép., **1.** lieu : *le livre est sur la table.* **2.** *parler sur quelque chose,* dire ce qui se rapporte à quelque chose. **3.** *deux personnes sur trois se trompent,* une ne se trompe pas et les deux autres se trompent.

Le chat est sur la table.

2. sur, e [syr], adj., qui est peu agréable à manger ou à boire (= *aigre*) : *cette bière est sure.*

sûr, e [syr], adj., **1.** qui ne se trompe pas : *je suis sûr de ce que je vous dis.* **2.** qui ne trompe pas : *cet homme est un ami très sûr.* **3.** où il n'y a pas de danger : *ce chemin est sûr.* **4.** vrai, certain : *cette nouvelle est sûre.* — adv., **sûr, bien sûr,** c'est vrai.

sûrement [syrmɑ̃], adj., **1.** de façon sûre, sans danger : *le train vous conduira sûrement.* **2.** marque que ce qu'on dit est certain (vrai) : *nous irons sûrement à la mer cet été.*

sûreté [syrte], n. f., qualité de ce qui est sûr : *je connais la sûreté de son esprit; mettre en sûreté,* mettre en un endroit où il n'y a pas de danger : *il a mis son argent en sûreté.* — PROVERBE : *Deux sûretés valent mieux qu'une,* on ne fait jamais trop attention.

surface [syrfas], n. f., ce qu'on voit d'une chose étendue : *la surface de l'eau; une grande surface.*

surprendre [syrprɑ̃drə] (se conjugue comme *prendre*), v. trans.,

1. prendre quelqu'un pendant qu'il fait quelque chose : *le maître a surpris un élève qui s'amusait au lieu de travailler.* **2.** étonner : *cette nouvelle a surpris tout le monde.*

surprise [syrpriz], n. f., **1.** action de surprendre, d'étonner : *j'ai eu une surprise,* j'ai été étonné. **2.** *faire une surprise,* faire à quelqu'un quelque chose (en général quelque chose d'agréable) qu'il n'attendait pas : *il m'a fait une bonne surprise.*

surtout [syrtu], adv., plus que tout : *il mange surtout des fruits.*

surveiller [syrvɛje], v. trans., faire attention à : *le maître surveille les élèves dans la cour.*

suspendre [syspɑ̃drə] (se conjugue comme *pendre*), v. trans., pendre quelque chose par le haut : *elle a suspendu du linge mouillé dans la cuisine.*

sympathie [sɛ̃pati], n. f., sentiment qui ressemble un peu à celui que l'on a pour des amis : *j'ai beaucoup de sympathie pour nos nouveaux voisins.*

sympathique [sɛ̃patik], adj., qui produit chez quelqu'un un sentiment de sympathie (voisin du sentiment qu'on a pour des amis) : *vos idées me sont très sympathiques.*

syndical, ale, plur. **aux, ales** [sɛ̃dikal, plur. sɛ̃diko], adj., qui se rapporte aux syndicats : *le droit syndical.*

syndicat [sɛ̃dika], n. m., association de personnes qui travaillent dans un même métier : *il fait partie du syndicat des ouvriers de l'électricité.*

syndiqué, ée [sɛ̃dike], adj. et n. m. et f., qui fait partie d'un syndicat : *un ouvrier syndiqué.*

système [sistɛm], n. m., groupe d'idées, telles qu'elles sont mises en ordre dans l'esprit : *ce système n'est pas facile à comprendre.*

T

t' [t], s'emploie pour *te* quand le mot suivant commence par une voyelle : *nous t'aimons.*

ta [ta], adj. ou déterminatif possessif fém. sing. de la 2e personne du sing. : *ta mère, ta maison.*

tabac [taba], n. m., **1.** plante : *on cultive le tabac dans cette vallée.* **2.** feuilles sèches de cette plante, que l'on fume dans les pipes et les cigarettes : *il fume du tabac blond (du tabac brun); il a acheté un paquet de tabac.*

table [tablə], n. f., **1.** meuble qui sert à manger, à écrire, etc. : *ces tables ont quatre pieds; table de nuit,* table que l'on met près de la tête du lit. **2.** ce que l'on mange : *il a une bonne table; il tient table ouverte,* il reçoit à manger beaucoup de monde. **3.** ensemble de choses écrit sur un papier (= *tableau*); *table des matières,* page d'un livre (le plus souvent, en France, à la fin du livre) où l'on trouve ce qu'il y a dans toutes les parties du livre.

tableau [tablo], n. m., **1.** chose peinte (le plus souvent sur de la toile) : *il a de beaux tableaux chez lui; tableau de maître,* tableau d'un très grand peintre. **2.** *tableau noir,* planche peinte en noir qu'on met dans une classe pour que le maître et les élèves écrivent : *le maître a écrit un mot au tableau.* **3.** feuille de papier où on a écrit un ensemble des choses : *tableau de service,* tout ce qu'il y a à faire.

tablier [tablije], n. m., morceau de tissu qu'on attache devant soi pour ne pas se salir : *les dames mettent un tablier pour travailler à la cuisine.*

tache [taʃ], n. f., ce que produit sur un habit, sur un meuble, sur un papier quelque chose qui salit : *il a une tache de graisse sur son pantalon.*

tâche [tɑ:ʃ], n. f., ce qu'on a à faire : *il a une tâche difficile.* — EXPRESSIONS : *il est payé à la tâche,* d'après ce qu'il fait et non d'après le temps qu'il passe; *il prend à tâche de faire plaisir à ses parents,* il fait tous ses efforts pour leur faire plaisir.

tacher [taʃe], v. trans., faire une tache, salir : *il a fait une tache sur son livre.*

tâcher [tɑʃe], v. (avec *de* et l'infinitif), faire des efforts : *il tâche de bien travailler.*

taille [taj], n. f., **1.** action de tailler, de couper les branches d'un arbre : *il est occupé à la taille de ses arbres; pierre de taille,* belle pierre qui sert à bâtir des maison. **2.** ce qu'on mesure depuis le sol jusqu'au haut de la tête : *il a 1,70 m. de taille; un homme de grande (de haute) taille.* **3.** le milieu du corps : *il allait tomber, je l'ai pris par la taille; tour de taille,* la mesure de la ceinture.

Pierre de taille.

Tour de taille.

tailler [taje], v. trans., couper pour donner une forme : *le tailleur taille un habit; nous avons taillé les arbres du jardin; cette pierre est mal taillée;* fig., *il a taillé une armée en pièces,* il l'a battue si bien qu'il n'en reste rien.

tailleur [tajœr], n. m., **1.** celui qui fait des habits (surtout des habits d'homme). **2.** *tailleur de pierres,* ouvrier qui taille des pierres.

taire [tɛr] *(je tais, tu tais, il tait, nous taisons, vous taisez, ils taisent; je taisais; je tus; je tairai; que je taise; tu),* v. trans., ne pas dire : *je tais ce qu'il m'a raconté.* — **se taire,** ne pas parler : *il a voulu me faire parler, mais je me suis tu; le maître fait taire les élèves,* il leur dit de se taire, il leur défend de parler.

talent [talɑ̃], n. m., art de bien faire quelque chose : *cet artiste a beaucoup de talent.*

talon [talɔ̃], n. m., **1.** partie arrière du pied, *il s'est blessé le talon ;*

Talon du pied. Talon de la chaussure.

fig. *il a tourné les talons,* il est parti. **2.** partie arrière d'une chaussure (au-dessous du talon du pied) : *il a fait réparer les talons de ses chaussures.*

tandis que [tɑ̃di kə], conj., sert surtout à marquer qu'une action est différente d'une autre : *tandis qu'il fait froid à Paris, il fait chaud dans le sud de la France.*

tant [tɑ̃], adv., **1.** avec une si grande force : *il travaille tant qu'il arrivera à un résultat.* **2.** en si grand nombre, en si grande quantité : *il y a tant de monde qu'on ne voit rien.* **3.** *tout le monde se plaît dans cette ville, tant elle est agréable,* cette ville est si agréable que tout le monde s'y plaît. **4.** autant (seulement avec *ne... pas*) : *je n'ai pas tant d'amis que vous.*

tante [tɑ̃t], n. f., la sœur du père ou de la mère : *il passe ses vacances chez sa tante.*

tantôt... tantôt... [tɑ̃to], adv., marque que quelque chose change : *tantôt il rit, tantôt il pleure* (quelquefois *tantôt* a le sens de « bientôt » ou de « cet après-midi » : *j'irai chez vous tantôt*).

tape [tap], n. f., coup donné avec la main ouverte : *il a donné une petite tape à son chien.*

taper [tape], v. trans. ou intr., **1.** frapper, donner un coup : *il a tapé sur la table; il tape du pied.* **2.** écrire à la machine : *l'employée a tapé deux lettres ce matin.* **3.** fig., *taper sur quelqu'un,* dire du mal de lui : *il a une méchante langue, il tape sur tout le monde.* **4.** fam., *taper quelqu'un,* lui demander de prêter de l'argent : *il tape tous ses amis.*

tapis [tapi], n. m., grand morceau de tissu (souvent carré) qu'on met sur un plancher ou sur une table : *ce tapis a un beau dessin;* fig., *il a mis cette affaire sur le tapis,* il a été le premier à parler de cette affaire.

tapissier [tapisje], n. m., celui qui s'occupe de tout ce qui décore les maisons (papier, tissu, etc.) : *le tapissier travaille avec un marteau et des clous.*

tard [tar], adv., le soir, ou après avoir été attendu : *il est arrivé tard dans la nuit.* — PROVERBE : *Mieux vaut tard que jamais,* on aime mieux qu'une chose soit faite tard que si elle n'est pas faite du tout.

tarder [tarde], v. intr., faire tard quelque chose : *j'ai beaucoup tardé à vous répondre; il me tarde de,* j'ai envie de faire bientôt : *il lui tarde de revoir sa famille.*

tarif [tarif], n. m., ensemble (tableau) des prix : *le tarif des chemins de fer,* le prix que l'on paye pour voyager en 1re, et 2e classe, pour faire transporter des marchandises, etc.

tarte [tart], n. f., gâteau plat avec des fruits : *une tarte aux pommes.*

tas [ta], n. m., **1.** choses mises les unes sur les autres : *on a fait un tas avec les feuilles mortes.* **2.** fam., *un tas de,* beaucoup : *dimanche dernier il y avait un tas de gens dans les rues.*

tasse [tas], n. f., petit récipient qui sert à boire : *il a bu une tasse de thé; nous avons acheté des tasses à café.*

Tasse.

tasser [tase], v. trans., presser de façon à serrer : *on a tassé la terre devant la maison.*

tâter [tɑte], v. trans., toucher en pressant : *il tâte sa main pour voir si elle est blessée;* fig., *tâter le terrain,* essayer de savoir ce que quelqu'un pense. — *tâter de,* essayer : *il a tâté de tous les métiers.*

taureau [toro], n. m., le mâle de la vache : *les taureaux sont très forts et peuvent devenir méchants.*

taxe [taks], n. f., impôt : *il a payé une taxe sur ce qu'il a acheté.*

taxi [taksi], n. m., auto qu'on loue pour faire des courses, etc. : *il a pris un taxi pour aller à la gare.*

te [tə], pron. complément, 2e personne du sing. : *il te voit; il te parle.*

technicien, ienne [tɛknisjɛ̃, jɛn], n. m. et f., celui (celle) qui connaît bien un métier : *nous avons fait réparer notre poste de radio par un technicien.*

technique [tɛknik], adj., qui se rapporte aux métiers : *une école technique,* une école où les élèves apprennent un métier. — n. f., l'ensemble des sciences qui se rapportent aux métiers : *la technique occupe une place importante dans le monde moderne.*

teindre [tɛ̃drə] *(je teins, tu teins, il teint, nous teignons, vous teignez, ils teignent; je teignais; je teignis; je teindrai; que je teigne; teint),* v. trans., donner une couleur à un tissu : *on a teint cette robe en noir.*

teint [tɛ̃], n. m., **1.** couleur du visage : *cette jeune fille a un teint très clair.* **2.** couleur donnée aux tissus : *un tissu bon teint,* un tissu qui garde sa couleur.

teinturerie [tɛ̃tyrri], n. f., **1.** art du teinturier : *la teinturerie n'est pas toujours facile.* **2.** magasin du teinturier : *une nouvelle teinturerie s'est installée.*

teinturier, ère [tɛ̃tyrje, ɛr], n. m. et f., celui (celle) qui teint les tissus et qui enlève les taches (ce qui est sale) sur les habits : *il a porté son pantalon chez le teinturier.*

tel, telle [tɛl], adj., qui est à peu près pareil, qui ressemble beaucoup : *il est tel que je l'ai connu.* — PROVERBE : *Tel père, tel fils,* le fils ressemble souvent au père. — **tel quel,** comme c'est, sans rien changer : *il a vendu sa maison telle quelle.*

télégramme [telegram], n. m., ce qu'on envoie par le télégraphe : *il a envoyé un télégramme à son père pour lui dire de ne pas l'attendre.*

télégraphe [telegraf], n. m., appareil qui sert à faire savoir quelque chose très vite au loin : *le télégraphe sert moins depuis qu'il y a le téléphone.*

télégraphier [telegrafje], v. trans., faire savoir par le télégraphe : *il a télégraphié à sa femme qu'il arriverait demain.*

télégraphique [telegrafik], adj., qui se rapporte au télégraphe : *une ligne télégraphique; fil télégraphique; mandat télégraphique,* somme d'argent envoyée par télégramme.

téléphone [telefɔn], n. m., appareil qui permet de parler au loin : *on a installé le téléphone dans sa maison; il m'a donné un coup de téléphone,* il m'a téléphoné.

téléphoner [telefɔne], v. intr., parler au téléphone : *il a téléphoné à ses parents.* — v. trans., faire savoir par le téléphone : *il lui a téléphoné qu'il ne pouvait le recevoir.*

téléphonique [telefɔnik], adj., qui se rapporte au téléphone : *un appareil téléphonique.*

télévision [televizjõ], n. f., art d'envoyer des images au loin : *il regarde le soir la télévision; un poste (un appareil) de télévision.*

tellement [tɛlmɑ̃], adv., **1.** avec une si grande force : *Il pleut tellement que l'on ne voit rien dehors (=tant).* **2.** en si grand nombre, en si grande quantité : *il a tellement de livres que sa chambre en est pleine (=tant).* **3.** marque la force d'un objectif : *cette pièce de théâtre est tellement amusante que l'on rit d'un bout à l'autre. (=si).*

témoignage [temwaɲaʒ], n. m., **1.** le fait de dire ce qu'on a vu ou entendu : *vous avez entendu son témoignage.* **2.** marque d'un sentiment : *il m'a fait de grands témoignages d'amitié.*

témoigner [temwaɲe], v. intr., dire (en particulier devant un tribunal) ce qu'on a vu ou entendu : *il a eu à témoigner dans cette affaire d'accident d'auto.* — v. trans., montrer un sentiment : *il a toujours témoigné de l'amitié à ce jeune homme.*

témoin [temwɛ̃], n. m., celui qui a vu ou entendu quelque chose : *j'ai été témoin de cet accident; un faux témoin,* celui qui ne dit pas la vérité devant un tribunal.

température [tɑ̃peratyr], n. f., **1.** degré de chaleur (mesuré par le thermomètre) : *une température douce.* **2.** se dit en particulier de la chaleur du corps : *le malade a de la température,* il a de la fièvre.

tempête [tɑ̃pɛt], n. f., très mauvais temps avec un vent très fort : *les bateaux restent dans le port quand il y a de la tempête.*

temple [tɑ̃plə], n. m., édifice (grande maison) qui sert à une religion autre que la religion catholique : *ce temple vient d'être construit.*

temps [tɑ̃], n. m., **1.** l'heure, le jour, le mois, l'année, etc. : *c'est le temps des vacances,* c'est le moment de l'année où l'on a des vacances. — EXPRESSIONS : *j'ai du temps devant moi,* je ne suis pas pressé; *j'ai le temps de faire ce travail; cela se passait du temps de Louis XIV; il crie tout le temps,* il n'arrête pas de crier; *cela a été ainsi de tout temps,* depuis toujours (ou au moins, depuis très longtemps); *il pleut de temps en temps,* quelquefois; *il deviendra meilleur avec le temps,* il fera des progrès; *ils sont sortis en même temps,* au même instant; *il faut faire chaque chose en son temps,* au moment qu'il faut; *il est arrivé à temps,* juste au moment; *vous perdez votre temps,* vous ne faites rien d'utile; *nous passons le temps,* nous nous occupons; *nous tuons le temps,* nous faisons ce que nous pouvons pour nous occuper; *ce jeune homme fait son temps (son temps de service),* il est soldat; *cet habit a fait son temps,* il ne peut plus servir. — PROVERBES : *Le temps, c'est de l'argent,* il ne faut pas perdre son temps, car on peut toujours faire quelque chose d'utile; *Le temps perdu ne se retrouve jamais,* on ne pourra plus jamais faire ce qu'on n'a pas fait. **2.** (grammaire) forme du verbe qui marque le moment où une action est faite : *le présent, le futur, le passé sont des temps du verbe.* **3.** l'état du ciel (la pluie, la neige, le vent, etc.) : *il fait beau temps (mauvais temps); il y a du gros temps,* de l'orage (en mer); *le temps est chaud (doux, froid); nous avons eu beau temps pendant les vacances.* — PROVERBES : *Il faut prendre le temps comme il vient,* on ne peut rien changer au temps qu'il fait ; *Après la pluie vient le beau temps,* on est souvent heureux après avoir été malheureux.

tenailles [tənaj], n. f. plur., outil à deux branches qui sert à plier du fer ou à enlever des clous : *le menuisier a des tenailles dans sa boîte à outils.*

1. tendre [tɑ̃drə], adj., **1.** qui n'est pas dur; qu'on peut couper facilement : *cette viande est très tendre.* **2.** qui aime de façon douce : *cette mère est très tendre.* **3.** *une couleur tendre,* une couleur douce, agréable à voir : *un bleu tendre.*

2. tendre [tɑ̃drə] *(je tends, tu tends, il tend, nous tendons, vous tendez, ils tendent; je tendais; je tendis; je tendrai; que je tende; tendu),* v. trans., **1.** tirer le plus fort qu'on peut sur une corde ou une ficelle jusqu'à ce qu'elle devienne droite : *il a tendu cette corde;* fig. : *il a l'esprit tendu.* **2.** mettre en avant : *il a tendu la main à son ennemi.* **3.** mettre sur les murs d'une pièce du papier d'une certaine couleur : *il a tendu sa chambre en bleu.* — v. intr., *je tends à le croire,* je suis porté à le croire, j'ai envie de le croire.

tendresse [tɑ̃drɛs], n. f., sentiment tendre, très doux : *cette mère aime ses enfants avec tendresse.*

tenir [tənir] *(je tiens, tu tiens, il tient, nous tenons, vous tenez, ils tiennent; je tenais; je tins; je tiendrai; que je tienne; tenu),* v. trans., **1.** avoir dans la main : *il tient mal son crayon.* **2.** garder dans un certain état : *il tient la tête haute; il tient sa maison propre.* **3.** faire ce qu'on a promis : *il n'a pas tenu ce qu'il a promis.* **4.** avoir un magasin : *il tient une épicerie dans notre quartier.* **5.** *tenir de,* avoir reçu de :

il tient ses idées de sa mère; je tiens cette nouvelles d'un ami. **6.** *tenir pour,* regarder comme, juger : *je le tiens pour un honnête homme.* — EXPRESSIONS : *il a tenu tête aux ennemis,* il ne les a pas laissé passer; *il tient son rang,* il se conduit comme on doit se conduire quand on a le rang qu'il occupe; *je tiendrai la main à ce que vous soyez bien reçu,* j'y ferai attention; *nous avons tenu conseil,* nous avons discuté; *on tient compte de votre avis,* on ne l'oublie pas; *cette auto tient bien la route,* elle peut rouler vite sans danger (on dit aussi : *ce bateau tient bien la mer*). — **Tiens!** interjection, marque qu'on est étonné. — **Tenez!** interjection pour se faire mieux écouter et comprendre : *Tenez, je vais vous donner un autre exemple.* — v. intr. : **1.** être attaché : *ce papier ne tient plus au mur,* il s'en va; *ce bouton ne tient qu'à un fil,* il va tomber. **2.** avoir assez de place quelque part : *on tient à six dans cette auto.* **3.** *tenir* ou *tenir bon,* résister, se défendre contre les ennemis : *cette ville a tenu longtemps.* **4.** *il tient de son père* (*de sa mère,* etc.), il lui ressemble. **5.** *tenir à,* être attaché à quelque chose, avoir quelque chose à cœur : *je tiens beaucoup au livre que ma mère m'a donné; il tient à vous saluer aujourd'hui.* — **se tenir, 1.** avoir le corps d'une certaine façon : *elle se tient droit; vous vous tenez mal.* **2.** *s'en tenir à,* ne pas vouloir chercher plus loin, ne pas vouloir faire ou dire quelque chose de plus : *je m'en tiens à ce que je vous ai dit.* — PROVERBES : *Mieux vaut tenir que courir :* il vaut mieux avoir quelque chose que le chercher ou l'attendre; *Un bon tiens vaut mieux que deux tu l'auras :* il vaut mieux avoir une seule chose que d'en attendre deux qu'on vous a promises.

tente [tɑ̃t], n. f., sorte de petite maison en toile : *il a passé ses vacances sous une tente.*

tenter [tɑ̃te], v. trans., **1.** essayer : *j'ai tenté de partir hier, mais je n'ai pas pu.* **2.** faire envie : *ce voyage me tente.*

tenue [təny], n. f., **1.** façon de tenir, de garder quelque chose : *elle s'occupe beaucoup de la tenue de sa maison.* **2.** façon de se tenir et de s'habiller : *il n'a pas une bonne tenue.* **3.** l'habit des soldats (se dit quelquefois des autres personnes) : *grande tenue,* beaux habits; *petite tenue,* habits ordinaires; *tenue de sortie,* habits que l'on met pour sortir.

terme [tɛrm], n. m., **1.** ce qui finit, le bout : *Lyon a été le terme de notre voyage.* **2.** moment de l'année où on paye l'argent que l'on doit pour la maison ou l'appartement qu'on a loué : *c'est bientôt le terme; il n'a pas payé son terme,* il n'a pas payé la somme qu'il devait pour cela. **3.** mot : *il emploie des termes qu'il ne comprend pas.*

terminer [tɛrmine], v. trans., finir : *ce jeune homme a déjà terminé ses études.*

terminus [tɛrminys], n. m., la dernière gare d'une ligne de chemin de fer, la dernière station d'une ligne de métro, le dernier arrêt d'une ligne d'autobus : *nous allons bientôt arriver au terminus.*

terrain [tɛrɛ̃], n. m., partie du sol : *ce terrain est bon pour le blé;* (militaire) *l'armée a gagné du terrain,* elle est allée plus loin en avant.

terrasse [tɛras], n. f., **1.** sorte de toit plat : *on a une belle vue du haut de la terrasse.* **2.** chaises et tables dans la rue devant un café : *il était assis à la terrasse.*

terre [tɛr], n. f., **1.** l'astre que nous habitons : *la terre tourne autour du soleil; ce marin a fait le tour de la terre; être sur terre,* vivre : *il y a vingt ans que je suis sur terre.* **2.** le sol, surtout le sol cultivé : *les terres et les mers; cette terre est bonne pour la culture.* — EXPRESSIONS : *on l'a mis en terre,* on l'a enterré; *il pense de façon terre à terre,* il n'a pas d'idées qui s'élèvent au-dessus de la vie de tous les jours; *par terre,* sur le sol : *il est tombé par terre.*

terreur [tɛrœr], n. f., très grande peur : *la nuit le remplit de terreur.*

terrible [tɛriblə], adj., **1.** qui fait peur : *cette guerre a été terrible.* **2.** très grand : *j'ai une faim terrible.*

territoire [tɛritwar], n. m., la partie du sol qu'occupe un pays, un département, une commune, etc. : *la commune a une forêt sur son territoire.*

tes [te, te z devant un mot qui commence par une voyelle : *tes amis :* te z ami], adj. ou déterminatif possessif plur. de la 2e personne du singulier : *tes amis, tes sœurs.*

testament [tɛstamɑ̃], n. m., papier où une personne écrit à qui elle donne ses biens (son argent, ses champs, etc.) après sa mort : *il a laissé un testament.*

tête [tɛ:t], n. f., **1.** la partie du corps qui porte les yeux, les oreilles, etc. : *j'ai mal à la tête.* — EXPRESSIONS : *il a perdu la tête, il n'a plus sa tête* (ou *sa tête à lui*), il ne sait plus ce qu'il fait; *il en a par-dessus la tête,* il en a assez, il veut en finir; *il a tenu tête à l'ennemi,* il ne l'a pas laissé passer; *c'est une mauvaise tête,* il ne veut pas qu'on lui commande; *il n'a que cette idée en tête,* il y pense tout le temps; *il s'est mis en tête de vous parler,* il a décidé de vous parler; *cette idée lui a tourné la tête,* elle lui fait perdre la raison; *ce vin (cette idée) lui monte à la tête,* lui fait perdre son bon sens; *on lui a monté la tête,* on lui a fait croire qu'il pouvait faire certaines choses; *nous avons dîné en tête à tête,* l'un en face de l'autre; *je ne sais où donner de la tête,* je suis très occupé. **2.** ce qui est en haut de quelque chose : *la tête d'un arbre; a tête du lit.* **3.** avec l'idée de commander : *il est à la tête d'une armée,* il la commande; *il marche en tête,* le premier. **4.** unité : *par tête,* par personne : *cela coûtera cent francs par tête.*

têtu, ue [tɛty], adj., qu'on ne peut empêcher de faire ce qu'il veut : *l'âne est un animal têtu.*

texte [tɛkst], n. m., les mots qui ont été écrits, sans que rien soit changé : *je n'ai pas lu le texte de sa lettre.*

textile [tɛkstil], adj., **1.** qui sert à faire des tissus : *matière textile, plante textile.* **2.** qui se rapporte aux tissus : *l'industrie textile.* — n. m., plante textile, matière textile : *le coton est un textile très employé.*

thé [te], n. m., **1.** arbre qui pousse en Asie : *on cultive le thé en Chine.* **2.** les feuilles de cette plante, sèches et coupées en petits morceaux : *j'ai acheté une livre de thé.* **3.** la boisson que l'on fait avec ces feuilles : *il a bu une tasse de thé.*

théâtre [teɑ:trə], n. m., **1.** maison où l'on joue des pièces : *nous sommes allés hier soir au théâtre.* **2.** art de faire ou de jouer des pièces : *il aime beaucoup le théâtre; coup de théâtre,* événement qu'on n'attendait pas; *c'est du théâtre,* ce n'est pas vrai. **3.** ensemble des pièces de théâtre écrites par un auteur (un écrivain) : *le théâtre de Molière.* **4.** endroit ou région où quelque chose a lieu : *le théâtre de la guerre.*

théorie [teɔri], n. f., idées sur la façon de faire certaines choses (contraire : *pratique*) : *il connaît la théorie de son art, mais n'en a pas encore la pratique.*

thermomètre [tɛrmɔmɛtrə], n. m., instrument qui sert à mesurer la température (la chaleur et le froid) : *le thermomètre monte,* il fait plus chaud; *le thermomètre descend,* il fait plus froid.

ticket [tikɛ], n. m., petit billet de chemin de fer, d'autobus, etc. : *ne perdez pas votre ticket.*

tiède [tjɛd], adj., qui est un peu chaud : *l'eau de ce bain est tiède;* fig., *un ami tiède,* un ami qui n'a pas un sentiment d'amitié très fort.

tien, tienne [tjɛ̃, tjɛn] (avec *le, la, les*), pron. possessif, qui est à toi : *mon livre et le tien; ma famille est moins riche que la tienne; les tiens,* ta famille : *je pense beaucoup aux tiens.*

tiers [tjɛr], n. m., une des trois parties d'une chose ou d'un ensemble : *il a vidé le tiers de la bouteille.*

tige [tiʒ], n. f., **1.** la partie d'une plante qui monte en partant de la terre : *la tige de cette fleur est très droite.* **2.** morceau de métal ou de bois long et mince : *une tige de fer.*

tigre [tigrə], n. m., animal sauvage qui vit en Asie et qui est très dangereux pour les hommes et les animaux : *les habitants de certaines régions ont peur des tigres.*

timbre [tɛ̃brə], n. m., petit morceau de papier en forme de rectangle qu'on colle (qu'on met) sur les lettres avant de les envoyer : *il a oublié de mettre un timbre sur sa lettre.*

timide [timid], adj., qui a peur de parler, de s'adresser aux autres personnes : *cet enfant est si timide qu'on n'en peut pas tirer une parole.*

tir [tir], n. m., action de lancer un projectile : *son tir est très juste.*

tirer [tire], v. trans., **1.** faire aller vers soi : *il a tiré une ficelle; il a tiré de l'eau du puits;* fig. : *on n'a pu en tirer un mot,* on n'a pu lui faire dire un mot; *il faut tirer cette affaire au clair,* il faut connaître la vérité sur cette affaire. **2.** lancer un projectile avec une arme : *il a tiré deux balles.* — intr., **1.** faire effort sur quelque chose pour la faire aller vers soi : *il a tiré sur une corde.* **2.** lancer des projectiles avec une arme : *les soldats ont tiré quand on le leur a commandé.*

tiroir [tirwar], n. m., sorte de boîte qui peut entrer dans un meuble et en sortir : *cette table a deux tiroirs.*

tissage [tisaʒ], n. m., **1.** art de tisser : *il apprend le issage.* **2.** usine où on tisse des tissus : *il y a plusieurs tissages dans la vallée.*

tisser [tise], v. trans., faire un tissu avec des fils : *on tisse de la laine, du coton,* etc.; *métier à tisser,* machine qui sert à tisser.

tissu [tisy], n. m., matière que l'on fait en tissant (avec des fils) : *ce tissu est très épais.*

titre [titrə], n. m., **1.** ce qui est écrit sur la première page d'un livre : *je n'ai lu que le titre de ce livre.* **2.** papier qui montre qu'on a un droit : *vous n'avez aucun titre à occuper cette maison; on l'a puni à juste titre,* de façon juste; *il est venu à titre de directeur,* comme directeur.

toi [twa], pron. personnel, 2e pers. du singulier : *il pense à toi.* — **toi-même,** toi en personne (et non un autre) : *vas-y toi-même.*

toile [twal], n. f., **1.** tissu fait avec du coton ou d'autres plantes : *les habits de toile sont très légers.* **2.** tableau peint sur de la toile : *il a de belles toiles dans sa maison.*

toilette [twalɛt], n. f., **1.** action de se laver : *il fait sa toilette; une table de toilette; cabinet de toilette,* pièce où on fait sa toilette. **2.** habits de dame : *cette dame a une belle toilette; elle aime la toilette,* elle aime être bien habillée. **3.** *les toilettes,* les W.-C. d'un café, d'un restaurant, etc.

toit [twa], n. m., ce qui couvre une maison : *il est monté sur le toit; il est tombé du toit.*

tôle [to:l], n. f., grande feuille de fer : *un toit de tôle.*

tomate [tɔmat], n. f., gros fruit rouge qu'on mange au début du repas ou comme légume : *nous avons mangé des tomates à notre déjeuner.*

tombe [tõb], n. f., trou dans la terre où l'on enterre un mort : *il est dans la tombe,* il est mort.

tomber [tõbe], v. intr. (avec l'auxiliaire *être : je suis tombé),* **1.** faire ce que fait une pierre qu'on jette du haut vers le bas : *je suis tombé de cheval; il est tombé de la pluie.* — EXPRESSIONS : *je suis tombé de mon haut quand j'ai appris cette nouvelle,* j'ai été très étonné; *ce livre tombe en*

Il tombe.

morceaux, il n'en reste que des morceaux. **2.** arriver : *vous tombez bien; le 1er mai tombe un mardi.* **3.** *tomber malade,* devenir malade (qui ne se dit pas en français) : *il est tombé malade lundi dernier.* **4.** *tomber sur quelqu'un,* le rencontrer tout d'un coup : *en sortant de chez moi, je suis tombé sur mon ami.*

1. ton [tõ; tõ n devant un mot qui commence par une voyelle : *ton ami :* tõ n ami], adj. ou déterminatif possessif masc. sing. de la 2 pers. du sing. : *ton livre;* s'emploie aussi devant un mot fém. commençant par une voyelle : *ton idée.*

2. ton [tõ], n. m., façon dont on parle : *il ne lui parle pas sur le ton qu'il faut; bon ton,* bonne façon de parler, de s'habiller et de se tenir; *mauvais ton,* mauvaises manières; *il donne le ton :* les autres font ce qu'il fait.

tondre [tõdrə] *(je tonds, tu tonds, il tond, nous tondons, vous tondez, ils tondent; je tondais; je tondis; je tondrai; que je tonde; tondu),* v. trans., couper très courts les cheveux, les poils, l'herbe : *on tond les moutons pour avoir leur laine;* fig. et fam. : *il tondrait un œuf,* il veut avoir le plus d'argent possible.

tonne [tɔn], n. f., **1.** grand récipient sorte de grand tonneau : *on a apporté de l'eau à la ferme dans une grande tonne.* **2.** unité de poids : *une tonne est égale à 1.000 kg.; ce wagon de chemin de fer pèse quarante tonnes.*

tonneau, plur. **eaux** [tɔno], n. m., grand récipient rond en bois où l'on met des liquides : *il a roulé le tonneau.*

tonner [tɔne], v. impers., faire le bruit du tonnerre : *il a tonné plusieurs fois cette nuit.*

tonnerre [tɔnɛr], n. m., grand bruit dans le ciel, produit par l'orage : *cet enfant a peur du tonnerre; coup de tonnerre,* bruit du tonnerre qu'on entend tout d'un coup; fig., grand événement qu'on n'attendait pas : *cette nouvelle a été un vrai coup de tonnerre.*

torchon [tɔrʃõ], n. m., sorte de serviette de toile épaisse qui sert à essuyer les assiettes, les verres, etc. : *les torchons sont pendus dans la cuisine.*

tordre [tɔrdrə] *(je tords, tu tords, il tord, nous tordons, vous tordez, ils tordent; je tordais; je tordis; je tordrai; que je torde; tordu),* v. trans. tourner en serrant : *on tord le linge mouillé avant de le faire sécher.*

torrent [tɔrã] n. m., ruisseau ou rivière dans les montagnes, qui coule très vite : *un homme est tombé dans le torrent et son corps a été emporté.*

tort [tɔr], n. m., le fait de ne pas se conduire comme on doit : *son tort a été de répondre.* — EXPRESSIONS : *avoir tort,* mal faire, mal penser (contraire : *avoir raison*); *vous avez tort de partir; faire tort* (ou *faire du tort*), faire quelque chose de mal contre quelqu'un : *on a fait tort à ce boulanger en disant que son pain était mauvais; à tort,* d'une façon qui n'est pas juste : *on l'a puni à tort; à tort ou à raison,* en ayant raison ou non; *à tort et à travers,* n'importe comment : *il parle à tort et à travers.*

tôt [to], adv., de bonne heure (contraire : *tard*) : *à la campagne on se lève très tôt en été.*

total, ale, plur. **aux, ales** [tɔtal, o], adj., tout, sans rien oublier : *la somme totale.* — n. m., tout l'ensemble : *le total de ces sommes est très grand; au total,* en somme.

toucher [tuʃe], v. trans., **1.** être mis contre quelque chose : *la chaise touche le mur.* **2.** se rapporter à quelque chose : *cela touche votre affaire.* **3.** faire avoir un sentiment : *votre lettre m'a touché.* **4.** recevoir de l'argent : *il a touché une grosse somme.* — (avec *à*), **1.** mettre la main sur : *il a touché à ce livre;* fig., *il touche à tout,* il s'occupe un peu de tout. **2.** être tout près de : *nous touchons à la fin de notre voyage.* — **le toucher** n. m., le sens qui permet de connaître les choses en les touchant (avec les mains, par exemple).

toujours [tuʒur], adj., sans s'arrêter dans le temps : *il parle toujours; il a toujours habité cette rue.*

1. tour [tur], n. m., **1.** outil qui sert à faire des objets ronds : *il travaille avec un tour.* **2.** mouvement en rond : *j'ai fait le tour du jardin.* **3.** mesure de ce qui est rond : *il a 90 centimètres de tour de poitrine.* **4.** promenade : *nous avons fait un tour en ville.* **5.** *jouer un tour,* tromper quelqu'un (quelquefois simplement pour s'amuser) : *il lui a joué un bon tour.* **6.** *chacun parle à son tour,* l'un après l'autre; *c'est votre tour de parler,* vous pouvez parler maintenant; *ils sont venus tour à tour,* l'un après l'autre. — EXPRESSIONS : *il frappe à tour de bras,* de toutes ses forces; *en un tour de main* (ou *en un tournemain*), très vite et comme sans efforts : *il a ouvert la porte en un tour de main; il a plus d'un tour dans son sac,* il a toujours de bonnes idées pour se tirer d'affaire.

2. tour [tur], n. f., bâtiment qui s'élève au-dessus des autres : *la tour de l'hôtel de ville est très haute.*

Tour.

tourisme [turism], n. m., le fait de voyager pour son plaisir : *le tourisme a fait de grands progrès; un bureau de tourisme,* un bureau qui s'occupe de voyages.

touriste [turist], n. m. et f., celui, celle qui voyage pour son plaisir : *beaucoup de touristes étrangers viennent dans notre ville.*

tourner [turne], v. trans., **1.** faire avec un tour (outil) : *il tourne des objets en bois.* **2.** faire aller en rond (tout à fait ou seulement en partie) : *il tourne la tête;* fig. : *il lui a tourné la tête,* il lui a donné de mauvaises idées; *il tourne les talons,* il s'en va *ou* il se sauve. PROVERBE : *Il faut tourner sept fois sa langue dans sa bouche avant de parler,* il faut bien penser à ce qu'on va dire. — v. intr., **1.** aller en rond : *il tourne autour de sa chambre;* fig., *la tête lui tourne.* **2.** faire une partie de ce mouvement : *vous tournerez à droite après la maison.* **3.** devenir mauvais : *le lait tourne quand il fait chaud.* **4.** *bien (mal) tourner,* devenir bon (mauvais) : *l'affaire a bien tourné; ce jeune homme a mal tourné.*

tourneur [turnœr], n. m., ouvrier qui travaille avec un tour : *il est tourneur dans une usine; un tourneur en métaux.*

tousser [tuse], v. intr., faire sortir de l'air de sa bouche, avec bruit, quand on a pris froid : *il a toussé toute la nuit.*

1. tout, e; plur. **tous, toutes** [tu, tut; tu, tut], adj., marque un ensemble où rien ne manque : *il a bu toute la bouteille; tous les élèves sont là; il vient tous les jours; tous les deux jours,* un jour sur deux.

2. tout, e; plur. **tous, toutes** [tu, tut; tus, tut], pron., marque que rien (ni personne) ne manque : *tout est fini; ils sont tous arrivés; elles sont toutes parties.*

3. tout [tu], adv. (*toute* devant un adj. fém. sing. qui commence par une consonne; *toutes* devant un adj., fém plur. qui commence par une consonne), donne plus de force à un adjectif : *un habit tout neuf; des habits tout neufs; une robe toute neuve, des robes toutes neuves;* mais *elle est tout habillée, elles sont tout habillées.*

tout (du) [dy tu], *pas du tout,* pas (avec plus de force) : *je ne le connais pas du tout; rien du tout,* rien (avec plus de force) : *je n'ai rien vu du tout.*

tout à coup [tu t a ku], adv., sans qu'on s'y attende : *la pluie s'est mise tout à coup à tomber.*

tout à fait [tu t a fɛ], adv., donne plus de force à un adjectif : *ce travail est tout à fait bon.*

tout à l'heure [tu t a lœr], adv.,**1.** bientôt (mais pas tout de suite) : *je reviendrai tout à l'heure.* **2.** il n'y a pas longtemps : *il est sorti tout à l'heure.*

tout de même [tu d mɛm], adv., **1.** de la même façon : *votre frère s'est bien conduit, vous vous conduirez tout de même* (ce sens, qui est le bon, ne s'emploie pas beaucoup). **2.** fam. malgré cela, quand même : *il était fatigué hier, il a tout de même travaillé.*

tout de suite [tu d sɥit], adv., dans un moment très court : *le train arrive tout de suite.*

tout d'un coup [tu d œ̃ ku], adv., **1.** en une fois : *ses livres sont tombés tout d'un coup* (ce sens qui est le bon, ne s'emploie pas beaucoup). **2.** fam., tout à coup, sans qu'on s'y attende : *l'auto est partie tout d'un coup.*

tout le monde [tu l mɔ̃d], pron., tous (en parlant des personnes) : *il n'y a personne à la maison : tout le monde est sorti.*

toutefois [tutfwa], adv., mais : *il fait beau maintenant, toutefois je crains qu'il ne pleuve.*

trace [tras], n. f., ce que l'on marque sur le sol quand on marche : *je reconnais ses traces, on l'a suivi à la trace.* — EXPRESSION : *il a disparu sans laisser de traces,* on ne sait pas ce qu'il est devenu.

tracteur [traktœr], n. m., sorte d'auto qui tire un véhicule ou des machines pour cultiver les champs : *il laboure son champ avec un tracteur.*

tradition [trɑ̃disjɔ̃], n. f., **1.** façon de faire, de penser venue d'autrefois : *certaines traditions sont bonnes, d'autres gênent le progrès.* **2.** histoire venue d'autrefois sans avoir été écrite : *on ne connaît ces événements que par la tradition.*

traducteur, traductrice [tradyktœr, tradyktris], n. m. et f., celui (celle) qui traduit, qui fait passer d'une langue dans une autre (ne se dit que de celui ou de celle qui écrit; celui ou celle qui parle est *un* ou *une interprète*) : *la traductrice de ce livre connaissait bien la langue de l'écrivain et sa propre langue.*

traduction [tradyksjɔ̃], n. f., **1.** action de traduire : *la traduction est un art difficile.* **2.** livre traduit en d'autres langues : *il lit des traductions de livres étrangers.*

traduire [tradɥir] (se conjugue comme *conduire*), v. trans., faire passer d'une langue dans une autre : *il a traduit ce livre en français.*

trafic [trafik], n. m **1.** nombre de voitures, de bicyclettes, etc. qui vont dans une rue, sur une route : *le dimanche il y a un grand trafic sur l'autoroute.* **2.** commerce (souvent commerce de choses défendues) : *son trafic ne l'a pas rendue riche.*

tragédie [traʒedi], n. f. **1.** pièce de théâtre qui fait pleurer (contraire : *comédie*) : *nous sommes allés voir une tragédie de Corneille.* **2.** fig., événement grave, où le sang coule : *il y a eu une tragédie dans ce village.*

tragique [traʒik], adj., **1.** qui se rapporte à la tragédie (au sens 1) : *un auteur tragique,* un *acteur tragique.* **2.** qui ressemble à ce qu'un voit dans la tragédie : *il a pris nn air tragique; ne prenez pas cela au tragique,* ne croyez pas que les choses soient très graves.

trahir [trair], v. trans., **1.** mettre son pays (ses amis, etc.) au pouvoir des ennemis : *il a trahi sa patrie.* **2.** faire connaître ce qu'on doit tenir caché : *ne trahissez pas ce secret.* **3.** fig., faire connaître sans le vouloir : *il a trahi ses sentiments.*

train [trɛ̃], n. m., **1.** wagons attachés l'un derrière l'autre et tirés par une machine : *le rain est arrivé à l'heure; un train de voyageurs; un train de marchandises.* **2.** *être en train de faire,* être occupé à faire : *il est en train de travailler.* — EXPRESSIONS : *il va bon train,* il va vite; *tout va son train,* tout marche bien; *il a un grand train de vie* ou *il a un grand train de maison,* il dépense beaucoup d'argent.

traîner [trɛne], v. trans., **1.** tirer derrière soi : *l'enfant traîne une petite voiture derrière lui;* fig., *il traîne les pieds,* il marche en frottant les pieds par terre. **2.** *il traîne cette affaire,* il ne la fait pas aller vite. — v. intr.,

1. être un peu partout, sans ordre : *ses livres traînent sur la table.* **2.** frotter par terre : *cette robe traîne.* **3.** ne s'occuper à rien : *il a traîné toute la journée dans la ville.* — **se traîner,** aller avec peine : *le blessé s'est traîné jusqu'au fossé.*

Il traîne sa petite auto.

trait [trɛ], n. m., **1.** ligne dessinée : *il a fait un trait au-dessous de son nom.* **2.** les lignes de la figure : *cet enfant a de jolis traits.* **3.** *trait d'esprit,* mot qui fait rire ou au moins sourire : *il a trouvé de jolis traits d'esprit.* — EXPRESSIONS : *il a bu son verre d'un trait,* en une seule fois, d'un seul coup, sans s'arrêter; *cela a trait à sa vie,* cela se rapporte à sa vie.

traité [trɛte], n. m., papier qui montre que l'on s'est mis d'accord (se dit surtout en parlant de pays) : *ces deux pays ont signé un traité; traité de paix,* traité qui finit une guerre.

traitement [trɛtmɑ̃], n. m., **1.** façon de soigner un malade : *ce nouveau traitement a réussi.* **2.** ce qu'un fonctionnaire ou un employé reçoit chaque mois pour son travail : *on lui a payé son traitement du mois de janvier.*

traiter [trɛte], v. trans., **1.** étudier quelque chose et dire ce qu'on en sait : *il a traité une question importante.* **2.** être bon ou mauvais avec quelqu'un : *cet enfant a toujours été bien traité par ses parents.* **3.** soigner (un malade) : *il a été traité par les eaux.* — v. intr., **1.** parler d'une question : *ce livre traite de la grammaire française.* **2.** se mettre d'accord avec quelqu'un : *ce pays a traité avec ses anciens ennemis.*

traître [trɛtrə], n. et adj. (comme adj., *traîtresse* au féminin), qui trahit: *ne suivez pas ce traître.* — EXPRESSION : *un traître mot,* un seul mot : *ne croyez pas un traître mot de ce qu'il dit.*

trajet [traʒɛ], n. m., chemin que fait une personne, une voiture, etc. : *il fait tous les jours à pied le trajet de sa maison à son bureau.*

tramway [tramwɛ], n. m., sorte de petit train de chemin de fer dans une ville ou sur une route : *nous avons pris le tramway; le tramway a été remplacé par un autobus.*

tranche [trɑ̃ʃ], n. f., morceau coupé : *il lui a donné une tranche de pain.*

trancher [trɑ̃ʃe], v. trans., couper : *il a tranché la corde.*

tranquille [trɑ̃kil], adj., **1.** qui ne remue pas beaucoup : *un enfant tranquille; des eaux tranquilles.* **2.** qui n'a pas de peur : *je suis tranquille pour ma famille.*

tranquillement [trɑ̃kilmɑ̃] adv., de façon tranquille : *il est resté tranquillement chez lui en attendant les nouvelles.*

transformer [trɑ̃sfɔrme], v. trans., donner à quelqu'un ou à quelque chose une autre forme, un autre esprit : *on a transformé en clous ce morceau de métal.* — **se transformer,** devenir autre, devenir différent : *la campagne se transforme au printemps.*

transitif, ive [trɑ̃zitif, iv], adj., (grammaire) *verbe transitif,* verbe qui a un complément d'objet (contraire : *verbe intransitif*) : *« voir » est un verbe transitif parce qu'on peut dire : « je vois une maison ».*

transport [trɑ̃spɔr], n. m., **1.** action de porter d'un endroit à un autre : *il a payé très cher pour le transport de ses meubles; moyens de transport,* les autos, les trains, les bateaux, les avions. **2.** sentiment très fort : *on l'a reçu avec transport.*

transporter [trɑ̃spɔrte], v. trans., **1.** porter d'un endroit dans un autre : *ce bateau transporte du charbon.* **2.** faire avoir un sentiment très fort : *cette nouvelle l'a transporté.*

travail, plur. **aux** [travaj, travo], n. m., **1.** les efforts que l'on fait pour faire quelque chose : *ce livre a demandé beaucoup de travail.* **2.** le résultat de cet effort, ce qui est fait : *ce travail est très bon; grands travaux,* travaux très importants pour le pays (ponts, grandes routes, etc.).

travailler [travaje], v. intr., faire des efforts, se donner de la peine : *il a beaucoup travaillé dans sa vie.* — v. trans., **1.** faire quelque chose avec une matière : *cet ouvrier sait travailler le bois.* **2.** étudier : *il a longtemps travaillé cette question.*

travailleur, euse [travajœr, øz], adj., qui travaille : *ces enfants sont très travailleurs.* — n. m. et f., **1.** personne qui travaille : *cet ouvrier est un bon travailleur.* **2.** (en particulier) ouvrier : *il y a plus de 2 000 travailleurs dans cette usine.*

travers [travɛr], n. m., **1.** côté de quelque chose : *ce bateau présente son travers au vent.* — EXPRESSIONS : *il comprend de travers,* il comprend mal; *il fait tout de travers,* il fait tout mal, il se trompe toujours; *il regarde les gens de travers,* avec colère; *il parle à tort et à travers;* il dit n'importe quoi. **2.** ce qui n'est pas bien (mais pas non plus très mal) dans l'esprit ou les façons de quelqu'un : *il se moque des travers des autres.* — **à travers,** par (en passant par) : *il est passé à travers le bois.*

traverser [travɛrse], v. trans., aller de l'autre côté (d'une rivière, de la mer, d'une rue, etc.) : *il a traversé la rivière sur le pont.*

treize [trɛz], n. de nombre, 13 : *beaucoup de personnes n'aiment pas être treize à table.*

treizième [trɛzjɛm], n. de nombre ordinal, **1.** qui vient après le douzième. **2.** une des treize parties d'un ensemble.

trembler [trɑ̃ble], v. intr., faire, sans le vouloir, de petits mouvements (parce qu'on a peur, ou froid) : *il tremblait de froid.* — v. trans. (seulement avec *que* et le subjonctif), avoir peur; *je tremble qu'on ne nous voie.*

tremper [trɑ̃pe], v. trans., **1.** mouiller en mettant dans l'eau ou dans un autre liquide : *il trempe son pain dans du lait.* **2.** mouiller beaucoup: *la pluie nous a trempés.* **3.** rendre le fer plus dur : *on trempe l'acier.*

trente [trɑ̃t], n. de nombre, 30 : *le mois d'avril a trente jours, le mois de mai trente et un jours.* — EXPRESSION : *il s'est mis sur son trente et un,* il a mis ses plus beaux habits.

trentième [trɑ̃tjɛm], n. de nombre ordinal, **1.** qui vient après vingt-neuf autres. **2.** une des trente parties d'un ensemble.

très [trɛ, trɛ z devant une voyelle : *très ancien* : trɛ z ɑ̃sjɛ̃], adv., sert à donner plus de force à un adjectif : *ce tableau est très beau.*

trésor [trezɔr], n. m., or, argent, etc., gardé ou caché : *il a trouvé un trésor dans son champ; le Trésor,* l'argent de l'Etat.

triangle [trijɑ̃glə], n. m., figure qui a trois côtés : *ce champ a la forme d'un triangle.*

tribunal, plur. **aux** [tribynal, o], n. m., les juges : *le voleur a été jugé par le tribunal.*

tricot [triko], n. m., **1.** tissu fait avec de longues aiguilles : *ce tricot est très épais.* **2.** habit fait avec ce tissu : *en hiver on porte des tricots très chauds.*

tricoter [trikɔte], v. trans., faire un tissu avec de longues aiguilles *cette dame tricote des bas pour sa fille.*

trier [trije], v. trans., mettre de l'ordre en mettant certaines choses d'un côté et d'autres d'un autre côté : *le facteur trie les lettres.*

triple [triplə], adj. et n. m., trois fois plus : *il a payé cette maison le triple de ce qu'elle valait.*

triste [trist], adj. (contraire : *gai*), **1.** qui pleure ou est près de pleurer : *il est triste d'avoir perdu sa mère.* **2.** qui fait pleurer : *ce film a une fin très triste.*

tristesse [tristɛs], n. f., **1.** état d'une personne qui est triste : *il est dans la tristesse depuis la mort de son père.* **2.** état d'une chose qui rend triste : *je n'aime pas la tristesse de la campagne en hiver.*

trois [trwa], n. de nombre, 3 : *ce père de famille a trois enfants.*

troisième [trwazjɛm], n. de nombre ordinal, qui vient après les deux premiers : *je l'ai appelé pour la troisième fois; le troisième,* le troisième étage : *il habite au troisième; la troisième,* la troisième classe d'une école : *il est sorti de troisième.* — *Troisième* ne s'emploie pas pour une des trois parties d'un ensemble, on dit : *un tiers.*

tromper [trõpe], v. trans., dire à quelqu'un des choses qui ne sont pas vraies : *cet enfant trompe ses maîtres et ses parents.* — **se tromper,** avoir des idées qui ne sont pas justes : *il se trompe dans ses comptes.*

tronc [trõ], n. m., **1.** partie d'un arbre, depuis le sol jusqu'aux branches : *le tronc de cet arbre est très gros.* **2.** le corps de l'homme sans la tête ni les bras ni les jambes : *il a le tronc très long.* **3.** boîte dans une église où on peut mettre de l'argent pour les pauvres ou pour l'église : *il a mis une pièce de monnaie dans le tronc.*

Tronc d'arbre.

Tronc d'homme.

trop [tro, tro p devant un mot qui commence par une voyelle : *trop épais* : tro p epɛ], adv., plus qu'il ne faut : *cet arbre est trop haut; vous êtes trop intelligent pour ne pas comprendre; il n'a pas une trop bonne santé,* il n'a pas une très bonne santé; *il y a là un mot de trop.* — **par trop,** vraiment trop : c'*est par trop fort.*

trottoir [trɔtwar], n. m., partie de la rue (sur le côté) où marchent les gens qui vont à pied : *cette rue a des trottoirs trop étroits; les autos ne doivent pas aller sur le trottoir.*

trou [tru], n. m., **1.** ouverture faite dans le sol, dans un papier, dans un tissu : *j'ai creusé un trou dans le jardin; il a fait un trou à sa veste; il boit comme un trou,* il boit beaucoup. **2.** fam., petit village, *il passe ses vacances dans un trou.*

1. trouble [trublə], adj., qui n'est pas clair (au sens propre et au sens figuré) : *cette eau est trouble; il a la vue trouble;* fig., *il pêche en eau trouble,* il gagne de l'argent par des moyens qui ne sont pas bons moralement.

2. trouble [trublə], n. m., état de ce qui n'est pas en ordre, pas d'accord : *il y a des troubles dans cette ville.*

troubler [truble], v. trans., **1.** rendre trouble : *il a troublé le lac en remuant le fond.* **2.** déranger : *il nous a troublés pendant que nous parlions.* — **se troubler, 1.** devenir trouble : *le temps se trouble.* **2.** (en parlant des personnes) montrer qu'on est surpris, ne plus être maître de soi : *il s'est troublé en me voyant.*

trouer [true], v. trans., faire un trou : *il a troué ce papier avec une épingle.*

troupe [trup], n. f., personnes qui marchent ensemble, se dit en particulier des soldats : *la troupe marche derrière son chef.*

troupeau [trupo], n. m., groupe d'animaux qui vont ensemble : *un troupeau de bœufs; un troupeau de moutons; le chien du troupeau,* le chien qui garde les moutons.

trouver [truve], v. trans., **1.** apercevoir quelque chose que personne ne connaissait ou qu'on croyait perdu : *on a trouvé un moyen de nettoyer ce tissu; j'ai trouvé le billet que vous aviez perdu;* **2.** penser, juger : *je trouve cette idée juste; je trouve que vous avez raison.* — **se trouver, 1.** être situé (être en un endroit) : *Paris se trouve au bord de la Seine.* **2.** penser que l'on est : *je me trouve bien,* je pense que je suis en bonne santé.

truc [tryk], n. m., fam., moyen, *il a un truc pour faire marcher son moteur.*

T. S. F. [te ɛs ɛf], n. f., radio : *nous avons écouté la T. S. F. hier soir.*

tu [ty], pron. pers., 2ᵉ personne du singulier, toujours sujet du verbe : *tu es déjà venu; comment vas-tu?*

tube [tyb], n. m., objet creux et droit : *un tube de verre; un tube de métal.*

tuer [tye ou tɥe], v. trans. :

causer la mort : *il a été tué à la guerre.* **2.** fatiguer : *le travail le tue.* — **se tuer, 1.** se donner la mort, être cause de sa mort : *cet homme s'est tué hier.* **2.** se fatiguer : *je me tue à vous le répéter.*

tuile [tɥil], n. f., **1.** morceau de terre cuite (le plus souvent rouge) qui sert à couvrir les toits : *une tuile est tombée du toit.* **2.** fig. et fam., quelque chose qu'on n'attend pas et qui gêne : *votre départ est une vraie tuile.*

tunnel [tynɛl]. n. m., voie creusée sous la terre pour faire passer un chemin de fer ou une route : *le tunnel est éclairé à l'électricité.*

tuyau, plur. aux [tɥijo], n. m., objet long et creux (en métal, en caoutchouc, etc.) qui sert à faire passer de l'eau, du gaz, etc. : *le tuyau de caoutchouc est déchiré;* fig., *il m'a parlé dans le tuyau de l'oreille,* il a parlé très bas, à mon oreille, pour que personne n'entende.

type [tip], n. m., **1.** chose ou personne qui représente une idée ou un ensemble : *ce mauvais élève est le type du paresseux.* **2.** fam., personne différente des autres : *c'est un type peu ordinaire.* **3.** populaire, homme : *j'ai rencontré deux types dans la rue.*

U

1. un, une, plur. **des** [œ̃, œ̃ n devant voyelle : un ami, œ̃ n ami ; — yn ; — de z devant une voyelle : des amis : de z ami)], article indéfini : *j'ai acheté un crayon et des livres;* quand il y a un adjectif devant le nom, on emploie en général *de* au lieu de *des : de beaux livres.*

2. un (l'), une (l'), plur. **uns (les), unes (les)** [lœ̃, lyn ; le z œ̃, le z yn], pron. : *l'un est parti; l'autre est resté; les uns disent oui, les autres disent non; ils s'aident l'un l'autre,* l'un aide l'autre ; *ils se moquent les uns des autres.*

3. un, une [œ̃, yn], n. de nombre, 1 : *je n'ai qu'un franc dans ma poche.*

union [ynjõ], n. f., **1.** le fait d'être d'accord, de faire quelque chose ensemble : *l'union de ces deux frères fait plaisir à voir.* PROVERBE : *L'union fait la force,* on est plus fort quand on est d'accord. **2.** mariage (le fait d'être mariés) : *cette union a été très heureuse.*

unique [ynik], adj., seul : *il a mis son unique manteau; un enfant unique,* un enfant qui n'a ni frères ni sœurs.

uniquement [ynikmɑ̃], adv., seulement : *il a voyagé uniquement dans son pays.*

unir [ynir], v. trans., **1.** mettre ensemble : *ces deux pays ont uni leurs forces.* **2.** marier : *ils viennent d'être unis.*

unité [ynite], n. f., **1.** le nombre 1 : *il faut ajouter trois unités.* **2.** ce qui sert à compter, à mesurer : *le kilo est une unité de poids.* **3.** le fait de ne faire qu'un : *il y a entre nous unité de vues,* nous pensons la même chose. **4.** (militaire) troupe : *la compagnie est une petite unité.*

université [yniversite], n. f., école où les jeunes gens étudient le droit, les langues, l'histoire, les sciences, la médecine, etc. : *ce jeune homme fait ses études à l'université pour devenir médecin.*

usage [yzaʒ], n. m., **1.** ce qu'on fait d'habitude : *ce n'est pas l'usage de garder son chapeau à la maison; je connais les usages de ce pays.* **2.** le fait de se servir de quelque chose : *il a fait un bon usage de son argent.*

user [yze], v. trans., se servir d'une chose jusqu'à ce qu'elle ne soit plus bonne : *j'ai usé mes chaussures; — user de,* se servir de : *il a usé de son pouvoir. — en user (bien ou mal) avec quelqu'un,* se conduire (bien *ou* mal) avec lui : *il en a mal usé avec ses amis.* — **usé, ée,** adj., qui ne peut plus servir, qui n'est plus bon à rien : *des habits usés.*

usine [yzin], n. f., grande maison où l'on produit des objets (une usine est plus importante qu'un atelier) : *dans cette usine il y a douze ateliers.*

ustensile [ystɑ̃sil], n. m., tout ce qui sert dans un ménage : *les casseroles, les marmites, les pots sont des ustensiles de cuisine.*

utile [ytil], adj., qui sert à quelque chose : *le bœuf est un animal utile.*

utilisation [ytilizasjõ], n. f., action d'utiliser (de se servir de quelque chose) : *l'utilisation de certains médicaments n'est pas sans danger.*

utiliser [ytilize], v. trans., se servir de : *nous utilisons du charbon pour nous chauffer.*

utilité [ytilite], n. f., qualité de ce qui est utile : *je ne vois pas l'utilité de ce voyage.*

V

vacances [vakɑ̃s], n. f. plur., partie de l'année où on ne travaille pas, où on se repose : *il a pris ses vacances en juillet; nous passons nos vacances au bord de la mer.*

vache [vaʃ], n. f., animal à cornes qui donne le lait que l'on boit : *on conduit les vaches dans la prairie.*

vague [vag], n. f., mouvement de la mer qui élève et abaisse l'eau d'un seul coup: *on ne peut pas se baigner quand les vagues sont trop fortes.*

vain, vaine [vɛ̃, vɛn], adj., qui ne sert à rien : *ses efforts sont restés vains; en vain,* sans résultat; *il a essayé en vain de sauter par-dessus le mur.*

vaincre [vɛ̃krə] *(je vaincs, tu vaincs, il vainc, nous vainquons, vous vainquez, ils vainquent; je vainquais; je vainquis; je vaincrai; que je vainque; vaincu),* v. trans., être plus fort que les autres, obliger l'ennemi à partir ou à se rendre : *il a vaincu tous les autres à la course; il a vaincu les ennemis dans cette guerre.*

vainqueur [vɛ̃kœr], n. m., celui qui vainc : *il est le vainqueur de la course,* il a gagné la course.

vaisseau, plur. **eaux** [vɛso], n. m., grand bateau : *deux vaisseaux sont entrés dans le port.*

vaisselle [vesɛl], n. f., les assiettes, les plats, les verres : *la vaisselle se casse quand elle tombe.*

Vaisselle.

valeur [valœr], n. f., ce que vaut une chose ou une personne : *ce livre a une grande valeur; un homme de valeur,* un homme intelligent, qui arrivera à de bons résultats; *des objets de valeur,* des objets qui valent cher.

valise [valiz], n. f., sorte de sac ou de boîte où l'on met les habits, le linge, etc., qu'on emporte en voyage : *il tient sa valise à la main.*

vallée [vale], n. f., terrain entre deux montagnes : *une rivière coule au fond de la vallée.*

vallon [valɔ̃], n. m., petite vallée : *entre ces deux collines vous voyez un joli vallon.*

valoir [valwar] *(je vaux, tu vaux, il vaut, nous valons, vous valez, ils valent; je valais; je valus; je vaudrai; que je vaille; valu),* v. intr., avoir un certain prix : *cette maison vaut très cher.* — impers., *il vaut mieux,* on doit préférer, mieux aimer : *il vaut mieux être bon élève que mauvais élève.*

vapeur [vapœr], n. f., eau qui devient gaz, qui ressemble à du brouillard : *une vapeur s'élève du lac; machine à vapeur, bateau à vapeur,* machine (bateau) qui marche par la vapeur qui sort de l'eau que l'on a fait chauffer.

Bateau à vapeur.

varier [varje], v. trans., changer, n'avoir pas toujours la même chose : *il faut varier ses plaisirs.* — v. intr., changer, devenir différent : *le temps varie beaucoup depuis deux jours.* — **varié, ée,** adj., différent, qui n'est pas pareil : *des musiques variées.*

variété [varjete], n. f., **1.** le fait de changer : *il aime la variété.* **2.** chose variée : *il y a plusieurs variétés de rouge.*

1. vase [vaz], n. f., sorte de terre molle et sale qui se trouve au fond de l'eau : *il a mis les pieds dans la vase.*

2. vase [vaz], n. m., sorte de récipient : *elle a mis les fleurs dans un vase.*

vaste [vast], adj., très grand (en surface) : *cette forêt est très vaste.*

veau, plur. **veaux** [vo], n. m., le petit (l'enfant) de la vache : *de la viande de veau; des chaussures en veau,* en cuir de veau.

végétal, ale, plur. **aux, ales** [veʒetal, veʒeto], adj., qui se rapporte aux plantes : *avoir une alimentation végétale,* manger des légumes et des fruits; *terre végétale,* terre où les plantes peuvent pousser. — **végétal,** plur. **aux,** n. m., plante : *au printemps la terre se couvre de végétaux.*

véhicule [veikyl], n. m., ce qui sert à transporter (en général avec des roues) : *une auto, une voiture, une bicyclette sont des véhicules.*

veille [vɛj], n. f., **1.** le jour d'avant : *il est arrivé la veille de mon départ; à la veille de,* peu de temps avant : *nous sommes à la veille des vacances,* les vacances commencent bientôt. **2.** le temps (du soir ou de la nuit) où l'on ne dort pas : *il passe ses veilles à étudier.*

veiller [vɛje], v. intr., ne pas dormir : *j'ai veillé une partie de la nuit.* — (avec *à*) faire attention : *veillez à ce que vous faites.* — (avec *sur*) : *veillez sur cet enfant,* faites attention qu'il ne lui arrive pas de mal.

veine [vɛn], n. f., **1.** dans le corps, ce qui conduit le sang au cœur : *il a de grosses veines bleues;* fig., *il n'a pas de sang dans les veines,* il manque de courage; *ce père s'est saigné aux quatre veines pour son fils,* il a dépensé beaucoup d'argent pour lui. **2.** chance, ce qui arrive d'heureux; *il a eu de la veine au jeu.*

vélo [velo], n. m., fam., bicyclette : *il a fait une course à vélo.*

vélomoteur [velomɔtœr], n. m., bicyclette qui peut marcher avec un moteur : *il roule plus vite avec son vélomoteur.*

velours [vəlur], n. m., tissu épais et doux au toucher : *une veste de velours.*

vendanges [vɑ̃dɑ̃ʒ], n. f. plur., récolte du raisin : *on fait les vendanges au mois de septembre.*

vendeur, euse [vɑ̃dœr, vɑ̃døz], n. m. et f., celui (celle) qui vend : *cet employé est un bon vendeur.*

vendre [vɑ̃drə] *(je vends, tu vends, il vend, nous vendons, vous vendez, ils vendent; je vendais; je vendis; je vendrai; que je vende; vendu),* v. trans., donner contre de l'argent : *l'épicier vend du sucre et du sel.*

vendredi [vɑ̃drədi], n. m., le sixième jour de la semaine. — PROVERBE : *Tel qui rit vendredi, dimanche pleurera,* celui qui est heureux aujourd'hui ne le sera peut-être pas toujours. — *vendredi saint,* le vendredi avant Pâques.

vengeance [vɑ̃ʒɑ̃s], n. f., action de se venger : *il a tiré vengeance de ses ennemis,* il s'est vengé d'eux. — PROVERBE : *La vengeance est un plat qui se mange froid,* souvent on se venge mieux en ne se vengeant pas tout de suite.

venger [vɑ̃ʒe] (*ge* devant *a* et *o* : *nous vengeons*), v. trans., *venger quelqu'un,* faire du mal à celui qui a fait du mal à cette personne : *il a vengé son père.* — **se venger, 1.** *se venger de quelqu'un,* faire du mal à une personne qui vous a fait du mal : *il s'est vengé de ses ennemis.* **2.** *se venger de quelque chose,* faire du mal à celui qui a fait cette chose : *il s'est vengé de son malheur.*

venir [vənir] *(je viens, tu viens, il vient, nous venons, vous venez, ils viennent; je venais; je viendrai; que je vienne; venu),* v. intr. (se conjugue avec l'auxiliaire *être : je suis venu*), aller dans une ville, chez quelqu'un : *il est déjà venu à Paris; il viendra me voir; il est venu à bout de son travail,* il l'a fini; *il se fait bien venir,* il se fait aimer. — **venir à,** marque qu'on fait quelque chose qui n'est pas attendu : *un homme vient à passer sur le chemin.* — **venir de,** marque qu'on a fait quelque chose il n'y a pas longtemps : *le train vient d'arriver.* — **en venir à,** marque un résultat : *j'en suis venu à* *ne plus croire ce qu'il dit; ils en sont venus aux mains,* ils se sont battus après avoir discuté.

vent [vɑ̃], n. m., air en mouvement : *le vent vient de l'ouest.* — EXPRESSIONS : *il va plus vite que le vent,* il va très vite; *il prend le vent,* il cherche à savoir comment les autres pensent pour penser comme eux; *il tourne à tout vent,* il change souvent d'idée; *j'ai eu vent de votre départ,* j'ai entendu parler de votre départ.

vente [vɑ̃t], n. f.,action de vendre : *notre voisin est parti pour la campagne après la vente de sa maison.*

ventre [vɑ̃trə], n. m., partie du corps au-dessous de la poitrine : *cet enfant a mal au ventre; aller ventre à terre,* aller très vite (en parlant d'un cheval, d'un chien, etc.).

ver [vɛr], n. m., petit animal qui a un corps rond et long, sans pattes : *j'ai trouvé un ver dans ce fruit; nu comme un ver,* tout nu ; *ver de terre,* ver (de couleur rose) qui vit dans la terre; *ver à soie,* ver qui produit le fil de soie.

verbe [vɛrb], n. m., (grammaire) mot qui marque une action : *« venir », « courir », « manger » sont des verbes.*

verger [vɛrʒe], n. m., jardin où l'on cultive les arbres pour avoir leurs fruits : *ce cultivateur soigne bien son verger.*

vérifier [verifje], v. trans., se rendre compte si quelque chose est vrai : *le directeur vérifie les comptes de son employé.*

véritable [veritablə], adj., qui est vrai : *cette histoire est véritable; qu'un ami véritable est une douce chose!* (La Fontaine).

vérité [verite], n. f., qualité de ce qui est vrai, chose vraie : *il n'a pas dit la vérité;* fam., *je lui ai dit ses vérités,* je lui ai dit des choses vraies sur sa façon de se conduire; *à la vérité,* cela est vrai.

verre [vɛr], n. m., **1.** matière qui laisse passer la lumière mais qui se casse facilement : *ne vous blessez pas avec les morceaux de verre;* fig., *un homme de verre,* un homme qui ne cache rien. **2.** récipient en verre qui sert à boire : *il a cassé un verre; il a bu un verre d'eau.* **3.** *verre de montre,* morceau de verre qui couvre la montre, *verre de lunettes :* les deux morceaux de verre ronds des lunettes.

verrou, plur. **ous** [vɛru], n. m., pièce de métal qui sert à fermer une porte : *il a mis le verrou; il est sous les verrous,* il est en prison.

1. vers [vɛr], n. m., **1.** ligne d'une poésie : *il nous a lu quelques vers.* **2.** au pluriel, poésie : *il dit bien les vers.*

2. vers [vɛr], prép., **1.** marque la direction : *il s'en va vers la ville.* **2.** aux environs de (surtout en parlant du temps) : *il est arrivé vers le 1er janvier.*

verser [vɛrse], v. trans., **1.** faire couler un liquide : *il m'a versé du café.* **2.** donner de l'argent : *il a versé mille francs.* — intr., *la voiture a versé, elle est tombée sur le côté.*

vert, e [vɛr, vɛrt], adj., qui est de la couleur de l'herbe : *une robe verte; du bois vert,* du bois qui n'est pas encore sec; *légumes verts,* légumes frais (qui sont de couleur verte); *à 70 ans il est encore vert,* encore fort. — n. m., la couleur verte : *le vert est bon pour les yeux; il va se mettre au vert,* il va se reposer à la campagne; *on ne le prend pas sans vert,* il sait se défendre.

vertu [vɛrty], n. f., ensemble de qualités morales qui fait que l'on se conduit bien : *le courage est une vertu.* — **en vertu de,** d'après : *en vertu d'une nouvelle loi.*

veste [vɛst], n. f., habit d'homme qui couvre le haut du corps : *il a mis sa veste.*

veston [vɛstɔ̃], n. m., comme *veste comme il faisait chaud, il a enlevé son veston.*

Veston.

vêtement [vɛtmɑ̃], n. m., habit, tout ce qui sert à habiller : *il a mis des vêtements chauds au début de l'hiver.*

vêtu, ue [vɛty], adj., habillé : *il est bien (mal) vêtu; elle est vêtue de gris.*

veuf, veuve [vœf, vœv], n. et adj., le mari qui a perdu sa femme, la femme qui a perdu son mari : *il est resté veuf avec deux enfants.*

viande [vjɑ̃d], n. f., ce qu'on mange dans les animaux : *de la viande de bœuf; viande blanche,* viande de veau ou de poulet; *viande rouge,* viande de bœuf; *viande noire,* viande des animaux tués à la chasse.

vice [vis], n. m., ce qui pousse a faire le mal, à se conduire mal : *cet homme est perdu de vices,* il a beaucoup de vices.

victime [viktim], n. f., celui qui est blessé ou tué : *il a été victime d'un accident.*

victoire [viktwar], n. f., le fait d'avoir vaincu (d'avoir gagné, d'être le plus fort) : *il n'a pas voulu se reposer après sa victoire.*

vide [vid], adj., où il n'y a rien : *une bouteille vide.* — n. m., *faire le vide,* enlever, faire partir tout ce qu'il y a dans quelque chose : *son départ a fait le vide dans la salle,* tout le monde est parti quand il est parti. — **à vide,** sans personne dedans : *l'autobus roule à vide.*

vider [vide], v. trans., enlever tout ce qu'il y a dans quelque chose : *il a vidé son verre; il faut vider les lieux,* il faut quitter sa maison ou son appartement en prenant avec soi tout ce qui est dedans.

vie [vi], n. f., le fait de vivre, d'être sur terre : *sa vie a été longue et heureuse; il gagne bien sa vie,* il gagne assez d'argent.

vieil, vieille, voir *vieux.*

vieillard [vjɛjar], n. m., vieil homme : *il faut aider les vieillards.*

vieillesse [vjɛjɛs], n. f., le fait d'être vieux (pour une personne) : *il a une belle vieillesse.*

vieux, vieille; masc. sing. **vieil** devant une voyelle : *un vieil homme* [vjø, vjɛj], adj., **1.** qui a vécu beaucoup d'années : *un vieil homme; une vieille femme; une vieille dame.* **2.** qui existe (qui est) depuis longtemps : *un vieux livre; une vieille robe;* fam., *vieux comme les rues,* très vieux.

vif, vive [vif, viv], adj., **1.** qui remue très vite : *un mouvement vif; cet enfant est très vif.* **2.** qui se met vite en colère : *cet homme est vif, mais il a bon cœur.* **3.** *vif* a quelquefois le sens de « vivant » : *Jeanne d'Arc a été brûlée vive; il faut prendre cet homme mort ou vif; je lui répondrai de vive voix,* en lui parlant (et non en lui écrivant).

vigne [viɲ], n. f., **1.** plante qui donne les raisins (fruits qui servent à faire le vin) : *on voit de belles vignes sur la colline; un pied de vigne.* **2.** terrain planté de vigne : *il travaille dans sa vigne.*

vigneron [viɲrɔ̃], n. m., celui qui cultive la vigne : *le vigneron taille sa vigne.*

vigoureux, euse [vigurø, øz], adj., fort, solide : *un homme vigoureux, un arbre vigoureux.*

vigueur [vigœr], n. f., force : *il s'est défendu avec vigueur;* fig., *cette loi est toujours en vigueur,* elle existe toujours.

villa [vila] n. f., belle maison au bord de la mer ou à la campagne : *il passe ses vacances dans la villa de son oncle.*

village [vilaʒ], n. m., groupe de maisons à la campagne (un village est plus petit qu'une ville) : *cinq cents personnes vivent dans ce village.*

ville [vil], n. f., ensemble important de maisons : *il a quitté son village pour aller travailler à la ville; grande ville,* ville très importante; *petite ville,* ville peu importante.

vin [vɛ̃], n. m., liquide produit en écrasant les raisins (le fruit de la vigne) : *il a bu du vin à son déjeuner; du vin rouge, du vin blanc, un vin vieux.* — EXPRESSIONS : *il est pris de vin,* il a bu trop de vin, il est ivre; *il a le vin mauvais,* il est méchant quand il a bu trop de vin; *il a mis de l'eau dans son vin,* il est devenu moins dur.

vingt [vɛ̃, vɛ̃ t devant voyelles : *vingt hommes* : vɛ̃ t ɔm ; on dit aussi avec t *vingt et un, vingt-deux,* etc.], n. de nombre, 20 : *ce jeune homme a vingt ans.*

vingtaine [vɛ̃tɛn], n. f., environ 20 : *j'ai lu une vingtaine de lignes de sa lettre.*

vingtième [vɛ̃tjɛm], n. de nombre ordinal, **1.** qui vient après dix-neuf autres : *cet élève est le vingtième de la classe.* **2.** une des vingt parties d'un ensemble : 5 *est le vingtième de* 100.

vinaigre [vinɛgrə], n. m., liquide aigre tiré du vin : *on met du vinaigre dans la salade.*

violence [vjɔlɑ̃s], n. f., le fait d'être violent : *on a peur de cet homme à cause de sa violence.*

violent, e [vjɔlɑ̃, ɑ̃t], adj., qui n'est pas doux, qui fait les choses tout d'un coup et avec force : *un homme violent; un vent violent; mort violente,* mort qui n'est pas causée par une maladie, mais par une blessure ou un accident.

violet, ette [vjɔlɛ, ɛt], adj., qui est d'une couleur entre le bleu et le rouge : *ses mains sont violettes de froid.*

violette [vjɔlɛt], n. f., petite fleur de couleur violette : *il a offert à sa sœur des violettes de la forêt.*

violon [vjɔlɔ̃], n. m., instrument de musique : *il a appris à jouer du violon.*

virage [viraʒ], n. m., endroit où une route tourne : *il est dangereux d'aller trop vite dans les virages.*

virgule [virgyl], n. f., petit signe (,) qu'on met entre deux mots pour marquer que l'on s'arrête légèrement : *n'oubliez pas de mettre des virgules.*

vis [vis], n. f., sorte de clou que l'on fait entrer en tournant.

visage [vizaʒ], n. m., figure, devant de la tête : *il a un visage agréable.* — EXPRESSIONS : *il m'a fait bon visage,* il m'a bien reçu; *j'ai trouvé visage de bois,* j'ai trouvé la porte fermée (personne ne m'a ouvert).

visite [vizit], n. f., **1.** le fait d'aller voir quelqu'un : *je lui ai rendu visite,* je suis allé le voir; *j'ai reçu sa visite,* il est venu me voir; *carte de visite,* carte qui porte le nom d'une personne et l'endroit où elle habite. **2.** se dit en particulier du médecin qui va voir les malades : *ce médecin a déjà fait plusieurs visites ce matin.* **3.** action d'aller dans toutes les parties d'une maison : *une visite d'usine.*

visiter [vizite], v. trans., aller voir (se dit surtout quand on va dans toutes les parties d'une maison) : *il m'a fait visiter son appartement.*

vite [vit], adv., de façon rapide : *il court vite; le temps passe vite; venez vite.*

vitesse [vitɛs], n. f., qualité de ce qui va vite, de ce qui est rapide : *le train arrive à toute vitesse,* très vite.

vitre [vitrə], n. f., verre mis à une fenêtre : *elle nettoie la vitre avec un chiffon.*

vivement [vivmɑ̃], adv., de façon vive : il lui a répondu vivement.

vivre [vivrə] *(je vis, tu vis, il vit, nous vivons, vous vivez, ils vivent; je vivais; je vécus; je vivrai; que je vive; vécu),* v. intr., **1.** être en vie, pouvoir remuer, respirer, sentir, etc. : *il a vécu très vieux.* **2.** habiter : *il a toujours vécu dans cette maison.* — **vivant, e,** adj., **1.** qui vit : *il est vivant; langue vivante,* langue que l'on parle maintenant, comme le français ou l'anglais (contraire : *langue morte*). **2.** qui donne l'image de la vie : *ces tableaux sont très vivants.* — **vivant,** n. m., celui qui vit : *il est toujours du nombre des vivants,* il vit toujours; *un bon vivant,* un homme qui aime s'amuser.

vocabulaire [vɔkabylɛr], n. m., ensemble de mots d'une langue, d'un art, d'un métier, etc. : *le vocabulaire de la peinture.*

voici [vwasi], adv., sert à montrer quelqu'un ou quelque chose qui est près : *voici mon meilleur ami; voici le livre que vous m'avez demandé.*

voie [vwa], n. f., **1.** rue, route, chemin : *la voie publique,* toutes les rues, routes, etc., où tout le monde peut aller. **2.** (dans les chemins de fer) les rails : *il est défendu de traverser les voies*; *le train s'est arrêté en pleine voie,* en dehors d'une gare. **3.** *voie d'eau,* trou dans un bateau, par où l'eau entre. — EXPRESSIONS : *il cherche sa voie,* il cherche ce qu'il pourra faire dans la vie; *il est sur la bonne voie,* il a pris un bon départ dans la vie; *il est sur la voie du résultat,* il va arriver au résultat; *je l'ai mis sur la voie,* je l'ai aidé à trouver. — **par voie de, par la voie de,** au moyen de : *par voie de mer,* par bateau; *par voie de terre,* par le train ou par la route; *par la voie des airs,* par avion.

voilà [vwala], adv., sert à montrer quelqu'un ou quelque chose qui est loin (ou quelquefois aussi qui est près) : *voilà une boîte d'allumettes.*

1. voile [vwal], n. m., tissu qui sert à couvrir : *l'infirmière a la tête couverte d'un voile bleu.*

2. voile [vwal], n. f., grande pièce de toile qui reçoit le vent pour faire marcher les bateaux : *une voile carrée; bateau à voiles,* bateaux qui marche avec des voiles; *nous avons mis à la voile,* nous sommes partis sur la mer; *le bateau fait voile vers l'Angleterre,* il s'en va vers l'Angleterre; *vol à voile,* vol avec un avion sans moteur.

voir [vwar] *(je vois, tu vois, il voit, nous voyons, vous voyez, ils voient; je voyais; je vis; je verrai; que je voie; vu),* v. trans., **1.** se servir de ses yeux pour connaître : *je vois une maison sur la colline; je l'ai vu de mes yeux,* je l'ai vu moi-même. **2.** comprendre : *je ne vois pas les choses comme vous.* **3.** *aller voir quelqu'un,* aller chez lui : *j'irai vous voir dimanche.* — **voyons!** interjection, **1.** se dit quand on va étudier une chose de près. **2.** se dit pour faire savoir à quelqu'un qu'il se conduit mal ou se tient mal.

voisin, ine [vwazɛ̃, in], adj., qui est près de quelque chose : *la forêt est voisine de la mer.* — n. m. et f., celui (celle) qui habite près d'une personne : *nous avons des voisins très agréables.*

voiture [vwatyr], n. f., **1.** véhicule qui sert à transporter des personnes ou des choses et qui est tiré par un cheval : *une voiture à deux roues, à quatre roues.* **2.** auto : *montez dans ma voiture.* **3.** (dans les trains) wagon de voyageurs : *nous sommes montés dans la première voiture; en voiture!* ce que crient les employés du chemin de fer avant le départ du train (pour que les voyageurs montent dans les voitures).

voix [vwa], n. f., **1.** les sons (les bruits) produits par la bouche : *j'entends la voix de mon frère.* **2.** avis que l'on donne pour ou contre quelqu'un ou quelque chose et qui est compté : *je ne lui donnerai pas ma voix; on va aux voix,* on vote (chacun doit faire savoir s'il est pour ou contre).

1. vol [vɔl], n. m., action d'aller dans l'air : *le vol d'un oiseau, d'un avion; prendre au vol,* pendant le vol; *une vue à vol d'oiseau,* un dessin qui représente une ville ou une région comme on la verrait d'en haut; *il y a entre ces deux villes vingt kilomètres à vol d'oiseau,* vingt kilomètres en ligne droite.

2. vol [vɔl], n. m., action de prendre quelque chose qui est à une autre personne : *il a vécu de ses vols.*

volcan [vɔlkɑ̃], n. m., montagne d'où peut quelquefois sortir de la fumée ou du feu : *le Vésuve et l'Etna sont des volcans.*

1. voler [vɔle], v. intr., aller dans l'air : *les oiseaux volent haut; cet avion a volé de Paris à Londres;* fig., aller très vite : *j'ai volé pour venir vous aider.*

2. voler [vɔle], v. trans., prendre quelque chose qui est à une autre personne : *il a volé de l'argent à son camarade.*

volet [vɔlɛ], n. m., plaque de bois ou de métal que l'on met devant une fenêtre : *nous fermons nos volets pendant la nuit.*

voleur, euse [vɔlœr, øz], n. m. et f., celui (celle) qui vole (qui prend ce qui est à une autre personne) : *la police a arrêté les voleurs.*

volontaire [vɔlɔ̃tɛr], adj. et n. m. et f., **1.** qui fait quelque chose sans y être forcé : *il est volontaire pour faire ce travail.* **2.** qui veut faire tout ce qui lui plaît : *cet enfant est très volon taire.*

volonté [vɔlɔ̃te], n. f., **1.** qualité de celui qui sait vouloir : *il faut beaucoup de volonté pour arriver à un bon résultat.* — EXPRESSIONS : *il montre de la bonne volonté,* il fait tout ce qu'il peut; *il met de la mauvaise volonté,* il ne fait pas tout ce qu'il peut; *pain à volonté* (dans un restaurant), on peut manger autant de pain qu'on veut. **2.** plur. *volontés,* ce qu'on veut : *il a écrit ses dernières volontés,* son testament (ce qu'il veut qu'on fasse après sa mort); *on lui passe toutes ses volontés* (ou *ses quatre volontés*), on lui laisse faire tout ce qu'il veut.

volontiers [vɔlɔ̃tje], adv., avec plaisir : *j'irai volontiers vous voir.*

volume [vɔlym], n. m., **1.** espace occupé par quelque chose : *il n'a pu me dire le volume de ses valises;* fig. et fam., *il fait du volume,* il cherche à être remarqué. **2.** livre (masc.) : *ne laissez pas tomber ce volume.*

vomir [vomir], v. trans., rendre par la bouche ce qu'on a mangé ou bu : *la malade a vomi son dîner.*

vos [vo; vo z devant un mot qui commence par une voyelle : *vos enfants;* vo z ɑ̃fɑ̃], adj. poss. plur. de la 2e personne du plur., qui sont à vous (peut se dire à une seule personne) : *pensez à vos parents.*

vote [vɔt], n. m., **1.** action de voter : *il y a eu un vote sur cette question; le droit de vote,* le droit de voter; *bulletin de vote,* petite feuille de papier qui sert à voter. **2.** l'avis donné par chacun quand on vote : *on a compté les votes.*

voter [vɔte], v. intr., donner un avis qui sera compté pour ou contre quelqu'un ou quelque chose : *tout le monde a voté; j'ai voté pour lui (contre lui); j'ai voté blanc,* je n'ai voté ni pour lui ni contre lui. — v. trans., décider par un vote : *cette loi a été votée hier.*

votre [vɔtrə], adj. ou déterminatif possessif sing. de la 2e personne du plur. (peut se dire à une seule personne) : *vous avez oublié votre montre* (plur. : **vos**).

vôtre, plur. **vôtres** [vo:trə] (avec *le, la, les*), pron. possessif de la 2e personne du pluriel (peut se dire à une seule personne) : *mon crayon et le vôtre; mes habits sont plus longs que les vôtres.* — *les vôtres,* les personnes de votre famille : *comment vont les vôtres?*

vouloir [vulwar], *(je veux, tu veux, il veut, nous voulons, vous voulez, ils veulent; je voulais; je voulus; je voudrai; que je veuille, que nous voulions, que vous vouliez;* impér. : 2e pers. plur. *veuillez; voulu*), v. trans.; **1.** avoir décidé avec force d'avoir quelque chose, de faire quelque chose, que quelque chose soit fait : *je veux ce crayon; il veut partir aujourd'hui; je veux que vous vous taisiez; faites ce que vous voudrez.* PROVERBE : *Vouloir, c'est pouvoir,* quand on veut vraiment faire quelque chose, on trouve le moyen de le faire. **2.** *je voudrais,* se dit de façon polie au lieu de « je veux », par exemple chez l'épicier on dit : *je voudrais un kilo de sucre.* **3.** *veuillez,* se dit de façon polie pour commander : *veuillez vous asseoir.* **4.** *ne pas vouloir de quelqu'un ou de quelque chose,* dire non à celui qui présente cette personne ou cette chose : *je ne veux pas de cet homme pour travailler dans mon jardin.* **5.** *vouloir bien,* dire « oui » à celui qui demande quelque chose : *je veux bien faire ce que vous me demandez.* **6.** *vouloir dire, a*) avoir dans l'esprit : *vous ne comprenez pas ce que je veux dire; b*) avoir comme sens : *que veut dire ce mot?* **7.** *en vouloir à quelqu'un,* avoir de mauvais sentiments pour quelqu'un parce qu'il a fait quelque chose de mal : *je lui en veux beaucoup de n'avoir pas été poli.*

vous [vu, vu z devant voyelle : vous êtes : vu z εt], pron. personnel de la 2e personne du pluriel, **1.** en parlant à plusieurs personnes : *vous êtes mes amis; je vous ai vus* (ou *vues*); *il pense à vous.* **2.** en parlant à une seule personne : *vous êtes mon ami; je vous ai vu* (ou *vue*)*; il pense à vous.* — **vous-mêmes (vous-même),** vous en personne (et pas d'autres) : *faites cela vous-mêmes* (à plusieurs personnes); *faites cela vous-même* (à une seule personne).

voyage [vwajaʒ], n. m., action d'aller assez loin : *il a fait un voyage en Italie.*

voyager [vwajaʒe] (*ge* devant *a* et *o : voyageons*), v. intr., aller assez loin : *il voyage pour son plaisir (pour ses affaires).*

voyageur, euse [vwajaʒœr, øz], n. m. et f., **1.** celui (celle) qui voyage : *c'est un grand voyageur,* il voyage beaucoup; *voyageur de commerce,* celui qui va présenter des marchandises aux clients. **2.** celui (celle) qui est dans un train : *beaucoup de voyageurs sont descendus du train à Lyon.*

voyelle [vwajεl] n. f., (grammaire) B, Z, R, *sont des consonnes* ; A, I, U, *sont des voyelles.*

vrai, e [vrε], adj., qui ne ment pas, qui ne trompe pas : *tout ce qu'il raconte est vrai; il dit vrai,* il dit la vérité; *une histoire vraie.*

vraiment [vrεmɑ̃], adv., de façon vraie, sans qu'on puisse s'y tromper : *il est vraiment arrivé; le temps est vraiment beau.*

vraisemblable [vrεsɑ̃blablə], adj., qui pourrait être vrai : *cette histoire est vraisemblable.*

vue [vy], n. f., **1.** sens qui permet de voir : *il a une bonne vue,* il a de bons yeux, il voit loin; *il a une mauvaise vue,* il a de mauvais yeux, il voit mal; *il a perdu la vue,* il est devenu aveugle. **2.** action de voir : *il s'est sauvé à la vue de son maître,* quand il a vu son maître. — EXPRESSIONS : *à première vue,* sans regarder de plus près : *à première vue il a l'air intelligent; perdre de vue,* voir *perdre, 3 ; on le garde à vue,* on ne le quitte pas des yeux; *à vue d'œil,* très vite : *il maigrit à vue d'œil; à perte de vue,* très loin : *on voit à perte de vue,* **3.** ce qu'on voit : *on a une belle vue du haut de cette colline.* **4.** image qui représente ce qu'on voit : *il m'a envoyé des jolies vues de son pays.* **5.** idée : *il m'a dit ses vues sur cette question.* — **en vue de,** pour : *il prépare sa valise en vue de son voyage.*

W, X, Y, Z,

wagon [vagõ], n. m., voiture de chemin de fer : *nous sommes montés dans*

Wagon de marchandises.

le premier wagon; wagon de voyageurs, wagon de marchandises; wagon-res-

Wagon de voyageurs.

taurant, wagon où les voyageurs peuvent prendre leurs repas; *wagon-lit,* wagon où les voyageurs peuvent se coucher.

y [i], **1.** adv., marque l'endroit où l'on est ou l'endroit où l'on va : *j'y suis, j'y reste; j'y vais.* **2.** pron. personnel, comme *à* suivi d'un pronom, en parlant des choses : *j'y pense toujours,* je pense toujours à cela.

zéro [zero], n. m., **1.** chiffre qui sert à écrire les nombres (0) : *il faut ajouter un zéro.* **2.** *c'est un zéro,* c'est un homme qui n'est bon à rien.

zone [zon], n. f., région, partie de la terre : *autour des villes on ne doit pas construire de maisons dans certaines zones.*

zoo [zoo], n. m., jardin où l'on garde des animaux rares ou venant de pays éloignés (lointains) : *le zoo de cette ville est très curieux.*

PAYS ET RÉGIONS DU MONDE

Les *noms des pays et des régions* sont suivis de l'indication du genre.

Les *noms des habitants* sont donnés sous leur forme masculine; puis on indique comment on forme le féminin. Quand une seule forme est donnée elle sert pour les deux genres.

Les noms des habitants servent à la fois de noms et d'adjectifs. Comme noms, ils commencent par une grande lettre. Comme adjectifs, ils commencent par une petite lettre : *une Anglaise, une dame anglaise.*

Noms des Pays et Régions	Noms des habitants
EUROPE, f.	EUROPÉEN, ENNE
Albanie, f.	Albanais, aise.
Allemagne, f.	Allemand, ande.
Angleterre, f.	Anglais, aise.
Autriche, f.	Autrichien, enne.
Belgique, f.	Belge.
Bulgarie, f.	Bulgare.
Danemark, m.	Danois, oise.
Écosse, f.	Ècossais, aise.
Espagne, f.	Espagnol, ole.
Finlande, f.	Finlandais, aise.
France, f.	Français, aise.
Grande-Bretagne, f.	Britannique.
Grèce, f.	Grec, Grecque.
Hongrie f.	Hongrois, oise.
Irlande, f.	Irlandais, aise.
Islande, f.	Islandais, aise.
Italie, f.	Italien, enne.
Luxembourg, m.	Luxembourgeois, oise.
Norvège, f.	Norvégien, enne.
Pays-Bas, m. plur.	Néerlandais, aise.
(Hollande, f.)	Hollandais, aise.
Pays de Galles, m.	Gallois, oise.
Pologne, f.	Polonais, aise.
Portugal, m.	Portugais, aise.
Roumanie, f.	Roumain, aine.
Russie, f.	Russe.
Suisse, f.	Suisse (au fém. Suissesse, seulement comme nom).
Tchécoslovaquie, f.	Tchécoslovaque.
Turquie, f.	Turc, turque.
URSS, f.	Soviétique.
Yougoslavie, f.	Yougoslave.
AFRIQUE, f.	AFRICAIN, AINE
Afrique du Nord, f.	Nord-Africain, aine.
Afrique du Sud, f.	Sud-Africain, aine.
Algérie, f.	Algérien, enne.
Cameroun, m.	Camerounais, aise.
Centrafricaine (République)	Centrafricain, aine.
Congo, m.	Congolais, aise.

Côte d'Ivoire, f.	Ivoirien, enne.
Dahomey, m.	Dahoméen, enne.
Égypte, f.	Égyptien, enne.
Ethiopie, f.	Éthiopien, enne.
Gabon, m.	Gabonais, aise.
Ghana, m.	Ghanéen, enne.
Guinée, f.	Guinéen, enne.
Haute-Volta, f.	Voltaïque.
Libéria, m.	Libérien, enne.
Madagascar, m. [1].	Malgache.
Mauritanie, f.	Mauritanien, enne.
Mali, m.	Malien, enne.
Maroc, m.	Marocain, aine.
Niger, m.	Nigérien, enne.
Nigéria, m.	Nigérien, enne.
République arabe unie.	
Rhodésie, f.	Rhodésien, enne.
Sahara, m.	Saharien, enne.
Sénégal, m.	Sénégalais, aise.
Somalie, f.	Somalien, enne.
Soudan, m.	Soudanais, aise.
Tchad, m.	Tchadien, enne.
Togo, m.	Togolais, aise.
Tunisie, f.	Tunisien, enne.
ASIE, .	ASIATIQUE
Afghanistan, m.	Afghan, ane.
Arabie, f.	Arabe.
Birmanie, f.	Birman, ane.
Cambodge, m.	Cambodgien, enne.
Ceylan, m. [1].	Ceylanais, aise.
Chine, f.	Chinois, oise.
Chypre, f. [1].	Chypriote ou Cypriote.
Corée, f.	Coréen, enne.
Inde, f.	Indien, enne.
Irak, m.	Irakien, enne.
Iran, m.	Iranien, enne.
Israël, m. [1].	Israélien, enne.
Japon, m.	Japonais, aise.
Jordanie, f.	Jordanien, enne.
Laos, m.	Laotien, enne.
Liban, m.	Libanais, aise.
Malaisie, f.	Malais, aise.
Mandchourie, f.	Mandchou, oue; plur. ous, oues.
Mongolie, f.	Mongol, ole.
Népal, m.	Népalais, aise.
Pakistan, m.	Pakistanais, aise.
Philippines (Iles), f. pl.	Philippin, ine.
Sibérie, f.	Sibérien, enne.
Syrie, f.	Syrien, enne.
Thaïlande, m.	Thaïlandais, aise.
(Siam, m.).	(Siamois, oise).
Tibet, m.	Tibétain, aine.
Vietnam, m.	Vietnamien, enne.
Yémen, m.	Yéménite.

AMÉRIQUE	AMÉRICAIN, AINE
Antilles, f. pl.	Antillais, aise.
Argentine (République), f.	Argentin, ine.
Bolivie, f.	Bolivien, enne.
Brésil, m.	Brésilien, enne.
Canada, m.	Canadien, enne.
Chili, m.	Chilien, enne.
Colombie, f.	Colombien, enne.
Costa-Rica, m.[1].	Costaricien, enne.
Cuba, m.[1].	Cubain, aine.
Dominicaine (République), f.	Dominicain, aine.
Équateur, m.	Equatorien, enne.
États-Unis, m. pl.	Américain, aine.
Guadeloupe, f.[2].	Guadeloupéen, enne.
Guatemala, m.	Guatémaltèque.
Guyane, f.	Guyanais, aise.
Haïti, m.[1].	Haïtien, enne.
Honduras, m.	Hondurien, enne.
Mexique, m.	Mexicain, aine.
Martinique, f.[2].	Martiniquais, aise.
Nicaragua, m.	Nicaraguayen, enne.
Panama, m.[1].	Panaméen, enne.
Paraguay, m.	Paraguayen enne.
Pérou, m.	Péruvien, enne.
San-Salvador, m.[1].	Salvadorien, enne.
Terre-Neuve, f.[1].	Terre-Neuvien, enne.
Uruguay, m.	Uruguayen, enne.
Venezuela, m.	Vénézuélien, enne.

OCÉANIE	OCÉANIEN, ENNE
Australie, f.	Australien, enne.
Indonésie, f.	Indonésien, enne.
Nouvelle-Calédonie, f.	Néo-Calédonien, enne.
Nouvelle Zélande, f.	Néo-Zélandais, aise.
Polynésie, f.	Polynésien, enne.
Tahiti, m.[1].	Tahitien, enne.

(1) Ces noms de pays et de régions s'emploient toujours sans article.
(2) Ces deux noms d'îles s'emploient toujours avec l'article défini.

Imprimé en France
TYPOGRAPHIE FIRMIN-DIDOT ET Cie. — MESNIL (EURE). — 9148
Dépôt légal : 4e trimestre 1961.